文春文庫

名君の碑

保科正之の生涯

中村彰彦

文藝春秋

目次

名君の碑《いしぶみ》

保科正之の生涯

お静の方

ている。

「江戸城」

と呼ばれる城を初めて築いたのが、室町時代の武将太田道灌《どうかん》だったことはよく知られている。

しかし足利幕府が衰え、戦国乱世の時代となってからも、まだ江戸には茅《かや》ぶき屋根の家が百いくつか、ちらほらと建っているだけだった。

今日の福島県二本松市には、「安達ヶ原の鬼婆ァ」という古い伝説があり、その住まいの跡といわれる奇怪な黒塚も現存している。戦国の世の江戸を旅することは、鬼婆ァの影におびえながら安達ヶ原をゆくのとなんら変わりはなかったろう。

この江戸の人口がにわかに増加したきっかけは、天正十八年（一五九〇）七月、時の天下人太閤秀吉が徳川家康を、それまでの駿河・遠江《とおとうみ》・甲斐・信濃・三河五カ国から関八州二百五十万石へと移封したことにある。

刀狩りをおこなった秀吉にならい、家康も兵農分離を押しすすめたから、江戸は城のまわりをかこむ武家地とその外側の町人町、そして郊外の農村地帯に大別されて次第に日本一の城下町へと育ってゆくことになる。

だが、このころ江戸に住みついた侍たちは、かならずしも徳川家の家臣団ばかりではなかった。一例をあげれば、

「剣聖」

とたたえられる不敗の剣士伊藤一刀斎の高弟神子上《みこがみ》典膳――のちの小野派一刀流開祖小野次郎右衛門《じろうえもん》忠明も、この時期江戸へあらわれて無法者を一刀のもとに斬り伏せ、家康に兵法指南役として召しかかえられている。

いわば江戸の町は、徳川家の家臣団とそのいずれかの家筋への仕官を願う牢人たち、なにかの職を得ようとして諸国から流れてきた職人たち、そしてこれらのひとびとを相手に商売をはじめる商人たちでにわかににぎわいを見せたのである。

小石を池に投げ入れると、生じた波紋はじょじょに輪のようにひろがって池全体を波立たせる。江戸の郊外に土着する他国者がめだつようになったのも、この波紋のような現象のひとつだった。

日本橋を去ること北西へ二里半、中山道を上れば最初の宿場である板橋の宿と近在の村々にあっては、さらにきわだった傾向があった。地つきの者にたちまじって田畑をひらきはじめた男たちに、先ごろまで小田原北条家につかえていた侍が多かったことである。

板橋はもとは北条家の家臣太田氏の知行地で、さらにその家来筋の板橋氏に配分され

ていた。そんな地縁のあることから、北条氏の滅亡後、牢人してこの地へ流れてきた者たちがめだったのである。

　そのひとりに、竹村という草深い村里に住みついた品のよい白髪髷《しらがまげ》の老人がいた。神尾《かんのお》伊予、諱《いみな》を栄加《えいか》という。

　神尾伊予はすでに妻に先立たれてはいたが、上から順に嘉右衛門《かうえもん》、お栄、お静、才兵衛と名づけた二男二女が一緒だったから、さほど淋しそうでもなかった。

　それはひとつには、まもなく嘉右衛門が前髪を落とし、弟の才兵衛とともに日々の野良仕事をこなしはじめたためでもあった。手隙になった伊予は、頼まれれば大工仕事も器用にこなしたので、いつか神尾家の人々は竹村の住人たちの間に溶けこんでいった。

　朝は夜明けとともに起きるお栄とお静は、まず庭に出て富士山にむかって手を合わせてから鶏の卵を採り、炊事をはじめる。兄たちふたりを送り出すと近くの小川へ行って洗濯し、庭先の物干し竿に洗濯物をずらりとならべる。それからお栄は掃除やつくろいものにとりかかり、お静は約束してある農家へ子守にゆく。

　この姉妹はそんな毎日を送るうちに少しずつふくよかなからだつきになって、肌の色もぬけるように白くなっていった。

　そろって目鼻だちのととのっているふたりは、武家の娘らしく髪はその前髪を切りそろえて根を白元結でむすび、当世風の根結いのおすべらかしにして長く背へ流していた。

　それとは対照的に、色合いのあせた古小袖の腰には二寸幅の女帯をちょんと折りこむだけ。いつも素足でいる足もとにも、粗末な藁草履《わらぞうり》をつっかけているだけだった。

しかしふたりは、そんな貧しさをまったく気にしてはいなかった。野良帰りの村びとに会えば、

「こんにちは」

あるいは、

「こんばんは」

と自分たちから笑顔で挨拶するあかるさだったから、

（あの姉妹のどちらかを、おらがせがれの嫁に）

と考える村びとの数は、次第に多くなっていった。

なかには人を介して、神尾伊予に思いきって申し入れた者もいる。

そんな時の、伊予の答えはきまっていた。いつもおだやかなかれは、この時ばかりは背筋をしゃんとのばしてきっぱりと告げた。

「いや、当家の娘たちの嫁ぐ先は、武家でなければならぬのだ」

早く婚家の父母やそのしきたりに慣れるようにと、士農工商の別を問わず十四、五歳で嫁ぐ娘の珍しくない時代のことである。神尾家の器量良しの姉妹は少しずつ嫁《ゆ》き遅れのきざしを見せはじめた。

だが待った甲斐があったというべきか、関ヶ原の戦いもおわり、家康が初代将軍となって江戸幕府をひらいたころ、姉のお栄は神田白銀丁《しろがねちょう》へ嫁いでいった。

相手の名は、竹村助兵衛《すけのひょうえ》。やはり北条家の旧臣ながら四条与左衛門という者の屋敷内に家を借り、いまは代筆、八卦見《はっけみ》、刀剣の鑑定と販売などをなりわいとしている人物

だった。

長女お栄が嫁いだのにつづき、神尾家の長男嘉右衛門も妻をむかえた。同時にその末弟才兵衛は、兄夫婦に遠慮して別家を立てた。

とはいえ嘉右衛門の新妻お光は老いたる伊予によくつかえ、お静をうとんじることもなかったから、神尾家になんら問題は起こらなかった。

「あとは嘉右衛門と才兵衛が、首尾よく仕官の口を見つけてくれさえすれば万々歳じゃ。お静も、どこぞへ行儀見習いにゆけるとよいのう」

口癖のようにつぶやくようになった伊予は、そのころから小ざっぱりした衣服に着更え、杖を引いてどこかへ出かけることが多くなった。

伊予の次女お静は、天正十二年（一五八四）生まれ。家康が将軍職を三男秀忠にゆずり、

「大御所」

と称していた慶長十年（一六〇五）には、もうかぞえ二十二歳になっていた。

二十三歳、二十四歳とその年齢がすすんでも伊予のめがねにかなう嫁入り先はなく、

（これならば）

と思う奉公先もなかった。

しかし、——。

慶長十三年、お静が二十五歳の春をむかえたころ、長い間伊予が各方面のつてを頼っていた効果がようやくあらわれ、お静の奉公先が不意にきまった。

「侍女がひとり足りなくなったので、そのお静とやらを使ってみたい」

と人を介して伝えてきたのは、江戸城本丸大奥のうちに部屋を与えられている井上半九郎の母であった。当年三十二歳の半九郎は将軍秀忠お気に入りの近習《きんじゅう》のひとりだが、その母は若き日に乳母《めのと》として秀忠につかえたため、いまも大奥にあって、

「大うばさま」

と尊称されているのだという。

「まあ、さような御老女さまのもとへ、わたくしめごときが御奉公に上がってよろしいのでしょうかしら」

こういう話がある、と父から初めて聞かされた時、欲のないお静は切りそろえた前髪をゆらし、切れ長黒目がちの目をまたたかせながらとまどったようにいった。

「なにを申す、そなたとて世が世なら北条家家臣の娘ではないか」

とこれに応じたのは、長兄の嘉右衛門だった。戦国の遺風をしめす大月代茶筅《おおさかやきちゃせん》に結いあげた髷の下から男臭い顔をむけ、嘉右衛門は妹をはげますようにつづけた。

「そなたにも、ようやく運がむいてきたのかも知れぬ。一度御挨拶に参上して人となりを見ていただかねばなるまいが、衣装その他はなんとしてもそろえてやろう。御下問には、粗相なきようにお答えするのだぞ」

嘉右衛門が金策に走るまでもなかった。父の伊予が重代の家宝としていた脇差を売り、その代価をわたしてくれたのである。

「まあ、お父上さま、こんなにたんと……」

お静は皮袋に入れられていた金子をあらためた時、神尾家の命運が一身に託されたことにようやく気づき、身のひきしまる思いがした。

お静は嫂《あによめ》お光に頼んで板橋宿の古着屋へ同道してもらい、少し迷ったあげく小袖数枚をもとめた。季節と重ねて着た時の色目とを考えて一番上にまとうことにしたのは、藤色の地に白い勝虫《かつむし》文様を散らした小袖であった。

勝虫とは、一般にいうトンボのこと。その幼虫ヤゴの鎧武者のような姿、あるいは小さな虫を捕らえて飛ぶトンボの力強さを愛《め》で、武家方ではトンボを勝虫と呼ぶ習慣がある。

そんな心配りが幸いしたのか、それとも聞かれたことには悪びれず答えるお静の気性が気に入ったのか、お静が初めて大奥に参上すると大うばさまは、

「はよう、きてたもれ」

とその場で伝え、支度金をも膝の前へすべらせてくれた。

いまは増改築をかさね、太田道灌のころとは比較しようもない天下の府城となっている江戸城の大奥には、大うばさまのほか、お上﨟《じょうろう》、お年寄、中年寄、お客あしらいなどと呼ばれる三百人近い女性たちが秀忠の正室お江与《えよ》の方につかえてくらしていた。

これらの女性たちは、すべて自分に与えられたお局《つぼね》で、自分づきの女たちのこしらえた食事をとる。お静は大うばさまづきのお給仕役として、大奥に入ることになったのだった。

前例にならって、お静には三石二人扶持《ぶち》と五菜銀《ごさいぎん》六匁《もんめ》が与えられることになった。五菜銀とは自分用の味噌、醤油、塩の購入にあてる費用のことだが、大奥の女たちの得る一人扶持《ぶち》は、

「女扶持」

といわれる一日あたり三合の玄米のことではなく、男扶持の五合を意味した。

お静がさらにいくらかを生活費に使うとしても、三石二人扶持を支給されればかなりの分を実家に仕送りすることができる。ここにようやく神尾家もひと息つき、それを見た伊予はそれからしばらくして満足の笑みをたたえながら生涯をおえた。

老いた父の死は悲しいことには違いなかったが、もうそのころお静の人生は独自の輪郭をととのえつつある。大うばさまに宿下がりの許しを得、伊予の葬儀と初七日の法事とを無事におえたお静は、ふたたび大奥の暮らしへともどっていった。

お静の、大うばさまの給仕役としての心得は、つぎのようなことどもだった。

箸《はし》は杉の白箸ときまっていて、一度きりしか使用してはならない。お鉢は黒塗り蒔絵《まきえ》に井桁《いげた》の紋つきの行器《ほかい》のみを用い、そのなかにしゃもじを入れっぱなしにしてはいけない。

行器はやはり黒塗り蒔絵、紋つきの三方《さんぽう》に乗せてお出しするが、お給仕の際にお盆や三方を差し出すのは不敬にあたるからお茶碗はかならず手で受けわたしする、……。

特に気をつけるべきは、大うばさまはもう歯が弱っているため魚でも煮物でも、とにかくやわらかく調理されているかどうかよく調べてから差しあげる、ということだった。

大奥出入りの呉服商からもとめた反物で縫いあげた染め紋付をまとい、七寸幅、やの字結びの帯を武家の娘らしく胸高に締めてこれらのことをそつなくこなすお静は、以前とおなじなのは根結いのおすべらかしにしている黒髪だけだった。

主人の大うばさまは、すでに容色衰えてはいるものの威厳のある老女で、毎朝きちんと入浴し、時間をかけて化粧をほどこしたあとは、黒地のうちかけをまとってお局のうちの一の間へ移動。違い棚と床の間とを背にし、上座に脇息《きょうそく》をひきよせると、ひねもす人形のように端座して一日を送るのをつねとした。

「たれか、ある」

と大うばさまに呼ばれた時、お静あるいはその同僚たちには縁側から一の間へすすみ、三つ指をついた上に額をつけるようにして御用をうけたまわることが求められた。

大うばさまはこのように、濃いめの化粧の内側に表情と感情とをふたつながら塗りこめたかのごとき静かな日々を送っていた。それでも内心ではよく気のつくお静を気に入っていたらしく、いつしかお静を名ざしで一の間へ呼ぶことがしばしばとなった。

それにしたがい、お静に命じられることの多くなった役目のひとつに、城内に住まう大うばさまの懇意の者へ季節ごとの贈答品を届ける、という仕事があった。

江戸城北の丸の九段坂寄りにひらいた田安門の門内に、

「比丘尼《びくに》屋敷」

と呼ばれる四脚門の屋敷が建っている。この名の示すように、比丘尼屋敷に小人数の家来たちとともに暮らしているのは法名を見性院《けんしょういん》という老尼だった。

お静はほぼ月に一度の割合でこの屋敷にお使いにいったが、見性院はただの老尼ではなかった。見性院は一時代まえ甲斐・信濃両国に覇をとなえた名将武田信玄の次女として生まれ、その姉の子にあたる武田家の有力部将穴山信君《のぶきみ》、入道して梅雪《ばいせつ》の正室となっていた女性だったのである。

元亀四年（一五七三）四月、五十三歳にして武田信玄が逝《ゆ》き、四郎勝頼《かつより》が武田家の家督を相続したあと、穴山梅雪はかれが将たる器ではないことに失望して家康と手をむすんだ。

ところが、この決断から梅雪は数奇な運命をたどることになった。勝頼が家康・信長連合軍に敗れ、天目山に敗死した天正十年（一五八二）、家康と梅雪は信長と会見するため安土へゆき、帰途堺の町へ立ち寄った。

その間に、本能寺の変が勃発。信長の死を知った土豪たちが各地に蜂起するや、梅雪は山城の宇治田原までのがれたところで土豪たちにかこまれ、非業の最期をとげてしまったのである。

その死を哀れんだ家康は、その後出家して見性院となのった梅雪夫人に六百石の知行地と比丘尼屋敷とを与え、なおも面倒を見つづけていた。ともに徳川家とは古いつきあいになる大うばさまと見性院とは、同年輩のこともあってか次第にまじわりを深め、時節ごとに贈答を交わす仲になっていたのである。

その大うばさまの使いとしてやってくるお静のことを、見性院はすぐに帰そうとはしなかった。何人かの侍女と夫穴山梅雪の生きていたころからつかえている侍たち――これらの者たちとともに変化にとぼしい日々を送っている見性院は、お静のことを新しい茶飲み友達のように考えているらしかった。

この見性院は薙髪《ちはつ》した頭部を白い頭巾につつみ、いつも墨染の衣をまとっていたが、信玄の娘にふさわしくなかなか大柄な女性であった。頬もふっくらとしていて鼻筋が通り、目尻にこじわのある細い目がおだやかな印象を与える。

「ではお茶を点《た》てて進ぜましょうほどに、一服してゆきなされ」

大うばさまが息災にしているかどうかたずねたあと、見性院はそういってお静を別棟の茶室へいざなうのをつねとした。

いつもゆったりとした雰囲気をたたえている見性院は、きわめて聞き上手でもあった。そのため何度か比丘尼屋敷へ使いをするうちに、お静の氏素姓はあらかた見性院の知るところとなっていた。

その代わりに見性院は、自分の来し方をも淡々と語った。

穴山梅雪との間には一子勝千代をもうけたが、この勝千代も梅雪の死後まもなく夭折《ようせつ》してしまったこと。

勝頼の敗死によっていったん甲州武田家が滅びたあと、家康が自分の五男万千代を立てて武田家を再興してくれたこと。

その万千代あらため武田七郎信吉《のぶよし》は、家康の所領から初め下総《しもうさ》小金三万石、つぎに下総佐倉五万石を与えられ、関ヶ原の戦いのあとは常陸《ひたち》水戸十五万石へ移封されたものの慶長八年（一六〇三）のうちにわずか二十歳で病死してしまい、子もなかったため武田家はふたたび絶家とされて今日にいたっていること、……。

「大御所さま（家康）が駿府に御健在であらせられるうちにおめもじいたし、いま一度だけ武田家再興をお願いしようか、と考えたこともありましたけれど、もうわらわも足弱になってしまってとても駿府まではゆかれません。家にも人とおなじく定命《じょうみょう》というものがあるのだと思って、近ごろはすっぱりと諦めました」

見性院はお静に、問わず語りにしんみりとうちあけたこともある。

またある時見性院は笑顔でお静をむかえ入れ、今日は八王子から妹が遊びにきているからぜひ顔を見せてゆくように、とはなやいだ口調でいったこともあった。

この時、遠慮しながらもどうにもことわりきれなくなってにじり口から茶室へ身を入れたお静は、目の前に端座する女性をひと目見た瞬間、思わず目をみはっていた。見性院の妹は姉とおなじ尼僧姿とはいえ、あまりに﨟《ろう》たけた面ざしの持ち主だったのである。

色白のうりざね顔にはまつ毛の長い切れ長な瞳とたおやかな鼻筋、ちょんと紅を差しさえすればどんなにか可愛らしいだろうと思いたくなる小さくてふっくらとした唇が、姿よくおさまっている。

（なんとお美しいお方）

と思うとお静はどぎまぎし、挨拶するのをすっかり忘れてしまったほどだった。

「こちらは、あの大うばさまにおつかえするお静さん。時々お使いにきて下さるの」

先に入室していた見性院の声にようやくわれに返り、お静が顔が火照るのを感じながら頭を下げると、

「信松院《しんしょういん》でございます。姉上がおせわになっているそうな、わらわからもおん礼申しあげます」

と、やわらかな声が通った。

信松院は、もとの名を武田松姫。見性院とは腹違いながら信玄の六女として生まれ、永禄十年（一五六七）まだ七歳の童女の時に、織田信長の長男奇妙丸と結納をとりかわしたことで世に知られた。

しかしこの婚約は、ついに挙式にはいたらずにおわる運命にあった。織田家と武田家は、まもなく手切れしてふたたび敵対関係となったからである。

父信玄の死後、実の兄仁科《にしな》五郎盛信の守る信州高遠《たかとお》城に身を寄せていた松姫は、織田勢が城をかこむ前に高遠を脱出。八王子へのがれる途中に高遠落城と盛信の死を知り、その年のうちにかつての許婚《いいなずけ》奇妙丸あらため織田信忠も本能寺の変に際して二条御所で無念の死をとげた、との報に接したのだった。

これらの有為転変こそ、松姫が髪を下ろした理由にほかならない。

信松院という法名の「松」の字はその俗名に由来するが、「信」の字の方は信玄、盛信、信忠の三者に共通している。信松院はこれら三人の菩提をとむらいながら、八王子におこないすましているのだった。

八王子というところに、お静はいったことはない。しかし、自分とともにコの字型に座っている見性院、信松院の口から出たこの地名に、お静はなにかなつかしい響きを感じていた。

（ああ、そうでした）

一礼して見性院の点《た》ててくれたお薄を口にふくんだ時、お静はなぜ自分がそう思うのかにようやく気づいた。

八王子も板橋同様かつては小田原北条氏の所領に属し、北条氏第四世相模守氏政《さがみのかみうじまさ》が太閤秀吉に降《くだ》った当時は、その弟の陸奥守《むつのかみ》氏照が八王子城に入っていた。そんなことから父の伊予は何度も八王子へ旅したことがあったらしく、生きていたころには時おり八王子の山の深さ、谷川の水の冷たさについてお静に語ってくれたものであった。

さりげなくそう伝えると、

「まあ、そもじのお父上は北条家のお侍だったのですか」

信松院は、にわかにしみじみとした口調になってつぶやいた。

「するといまここにいるわらわたち三人は、ともに滅んでしまった一族の裔《すえ》ということになるのでしょうか。その三人が、それぞれ将軍家の御厄介になって生きのびているというのも不思議な定めですこと」

「いえ、わたくしの父は、ただ北条家におつかえしていただけでございますから」

甲州武田家のような名族とくらべられては、きまりが悪い。そう思ってお静は遠慮がちにことばを返したが、内心では信松院が自分を身内のように見てくれたのがうれしくてならなかった。

（ほんに今日は、すてきなお方にお会いできてよかった）

と思いながら、お静は本丸奥御殿へともどっていった。

これらのお使いとは別に、お静には大うばさまのお局へやってくる人々にお茶やお菓子を差しあげる、という仕事もあった。

いうまでもなく大奥は、原則として男子禁制の場所である。女たちの飼う犬や猫さえ牝とかぎられていたから、大うばさまのお客の女性たちには宇治茶と甘いものを出しさえすればまずまちがいはなかった。

ただし、ただひとつだけ例外があった。時に将軍秀忠が、大うばさまの御機嫌うかがいにやってくる場合である。

秀忠が大うばさまを訪れるのは、正室お江与《えよ》の方のもとへ泊まりにきた日の夕刻か、その後朝《きぬぎぬ》の、大奥から表御殿へ去るついでの時にかぎられている。

「朝のおわたりの時には濃いめの宇治茶とお菓子を、日が暮れてからの時には夕餉《ゆうげ》のさまたげにならぬよう薄いお茶とほんのひとつまみのお菓子を差しあげるのですよ」

と、お静は古参のおつきの者から教えられていた。

将軍秀忠の訪問を受けた時、大うばさまはいつも端座している一の間の上座から下座にうつり、秀忠を上座にまねいて少しの間物語りをする。

「竹千代さまと国松さまは、おすこやかでいらっしゃいましょうか」

染め紋付にやの字結びの帯を胸高に締めたお静が二の間との境の襖《ふすま》をそろりとあけ、

（粗相があってはならぬ）

と顔があげられないほど緊張して台子《だいす》と銀皿とを差し出す時、大うばさまはややしわがれた声で五歳と三歳になる秀忠のふたりの男児についてたずねていることがほとんどだった。

「はい、元気に飛びまわっておりますとも」

まだ三十歳の秀忠が若々しい声でうなずくと、つぎに大うばさまは、自分のせがれ井上半九郎の奉公ぶりを問う。

これにも秀忠が充分に満足していると答えると、大うばさまはさも安心したというように皺んだ手で胸もとを押さえる。

そこから大うばさまの話は自分がまだ幼かった秀忠と半九郎とにどのように乳をわかち与えたか、というとりとめのないものになってゆき、その間に茶をひとすすりした秀忠はやや辟易《へきえき》とした風情で席を立つ、というのがお定まりの光景だった。

秀忠が大うばさまのもとを辞去する時、いつもお静は廊下に平伏してお見送りする。ざわざわという袴の音が伏せた頭の前へ近づき、また遠のいてゆくのを息をひそめて感じ取っているのが精一杯だったから、

「大樹《たいじゅ》さま（将軍）は、どのようなかんばせをしておいでなのかしら」

と、だれかにたずねられたとしても、秀忠と目を合わせたこともないお静には答えようもなかっただろう。

秀忠も才気走った性格にはほど遠く、むしろ茫洋たる気性ながら、父家康の意向をおもんじて忠実に行動する律義さにその特徴がある。

時おり大うばさまのもとへ顔を見せるのもその律義さのあらわれだったが、またある

日やってきた秀忠は、いま初めて気づいた、というように大うばさまにたずねた。

「おや、この者はまだ新参のようですな。名は、なんと申すのです」

ちょうどその前へ膝行《しっこう》して台子を差しあげたところだったお静は、意外ななりゆきに思わずからだをこわばらせていた。部屋のなかには秀忠と大うばさまのほかには自分しかいないのだから、自分のことがにわかに話題になったことだけはよくわかる。

「直答《じきとう》を許すと仰せあれば、当人から申しあげさせましょうほどに」

大うばさまがなぜか楽しそうに答えるのを、お静は別の世界の出来事のように聞いていた。

「うむ、直答を許す」

秀忠の声が間近から響き、こちらに顔をむける気配がしたので、お静は将軍と初めてじかに会話せざるを得なくなった。

あらためて三つ指をついたお静は、深々と上体を折って答えた。

「静と申すふつつか者にございります」

「いずれの旗本家の者か」

秀忠が問い返したのは、大奥につかえる女たちの多くは旗本家から選ばれる、という慣習が念頭にあるためかと思われた。

「はい、あの、わたくしはお旗本家の者ではござりませぬ」

お静は、ちょっとつかえながらいった。

「神尾と申す、北条家牢人の娘にござります」

「年は、いくつに相なる」

「はい、五になりましてござります」

「そうか、心して奉公をつづけるがよい」

ということばを最後に秀忠が会話を打ち切ってくれたので、お静はようやく一の間からしりぞくことができた。

お静にとって、この日の秀忠とのやりとりは苦痛以外のなにものでもなかった。

大奥づとめの女たちは奥女中と総称されるが、この奥女中たちにはそのそれぞれにつかえる女たちがいる。

「またもの」

といわれるこれらの女たちは、奥女中を将軍とその正室につかえる直臣《じきしん》とすれば、陪臣にすぎない。自分もそのまたもののひとりでしかないことをよくわきまえているお静は、このやりとりから自分が数奇な運命をたどることになろうとは思いも寄らなかった。

しかしお静のまったく知らないところで、舞台は着々とととのえられていたのだった。

数日後、将軍づきの年寄のひとり中野の方が大うばさまを訪ねてきたので、お静は一の間へ案内し、作法どおりにお茶とお菓子を出してから別室に控えていた。

すると、大うばさまが自分を呼ぶ声がする。これもいつものことなので、

(今度はなんの御用事かしら)

と思いながら一の間の襖《ふすま》をひらいた。

「まあ、ちょっとこちらへお入りなさい」

大うばさまの声に応じて面《おもて》をあげたとき、お静は、

（おや）

と思っていた。

ふつう客座は、上座にいる大うばさまとむかいあう位置にもうけられる。先ほどお静が中野の方を一の間へ案内した時もそうしたのに、いま見ると染め紋付の上に白地半模様のうちかけを羽織っている中野の方は、なぜか大うばさまの横に席をうつしてこちらへ白い顔をむけていた。

事情を呑みこめないままお静が入室して下座に平伏すると、また大うばさまが口をひらいた。

「これ、お静。これよりそもじに申しわたすことがあります」

奥女中たちが、将軍秀忠の名を口にすることはあり得ない。

「お上」

「大樹さま」

と呼ぶのがならわしになっていて、正室お江与の方のことは御台所《みだいどころ》、略して御台さまという。

大うばさまは、そのことばをすらりと口にしてつづけた。

「お上にはそもじをたいそうお気に召され、御台さまには御内聞のことながら、お上つきのお中臈に御所望あそばされておいでとただいまうかがいました。さようでござりましたな、中野さま」

「ええ、そのとおりです」

と答えた中野の方は、政庁をかねる表御殿につめる大名たちでいえば老中に相当する重職だからゆったりとかまえていた。

お中臈には御台所づきと将軍づきとの別があるが、将軍づきのお中臈になるとは、その閨《ねや》にはべることを意味する。

お静も、それくらいのことはすでに知っていた。だが、自分が秀忠の侍妾に指名されようとは思ってもみないことだったから、一瞬茫然としてしまってどう応じればよいのかわからなかった。

するとまた、大うばさまの声が聞こえた。

「まことにめでたいことゆえ、わらわもそもじをお上に献上いたそうと思いますが、中野さまがそもじの気持も聞いておきたいと仰せなので呼び寄せたのです。すでに許婚がいるとか、なにか不都合があるならばお否《いな》み申しあげてもよろしいのですよ」

「はい、……」

なおも面を伏せながら、お静は蚊の鳴くような声でようやく答えた。

二十五歳の今日まで独り身をつづけてきたお静には、許婚はおろか、ひそかに慕っている相手もいない。かといって、この身を品物のように秀忠に献上されるのも口惜しいように感じ、

「あまりに畏れ多いことなれば、お否み申しあげとうござりまする」

といおうとしたが、なぜか声が出てこなかった。

ひたすら恐縮して頭を下げつづけているうちに、

「これ、お静とやら」

と目鼻だちのはっきりしている中野の方が、少し焦《じ》れたようにいった。

「そなた、なにか不都合なことでもあるのかえ」

「は、……いえ、べつに」

ござりませぬ、と消え入るような声で答えた時、もうお静の運命は決まっていたのだった。

「それは重畳《ちようじよう》」

中野の方はうなずき、たてつづけに伝えたのである。

これよりお静は将軍づきのお中﨟となったのだから、世話親をつとめる中野の方の局に住まいをうつすこと。

同時に手当も、禄高十三石四人扶持、御合力金《ごこうりよくきん》四十両、薪六束、五菜銀三両にあらためられること。……

大奥の長局《ながつぼね》とは、江戸城本丸奥御殿の東北の隅に建てられた東西にのびる四棟の長屋のことをいう。

もっとも南側の棟を一の側《かわ》といい、もっとも北側のそれは四の側と呼ばれていた。一棟は十いくつかの局にわかたれ、その局のそれぞれにひとりないし数人の奥女中が起居するならわしである。

一の側の場合、その長局は十五の局にわけられていて、年寄、上臈、中臈、中年寄、お客あしらい、小姓など身分の高い奥女中たちがひとりにつきひとつの局をあてがわれて暮らしていた。

大うばさまの局は二の側のうちにあったが、お静は中野の方の不意の訪問を受けた日からその局へ身柄をうつされることになったのだった。

「長い間、お世話に相なりまして」

お静が身のまわりのものをまとめて別れの挨拶にまかり出ると、大うばさまは鉄漿《かね》をつけた口もとをほころのように見せて答えた。

「これでそもじがお上のお胤《たね》をいただくことができたなら、わらわも鼻が高いと申すもの。その時はわらわが乳母を見立てて進ぜましょうほどに、失礼のなきよう相つとめるのですよ」

お静には閨の作法もわからないというのに、大うばさまは自分が秀忠に乳をくくませていた昔のことを思い出したのか、ひとり悦に入っているようであった。

二の側に属する南側の庭は、それぞれの局にしたがって約三十坪ずつに区分けされていた。そのおのおのには泉水、築山、石灯籠《いしどうろう》などが姿よく配され、松や楓《かえで》など樹木の植えつけにも風情がある。

(このお庭をわたってしまえば、もうあとにはもどれないのかしら)

先だつ不安におののきすら感じながら、お静は使いの者に案内されてその庭を横切る板廊下を南へわたり、上草履から白い足袋《たび》裏を見せて一の側へとすすんでいった。

「なかの」

と流麗な女文字で書かれた紙を貼り出している中野の方の局は、ほかの局とおなじく開口三間（五・五メートル）、奥行七間（一二・七メートル）の二階建てであった。のべの建坪は三十坪強。畳になおせば六十畳以上を敷くことができる。

やはり小綺麗に手入れされた南側の庭に面して縁側が走り、その縁側に接して一間幅の入側《いりかわ》があった。その北側に八畳間、その東側には仏間があり、次の間は六畳。さらに北へすすめば二畳敷きの入側に出、八畳の部屋がこれにつづく。

中野の方は詰所へいっていて姿がなかったが、二階の八畳間へおつれするようにいわれている、と使いの者は無表情にいった。

局の二階へゆくには、一階の奥八畳間の西寄りにある箱ばしごを上らなければならない。箱ばしごとは、その部屋に面した側面に引き出しや戸棚をもうけた階段のことをいう。

一階と二階の造りは、ほぼおなじ。二階の八畳間を居室とするよう定められたお静は、これまで自分がしていた仕事をこなす女たちにかしずかれ、日がな一日、襖の白地に銀で描かれた花唐草、あるいは天井にあしらわれた白地、銀泥の鉄線唐草を眺め暮らすという奇妙な生活に入ったのである。

湯殿と用所《かわや》とは、北側の二間幅の縁側の先に建つ間口三間、奥行三間半の屋形のうちにあった。

しかし、お年寄部屋だけは東西に中庭がもうけられ、湯殿もここにあるため、お静はこちらを利用するよう指示された。

将軍のつねの住まいである中奥《なかおく》とも仕切り石垣で画され、女以外の出入りを固く禁じられている大奥は、ただでさえ浮世ばなれした世界だった。なのにその大奥の東北の隅の長局、しかもお年寄部屋の二階と付属の湯殿、用所とを往復するだけとなればますます世界はせばまって、顔を合わせるのも中野の方づきの者たちだけになってしまう。

中野の方からとりあえずの衣装として贈られた牡丹《ぼたん》文様のはなやかなうちかけをまとい、与えられた脇息に手をかけようとせず端座しているお静を見かねたのか、つけられたまたもののひとりがある遊びを教えてくれた。

松竹梅、鶴亀その他の文様を散らした色とりどりの紙で、たくさんの小箱を作ってゆく。もっとも大きい箱にはつぎに大きい箱がきちんとおさまり、その箱にはまたひとまわり小さな箱がおさまるように。

これら入れ子の箱をまずは目の前にばらばらにならべておいて、どの箱にどの箱をおさめて入れ子を完成させるかを競う、という遊びである。

だがお静は、まもなくこの遊びがいとわしくなった。

なにも考えず、手先に神経を集中して色とりどりの美しい紙を丹念に折ってゆく作業は、かならずしも楽しくないわけではなかった。しかし髪をゆらしながらそのひとつひとつをつまみあげ、入れ子にしてゆくうちに、お静は大奥のはずれにある長局のそのまた二階の一部屋にひっそりとお召しの時を待つしかなくなっている自分が、もっとも小さな赤い箱になってしまったような思いに捉われ、わけもなく涙ぐんでしまうのだった。

「こよい四つ刻（一〇時）に、お上がおわたりあそばされます。そなたにお添い寝の命が下されましたから、粗相などなきように」

お静が中野の方から伝えられたのは、このような日々を送りはじめてから五日目のことだった。

「お上が種々あそばされても、そなたは袖口で鼻と口もとをおおって恥ずかしげにしていればよろしいのです。ただし後朝《きぬぎぬ》にはかならずお上より早くお床をはなれ、お化粧をほどこしてから御挨拶しやれ。寝姿をみられるようなことがあっては、御寵愛のうせるもととなりましょうほどに」

中野の方から教えられたお静は、その夜五つ刻（八時）に入浴をすませておくようながされた。

晒木綿《さらしもめん》、無地の手ぬぐいに髪をつつんで丸桶の湯舟に白い裸形を沈め、

（なにも考えないように）

と思いながら目をつむっていると、やがて板戸の外から声がかかった。

「はい」

と答え、檜の木の板の間に出たお静は栗の木の台に腰をかけた。

ころあいを見て板戸をあけたのは、中野の方づきのお末の者だった。手ぬぐいを姉さんかむりにしてたすき前掛け姿、裾をたくしあげてその下から赤い蹴出しをのぞかせているお末は、今日は特別にお静の背を流してくれるのである。

「やえなり」

という豆の粉をまぜた糠の袋で、お静の小柄でまだ若々しい肢体は丹念に磨きあげられてゆく。

　すべておわり、またからだをあたためてから脱衣場へ出たお静の整った顔だちには、ほんのりと赤味が差していた。お静は作りつけの戸棚に用意されていた総白無垢に着更え、部屋へもどった。

　部屋には紅《もみ》の布団にのせた黒塗りの小だらいと桶とが用意されていて、京焼のうがい茶碗も添えられていた。その茶碗に丁子《ちょうじ》を煎じた汁を落とし、桶の水を加えてうがいをする。

　そのあと化粧台にむきなおったお静は、ようやく化粧をはじめた。京焼の小皿におしろいを溶き、それを使ってから眉刷毛と紅筆とを用いて眉と唇とをていねいに描いてゆく。

　四本脚、高さ一尺五寸（四五センチ）ほどの化粧台と眉刷毛、紅筆とは、いずれも黒塗り金蒔絵の高価な品で、

「そなたももうお中﨟なのですから、少し値は張ってもいいものをそろえなければ」

と中野の方にいわれ、出入りの商人から買い求めたものであった。

（あまり濃くならないように）

と思いながらその化粧台をのぞきこんでいると、ついこの間まで古小袖に粗末な藁草履をつっかけただけの姿で農家の子守をしていたころがなつかしくなる。

（見性院さまのお屋敷へ、お使いにゆくのとおなじだと考えればいいのだ）

と思いこもうとしながらも、お静は心細さを禁じ得なかった。

すべておわって箱ばしごを下りたお静は、中野の方のいる一階の仏間へむかった。その仏間のなかほどは三尺高くなって中敷居があり、障子がはめこまれていた。その外側には文机《ふづくえ》、煙草盆、長火鉢などが置かれ、中野の方専用の応接所として使われているのだった。

「ではちょいと、あちらをむきやれ」

その障子を引き、染め紋付の上に白地半模様のうちかけをまとってあらわれた中野の方は、目の下に総白無垢姿で正座しているお静の黒髪を背後からまさぐった。

お静にはなんのことかわからなかったが、これは髪のなかに刃物などが隠されていないかどうかを調べているのだった。

「よろしい、お髪《ぐし》をおなおし」

と命じられ、お静はほつれ毛をそろえるように両手をあげて白元結をむすびなおした。

それを見すましていたかのように、つい先日までのお静同様、染め紋付にやの字結びの帯を締めたまたものひとりが、胸の前にお静のふだんの衣装一式を捧げもってやってきた。お静に入れ子細工の遊びを教えてくれた、お文という名の娘だった。

「これ、お静や」

お文が入口近くに控えるのを見た中野の方は、にわかに声を落としてささやいた。

「明日の朝は、人目もありましょうからこれに着更えて帰ってきいや。わけても、御台さまづきの者たちに気づかれてはなりませぬぞえ」

このささやきは、お静には奇妙なものに聞こえた。正室お江与の方づきの者たちの目を、より高い身分を誇る中野の方がどうして気にしなければならないのだろうか。

しかしそんなことを問い返しては叱られそうだし、自問自答したところで答えが見つかるはずもない。

(なにを考えても、せんないこと)

と思いつめていたお静は、短くはい、と答えただけだった。

「ではだれか小僧を出して、人目があるかどうか見させなさい」

中野の方にいわれ、お文はいったん衣装をそこに置いて退出していった。大奥にいう小僧とは、行儀見習いのため俸給なしで奥女中たちにつかえている町方の娘たちのことである。

すでに四つ刻近い時刻だから、廊下にだれかがいるとはお静にはとても思えなかった。だがこのような心配りも、お中﨟のだれかにお添い寝の命が下った時にはいつもおこなわれていることなのだろう。お静がそう考えているうちにお文がもどり、ひざまずいて中野の方に報じた。

「大丈夫のようでござります」

「初めてのことゆえ、こたびばかりはわらわが案内《あない》してつかわしましょう。この次からは、そなたが先にゆくのですよ」

お静に伝えた中野の方は、うちかけの裾をまわすようにして部屋をあとにした。

お静には「この次」があろうとはとても思えなかったが、いまはただお膳立てされた流れに身をゆだねるしか方法がない。

ほの暗い廊下へ出ると、そこに控えていたお清《きよ》のお中﨟が手燭を持って立ちあがったところだった。お清とは、将軍の手のついていないお中﨟のことである。

手燭の灯が高い位置にかかげられるにしたがって、中野の方の黒い影がお静の足もと近くまでのびてくる。お静がその影を踏むようにして歩みはじめると、背後からはお文がふだんの衣装を持ってそれにつづいた。

長局一の側の南廊下を右へすすみ、つきあたりを左へ折れて井戸とお膳所の脇をぬける。ここをすぎれば正室お江与の方のいる西北の隅の切形《きりがた》の間から次第に遠ざかることになるから、中野の方はほっとしたようにお静をふりかえった。

直進したと思うとさらに右折し、四人は長さ十五間（二七・三メートル）の人気のない畳廊下を西へすすんだ。

その角を左に折れ、中奥へつづくお鈴廊下へむかって七、八間いった時、お清のお中﨟は手燭を置いてその場にひざまずき、右側にならぶ襖のひとつを静かにすべらせた。その内側はお次の間になっており、奥を右に入ればお中﨟控え所であった。

行灯《あんどん》には、すでに火が入っていた。

中野の方はお静をそのとなりに置かれた化粧台の前へいざない、いま一度化粧をなおしておくように、といってくれた。

その鏡に映し出された顔は、自分でも心なしか蒼ざめているように感じられる。

「お上と御寝《ぎょし》あそばされる時は、御台さまもこの化粧台をお使いですからそのつもりでいやれ」

とまた中野の方がいったのは、他の者が使った気配を残さないように、という意味かと思われた。

「おわたりあそばされましてござります」

お次の間に控えていたお清のお中﨟が告げたのは、それからまもなくのことであった。

「では、蔦《つた》の間の控えへ」

といいおいて、中野の方は秀忠を出迎えるために立ちあがった。

その中野の方に代わり、今度はお清のお中﨟が反対側の出口からお静を案内してくれた。出て左側に矩形の中庭があり、その先の三畳間へとお静はすすんでいった。

部屋の奥に部屋があり、またその先に別室がある。大奥自体が入れ子細工のようにできていることに、この時お静はようやく気づいた。

めざめたお静の目に映ったのは、白地に銀泥で描かれた菊唐草の天井絵であった。昨夜、蔦の間であらためて秀忠に挨拶し、如才ない中野の方に助けられて少しの間物語りの時をすごしたお静は、その中野の方とお清のお中﨟にうながされ、やはり総白無垢の夜着姿となった秀忠にしたがってこの十二畳のお小座敷《こざしき》へ足を踏み入れたのである。

どこからか鈴虫の鳴く澄んだ音が聞こえてくるのは、この部屋が離れのように庭にかこまれているからなのか。

そっと上掛けをはいで上体を起こしたお静は、左側に少し間をあけてのべられている褥《しとね》に顔をむけた。秀忠は口髭をたくわえたふくよかな顔を仰むけて、なおも眠りつづけている。

その枕もとには煙草盆が、頭の先の板畳の床の間には秀忠の枕刀が置かれているのを眺めた時、

（やはり昨夜のことは、夢ではなかったのだ）

と、お静はあらためて思った。

蔦の間でしばらくぶりに対面した秀忠はまことに上機嫌で、硬くなっていたお静になにくれと気をつかってくれた。

しかし、

「では、御寝なされませ」

と挨拶して中野の方とお清のお中﨟がお小座敷を去り、お静を褥にまねき入れてからの秀忠の動きは荒々しかった。

お静は震えながらも教えられたとおりに袖口で口もとをかくすようにして目を閉じていたが、その手さえたくましい力でどけられてしまった。そしてお静は一瞬の痛苦とともに、たびかさなる戦場往来と弓馬《きゅうば》刀槍《とうそう》の稽古できたえあげた男の筋骨の張りを初めて肌に感じさせられたのだった。

からだのどこかには、まだ違和感が残っているような気がする。

それに堪えて総白無垢の襟もとと腰ひもをなおしたお静は、髪をなでつけてから秀忠

を起こさぬよう足もとへまわりこみ、黒塗り縁にあざやかな色彩で六玉川《むたまがわ》を描いた襖を
あけてお中﨟控え所へもどっていった。
そこには、昨夜案内役をつとめてくれたお清のお中﨟がお伽《とぎ》をしていた。衣装更えも
せずに、脇息に上体をもたれさせてうつらうつらしている。
二曲の屏風の陰に入ったお静は、小さな衣擦れの音を立てながらお文の運んでくれた
衣装へと着更えていった。つぎには化粧台の前へゆき、髪を梳《くしけず》ってから朝の化粧をは
じめる。
昨夜と今朝と、自分の顔になんの変化もないのがかえって不思議に思われた。ただし
唇に差した紅の薄れていることが、昨夜の秀忠のたわむれをひそかに伝えている。
(いったい何人の女たちが、こうしてこの化粧台をのぞきこんだのかしら)
と考えているうちに、背後でお清のお中﨟が目をさました気配がした。
「あら、もうこんな、……」
やや慌て気味につぶやいたお清のお中﨟は、すぐに立ちあがって小走りにお小座敷へ
むかった。めざめた秀忠を蔦の間へ案内し、衣装更えをさせて中奥へ送るのも彼女の仕
事なのである。
あらかじめ手順を教えられていたお静は、ころあいを見て蔦の間へゆき、秀忠に朝の
挨拶をした。
「おはようござります。御機嫌うるわしゅう」
と敷居の外側に三つ指をついて頭を下げたが、この時お静は恥ずかしさのなかにも秀

忠の姿をちゃんと見られるゆとりが生じていることに気づき、われながら驚いていた。

すでに紋羽織と袴をつけている秀忠は、上座に座って銀の煙管《きせる》をくわえながらゆるやかにほほえみかえしてきた。月代を大きく剃りひろげてふたつ折りの髷を結い、眉尻のはねた眉の下に二重まぶたの大きな目とたくましい鼻梁がつづいている。

（なにか、もっとことばをつづけなければ）

と思いながらも、まさか、

「ゆうべはお情けをいただきまして、ほんにありがとうございました」

とはとてもいえない。

どうしたものか、とお静が頭を下げたまま困《こう》じはてていると、

「お静よ」

と秀忠の方から声をかけてきた。

「また召そうほどに、達者にいたして庭の秋景色など楽しんでおるがよい」

「はい、ありがとうございます」

お上にも、と口のなかでいいそえて、ようやくお静の初めての後朝《きぬぎぬ》はおわりを告げることになったのだった。

また中野の方の局の二階に起居し、またものたちから、

「お静のお方さま」

と呼ばれるようになったころから、お静は時々秀忠の別れのことばを思い出している自分に気づき、はっとして顔を赤らめることが多くなっていった。

秀忠は、太閤秀吉に協力して小田原北条家を滅ぼした大御所家康のあとつぎである。武辺ひとすじの鬼神のごとき荒武者かと想像していたが、大うばさまの局での初めての会話と、

「また召そうほどに」

ということばをかさね合わせると、ずいぶんと違った印象を受けた。

欲のないお静に、将軍づきのお中﨟としてこの大奥に権勢を張ろうなどという気はさらにない。

しかし二十五歳まで独り身でいたお静が、初めて肌身を許した秀忠に心をひらいていったのも奇怪なことではなかった。

時代を現代にかぎるならば、男女の間に恋愛感情がめばえてのち性的関係にすすむことの方が圧倒的に多いだろう。だが、性的関係がむすばれたあとに恋愛感情が生まれるという流れの方が、歴史的には長い間つづいてきたのである。

ことばどおりに秀忠は、月に一、二度の割合でお静にお添い寝の命を伝えてきた。

御台所お江与の方に対する中野の方の気のつかい方はいつもおなじであったが、お静はつつましさを保ちながらもいくらかずつ秀忠の飾らない人柄に親しみはじめた。

「そなたの実家《さと》は、馬を飼っておるか」

秀忠がある時、蔦の間で盃をかたむけながらお静にたずねた。

「いえ、小田原住まいのころは飼っていたようでございますが、わたくしはまだ幼かっ

たのでようおぼえてはおりませぬ」

　下座からお静が小さな声で答えると、

「ほう、そうか」

　とうなずいて、秀忠は思い出を語った。

「ひとに似て、馬の気性もさまざまでの。余がまだ前髪立てのころさる家から贈られた馬は、みごとな脚力ではあったが妙に執念深いところがあった。いざその背にまたがろうとした時虻《あぶ》が飛んできおったので、余は手にしていた竹鞭《ちくべん》でその虻を叩き落とそうとしたことがある。その時、余は誤って馬の尻をしたたか打ってしまったのだが、その馬め、長い首を折るようにして余を赤い目でにらみつけおった。その後半年ほどほかの馬ばかり責めておって余はそのことを忘れていたのだが、ひさしぶりにその馬を引き出した日のことだった。余がまた竹鞭を手にして鐙《あぶみ》に片足をかけた時、つい手綱がゆるんだ。するとその馬は一瞬の隙を見のがさずに首をひねり、余の腰車にがぶりと嚙みつきおった。そやつは半年間、余を恨みつづけておったのだ」

「まあ、それでお怪我はなさいませんでしたか」

　思わずひきこまれてお静がたずねかえすと、秀忠はさらにお清のお中﨟の酌を受け、笑いながらいった。

「いや、いたしたとも。馬の歯はものを嚙み切るのではなく嚙みつぶすようにできておるから、嚙まれると鋭いというのではないが、重く疼くような痛みに襲われる。余は思わずうめいてその場にしゃがみこんでしまったものだったが、あとで調べると、馬乗り袴はなんともないのに下帯が擦り切れたようになっていて、膚《はだえ》も破れておった」

なんなら、あとでその痕を見せてつかわす、と秀忠が陶然とした顔でつづけたので、中野の方とお清のお中﨟がまだ同席している手前、お静はにわかにきまり悪くなって顔をうつむけてしまった。

こうして秀忠の寵愛は深まりゆく一方だったが、それはお静にとってはあらたな問題のはじまりでもあった。

秀忠の正室お江与の方は、諱《いみな》は達子という。天正元年（一五七三）の生まれだから、この慶長十三年にはすでに三十六歳、秀忠よりは六歳も年上であった。

しかしお江与の方は、貴種とはいえないまでも戦国時代の名族の血をひいていた。父はかつての近江小谷城主浅井長政、母は織田信長の妹で、

「戦国一の名花」

とその美貌を世にうたわれたお市の方。

その上には、ふたりの姉がいた。故太閤秀吉の側室、その遺児豊臣秀頼の生母としていまも大坂城に君臨しているおちゃちゃこと淀殿と、若狭小浜九万二千石の大名京極高次に嫁いだお初である。

ただし秀忠に迎えられるまでのお江与の方の歩みは、戦国ただならぬ世に生まれた女性の不幸を一身に体現したものだった。

不幸の第一幕は、お江与の方の生まれたばかりの天正元年八月、父浅井長政がほかならぬ織田信長に攻め滅ぼされたことに始まる。以後お江与の方は母とふたりの姉ととも

に信長のもとへ帰り、父の仇でもあるこの伯父に養われた。

その信長も京の本能寺に横死した天正十年、母お市の方が反・豊臣秀吉勢の婚姻政策として越前北ノ庄城主柴田勝家に再嫁させられた時には、お江与も姉ふたりとともに北ノ庄へうつっていった。

だが翌年四月、勝家が秀吉に攻め立てられて切腹すると、お市の方も同時に自害。三人の姉妹は、母を死へ追いやった秀吉のもとへ身を寄せねばならなくなった。

そこでおちゃちゃは秀吉の側室となり、お初は京極高次にめあわされたが、秀吉がお江与の相手として最初に選んだのは尾張大野城主佐治一成《かずなり》であった。

ところが、まもなくかれは秀吉の忌避にふれて所領を没収され、

「余がくれてやったのじゃから、あれも返せ」

といわんばかりにお江与とも別れさせられてしまう。

その後、秀吉の養子のひとり羽柴小吉秀勝に再嫁させられ、三人の娘を産んだお江与の方は、文禄元年（一五九二）にはその秀勝と死別。同四年、豊臣家と徳川家との宥和策の一環として秀忠のもとへ嫁いだのである。

母お市の方ゆずりの美貌とすこやかなからだにふたつながら恵まれたお江与の方は、まことに多産の質《たち》で、秀忠との間にも三男五女をもうけていた。

上から順に、千姫、子々《ねね》姫、勝姫、長丸《ちようまる》、初姫、竹千代、国松、松姫。長男長丸のみは夭折してしまったが、これだけの子を産んだのだから、いまやお江与の方は徳川家にはなくてはならぬ女性であった。

ただし、このお江与の方には性格的に大きな問題があった。意思とはかかわりなくあちこちに嫁がされたため気性がゆがみ、秀忠よりはるかに年長の劣等感も加わってか、夫が自分以外の女性を近づけることなど断じて許さない嫉妬深さを身につけていたことである。

秀忠がこれまで側室を置かなかったのも、お江与の方の激しい気性を恐れてのことにほかならなかった。

幸か不幸か、お静はまだ御台所のそのような性格までは知らずにいた。

しかし、年が明けると大奥の女たちには、御台所を中心におこなわれる年中行事に同席する機会が急に多くなる。慶長十四年（一六〇九）元旦、お静は初めてお江与の方の刺すような視線を感じることになった。

正月三が日の間、将軍家御台所はまだ夜明け前の七つ（四時）に褥をはなれるならいだった。化粧とお髪《ぐし》あげとをすませたなら髪をおすべらかしにして背に長く流し、おつきのお中﨟に助けられてあざやかな色どりの装束をまとってゆく。

下に紅色の単衣《ひとえ》、その上に白綾紅裏《しろあやもみうら》の五つ衣《ぎぬ》、やはり紅裏ながら紅綾の打衣《うちぎぬ》、二重織の表着《おもてぎ》、青二重織亀甲文様の唐衣をかさねて緋の袴をはき、手には檜扇《ひおうぎ》をもってお雛さまさながらの姿になるのである。

このみやびやかな姿で切形の間から中庭をはさんで南側の御座の間のうちの上段の間へうつった御台所は、熨斗目《のしめ》長裃《ながかみしも》姿でやってきた将軍をおむかえする。

「新年、めでとうござる。幾ひさしく」

着座していう将軍に、

「新年の御祝儀、めでとう申しあげまする。相かわりませず」

と挨拶を返したあとは、仏壇に参拝。上段の間へもどって屠蘇《とそ》の献酬を三献ずつおこない、つづけて白散《びやくさん》を三献、雑煮を三椀食して夫婦としての式をおわる。

そのあと、お目見《めみえ》以上の奥女中一同が縮緬《ちりめん》の衣装におかいどり姿で賀詞を述べにまかり出るのだが、お静もこの年初めてこれらの女たちにまじって頭を下げたのである。

ただしお静が横に長く居流れた女たちの最後の列のはじに座って三つ指をつき、ゆるやかに頭をもたげた時、お江与の方のかたわらに御台所づきのお中﨟のひとりが上体を寄せ、なかばひらいた扇子の陰でなにごとかささやいていた。

唇をきつく結んで小さくうなずいたお江与の方は、一段高い席からとがったおとがいをすくうようにしてお静にひたと視線を当てる。

(御台さまが、わたくしにお気づきになった。御台さまはきっと、わたくしが幾度かお上のお添い寝に召されたことをご存じなのだ)

お静はにわかに胸の動悸をおぼえ、前列の者の背に隠れるように面《おもて》を伏せてしまっていた。

お江与の方は寝不足なのか、あるいはお屠蘇のためなのか、両目の白眼の部分に赤みを宿していた。

そこにはあきらかに、憎しみの色がにじんでいる。敏感に察知したお静は、初めて側室の身の息苦しさを味わっていた。

正月四日に大奥では、

「お弾《ひ》き初《ぞ》め」

という行事が午後七つ（四時）すぎからおこなわれる。

お年寄詰所の脇のお茶の間で、お目見以下のお茶の間掛りの女たち十人がまず琴、琵琶、箏《そう》によって御祝儀の曲三曲を合奏すると、ほかの者たちが浄瑠璃や説教節、幸若舞その他の得意芸を披露におよぶ。

御台所は緋の袴に緋綸子の合着《あいぎ》、その上に白綸子縫い文様のおかいどりを羽織ってお年寄詰所にはいり、あけはなたれた襖のかなたでくりひろげられるこれらの余興を御簾《みす》越しに眺めるのをつねとした。

お弾き初めには初笑いの意味もあるので、途中から女たちには三味線を持ち出す者もあって笑いさざめき、酒に酔って泣き出す者もあらわれてにぎやかに時がすぎてゆく。

しかし慶長十四年のお弾き初めは、何人かのお茶の間掛りが芸を披露したところで水を打ったように静まり返ることになった。

つぎなるお茶の間掛りが御簾にむかって三つ指をつき、三味線を膝に置いた時、お江与の方が御簾の外側に控える中野の方によく通る声で告げたのである。

「このなかに、静という新参の者がいやると聞きました。その者に、芸を所望しとうなったわえ」

この日、芸を見せるのはお茶の間掛りのみと定められているが、新参のお茶の間掛りはかならずなにか演じなければならない。

「おそれながら」

中野の方は御簾にむかって膝をまわし、おだやかに答えた。

「お茶の間掛りのなかに、静と申す者はござりませぬ」

「おや、そうかえ。近ごろさような名前の板橋の大工の娘が入りこんでいると聞きましたゆえ、鄙《ひな》の手ぶりを見とうなったのだけれど」

とお江与の方が応じた時、だれの目にも隠された意図がはっきりとした。あきらかにお江与の方は、お静を身分の低いお茶の間掛りと思いこんでいるふりをしたのである。

それはとりも直さず、

「わらわは、お上が大奥づとめのまたものに手をつけたことを知っているのですよ」

と公言したのとおなじであった。

それは同時に、お静の世話親をつとめている中野の方への皮肉でもある。さしもの権勢をほこる中野の方も、それと気づいて一瞬ことばを失っていた。

その夜、中野の方がそれと告げてくれた時、お静は三日前に投げつけられたお江与の方の視線にこめられていた憎しみの色を思い出して暗澹《あんたん》とした。

お静に対するお江与の方の厭がらせは、さらにつづいた。

正月五日の四つ半（午前一一時）、大奥御座の間からさらにお鈴廊下寄りにある御対面所では、

「お流れ頂戴の式」

といわれる行事がはじめられた。

八畳敷きのその上段の間に金屏風を立てまわし、その前に置かれた錦の座布団に、左に秀忠、右にお江与の方がならんで座ると、それぞれの脇には当番の年寄がかわらけと瓶子《へいじ》とを膝の前に置いてひとりずつ控える。別の年寄に案内され、上﨟、若年寄、お中﨟たちが順次二の間から十二畳の下段の間へまかり出ると、年寄がその手にかわらけを乗せてくれ、つづけて秀忠とお江与の方とが一献ずつ屠蘇を注いでくれるのである。

秀忠は酒に強い奥女中の番とわかると多めに酌をしてやって、この儀式を楽しんでいた。酒の飲めない女たちには、かわらけには口をつけるふりをして、襟の合わせ目、あるいは懐中にかくしていた手巾に屠蘇を吸わせることも許されていた。

ところが、――。

やがてお静の番となった時、お江与の方はまたしても考えられない行為におよんだ。

お静が秀忠の左脇の中野の方からかわらけをいただき、秀忠の酌を受けて一口つけ、残りを手巾に流したところまでは前の者たちとおなじだった。

だがお江与の方づきの年寄からふたたびかわらけをいただき、お静がお江与の方の酌を受けてかわらけを返そうとした時、お江与の方はあろうことか、そのかわらけにまた屠蘇をなみなみと注いだのである。

年寄がかわらけを受け取ってくれなかっただけでもお静は驚いてしまっていたが、あまりに満々と注がれたため、じっとしていなければ畳を汚してしまいそうで両手を引くこともできない。

お静は困惑のあまり、目で中野の方に救いを求めた。しかし、中野の方は反対側のはじにいるため、どうすることもできない。

（どうして、かようなことを）

不意に悲しみに襲われたお静が、お江与の方の赤い憎しみのまなざしを感じて視線を宙にたゆたわせた時、

「これ」

と秀忠が小声でお江与の方をたしなめた。

つづけて秀忠が右手をのばしてそのかわらけを取りあげ、したたり落ちるしずくを左の掌で受けてくれたため、ようやくお静はその場から退出することができたのだった。

その夜お静は、赤い目をした秀忠の馬が歯をむき出し、自分に嚙みついてくる夢を見た。その馬がお江与の方の顔をしているのに気づいたお静は、自分の頰が濡れているのを感じて目をさました。

お静には、ようやくわかったのである。

初めて秀忠に召されて局を出ようとした時、お文にふだんの衣装をもたせた中野の方がにわかに声を落とし、

「これお静や、明日の朝は人目もありましょうからこれに着更えて帰ってきいや。わけても、御台さまづきの者たちに気づかれてはなりませぬぞえ」

とささやきかけたのはなぜか、ということが。

はたまたお中﨟控え所の化粧台の前にいざなわれた時、中野の方が、

「お上と御寝あそばされる時は、御台さまもお使いですからそのつもりでいやれ」

と注意をうながしたのはどうしてか、ということも。

ただしその中野の方にしたところで、いくら大奥一の権勢をほしいままにしている年寄とはいえ、しょせん将軍家の使用人にすぎないから、お江与の方の意地悪なふるまいに表立って抗議することはできない。

お江与の方がお静の返そうとしたかわらけになみなみと屠蘇を注ぎたした時、中野の方が唖然としてそれを見守るだけだったことからも、そのような力関係はお静にも充分に見て取れた。

しかしそうなると、お江与の方の憎悪を一身に浴びた身に、大奥のうちに安住できる場所はどこにもない、ということになってしまう。

まもなくお静は、その事実を否応なく肌に感じさせられることになった。

一月二十日、お江与の方は大奥で鏡びらきのお祝いをした。御対面所に飾られていた鏡餅を斧で打ち割らせ、昼食の前に、

「おゆるこ」

として食したのである。

おゆることは、一般にいうおしるこのこと。御台所は、黒塗りに金蒔絵で鶴亀と松竹梅とをあしらった器を用いるならわしがある。

三椀まで口にするのが吉例といわれていたが、なにしろおゆるこには諸大名家から献上される砂糖がふんだんに使われているので、甘すぎてそう多く食べられたものではな

い。お江与の方はいつも一椀だけで箸を置いて、あとは自分づきの奥女中たちにふるまい、将軍づきの者たちの局には餡《あん》に餅を添え、重箱につめたものを贈るのをつねとした。

ただしこの日、中野の方の局へ届けられた重箱はふたつあった。それぞれに掛けられた紅白の水引に、

「なかのさま」

「おしづさま」

と女文字で書かれた紙片がはさまれていた。

お文が後者を二階の部屋へ届けてくれた時、お静はうれしくてならなかった。

（ようやく御台さまが、わたくしのことを少し認めて下さった）

と思ったからである。

だがそれは、ただの錯覚にすぎなかった。

「お文さん、お祝いですから御一緒にいただきませんか」

お静が重箱を前にしていうと、

「はい、せっかくですからほかの方々にもおすそわけして下さりませ」

と気立てのよいお文は答え、やの字結びの帯を見せたかと思うと別室から小皿と杉の白箸とを持ってもどってきた。

そして小皿に餡と餅とを取り分けてゆくと、餡がたっぷりと入っていた箱の下の方からなにやら白いものが見えてきた。

「あら」

お文が箸の先でつまみあげてみると、それは薬包そのものだった。

「甘すぎると思って、波の花(塩)でも入れて下さったのかしら。でも、どうしてそんな下の方に、……」

お静は小首をかしげたが、お文はにわかに眉根を寄せ、むずかしい顔つきになっていた。

「ちょいと、あけさせて下さりませ」

懐紙を取り出したお文は、その上に薬包を置くと、なぜか直接指が触れないように箸の先でその包みをひらきはじめた。唇にも懐紙をくわえたのは、なかの粉を息で飛ばさないように、と考えたのだろう。

ふたりの目の下にあらわれたのは、純白の粉であった。砂糖のようにふわりとした感じもなく、塩よりはもっと粒がこまかくさらさらしている。

「なんでしょうかしら」

お静が衣擦れの音を立てて上体を折り、立てた右手の小指の先にその粉をつけて味を見ようとした時、お文が血相を変えて叫んだ。

「おやめ下さいまし、危のうございます!」

お静がどきりとして手を引くと、お文は恥じたようにいった。

「大きな声を出したりいたしまして、失礼いたしました。わたくしの思い違いならよろしいのですが、毒見をいたした方がよいような気がするものですから、……」

「まさか」

とお静がいおうとした時には、もうお文はその薬包をつつみなおして立ちあがり、

「どうかしばらく、待っていて下さりませ」

といいおいて、急ぎ足に箱ばしごへむかって姿を消した。

それきりお文は、もどってくる気配がない。

（どこまで行ってしまったのかしら。御台さまへおん礼もしなければいけないのに）

お静が途方にくれているうちに、箱ばしごをとんとんと音立てて上ってくる足音がした。

「お待たせして申し訳ございませんでした。わたくしはいま、お庭番の方にお願いして池の小ブナを一匹すくっていただき、桶に放していただきました。その桶の水にさきほどの粉を溶かしてみたところ、これ、こんなことに、――」

袂《たもと》から懐紙を取り出したお文は、喘ぐようにしてその懐紙をひらいてみせた。

その懐紙にはさまれていたのは、体長一寸五分（四・五センチ）ほどの小さなフナだった。この年の一月下旬は新暦なら三月初旬に相当するので、池の魚たちはもう泳ぎはじめている。

しかしその小ブナは、まるい口もエラもぴくりとも動かさなくなっていた。

「あの粉を溶かしこみましたところ、すぐにこのフナは苦しそうに滅茶苦茶に泳ぎはじめ、驚いて見つめているうちにおなかを上にして浮かんできたのでございます」

震え声で伝えたお文は、

「あれは、石見銀山《いわみぎんざん》の粉に違いございませぬ」

といったころにはもう泣き出さんばかりだった。

石見銀山は、別名を猫いらず。だんごにしこんで鼠を薬殺できるためこの名があるが、本草学《ほんぞうがく》（薬学）の用語では、

「砒石《ひせき》」

という。砒石をこまかく砕けば白い粉末になり、これを練れば砒霜《ひそう》となる。どちらも味も臭いもない猛毒で、どの薬問屋でも手に入るため、人を毒殺する場合にもしばしば使われてきた歴史があった。

「ま、まさか中野さまの分には、……」

事の重大さに気づいてお静が腰を浮かすと、

「いえ、あちらさまの分には入ってはおりませぬ。いま、たしかめてまいりました」

と、お文はいった。

となると、お江与の方のねらった相手はお静ただひとりだったことになる。それにしても奇怪なのは、あらかじめ餡にまぜるのではなく、わざわざ薬包のまま箱の底にひそませていたことだった。

お静が小声でそういうと、

「はい、わたくしもその点は妙なことに存じます。けれど、こう考えればよろしいのではありますまいか」

お文は答え、冷静さをとりもどして思うところをはっきりと伝えた。

このあまりに非道な厭がらせは、

「これ、このようにわらわはそなたをいかようにもできるのですよ」

というおどしであり、かつ、

「いまのうちに身の処し方を考えないならば、つぎには本当に命をねらいますぞえ」

と暗に伝えているのであろう、と。

「そんな、――」

お文の見立てを聞いて、お静はあまりの衝撃に背筋を凍りつかせていた。しかしよくよく考えるうち、お文の答えがあながち大袈裟なものとも思えなくなってくる。

お江与の方を御台さまと呼ぶのをはばかり、あちらさまと表現して、お静はお文にささやいた。

「つまり、あちらさまはわたくしがこの大奥を去ることを望んでおいでだということですね」

「まことにおいたわしきことなれど、そう思わざるを得ないかと」

お文は、つらそうに答えた。

この事件はお文の口からすぐ中野の方へ報告されたので、中野の方は以後、お静の食事には格別の注意をはらってくれるようになった。また中野の方は自分の愛猫ミイをお静に与え、

「このミイを毒見役がわりにお使いなさい」

ともいってくれた。

三毛猫のミイは首に小さな鈴をつけていて、歩くとその鈴がチリリと鳴る。お静にすぐに馴れたミイは、さも当然というようにその膝の上に乗り、まるくなって眠るようになった。

ひねもすうつらうつらしていたかと思うとふらりと姿を消し、忘れたころまた帰ってきて毛づくろいをはじめるミイは、庭へ散歩に出るのも恐くなったお静にとってはうらやましい存在であった。ミイは大奥のしがらみにはいっさいかかわりなく、自由気ままに生きている。

しかし、死んだ小ブナの姿は、いつになってもお静の脳裡から消えなかった。お静はいつか魚は食べられなくなっていたし、膝にぬくもりを伝えてくるミイの背中を撫でるうち、

(いつかこのミイも、あの小ブナのような運命をたどるのでは)

と考えて鳥肌立ってしまうことすらあった。

それでも秀忠のお静に対する寵愛は深まりこそすれ薄らぐ気配はたえてなく、お静はお添い寝の命を伝えられた夜にはひそやかにお小座敷へ通いつづけた。

ただしお静は、もう二度とお中臈控え所の化粧台は使わなくなっていた。というよりも、恐ろしくて使えなかった。鏡のふたを取り去ると、そこには赤い目を光らせたお江与の方の顔だちが映し出されるように思われてならない。

「そなた、少しやせたのではないか」

春がすぎ、また青葉の季節がめぐってきたころ秀忠が寝物語にたずねたが、

「さようでございましょうか」

としか、お静には答えられなかった。自分がなぜやつれたかを秀忠に告げることは、お静にはとてもできない。

それからまもなく、お静は時々吐き気に襲われるようになった。同時に、なにか酸っぱいものを無性に口に入れたくなった。

気分のすぐれない日がうちつづき、ついに秀忠のお召しを拝辞した夜、中野の方が珍しくお静の部屋をおとずれた。

「近ごろ具合が悪そうにしていやるのは、お文から聞いています」

中野の方は、お静の顔をのぞきこむようにしてつづけた。

「そなた、おめでたなのではありませんか」

そういわれてみると、お静には思い当たることがあった。なによりも、このところ月のさわりが途絶えている。

顔を赤らめてうちあけると、中野の方はなぜか無表情にいった。

「では、奥医師に診てもらわねばなりませぬ。早い方がよろしいでしょう」

ただし奥医師に診察してもらうには、ただひとつの出入り口であるお錠口《じょうぐち》を出て、大奥東寄りにあるお広敷《ひろしき》へゆかなければならなかった。お広敷は大奥づとめの男の役人たちの執務するところで、奥医師もここに詰めている。

そのお錠口の戸は、朝は明け六つ（六時）にひらき、暮れ六つには太鼓の音を合図に閉ざされてしまう。

「人目についてはなりますまい。人の出入りの少なくなる七つ半（午後五時）ごろ、お出かけなさい。奥医師には、わらわからさよう伝えておきましょうほどに」

中野の方がなおも無表情に伝えたのは、お江与の方づきの者たちにそれと気づかれないためかと思われた。

その日七つ半刻、お文につきそわれて奥医師をたずねたお静に下ったのは、懐妊してふた月目に入っているとの診断であった。順調にゆけば、産み月は来年四月ごろになるという。

（まさか、この身がお上の和子さまを産みまいらせることになろうとは）

まだとんと実感が湧かないまま長局へ帰ってきたお静は、そのまま中野の方のいる一階の仏間へむかった。

煙管《きせる》を喫っていた中野の方に奥医師の診立てを報じると、

「それは重畳《ちょうじょう》、まことにおめでとうございります」

居住まいをあらためた中野の方は、目上の者に対するように深々と頭を下げてくれた。

つづけてお静は、これから先の手順を教えてもらった。

懐妊とわかった時、それが御台所であれば御不例と称して切形の間からひと間をへだてた御休息の間に起居することになるが、お中臈の場合は、

「病気」

と申し立てて自室に引きこもる。

そして月のさわりが滞ってから五カ月目の吉日を選び、八尺（二・四メートル）の生《すず》

絹《し》を五つ折りにした岩田帯を巻いて、切形の間と長局の間にある北のお部屋と呼ばれる部屋へ座をうつす、……。

「それは御台さま以外の者の場合も、ということでございましょうか」

お静がことばをはさむと、中野の方は黙ってうなずき返した。

中野の方の説明によると、岩田帯を巻いて北のお部屋へ身をうつした者は、いかなる卑しい身分であってもそれ以降は御台所と同格にあつかわれるのだという。

しかしお静としては、その北のお部屋がお江与の方のつねの住まいである切形の間の近くにあると知って、一抹の不安を感じずにはいられなかった。なによりも世話親たる中野の方の局を出るのは、心細いことに思われてならない。

大うばさまのもとから中野の方の局の二階へうつった当初、お静は自分が入れ子細工の箱のうちのもっとも小さい箱になってしまったように感じ、わけもなく涙ぐんだものだった。ところがお江与の方の悪意があらわになると同時に、お静には二階の自室にミイを抱いて閉じこもっている時がもっとも心のやすらぐ時間になってしまっていた。

それでもお静は、中野の方に対してその心細さを訴えることはできなかった。お江与の方がまたなにかたくらんだとしても、中野の方に制止する力のないことはすでにあきらかになっている。

するとそのお静の不安を敏感に感じ取ったように、少しの間沈黙に落ちていた中野の方が低い声でいった。

「いろいろなことがありましたから、そなたのからだのことはもう少しの間内密にしておきましょうか。お上には、いずれおりを見てわらわから申しあげましょうほどに」

だが晩夏となったころには、お静の懐妊はすでにしてお江与の方の知るところとなっていた。

お静がそれと察したきっかけは、またしても身近に凶々《まがまが》しい事件が起こったことだった。ある日、朝のうちから姿を消してしまっていたミイが、深夜になって何者かの手によって中野の方の局のうちに投げこまれたのである。

重い音とともにチリリと鈴の音も響いてきたから、よく眠れずにいたお静は、なにごとかと思って手燭を手に箱ばしごを下りていった。その時にはすでにお文が局入口にうしろ姿を見せて立っていたが、お文はお静が近づいても凝然と立ちすくんだままだった。

「どうしたのです」

とお静が呼びかけた時、

「あ、お静の方さま。こ、これを」

お文は震え声を出し、その足もと近くを紙燭《しそく》で照らし出した。その黄ばんだ灯に浮かびあがったのは、ミイの変わり果てた姿だった。ミイは口から泡を吹き、舌をだらりと出したまま息絶えていた。

はっとしてお静が息を飲むと、お文はかすれ声でいった。

「これはだれかがミイをつかまえ、むりやり石見銀山を口に入れて毒殺したに違いありません」

お文はミイが殺されたと思う理由を、まだ親元にいたころ、鼠取りのため畑に置いた毒だんごを誤って食べた犬が泡を吹いて死んだのを見たことがある、ということばで説明した。

「ならばミイも、大奥のどこかに仕掛けられていた鼠取り用の毒だんごを餌《えさ》と間違えて食べてしまったのでしょうか」

お静は答えたが、

「でも、どさりと音がいたしましたのは、だれかが厭がらせにミイの死体を投げこんだからではございませんか。その意味するところは、よくおわかりでしょうに」

といわれては、返すことばもなかった。

かつて重箱に薬包をしこんで送りつけてきたのもお江与の方だったから、ミイを殺したのも、

「つぎはそなたの番かも知れませぬぞえ」

と暗に伝えようとしてのこと、と考えるのが正しいのだろう。

そう思うと、お静はお文がミイの死体を始末するのを待ってふたたび褥に横たわってからも、とても眠りに入ってはゆけなかった。寝つけないまま、いったいどうすればよいのか、とつぶやいても、なんの妙案も浮かんではこない。

（ああ、そうだ。このまま大奥に居つづけてなんとかしようとするからいけないのだ。側室のままでいようなどと思わないで、板橋の竹村へ帰ってしまえばこんな目に遭わないですむのだから）

と思い至った時、お静はようやくお江与の方の呪縛から解き放たれたような気分にひたった。

都合のよいことに、前日から中野の方は宿下がりしていた。正式にいとま乞いをしたならば、

「お上のお胤をいただいた身で、勝手に他行することは相なりませぬぞ」

といわれかねないから、ひそかに大奥を去るのなら絶好の機会である。

「実家の兄に、和子さまのことを伝えてまいろうと思いますので」

二度ともどってくる気はないのに中野の方づきの者たちとお文とに生涯初めての嘘をつき、お静は身のまわりのものだけをまとめると、その日西の空に夕焼がはじまったころにはもう江戸城を忍び出ていた。

赤々と燃えるような夕焼の空にはいくつかの雲が浮かび、逆光に暗く翳《かげ》っていた。お静がひそかに秀忠に別れを告げながら見上げていると、それらの雲は夕風に吹かれ、はだれ野の淡雪《あわゆき》のように千切れてゆく。

お静はなお去りがてに思う自分の心にとまどいながら、いつまでもその夕焼を見つめていた。

幸松誕生

お静が江戸城を出たのは黄昏時《たそがれ》だったから、二里以上の道のりを歩いて板橋宿に入った時、すでに日はとっぷりと暮れていた。

だが仲宿のにぎわいをすぎ、石神井川《しゃくじい》の清らかな流れに架かる太鼓橋をわたってしまえば、もう道に迷うおそれはない。中山道の街道筋をつと離れたお静は、満天の星と月の光を浴びながら石神井川の名もない支流沿いの土手道をつたい、草深い竹村へと帰りついた。

夜なべ仕事をしていた長兄の神尾《かんのお》嘉右衛門《かえもん》は、

「いったい、不意にどうしたというのだ」

と目を丸くしながらも、すぐ土間へ請じ入れてくれた。

その妻お光も洗いもので濡れた手を前掛けでふきながらあらわれ、

「まあ、お静さん、お夕飯はすんだのですか。まだなら、すぐ支度しますよ」

といってくれた。

身内ならではのそのやさしさに、にわかに緊張の解けたお静はあやうく涙ぐんでしまいそうになった。

しかし、――。

父伊予の位牌を拝してから、兄夫婦に将軍の子をみごもっていること、御台所《みだいどころ》の度のすぎた厭がらせに身の危険を感じ、思いあまって大奥からのがれてきたことを伝えると、ふたりは深刻な目つきをした。

お静にも見おぼえのある古小袖をまとい、帰農してもなお脇差を帯びている嘉右衛門は、大月代茶筅《おおさかやきちゃせん》に結った髷を振りながらたずねた。

「するとそなた、もはやお城には二度ともどらぬつもりか」

こくりとお静がうなずくと、かれはお光と目を見かわしてから乾いた声でいった。

「それはそなたの勝手だが、そうなるとおなかの子をどうするかよくよく考えてみねばなるまい」

このことばを聞いた時、

（まさか兄上さまは、おなかのややを始末せよとおっしゃる気では、……）

とお静は思い、顔から血の引いてゆくのを覚えて唇をわななかせていた。

そのお静の気持を察したように、

「でも、お前さま」

と、いつもおとなしいお光がおだやかに口をはさんだ。

「今日はもう遅うございますし、お静さんもお疲れでしょう。これはむずかしい事柄のようですから、日をあらためて親族のみなさまにもどうしたらよいか相談に乗っていただいた方がいいのではありませんか」

「そうかも知れぬな」

嘉右衛門は、なおもきびしい顔つきのまま答えた。

翌日、嘉右衛門は神田白銀丁《しろがねちょう》へゆき、お静の姉お栄の夫である竹村助兵衛《すけのひょうえ》に、都合のよい時竹村まで顔を出してくれるよう頼んできた。

「明日の午後八つ半（三時）ごろにうかがう、といっておった」

なぜか佩刀《はいとう》に手をかけ、背後をいくたびもふりかえりながら帰ってきた嘉右衛門は、お静も初めて見る険しい目つきをして告げた。

翌日の八つ半すぎ、竹村の神尾家に顔をそろえたのはその竹村助兵衛と、お静の末弟で近くの掘立小屋にひとり住まいをしている才兵衛だった。胴服にたっつけ袴、左腰に長刀を帯びてやってきた長身の助兵衛が黒々とした口髭をたくわえているのに対し、お静がしばらく会わない間にひとまわりからだの大きくなった才兵衛は、まだ前髪を立てたままだった。

しかし嘉右衛門をはさんで囲炉裏ばたにむかい合わせに座ったふたりの顔は、嘉右衛門が事情を説明するにしたがって申し合わせたように硬張《こわば》っていった。

かれがようやく話しおえた時、助兵衛は口髭をぴくりと動かして溜息まじりにいった。

「――そうか。いまの御台所が、さような執念深い女性《にょしょう》とは知らなんだな」

「そういえば、前におれはこんな話を聞いたことがある」

嘉右衛門はその助兵衛から才兵衛へと視線を動かしながら、徳川家康の最初の正室だった築山殿について語りはじめた。

「この築山殿も今川家の血筋を鼻にかけてめっぽう気位が高く、しかもいまは駿府におわす大御所さま(家康)よりも年上だったためか、なみはずれた嫉妬深さだったとか。かつて徳川家にはお万の方といって、大御所さまに召されていまは亡き結城秀康公を産みまいらせた側室がいた。このお万の方はもとをただせば築山殿の侍女だったそうだが、その懐妊を知った築山殿は悪鬼か羅刹女《らせつにょ》のように怒り狂い、お万の方を捕えて一糸まとわぬ姿にするや、縛りあげて林の奥へ投げ捨てさせたという。発見が遅れればのちの結城秀康公はこの世に生まれいずることもなかったろうが、お静も大奥にとどまっていては、いずれ似たような目に遭わされるところだったかも知れぬな」

三人に白湯《さゆ》をはこび、またお光のいる台所へもどろうとしたお静は、背後から流れてきたこの話し声を聞いて凝然と立ちつくしていた。徳川将軍家の正室が、二代にわたってかくも恐ろしい性格の持ち主だったとは。

「でも、兄上」

と才兵衛が初めて口をひらいたのは、この時だった。

才兵衛は、まだ若々しい声で意見をのべた。

「すでに姉上は、大奥から首尾よく脱け出すことができたのです。これ以上、御台所の手の者にねらわれはいたしますまい」

「だからこの家で子を産めばよい、ということかね」

助兵衛がたずね返すと、嘉右衛門が首を横にふりながら口をはさんだ。

「才兵衛、その考えはちと甘いぞ。げんにおれは、昨日だけで二度も危ない目に遭った。お静も、まあ聞いておれ」

「はい」

と答えてお静がその背後に正座すると、嘉右衛門は昨日神田白銀丁まで往復する間に起こった出来事について初めてうちあけた。

——昨日の朝五つ刻（八時）に竹村を出たかれは、板橋、三軒茶屋をぬけて四半刻（三〇分）後にはもうその先の庚申塚《こうしんづか》にさしかかっていた。すると背後から馬蹄の音が響き、土けむりをあげて馬が一頭暴走してきた。

かれはふりかえりざま街道脇へ身をかわし、このあばれ馬をやりすごそうとした。だがその時かれは、あばれ馬にまたがっているのが黒覆面に顔をつつんだ異形《いぎょう》の者であることに気づいていた。しかもこの乗り手は、かれが身をかわしたと見るや、馬をなおもあばれ馬のように見せつつたくみに手綱をあやつり、またしてもその正面に馬の鼻づらをむけてきた。

（こやつ、おれを馬蹄にかける気か！）

ようやく殺気に気づいたかれは、手近に立っていた榎の陰に走りこむことによってようやく難をまぬがれた。その乗り手はしくじったと知ると馬の尻に鞭を叩きつけ、ますます歩度をあげさせて巣鴨方向へ走り去ったという。

——まだその時、かれはこのあばれ馬一件とお静の帰宅とにかかわりがあろうとは思いもしなかった。しかし竹村家をおとずれての帰り、板橋の仲宿までもどってきてから、またしても妙なことが起こった。

繁華な仲宿を抜けて板橋という地名のもとになったともいわれる太鼓橋の橋詰めまでくると、それまで橋の欄干にもたれて石神井川の流れを眺めていた三人の牢人者がぶらぶらとこちらへやってきた。その三人とすれちがおうとした時、先頭の男がつぎの当った古小袖の肩をぶつけてきたのである。

「やい、なんだ貴様。どこを見て歩いていやがる」

伝法な口調で叫んだ月代《さかやき》も伸び放題のその牢人は、するどい目つきでかれをにらむや、もう大刀の鍔に左手親指を掛け、鯉口を切っていた。

「ぶつかってきたのは、おぬしの方ではないか」

かれがたしなめると、

「なにを」

と他のふたりが応じ、左右からかれを押しつつもうとした。

——三人の牢人者がかれに難癖をつけ、刃傷沙汰におよぼうとしているのは一見してあきらかだった。

（三対一では、勝ち目はあるまい。正面の男に一太刀斬りつけて、ひるんだ隙に脱兎のごとく走り出そうか）

かれも大刀に左手を掛けた時、

「へい、御免なすって。ちょっくら道をあけて下せえ」

と声がし、太鼓橋から塩俵を背にくくりつけた駄馬の長い列が近づいてきた。馬子の曳くその列は、期せずして橋詰めの左右に別れたかれと三人の牢人者との間に割って入るかたちになった。

（こやつら、土地の者ではないぞ。土地の者ならどこかで見かけたことがあるはずだ）

その間に思い至ったかれは、午前中にぶつかったあばれ馬も板橋宿の方角から走ってきたことを考えあわせ、

（これは）

とつぶやいていた。

（これはどこからか板橋宿へ入りこんだ者たちが、またしてもおれをねらったと見るべきだ）

ならば、牢人どもの誘いに乗るのは愚の骨頂ということになる。馬の列の脇腹に身を貼りつけるようにして仲宿側へもどったかれは、人でにぎわっている商店《あきだな》の脇から路地裏へと抜け、うまく牢人どもの追及から身をかわして竹村へ帰ってきたのだという。

（ああ、それで昨日お帰りになった兄上さまは、いくども道のかなたをふりかえるようになさりながらこわい目つきをしていらしたのか）

お静が考えているうちに、またその嘉右衛門が肩越しにお静を見やってたずねた。

「これ、そなた。大うばさまのもとへ奉公にあがる時、なにか書かされはしなかったか」

「いえ、奥むきで見聞いたしたことは親兄弟たりとも他言いたすまじく、という文面の誓詞《せいし》を入れはいたしましたが」

そこで一度口を閉ざし、

「あ、そういえば」

とお静はいった。

「そのあとに署名いたし、印形《いんぎょう》を持ちませんので血判を捺《お》したことでした」

「そこに、宿下がり先としておれの名も書いたのだな」

「はい、さようでございます」

と答えながら、ようやくお静は兄の質問の意味するところを理解していた。

「やはり、そうであったか」

うめくようにいった嘉右衛門は、ふたたび助兵衛と才兵衛とに顔をむけた。

お静は、うちひしがれた思いで長兄嘉右衛門の沈んだ声を聞いていた。

かれの結論は、このようなものであった。

「昨日おれをねらったあばれ馬の黒覆面と三人の牢人風は、お静が大奥から姿を消したのに気づき、御台所が放った刺客《せっかく》に違いあるまい。御台所は、お静を大奥から追っただけでは気がすまぬと見える」

「ということは、お静さんが将軍の胤《たね》をみごもっているかぎり神尾家をねらいつづけるということだろうか」

義兄の竹村助兵衛がしわがれ声でつぶやくのを聞くうちに、お静はいつのまにか左手を自分の腹部に当て、おなかの子を守る構えになっていた。

「いや、親族である以上、おぬしたち夫婦もねらわれるかも知れぬ。帰り道は、編笠で面体《めんてい》を隠していった方がよいぞ」

嘉右衛門は、くぐもった声で助兵衛に答えた。

やがて、――。

それから半刻(一時間)ばかりふたりの間でつづけられた相談は、お静にとってはもっとも苦しく、切ないところへ落ち着いた。

「まことに不憫《ふびん》ではあるが、お静の腹の子は神尾一族を守るためにも水に流しまいらせるよりほかはない」

(それでよいのですか、姉上)

というように、才兵衛がお静にいたわしげな視線をむけた。

しかしうつむいていつか頬を涙に濡らしていたお静にはそれを、知るよしもなかった。

このころもっとも一般的な子堕《お》ろしの方法は、

「月水早流れ」

と看板を出した中条流の女医者(婦人科医)から秘伝の薬をもらって服用することだった。

「男たちがおらぬとわかると、刺客が留守を襲うかも知れぬ」

として助兵衛、才兵衛がまだ帰らずにいた翌日、嫂《あによめ》のお光がどこからかもらってきたいくつかの薬包を、お静は深い諦めとともに飲み下した。

これは、効いた。

だが得体の知れないこれらの薬には母胎をそこなう毒も強いらしく、お静はおなかの子が水となって流れてからも、長い間枕から頭が上がらなかった。

その間まわりに一度も異変が起こらなかったところをみると、お江与の方は神尾家側の対応を知り、満足して刺客たちを引きあげさせたものと思われた。

(兄上さまたちに、御迷惑をかけなくてよかった)

お静は強いてそう思いこもうとしたが、やはり水となって流れたわが子のことを考えると、申し訳なさに目頭が熱くなるのをどうしようもなかった。

お静のからだがまだ本復しないうちに、竹村は秋景色一色となった。

西の空に仰ぐ富士の峰は次第に雪を冠し、神尾家をかこむように立っているけやきやいちょうの木は日ごと黄金色に染まってゆく。

「さあ、姉上。いやなことはもう忘れて、早く元気になって下さい。今日はこんなものを取ってきましたが、お口に合えばいいのですが」

二日に一度は見舞にくる才兵衛は、そのたびごとに山栗や柿の実、きのこなどをざる一杯にして持ってきてくれるのだった。

それらのものを少しずつ口にし、またとろとろと眠る幾夜さを送るうちに、お静は、一時は空蟬《うつせみ》となってしまったかと思われた自分のからだが薄紙をはぐように日一日と生気をよみがえらせつつあるのに気づいた。

ようやく床上げにふみきり、ひさしぶりに農作業場をかねる前庭に出てみると、目に映るけやきはすべて葉を落とし、大きな箒《ほうき》を空にむかって逆さに立てたような姿を呈していた。

そんな一日、嘉右衛門と才兵衛は自分たちの田畑の野焼きをおこなうことにした。才兵衛は兄夫婦に遠慮して自分の建てた掘立小屋に引きうつったとはいえ、兄とおなじく神尾家の野良を耕しているのである。

「お静さんも、気晴らしに御一緒しましょうよ」

とお光に誘われ、お静も手ぬぐいを姉さんかむりにして出かけてみた。

それは、一種まぼろしのような光景だった。

雑木林と竹藪の間をわけて自分たちの田畑へすすんだ兄弟は、注意深く風むきを調べてから風上にまわりこみ、松明《たいまつ》の火を枯れ草に近づける。枯れ草は煙とこうばしいような匂いをただよわせながら、あちこちに炎の舌をのばしはじめた。

やがてその炎は横に長く伸びて一本の赤い線となり、風下へむかってゆっくりと波のようにすすみはじめる。その線のかなたにひろがる黄ばんだ風景は、炎の波が通過したとたん墨を流したような真っ黒な姿に変わってゆくのだった。

色彩のこの急激な変化にお静はなぜか胸を打たれ、煙が目にしみるのをこらえながら畦道《あぜみち》にたたずんでいつまでも野焼きを見つめていた。

「おーい」

と遠い声がしたのは、その炎の波も畦溝《みぞ》にさえぎられて鎮火にむかったころだった。

「あら、どなたかしら」

お光につられて、お静もつるべ落としに日の暮れてきた神尾家の方角をふりかえった。影絵のようなその姿は、編笠をかむって袴をつけていることからして侍のようだった。

（まさか、また御台さまの手の者が、……）

お静は一瞬思ったが、よく考えてみれば刺客が大声で呼びかけてくるわけもない。ふしぎに思って畦道伝いにやってくるその侍の姿に目を当てつづけていると、その背後から白っぽい色合いが見え隠れすることからふたりづれであることが判じられた。うしろからついてくるのは、どうやら市女笠《いちめがさ》をかむった娘らしい。

と思った時にはその娘はもう同行者の横をすりぬけて前に出、お静にひらひらと手を振りながら若々しい声でいった。

「そこにおいでなのは、お静の方さまではありませんか。文です、おせわになった文でございます」

「まあ、お文さん、どうして」

思わず声を返した時、お静の胸に潮のように満ちてきたのはなつかしさだった。小走りに駆け寄ってきたお文をやわらかなほほえみで迎え、お静は両手を差しのべていた。

神尾家の囲炉裏部屋に請じ入れられたお文のつれの侍は、

「井上家につかえる田中正四郎と申す者でござる。お見知りおき下され」

と律義になのって頭を下げた。

それがどこの井上家のことか、お静にはすぐにわかった。初めに自分を雇い入れてくれた大うばさまの息子、まだ十代のころから秀忠につかえて信任篤く、「近侍の三人」のひとりにかぞえられている井上半九郎のことである。

「こんな身なりで失礼いたす」

野焼きをおえてともに引きあげてきた嘉右衛門と才兵衛は、手早く手足を洗ってから挨拶を返した。

すると大きく剃りひろげた月代の下に人の良さそうな顔だちを見せていた田中正四郎は、困ったように髷に手を当てながらいった。

「実は本日不意に訪問いたしたのは、御老女中野の方さまよりあるじの母御前《ごぜ》に託された用むきをお静の方さまにお伝えいたすためでござってな。おふたかたにはまことに申し訳ござらぬが、暫時《ざんじ》席をはずしては下さらぬか」

「ようござるとも。これは気づかぬことで、われらこそ御無礼つかまつった」

侍ことばで答えた嘉右衛門は才兵衛をうながして別室にしりぞき、囲炉裏部屋にはお静とお文、そして田中正四郎の三人だけがとりのこされた。

（中野の方さまと大うばさまからのお使者とおっしゃると、いったいどんな要件なのか。無断で里帰りして、それきりにしてしまったことを叱られるのかしら）

胸騒ぎをおさえながらお静が顔をあげると、

「では、つつしんでお伝えいたす」

と、田中正四郎はいった。

「おそれながら大樹《たいじゅ》さま（将軍）におかせられては、こなたさまがお姿を消して以来はなはだそのゆくえをお気にかけられましてな。ことに秋が深まりましてからは、御老女中野の方さまに対しても、早うもどるように伝えい、との矢の御催促だったとか」

そこで一息ついた田中正四郎はお静にむかって両手をつき、一気につづけた。

「ところがこなたさまには先刻御承知のような事情で、御老女さまとしても御台さまの手前、表立って動くことはかないませぬ。そこでこれなるお文をわがあるじの母御前のお局《つぼね》へつかわしてそれと告げましたることから、拙者にこたびのお役目が命じられた次第でござる。奥むきにていろいろござったことはあらましお文より聞いておりまするが、ここはひとつ大樹さまの思し召しでもござれば、まげてお城にもどることを考えては下さりませぬか」

これは、お静にとってはまことに意外な口上であった。将軍秀忠および世話親をつとめてくれていた中野の方になんのことわりもなく実家へ帰ってきてしまったのに、それを叱責されるのではなく、なんとか帰ってきてほしいと使者に懇願されることがあろうとは。

しかし、この口上からは、田中正四郎も自分が将軍秀忠の子をみごもっていたこと、その子をすでに水に流してしまったことを知っているのかどうかよくわからない。

そう思うと、懐妊から五カ月たってからの手順を教えてくれた時の中野の方のことばがにわかに思い出された。

「いろいろなことがありましたから、そなたのからだのことはもう少しの間内密にしておきましょうか。お上には、いずれおりを見てわらわから申しあげましょうほどに」

と、あの時中野の方はいったのだった。

だが秀忠がそれと伝えられる前にお江与の方がお静のからだの異変を知ったことにより、猫のミイが見せしめに毒殺されるといういまも思い出したくない事件が起こったのではなかったか。

あれこれ考え合わせると、

（どうも、この場でお返事を差しあげるのはよくないのではないかしら）

と、お静は思った。

お文にだれがどこまで知っているのか教えてもらい、あらためて嘉右衛門と才兵衛に相談するだけの時間もほしい。

（それに、いま大奥にもどればすぐに年があらたまり、また御台さまの前に出なければならない行事が多くなる。それだけは、もう堪忍してほしい）

と思案したお静は、思い切っていった。

「お役目まことに御苦労に存じますが、せめて年が明けますまで考えるゆとりを下さいませ、と御老女さまにお伝え下さりませぬか」

女同士の話もあるので、お文さんには泊まっていっていただきたいのですが、というお静の希望を受け入れ、田中正四郎はその夜のうちにひとりで帰っていった。

「で、おなかの和子さまはいかがあそばされました、まだめだっておりませんけれど」

つましい自室に席をうつしてすぐ、お文に問われ、水にお流ししてしまったのです、とお静は正直に答えた。

「それはお気の毒に、さぞおつらかったことでしょう」

気立ての良いお文は、そう答えるうちに早くも目をうるませていた。

「で、わたくしがお上のお胤をみごもっていたことは、どなたとどなたがご存じなのでしょう」

さきほどから気になっていたことをたずねると、

「それは、田中さまはおろか大うばさまもご存じではありません。わたくしが申しあげませんでしたから。知っているのは中野の方さまとわたくしどもおつきの者ばかりです」

と、お文は答えた。

（それと御台さまに、もしかしたらそのおつきの方々）

と頭のなかでつけ加えながら、お静は確信していた。幸か不幸か、秀忠もそこまでは気づいていない、ということを。

まもなくお光がふたりを呼びにき、女たち三人は台所の板敷きの間できのこ汁の夕食をとった。

それからお文を誘って囲炉裏部屋へもどると、一足先に食事をおえたもののまだ帰らずにいた才兵衛がいった。

「姉上、あのお使者の要件はどういうことだったのですか。よろしかったら、教えて下され」

　お静が口上のあらましを伝えると、

「それで、どう答えたのだ」

　今度は嘉右衛門が火のむこう側からたずねた。これにもお静が隠さずに答えると、ならんで正座したお文は、間違いありません、というようにこくりとうなずく。

「そうか」

　嘉右衛門は男臭い顔をもたげて煙抜けの穴を見あげていたが、お静が兄の判断を求める姿勢になっているのに気づいたのか、ぼそりと答えた。

「天下人がかようなそうな草深い村までおじきじきに使者をさしよこし、大奥をたばねる御老女や大うばさまとおっしゃる方々までそなたのもどるのをお望みなのであれば、これからはきっとそなたの身をよく守って下さるつもりなのだろう。むげにおことわりするのも、申し訳ないことかも知れぬのう」

　嘉右衛門の意見は、これもお静には予想外のものであった。

（御台さまの放った刺客とおぼしき者たちに、一度ならず二度までも襲われかけたというのにかようなことをおっしゃるとは）

　と思うとお静は、兄上はちとお人が良すぎるのでは、という気さえした。

　しかし返事は年明けでよいのだから、なにもあわてる必要はない。

　お光の家事を手伝ったり、才兵衛の小屋を片づけてやったりしているうちに、木枯らしの吹きすさぶ季節になった。

師走に降った大雪であたりは一面の銀世界と化し、お静が白い息を吐きながらその下に埋まってしまった冬野菜を摘みに出てみると、野うさぎの足跡が畑のはるかかなたまで点々とつづいていた。

(この野うさぎは、どこまで駆けていったのかしら)

まぶしさに目を細めて小手をかざすうちに、なぜか秋に兄たちのおこなった野焼きの炎が赤い線となって波のようにすすんでゆき、枯れ草色の風景を一気に黒く染めかえてしまったことが思い出された。

田中正四郎のことばは、秀忠、中野の方、大うばさまが三者三様にお静の帰りを待っていることをお静に充分に納得させてくれるものだった。そのことばによってお江与《えよ》の方の悪辣《あくらつ》な厭がらせの数々は意識の外に押しやられ、いつかお静は大うばさまや中野の方、そして中野の方づきのお文たちが自分をやさしく迎えてくれたことだけをなつかしく思い出すようになっていた。

慶長十五年(一六一〇)の元旦となっても、

(お上は、あらたまの年をどうお迎えになられたのか。大うばさまや中野の方さま、それにお文さんにお変わりはないかしら)

ということばかり、お静は考えていた。

すると七草の節句を祝おうとしていた日の昼前に、また田中正四郎が、今度はお文の代わりに小者をつれてたずねてきた。

おり悪しく嘉右衛門は畑に出ていたので、お静はかれに囲炉裏部屋へ上がってもらって対座した。紋羽織姿の田中正四郎は、生真面目な口調でいった。

「奥むきへ再出仕いただく件、そろそろお考えもまとまったころあいではないかと存じて、参上いたしました」

正面きって即答を求められたと気づくと、お静は困惑を禁じ得なかった。

かといって、もう少し時間がほしいなどと答えては、使者の面目をつぶしてしまいそうでそれも気の毒のような気がする。

「あの、もどりましたなら、みなさまにはどう御挨拶いたせばよろしいのでしょうか」

思いあまってお静がたずねた時、田中の人の良さそうな顔だちには安堵の笑みがひろがっていった。


またお静の、将軍づきのお中臈としての生活がはじまった。

ふたたび世話親となってくれた中野の方はほっとした表情だったが、約五カ月ぶりに見る目鼻だちのはっきりしたその顔には、老いがありありと浮かんでいた。お静とおなじく根結いのおすべらかしにした髪には白い筋、目尻には小じわがめだち、鼻筋や顎の線もややとがって、その心労が並ではなかったことを物語っていた。

（わたくしが御心配をおかけしたものだから）

お静は心のなかで手を合わせたが、大うばさまの局へ再出仕の挨拶に出むいた時、老いは大うばさまの上に一段と深く刻まれていることがあきらかとなった。

大うばさまがいくつになるのか、奥女中たちに知る者はいない。

しかし、天正七年（一五七九）生まれの秀忠に乳を与えた時に二十歳《はたち》だったとしても、もう五十一歳。一口に人生五十年といわれるこの時代には、かなりの頽齢《たいれい》といっていい。

からだもひとまわり縮んでしまったように見える大うばさまは、

「あまり、お上に御面倒をおかけしてはなりませんよ」

という声にも張りがなくなっていて、

（いつまでもこのおふたりを頼りきっていては、申し訳ない）

とお静は痛感させられた。

ただし、当年三十二歳と男ざかりの時を迎えつつある秀忠は、しばらく会わなかったことによってますますお静恋しさをつのらせていたようだった。

「そなた、余にことわりもせず、長い間いずこへ行っておったのだ」

ある夜、お静と肌を合わせた秀忠は、

「あるいは宿下がりしたままどこぞへ嫁いでしまったのかと思うて、気が気ではなかったぞ」

と、耳もとに熱い息を吹きかけながらささやいた。

秀忠がお静の懐妊とその後のつらい処置について、なにも知らないことはそのことばからもあきらかだった。それでもお静は、

（お上が、そんなにもわたくしめごときを案じていて下さったとは）

と思うと、やはり大奥へ帰ってきてよかった、と感じるのだった。

お文は以前にもましてよくつかえてくれ、お江与の方の厭がらせも帰参後はふっつりと絶えていたから、初めどこかで身構えていたお静の心もやわらかな日の光を浴びた春の淡雪のように少しずつ溶けていった。

それはひとつには、お静が自分をもはや石女《うまずめ》になったものと思いこんでいたためでもあった。中条流の女医者から薬をもらっておなかの子を流した女には、二度とみごもらない体質となった者が少なくない、とお静は聞いていた。

（もう、ややを産むことはできない）

と考えると、女として悲しくないわけでは決してなかった。

だが、秀忠の寵愛を受け、懐妊したためにこそお江与の方の殺意の対象にされたことを考えれば、石女となったからだで大奥づとめをしていた方がかえって安穏《あんのん》だ、ということになる。

しかし、――――。

石女となった、というのはお静の個人的な思いこみにすぎなかった。

月に一、二度の割合で秀忠からお添い寝の命を受ける暮らしをつづけ、また紅葉の季節を迎えたころのことだった。お静はこのところ、月のさわりが滞っていることに気づいた。

前後して時々不意に吐き気に襲われ、酸っぱいものがほしくなるという悪阻《つわり》特有の兆候もあらわれたから、ふたたび秀忠の子をみごもったことはあきらかだった。

だが、お文もまだ気づかないうちに、お静は懐妊を中野の方にも報じないことに決めてしまった。中野の方に伝えれば奥医師の診断を受けなければならなくなり、またどこかからお江与の方にその話が伝わって、自分の身が危なくなることは目に見えている。

とはいうもののお静は、

（では、どうしたらよいのやら）

と自問するとさすがに途方に暮れざるを得なかった。

考えてみると、お静は板橋の竹村にいる間は亡き父神尾伊予の庇護を受け、大奥づとめとなってからは初め大うばさま、のちには中野の方の指図にしたがって動いてきたので、みずからの判断によって行動することに慣れていないのだった。

ただし、どうするか決めるのに時間がさほど残されていないことだけはよくわかった。もし近日中に秀忠からお添い寝の命が伝えられても、悪阻の兆候があらわれている以上拝辞するしかないし、それが二度、三度とたび重なれば周囲が懐妊と気づくのにさほど日にちはかかるまい。

思いは千々に乱れたが、夢がお静に答えを与えてくれた。

その夜、褥《しとね》に入って輾転反側《てんてんはんそく》するうちに疲れが出、お静はとろとろとまどろんだ。その夢にあらわれたのは、あまりにもおどろおどろしい光景ばかりだった。

——月のさわりが滞ってもう五カ月たち、お静は岩田帯を巻いて北のお部屋に居をうつしている。そのお静がなぜか姿の見えないお文を探して廊下に出ると、角からお江与の方づきの者が勢いよく飛び出してきてぶつかりそうになる。その赤い目はあきらかに、お静の腹にそそがれている。

額に脂汗を浮かべながらいやいやをするように首を振るうち、お静はまた別の夢へと引きこまれていった。

——別の日、お静が気散じに庭を散歩していると、頭上に枝をさしのべている松の木の高みから、刃のひらいた大きな剪定《せんてい》ばさみが落ちてくる。

「いや、手がすべってしまいやして」

御用達の庭師が高い位置から詫びを入れるが、その赤い目にはしくじった、という色がまざまざとにじんでいる。

——胸の高鳴りを押さえながらお静が散歩の道筋を変えると、目の前にあらわれた甃《しき》石《いし》は雨も降らないのにぬめぬめと黒く光っている。よく見ると甃石には油が塗られていて、足をかけたらころぶようにだれかが仕組んだものとしか考えられない。

そう思って歩みを止めた時、

「あははは」

と笑う狂女の声が聞こえてきて、お静は眠りを破られていた。

(ああ、夢でよかった)

と思いはしたが、お静はぐっしょりと寝汗をかいていた。

その気持悪さに堪えながらまた眠りに入ろうとして溜息をつくうち、今度脳裡に浮かんできたのはかつて本当に見た光景であった。

餡のたっぷりと入った箱の下からあらわれた白い薬包。そのなかの白い粉を溶かした桶の水に浮かびあがり、まるい口もエラもぴくりとも動かさなくなっている小ブナ。口から泡を吹き、舌をだらりと出したまま息絶えていた牝猫のミイ。

（ああ、竹村へ帰ってからのわたくしは、少しどうかしていたのかも知れない。大うばさまや中野の方さま、そしてお文さんのやさしさだけをなつかしく感じ、御台さまの恐さを思い出さずにいたなんて）

いや、忘れていたわけではない、恐ろしいからこそお江与の方のことはあえて考えないようにしていただけなのだ、と思った時、もうお静は今後どうするかを決めていた。

（やはり、竹村の実家に帰ろう。そして、もう金輪際この大奥にはもどらない。おなかの和子さまのことは、竹村へ帰ってから考えても遅くはないでしょう）

翌朝、中野の方の前にすすみ出たお静は三つ指をついて深々と腰を折り、いとま乞いしたいと述べてその許しを求めた。

「まあ、急になにをおいいかえ。帰参してまだ一年もたたぬと申すに、また心変わりいたすとは」

中野の方は心底あきれたようにいい、

「そなた、お上との間になにかあったのかえ」

とも探りを入れてきたが、もうお静は、

（どう思われようと、いたし方ないこと）

と思い切っていた。

「やはりわたくしは野づら育ちでございまして、かような高貴の御殿への御奉公は水に合いませぬことがようわかりましてござります。今後は兄弟の野良仕事など手伝いながら生きていきとうございますれば、卒爾《そつじ》なる申しようではござりまするが、どうかこの段、ひらにお許し下さりますよう、……」

懐妊のことはだれにも告げまい、とほぞを固めていたお静は、かたくなにこのせりふで押し通した。しかし真実を告げられないことはやはり心苦しく、口上を述べるうちにいつかお静は涙声になっていた。

それを中野の方は、別の意味に受け取ったようだった。

「そうでしたか、そなたはそんなにもつらい思いをしていたのですか。いろいろなことがありましたから、いたし方のないことなのかも知れませんなあ」

みずからを納得させるようにつぶやいた中野の方は、口調をあらためてつけ加えた。

「ならばせめて、大うばさまにだけはきちんと別れの御挨拶を申しあげていきや。お上にはわらわからおりを見て言上いたしましょうほどに、達者で暮らすのですよ」

「ありがとうござります。どうか、御老女さまもおすこやかに」

と答えてさびしいほほえみを見せたお静が、荷物をまとめてひっそりと江戸城を退出したのはその翌日のことであった。

竹村では嘉右衛門、お光夫妻が迎えてくれたが、お静がふたたび秀忠の子をみごもったこと、もはや二度と大奥にもどるつもりはないことを伝えると、嘉右衛門は前回の里帰りの時と同様きびしい表情になった。

「大奥にはもどらぬ覚悟で、子を産むと申すのか」

とたずねたその声には、心なしかとげがふくまれているような気さえした。

しかしお静は、とにかくお江与の方に気づかれないうちに、ということばかり念じ、おなかの子をどうするかという問題は先送りにして竹村へ帰ってきたのである。

(またおなかのややを水としてお流ししてしまったら、今度こそ本当に子の産めないからだになってしまうのでは)

そう考えると女の身として口惜しいようにも思い、この胸にわが子を抱きしめてみたくなる。

(けれどお城に御台さまがおいでのかぎり、おなかのややは将軍家の和子さまにはなれず、ただの父《てて》なし子となってしまう定めにある。そうまでして出産することが、おなかのややにとって幸せなことなのかしら)

と思い直すと一概にどうすべきとは決められないような気もして、お静は困惑を禁じ得なかった。

結局お静は、

「もう一度、親族一同で相談いたそう」

という嘉右衛門の意見にしたがわざるを得なくなった。

「まことに不憫《ふびん》ではあるが、お静の腹の子は神尾一族を守るためにも水に流しまいらせるほかはない」

ほぼ一年前、あまりにつらく切ない結論に至った寄り合いだけに、お静には気がすすまなかった。それでもほかに名案も浮かばない以上、親族たちの考えに耳をかたむけるしか方法がない。

しかし翌日、お静にはかすかな希望がめばえた。神田白銀丁の竹村助兵衛をたずねた嘉右衛門が昼前にもどり、

「明日の昼ごろ、くることになった。お栄が元気な男の子を産んだそうだから、なにか祝いを考えねばならん」

と足をすすぎながらお光に告げるのを、聞くともなく耳にしたからである。

(姉上が、母親になられた。ならば助兵衛さまも、一児の父親としてわたくしの気持をわかって下さるかも知れない)

と考えると、にわかにお静はお栄とその赤児に会ってみたくてたまらなくなった。

ところが、——。

つぎの日に神尾家の囲炉裏部屋ではじまった親族会議は、前回とおなじ流れをたどりはじめた。

「ふたたびお静殿が大奥から姿を消したと知れば、御台所はまたみごもったためであろうと目星をつけるに違いあるまいて」

お静の期待とはうらはらに、助兵衛が口髭をぴくりと動かしていうと、

「おれも、実はそう思っていた」

と、嘉右衛門は囲炉裏の火をかき立てながら答えた。

「となれば、里帰り先をこの竹村と知っておる御台所は、またしても間者を放って良か

らぬことをたくらみはじめるかも知れぬ」

「用心するに越したことはない」

助兵衛とうなずき合った嘉右衛門は、末座の才兵衛の背に隠れるようにして控えているお静にむきなおって告げた。

「お静よ、聞いてのとおりだ。なさけ薄き兄よと恨まれるかも知れぬが、こたびも水に流したてまつるしか仕方あるまい」

「――」

お静は、そういわれても素直にうなずく気にはとてもなれなかった。

(不義の子でもない和子さまを、なにゆえふたたびお流ししなければならないのか)

と思うと、胸に痛みが走って目頭が熱くなってくる。

「ちょっと、お待ち下され」

末座で沈黙を守っていた才兵衛が、初めて口をひらいたのはこの時だった。

才兵衛はいつのまにか前髪を落とし、兄とおなじく髷を大月代茶筅に結いあげている。

腕組みを解いたかれは、お静も驚くほどの勢いで堂々と意見を述べはじめた。

「いやしくも姉上のおなかの子の父親は、現将軍なのですぞ。ほかならぬその将軍家との間に生《な》したる和子さまを、御台さまにはばかりあるとて一度ならず二度までも水となしたてまつるとは天罰を恐れぬ所業。見れば姉上も、こたびばかりは人目を忍んでも産みまいらせたいと思ってお城からのがれきたった様子、この才兵衛は、姉上のお心のままにさせてあげとうございます」

「おぬしは、まだ若いからそう申すのだ」

「姉を思うその気持はわからぬでもないが、徳川家の御台所ににらまれたならば、われら北条家牢人など江戸にはいられなくなるぞ」

助兵衛と嘉右衛門はこもごも答えたが、才兵衛は業《ごう》を煮やしたようにことばを返した。

「ええい、見そこなったわえ。御両者はそんなにも御台所からの刺客が恐いのか！」

「やい、なんだ、その申しようは」

顔面を朱に染めて才兵衛を見据え、身の右側に置いてあった大刀に手をかけたのは助兵衛だった。かれは、口髭を震わせて叫んだ。

「神尾一族のことを案じればこそ申しておるものを、おのれのその無礼なぬかし方はなにごとだ。さようなやつは、わが義弟とは思わぬ。二度とおれの前に顔を出すな」

こうなっては、売りことばに買いことばである。

「ああ、わかりましたとも。姉上、かような御仁のいうままになっていては、人倫の道を踏みはずしてしまいます。さ、わたくしと一緒にこの家を出ましょう」

と叫ぶようにいった才兵衛は、席を立って戸口の三和土《たたき》にむかった。

（ここに残ればまたあの薬を飲まなければならないけれど、弟と一緒にゆけばどこかで人知れずややを産むことができる）

お静も咄嗟《とっさ》に思案して、小走りにそのあとを追った。

農作業場をかねる前庭の枝折戸《しおりど》を出て、才兵衛がむかった先は自分の掘立小屋であった。

「さあ、このわらじで足ごしらえして下さい。笠もありますから」

土間に身を入れた才兵衛は、長持から取り出した父の形見の大小に革の柄袋をかぶせると、手甲、脚絆をつけて手早く旅支度をととのえた。

「でも、どこへゆくつもりなのです」

とは、とても聞ける雰囲気ではない。

才兵衛の二重まぶたの両眼には輝きがあり、高い鼻筋、よく張ったおとがいには強い意志が感じられて、お静はようやく二十歳をすぎたばかりの弟の、あらたな一面を知らされた思いだった。

板橋宿から中山道を日本橋へむかうと、三軒茶屋の先の庚申塚から王子みちが、巣鴨の先の森川宿の追分からは日光みちがわかれ出るが、いずれも見た目にはただの田舎道と変わりはない。左右にひろがる黄金色の稲田は、刈り入れの真っ最中だった。

お静のからだを気づかって駄賃馬をやとってくれた才兵衛は、馬体右側に身を寄せると黙々と白茶けた街道をたどりはじめた。

馬の背に揺られながら小袖たっつけ袴のたくましい姿を見つめていたお静は、本郷から湯島へ近づき、少しずつ茅《かや》ぶきの民家がめだちはじめた時、

(まあ、もしかしたら)

と思っていた。

子供のころから仲の良かった姉お栄の嫁ぎ先である神田白銀丁の竹村助兵衛宅には、

お静は大奥へ奉公にあがる前、幾度となく遊びにいったことがある。だからこの道をまっすぐゆけば土地を削られて武家地となった神田台をすぎて、神田白銀丁の町屋に入るとすぐにわかった。

それにしても助兵衛と才兵衛とは先ほど激しく口論したばかりだから、まだ当人は帰っていないにせよ、よもやその家をたずねるとは思えなかった。

（ならば、どこへ）

不思議に感じたお静は、思い切って才兵衛に問いかけてみた。

「まさか、姉上をおたずねするのでは」

するとふりかえって笠のへりを持ちあげた才兵衛は、兄たちの前で見せた怒りはどこへやら、白い歯を見せて、

「よくおわかりですね、そのつもりです」

とあっさり答えた。

「姉上が恢復《かいふく》されてまたあちらへもどられたあと、わたくしは姉上がお使いの者に持たせて下さった品々をおすそわけするため、何度か白銀丁へ顔を出しました。すると上の姉上はいつも姉上が里帰りなさった時のことを口にして、もし自分も一緒に竹村に行っていたならそんな不憫な真似は絶対させなかったのに、といって涙を流して下さったのです」

才兵衛はあきらかに、前をゆく馬子の耳を気にしながら話していた。

「でも、あとから助兵衛さまがお帰りになったら、……」

また才兵衛と口喧嘩になるのではないか、とお静が笠の下で眉をひそめると、

「なに、窮鳥ふところに入れば猟師もこれを殺さず、ということわざもあります」

かれは、人なつこい笑みを浮かべて答えた。

「それに助兵衛殿は、実のところ上の姉上の尻に敷かれていましてね、いつも肩や腰をもまされているのです。とにかく、上の姉上にお頼みしてしまえばこっちのものです」

結果は、才兵衛のいったとおりになった。

四条与左衛門所有の地面内にある茅ぶきの竹村家をおとなうと、助兵衛の帰りを待っていたお栄は、

「まあ、お静ではありませんか。それに才兵衛さんも」

と満面に笑みを浮かべて迎えてくれた。

お栄が竹村家に嫁いだ当初は助兵衛の父も同居していたが、伊予と前後して死亡したので家にいるのはお栄と生まれたばかりの赤ん坊だけだった。

小さいころからお静とよく似ているといわれていた器量よしのお栄は、髪こそ動きやすいように簡単な玉結びにしていたが、産後の肥立ちもよいらしく少しふっくらしたように見えた。

「ややはちょうど寝ついたところだから、あとで見てやって下さいね」

母親らしい口調でいい、白湯と香の物とを出したそのお栄は、いま気がついたというようにたずねた。

「そういえば、今日は竹村の家で寄り合いがあったのでしょう。うちの人も、そういっ

て出かけていきましたけれど」

「実は、その件でうかがったのです」

才兵衛が膝をすすめて事情を伝えると、

「まあ、なんということでしょう。それでは、あまりにお静が可哀相ではありませんか」

とお栄は声を震わせた。

「だから、男衆だけの寄り合いで話を決めるのはどういうものか、と前にもいったのです。いったい、お静の心とからだをなんだと思っているのかしら」

つづけてお静にやさしくからだの具合をたずね、それでは来年の五月ごろが産み月になると思う、と指を折って計算したお栄は、きっぱりといった。

「ちょうど義父上《ちちうえ》の使われていた隠居部屋があいていますから、そこをお使いなさい。すべてはこの姉にまかせ、そなたは丈夫なややを産むことだけを考えていればよいのです」

（助兵衛さまのお許しもなく上がりこむかたちになってしまって、本当によろしいのかしら）

お静はまだ不安を隠せなかったが、

「それでは、どうかよろしくお願いします。おふたりとも達者でいて下され」

といって才兵衛は立ちあがっていた。

「おや、どこへゆくのです」

お栄が顔を上げると、大刀をつかんだ才兵衛は眉宇に決意をみなぎらせて告げた。

「兄上および助兵衛殿に無礼な口を叩いた以上、わたくしは当分姿を消した方がよいでしょう。これより上方《かみがた》へ走って霊験《れいげん》あらたかな古寺名刹《めいさつ》をまわり、姉上の安産祈願をいたしてまいります。おふたりには、どうかあしからずおとりなし下され」

どこかで酒を飲んできたらしく、竹村助兵衛が帰宅したのは日もとっぷりと暮れてからのことだった。

助兵衛はお静が先まわりして自分の家にきているのを見、驚いたようだったが、

「折り入って、お願いいたしたい儀がござります」

とお栄が口調をあらためて才兵衛、お静と交わした約束について伝えると、その姉妹の情にほだされたのか、なにもいわずに寝室へ入っていった。

しかしお静が白銀丁にいること、才兵衛がさして路銀を持っているとも思えないのに単身上方へ旅立ったことは、翌日のうちには嘉右衛門も知るところとなった。才兵衛が竹村へ帰ってこないのを案じ、嘉右衛門自身が白銀丁へやってきたからである。

黙ってうつむいているお静を見やりながら助兵衛とことばを交わした嘉右衛門は、

「そうか」

とひとつ大きくうなずいてからいった。

「舎弟の才兵衛が、野に寝、山に臥していずこに朽ち果つるやも知れぬ行脚《あんぎゃ》の旅にのぼったと申すに、われらふたりが手をこまねいていたとあっては、かつて北条家につかえ

し者の士道にもとる。どうだ、助兵衛殿」

「いや、嘉右衛門殿。おれも昨晩から、それを考えていたところだ」

助兵衛も、力強くうなずき返した。

「かくなる上は、もはやこれ以上腰を引いてはおられまい。たとえお静殿の一件によって一族ことごとく磔刑《はたもの》に架けられようと、北条武士の名にかけてあたうかぎり和子さまを守りぬこうではないか」

お静がうれし涙にくもる瞳をまたたかせてお礼のことばを述べようとするうちに、嘉右衛門と助兵衛とは奇妙な儀式にとりかかった。

正面から膝と膝とを近づけあったふたりは、まずそれぞれの腰から脇差を鞘ごと抜き取って膝の上にのせる。それから礼を交わし、

「せい」

と声を掛けあったふたりは、その脇差を右手につかんで激しく鍔と鍔とを打ちつけた。

金打《きんちょう》、であった。

ふたりはこれをおこなうことにより、決して約束は破らないと武士の名誉にかけて誓いあったのである。

台所から白湯をはこんできたお栄も、前掛けのはじを目に当てながらこの光景を見つめていた。

そのあと、男ふたりの間で論じられたのは、

「和子さまが無事御誕生となったあかつきには、やはり将軍家に届け出なければなるまい」

という問題であった。現将軍の実の子を、父《てて》なし子として育ててはあまりに畏れ多い。

だが旧北条家家臣のふたりには、なにをどうすればよいのかさっぱりわからなかった。

思いあぐねたように大月代茶筅に結い上げている髷を振った嘉右衛門は、

（おお、そうだ）

という顔をして、お静に目を当ててきた。

「これ、お静。長い間お城に奉公していたのだから、そなたの方がなにかつてがあるのではないか」

急にみんなの視線が集中するのを感じ、お静はどぎまぎしながらも懸命に考えてみた。

大奥にいる大うばさまや中野の方には懐妊のことも伝えていないのだから、いまさらその力にすがろうというのは身勝手にすぎるようで気が引ける。それに大奥にそれと伝えては、お江与の方の耳に入る危険をともないそうでとてもその気になれない。

（すると、あのお方にお知恵をお借りするしかないのかも知れない）

お静が思い浮かべたのは、田安門内の比丘尼《びくに》屋敷におこないすましている見性院《けんしょういん》のおだやかなおもざしだった。

大うばさまにつかえていたころ、お静は月に一度の割で比丘尼屋敷へお使いに行った。

「ではお茶を点《た》てて進ぜましょうほどに、一服してゆきなされ」

とお静のことを茶飲み友達のようにもてなしてくれた見性院のやさしさには、いまも

って忘れがたいものがある。そしてある時、

「いまここにいるわらわたち三人は、ともに滅んでしまった一族の裔《すえ》ということになるのでしょうか」

とつぶやいたその妹信松院《しんしょういん》の﨟《ろう》たけたおもかげにも。

「そういえば」

とお静がこの姉妹について語り出すと、嘉右衛門と助兵衛、そしてお栄は目をまるくしてその話に聞き入った。

武田信玄といえば、かつては北条氏の本拠地小田原城をかこんだこともあり、元亀二年（一五七一）末には一転して北条氏と同盟関係をむすんだこともある戦国の世の英雄だから、その名はいまも北条家旧臣たちの間に語りつがれている。

しかしその同盟締結からかぞえても四十年の歳月が流れ、甲州武田家、小田原北条家がともに滅び去った今日、その娘ふたりがなおも尼僧として生きているという事実はほとんど世に知られていなかった。

「その見性院さまとやらにひそかに事情をお伝えいたし、お力を借りるにしくはあるまい」

という点で嘉右衛門と助兵衛が意見を一致させたので、ともかくお静が御無沙汰のおわびをかねて手紙をしたためることになった。

その手紙は念のため助兵衛の知り合いに届けさせたが、見性院の反応は驚くほどすみやかなものだった。見性院は、その使いの者にお静あての手紙を持たせてくれたのであ

る。

そこには見性院らしいおおどかな筆づかいで、あらまし次のようなことが書かれていた。

「……そもじがお上づきにあげられましたることは、大うばさまづきの者から聞いておりました。大うばさまがおうれしそうにしておいでとのことゆえ、そもじもお幸せになったものと思い、ひそかに喜んでおりましたのに、かかる憂き目を見ていようとはなんと申せばよろしいのやら。

わらわも将軍家のおせわになっている者なれば、表立って助けまいらせることのできませぬのは口惜しきことなれど、近々また信松院が八王子から顔を見せてくれるはず。その信松院にわけを伝え、そもじのもとをおとなわせますので、今後のことは信松院と相談してはくれますまいか。

それまでにわらわも、どのようにすればそもじのお役に立てるかよく考えてみましょうほどに、なにとぞ御身《おんみ》お大切におすごしあるよう、……」

お静からこの書状を見せられた助兵衛とお栄は、そろってほっとした表情になった。

見性院・信松院姉妹をどこまで頼ってよいのかは、まだ見当もつかない。とはいえ、これまでいっさいうしろ盾というものを持たなかったお静と神尾一族にとって、見性院からの返事はことわざにいう、

「闇の夜道の松明《たいまつ》」

にほかならなかった。

見性院のことばどおり信松院が竹村助兵衛宅にやってきたのは、慶長十五年もやや押しつまってからのことだった。

からっ風の吹き荒れたその日の夕方、初め屋内へ響いてきたのは、

「たのもう」

という野太い男の声だったから、このところ外出をひかえていた助兵衛などは、すわ刺客か、と考えて素早く大刀を手もとに引きつけたほどだった。

しかしお栄が腰をあげる間に、その声は口上にうつっていた。

「拙者は武田見性院さまの家来にて、有泉《ありいずみ》五兵衛と申す。竹村助兵衛殿のお住まいはこちらであろうか。信松院さまをおつれいたしましてござる」

「まあ、お静や、信松院さまが」

ふりかえって隠居部屋へ声をかけたお栄は、いそぎ土間に下りて粗末な板戸を引いた。

そこに合掌しつつたたずんでいたのは、お栄の見たこともない美しい尼僧であった。頭部を頭巾につつみ、墨染の衣をまとってはいるものの、そのたおやかで気品ある容貌は隠しようもない。

「むさいところで恐れ入りますが、どうぞお入り下さいませ」

お栄が信松院を守るようにその背後に突っ立っている編笠姿の大男にも会釈し、そういった時にはすでにお静も上がり框《かまち》近くにすすんで上体を折っていた。

「これはお静さん。おひさしゅうございります」

先に口をひらいた信松院は、いたわりをこめてつづけた。

「その後なにかとおつらい目にお遭いだったと今日になってから姉上に聞いて、わらわもほんとうに驚きました」

聞きおぼえのあるやわらかな声に、もうお静は胸が一杯になっていた。田安門内の比丘尼屋敷をおとずれたその日のうちに、信松院がこの神田白銀丁まできてくれようとは思いも寄らぬことであった。

それでも落ちつかなければ、と自分に言い聞かせながらふたりに足をすすいでもらい、助兵衛とお栄とを紹介した。茶の間へまねき入れられて上座に正座した信松院は、いったん台所へ姿を消したお栄が白湯をはこんでくるのを待って、ゆるやかに話しはじめた。

「書状にてお静さんの難儀を伝えられました時、姉上がどうにかして力をお貸しして差しあげたいものと考えましたことは、すでにみなさんご存じかと思います。その後姉上がおひとりで思案なされていたのは、ともかくお静さんをどこか御台さまの手の者たちの目の届かぬところへおうつしし、そこで安らかに産み月を迎えていただくのがもっともよろしかろう、ということでございました」

板橋の竹村は、すでに目をつけられているから論外である。そこで見性院が最初に検討したのは、いっそお静を比丘尼屋敷へ引き取ってしまったらどうだろう、ということだった。

しかし、江戸城北の丸の田安門内にある比丘尼屋敷に身をひそめるのは、お江与の方から見た場合には飛んで火に入る夏の虫となりかねない。そう思い直し、つぎに見性院は、信松院の住まう八王子の庵《いおり》にあずかってもらえないかと考えた。

甲州街道の宿場のひとつである八王子は甲州武田家の故地に近いから、信松院がおこないすましていることもあって付近に土着した武田家遺臣たちも少なくない。その者たちにうまく守ってもらえれば、という心づもりだったが、これも八王子に詳しい信松院から見ると賛成しかねるところがあった。

八王子方面に武田家遺臣の多いのは事実だが、今日その者たちは一組百人ずつ、計十組千人にわけられ、

「八王子千人同心」

と呼ばれて旗本である八王子千人頭《がしら》の支配下にある。

「御台さまが八王子千人頭に探索を命じたならば、のがれきれなくなるのは目に見えています」

といって、信松院は静かに白湯を喫した。

八王子千人同心の任務は、甲州との国境《くにざかい》の警備と多摩地方の治安維持、そして江戸の防衛にある。

「その千人に動かれては、わらわにもお静さんを守ることはとてもできません。今日はそう姉上に申しあげて、納得していただいてまいりました」

信松院はたおやかなうりざね顔を薄暗い室内に夕顔の花のようにほっかりと浮かべ、さらにことばをついだ。

「そこでわらわも懸命に知恵をしぼってみたのですけれど、なかなか妙案を思いつきま

せんでした。ところがその時、これなる有泉五兵衛殿がわらわに挨拶するためまかり出て下さったのです」

信松院と有泉五兵衛とは、この日が数年ぶりの対面だった。かれは旧甲州武田家生き残りの家来のひとりとしてなおも見性院につかえてはいるが、いつもは比丘尼屋敷ではなく、高六百石の知行地の方にあって農民たちを宰領しているからである。

「まあ、五兵衛殿、お変わりもありませず。でも、どうしてこちらへ」

「はっ、お姫《ひい》さまにも御機嫌うるわしゅう。拙者は御領地の新米をこちらへはこび入れましてより、見性院さまのお許しを得て江戸見物を楽しんでおるところでございまして」

有泉五兵衛とこんな会話をしたとたん、信松院は見性院にむき直って告げていた。

「ああ、そうです、姉上。姉上には御知行地がおありではありませんか。これなる五兵衛殿に託し、お静さんを姉上の御知行地のうちにかくまっていただければこんな安心なことはございません、決して人目にはつきませんし」

「ほんにそういえば、わらわは采地《さいち》のことをうっかりしておりました」

見性院が苦笑して答えたので、話はそれで決まった。そこで信松院は、自分もお静の介添役としていったんは見性院の知行地へおもむくことを決意し、当の有泉五兵衛をつれてやってきたのだという。

(まあ、信松院さまが、たった一度しかお会いしたことのないわたくしのためにそこまで骨折って下さるとは)

お静が思わず目頭を押さえると、かたわらの助兵衛が有泉五兵衛にたずねた。

「したが、見性院さまの御知行地はいずこにあるのでござろう」

信松院の脇にひかえていた五兵衛は、色浅黒い精悍な顔をむけて答えた。

「大牧《おおまき》の里と申して、武州足立郡《あだちごおり》のうちでござる。中山道の浦和宿の近く、といった方がわかりやすいかも知れませんな」

浦和宿へは、江戸からは五里三十丁（二三キロ）。板橋宿からは三里二十二丁（一四・二キロ）しか離れていない。

（ならば、女の足でもゆきつける）

と思い、お静はお静なりにもう大牧ゆきを決意していた。


冬枯れの景色のなか、お静が信松院と有泉五兵衛とにつきそわれ、ひそかに中山道を上っていったのはその翌日のことであった。すでに悪阻の時期はおわっていたので、駄賃馬の背に揺られてもそのからだにさわりはなかった。

武州足立郡の大牧の里は、志村から枯れすすきのめだつ一面の原野の間を北上して戸田の渡しによって荒川を越え、さらに浦和宿の細長い町並を東へぬけたところにひろがっていた。

東側は次第に低くなって黒い土も砂まじりとなり、そのなかを芝川という名の荒川の支流が北から南へ流れている。板橋宿郊外の竹村よりも一段と草深いこのあたりでは、芝川の水に頼って田を作っているのだった。

見性院の知行地内にある有泉五兵衛の屋敷は、茅《かや》ぶき屋根のつましい造りだったが、北側と西側とを鈎《かぎ》の手型の屋敷森にかこまれているのがお静には珍しかった。北の足尾山地、北西の三国山地、そして西方はるかに雪を冠している秩父山地から寒風が吹きつけて土をも飛ばすので、このあたりでは一軒ごとに防風林が必要なのである。

その別棟の長屋には手代たち数家族が暮らしていたが、母屋《おもや》には五兵衛の妻とまだよちよち歩きの金弥という愛くるしい男の子が五兵衛の帰りを待っていた。

これらの者たちにとって見性院の命令は絶対だから、その妹信松院がきたと知るや、手代たちは全員紋羽織をつけて出迎えにあらわれる律義さを見せた。

「ゆえあって信松院さまとお静の方さまは、当分当家に御逗留あそばされる。その間、いかなる者も近づけては相ならぬぞ」

編笠を取った五兵衛が重々しく命じると、長刀を帯びているひとりが即座に答えた。

「うけたまわって候。われらも武田武士のはしくれなれば、猫の仔一匹通しはいたしませぬて」

見性院の家来たちは、なおも甲州武田家の臣であることを誇りとして生きているらしかった。これらの男たちに守られることにより、ようやくお静は平穏な日々を迎えることができたのだった。

「そういえば、この先の大宮宿に氷川明神《ひかわみょうじん》という由緒あるお社《やしろ》があるはずです」

と信松院が言い出したのは、慶長十六年（一六一一）の正月もおわったころのことだった。

「そもじの安産祈願にまいりたいと思うのですけれど、よろしければそもじも御一緒して願文《がんもん》をたてまつってはいかがでしょう。きっと御利益《りやく》がありますよ」

というそのことばに、お静はこくりとうなずいていた。

晴れて身ふたつになる日までは、お江与の方の手の者があらわれたりしないでほしい。生まれてくる和子さまは、いつも鶏を追いかけている金弥のようにすこやかな男の子であってほしい。

もともと信心深いお静には、神に祈りたいことがたくさんあった。

大宮宿の氷川明神は、武蔵国《むさしのくに》の一の宮である。

信松院とお静がその氷川明神に参詣したのは、二月に入ってからのことだった。慶長十六年の二月一日は新暦なら三月十五日にあたるから、大宮宿への道筋に多いけやきの木は早くもみずみずしい若草色に芽ぶいていた。

有泉五兵衛のつけてくれた若い手代ふたりを供とし、大きな鳥居をくぐって少しゆくと、水ぬるみ清げな瀬音を立てる流れに太鼓橋が架かっていた。市女笠のへりを持ちあげ、めだちはじめた腹部を左手で守るようにして目をあげると、その正面には二階建ての本殿が朱塗りの丸柱に支えられるようにして建っている。

信松院と肩を寄せあうようにして長い間祈りを捧げたお静は、帰途社務所に立ち寄り、

「安産祈願でござります」

と宮司に告げて、封印した願文と祈禱料とを差し出した。

前夜、お静が思いのたけをこめてしたためたその願文は、

「敬って申す祈願のこと」

と題され、つぎのような内容からなっていた。なおお静は、文中では自分のことを、

「それがし」

と表現している。


南無ひかわ大明神。当国のちんじゅとして跡をこの国に垂れたまい、衆生《しゅじょう》あまねくたすけたもう。ここにそれがし卑しき身として、大守《たいしゅ》（将軍）の御思いものとなり、御たねをやどして当四、五月のころりんげつたり。しかれども御台しっとの御こころふかく、営中（城中）に居ることを得ず。今、信松禅尼のいたわりによって、身をこのほとりにしのぶ。それがしまったく卑しき身にして、ありがたき御寵愛をこうむる。神罰としてかかる御たねをみごもりながら、住所にさまよう。神命まことあらば、それがし胎内の御たね男子《なんし》にして安産守護したまい、ふたりとも生をまっとうし、御運をひらくことを得、大願じょうじゅなさしめたまわば、心願のことかならず違《たが》いたてまつるまじく候なり。

けいちょう十六年二月　　しず

この参拝によって、お静は胸のつかえを吐き出してしまったようにすっきりした気持

になり、有泉五兵衛の妻や信松院に産着《うぶぎ》やおしめを縫うのを手伝ってもらいながら花の季節を迎えた。

見性院の使いがやってきたのは、屋敷森にまじる山桜もあらかた散り敷いた日のことであった。

その使いの者が信松院に差し出した手紙は、まさしく吉報であった。見性院は、躍るような筆でこう書いていた。

「おふたりともにお変わりないことは、祝着《しゅうちゃく》に存じております。こちらにても、ようやく喜んでいただけることができました。先ごろ土井大炊介《おおいのすけ》さまにひそかに事情をお伝えいたしましたところ、和子さま御誕生のあかつきには、ともかく大炊介さまに御注進いたしさえすれば、大炊介さまからお上に申しあげて下さるとのお約束をいただいたのです。

となると大牧はあまりに遠く、医師もおらぬ里にて不安でもあり、いま少し打ち合わせいたしたきこともあれば、産み月が迫ったならば白銀丁へおもどりあることをおすすめします。大炊介さまは、いざとなれば町奉行を動かしてもよい、とまでおっしゃって下さいましたから、もはや安堵してよろしいでしょう。お返事を」

土井大炊介とは下総《しもうさ》佐倉三万二千四百石の藩主で、幕府の老中をもつとめている土井利勝のことである。

少年時代から秀忠につかえているかれは、関ヶ原の戦いに際しても秀忠に同行。秀忠から絶対の信頼を受けていたから、この土井利勝が協力を約束してくれたなら百万の味方を得たのとおなじであった。

「けど、お静さんはどうお思いかしら。江戸へもどるのは、恐くはありませんか」

信松院は、お静がその手紙を読みおわるのを待って問いかけた。その三日月形の眉には、一抹の不安が漂っている。

だが目をあげたお静は、しっかりとした口調で答えた。

「いいえ。ここまでまいりましたからには、なにごとも見性院さまのお指図どおりにいたしとう存じます」

「わかりました。わらわと一緒に、氷川明神の御加護があることを信じましょう」

やわらかい笑みを浮かべた信松院は、別室に控えていた使者をまねいて告げた。

「わらわたちは仰せのとおりにいたしますから、前もって白銀丁へお伝え下さることだけお忘れなく、と姉上さまにお伝えしてたもれ」

そのあと信松院とお静は、女の身ながら迅速に動いた。

「白銀丁は、いつでもお迎えしたいが隠居部屋を産室として改築する少しの間だけお待ち願いたい、といっている」

と、ふたたび見性院が伝えてくる間に荷物を整理。いつでも大牧を出立できる用意をしておき、改築がおわったと伝えられたその日のうちに、また有泉五兵衛に守られて江戸をめざしたのである。

なにごともなく竹村助兵衛・お栄夫妻に迎えられたお静は、もう出産を待つばかりとなった。

お静が陣痛を感じたのは、五月六日の夜からのことだった。初めはゆるやかに寄せる波のように間を置いてやってきたその痛みは、お静が床に臥せってとろとろとまどろむうちに、少しずつ間隔がせばまってくる。

「そろそろかも知れません」

七日朝、お栄に告げてそのまま産所の褥に身を横たえていたお静は、お栄から教えられたとおり、その陣痛の波に呼吸を合わせるよう努めつづけた。

そのお静にとって心強かったのは、竹村家の大家である四条与左衛門の老妻お秀が手伝いにきてくれたことだった。お秀はこれまで何人もの赤ん坊を取りあげたことがあり、白銀丁界隈では、

「取りあげ婆さん」

といえばお秀のことを指している。

「さあ、いよいよとなったら上体を起こして差しあげますから、しっかりとこのひもにすがるのですよ」

といって、お秀は助兵衛に梁《はり》から太いひもを垂らさせた。この時代の女たちは、座位によって分娩するのである。

やがて、――。

日は落ちたものの、初産でもあるためなかなかお産ははじまらなかった。ようやくお静が分娩をおえた時には、もう夜の四つ刻（一〇時）になっていた。

「おお、よしよし。いい子じゃ、いい子じゃ」

お秀の声につづき、赤ん坊の泣き声がその耳にどこか別の世界での出来事のようにおぼろげに伝わってくる。

「おめでとう、男の子ですよ」

お秀の手伝いをしていたお栄が教えてくれた時、やつれきって身を横たえていたお静は、

(ああ、氷川大明神が願いを叶えて下さった)

と思い、うれし涙を禁じ得なかった。

男児誕生は、同時に信松院の口から茶の間に待機していた神尾嘉右衛門と竹村助兵衛にも伝えられていた。嘉右衛門は助兵衛からいよいよ出産迫ると告げられ、日のあるうちにやってきてこの時を待っていたのである。

「ではおれは、町奉行殿のお屋敷までひとっ走りして、このことをお伝えしてまいる。なにかあってはまずいから、おぬしはここで番をしていてくれ」

すぐに足袋《たび》わらじで足ごしらえした助兵衛は、大刀を腰に差しこみ、お栄から提灯《ちようちん》を受けとると、勢いよく闇のなかへ走り出ていった。

しかし、そのまま半刻(一時間)をすぎ、一刻がすぎて日付が八日となっても、助兵衛は帰ってこなかった。

「こんなことなら、おれも町奉行殿のお住まいがどこにあるのか聞いておくのだった」

嘉右衛門が大きな茶筅髷を振るようにしていったが、女たちには答えようもなかった。

だが、

「案ずるよりも産むがやすし」

とはまさにこのことだった。

九つ半刻（午前一時）をすぎてからようやく帰ってきた助兵衛は、疲れきっているかと思いきや自慢の口髭をぴくりと動かし、

「万事うまくまいりましたぞ」

と満面に笑みをたたえて一同に報じたのである。

「上さまにおかせられては、和子さまを御自身のお胤と認めて下さり、ゆきまつと名づけよ、とまでおっしゃって下さったのだ」

「まあ、どのような文字をあてるのでしょう」

さすがにうれしそうに信松院がたずねると、

「幸せ者の幸せという字に、松平家の松でござる」

まだ三和土に立ったままでわらじも脱いでいない助兵衛は右人差し指で宙に文字を書きながら答え、おお、そうだ、と脇にかかえこんでいた包みを上がり框《かまち》の上に置いてつづけた。

「しかも上さまには、のちのちの証拠としてかようなお品まで下された。お栄、ちとあけてみよ」

「はい、それでは」

膝をすすめたお栄がその結び目をほどくと、なかからは畳紙《たとう》があらわれた。お栄が手

目《め》であった。

早くその畳紙のひもを解くと、なかに入っていたのは男児用の紺地腰替わり振袖の熨斗《のし》

「紋所をあらためよ」

ようやくわらじを脱いで上がりこんだ助兵衛は、ふたたび低い声で命じる。

嘉右衛門が近づけた行灯《あんどん》の光を受けて浮かびあがったのは、まごうことなく徳川家の定紋《じようもん》、葵《あおい》の紋所であった。

「おお、たしかに、……」

助兵衛と嘉右衛門は、思わず息を飲んでその紋所を見つめていた。

「なんとありがたい」

とつぶやいたお栄は、その腰替わり振袖の熨斗目にむかって手を合わせさえした。

「かくなる上は、もはやこれ以上腰を引いてはおられまい。たとえお静殿一件によって一族ことごとく磔刑《はたもの》に架けられようと、北条武士の名にかけてあたうかぎり和子さまを守りぬこうではないか」

命を懸けて誓いあった助兵衛と嘉右衛門の思いは、見性院・信松院姉妹の助けもあってとうとう天下人にまで達したのである。

「さあ、お栄さん。このお品を早うお静さんに見せて差しあげなければ」

信松院にうながされ、

「あ、さようでございました」

とお栄が畳紙を捧げ持つようにして産室へ去る姿を見送ってから、嘉右衛門が深々と

助兵衛に頭を下げていった。

「いやいや、まことに御苦労でしたな。ついては後学のために、今宵おぬしがどう動いたか教えてはくれぬか」

「それはかまわぬが、とりあえず祝いの酒を酌もうではないか」

助兵衛がかわらけを傾けるしぐさをして提案すると、ほほえんだ信松院が墨染の衣の袖で口もとを隠しながらことばをはさんだ。

「殿方は、ほんにうらやましゅうござります。うれしいといってはお酒《ささ》、哀しいといってはお酒なのですから」

そうはいったものの、

「お静は疲れが出て、和子さまと一緒に眠っています。あのお品は、枕もとに置いておきました」

といってお栄が瓶子《へいじ》をはこんできてからも、信松院は自分の寝所へは下がらずにいた。だれしも、助兵衛の動きを知りたいのはやまやまなのである。

「今宵は、信松院さまに笑われてもかまわぬと思い切りましたぞ」

珍しく軽口を叩いた助兵衛は、お栄が酒を注いだかわらけを一気に傾けると、深夜四つ刻すぎにこの家を走り出てからの自分の動きについて得意気に語りはじめた。

……まずおれの駆けこんだ先は、本郷にある町奉行米津勘兵衛《よねきづ》さまのお屋敷であった。米津さまのお屋敷が本郷にあることは、信松院さまとお静殿が大牧の里にある間に見性院さまのお使者から教えられていたのだ。いざ和子さま御誕生となったなら、米津さまに御注進いたしさえすれば米津さまが土井大炊介さまに伝えて下さる手はずだ、ということもな。

出会いの間へおれを通した米津さまは、まことに素早く反応して下さった。

「相わかった。では拙者、ただちに土井大炊介さまにお伝えしてまいるにより、そこもとはこれに控えて湯漬でも食しておるがよい」

といって下さった米津さまは、すぐにお立ちになったところを見ると騎馬か乗物で土井さまのお屋敷へむかわれたのであろう。

これから先はたったいま米津さまからうけたまわったところだが、土井さまも米津さまの来訪を受けるや、ただちに衣装をあらためてお城の本丸をめざされたという。

その土井さまが表御殿より中奥《なかおく》へすすまれた時、ちょうど上さまは御湯殿に入っておいでだった。

「お静の方さまにおかせられては、今宵宿下がり先において男児を御出産あそばされましたるよしに候」

次の間にしばらく控え、おあがりを待って土井さまが申しあげると、

「おぼえはある」

と上さまは仰せ下さり、小納戸《こなんど》役に命じて先ほどの腰替わり振袖の熨斗目を持ってこさせた。そして手ずから土井さまにそれをわたすと、少し思案した上で、

「幸松と名づけよ」

とおっしゃられた、ということだった……。

　こうして、秀忠が幸松を自分の子と認知してくれたことはあきらかになった。しかし神尾家の側からすれば、割りきれないところも残った。

　徳川将軍家の子でなくとも大名家や大身《たいしん》の旗本家に生まれた子供たちは、指名された乳母《めのと》によって育てられるのが世のつねである。なのに秀忠は乳母を決めてはくれないばかりか、お静と幸松とを江戸城に引き取るとも伝えてはこない。

「お静の乳の出もよく、和子さまもよく乳を飲んで下さるからよいが、これはいったいなんとしたことだ」

「上さまが、ここまで御台所の耳目《じもく》をはばかるとは思わなんだのう」

　嘉右衛門と助兵衛は日ごとに苛立ちを深めたが、徳川家からの使者があらわれない以上、こちらからはなすすべもない。

　お静の産後の肥立ちがよいのを見きわめると、嘉右衛門は、

「実はお光もみごもっておってな、田もこれ以上ほうってはおけぬし」

といって竹村へ帰っていった。

「わらわも、長い間庵をあけておりますから」

と信松院も名残《なごり》惜しそうに八王子へ去ったため、にわかにお静と幸松の身辺はさびしくなった。

　それをもっとも案じてくれたのは、意外にも家主の四条与左衛門であった。

「竹村さまのところで生まれたお子は、どうも高貴のお胤のようでございますよ」

とお秀から耳打ちされた白髪髷の与左衛門は、好奇心に駆られたのかよく竹村家に顔を出すようになっていた。

血色のいい丸顔にまろやかな目鼻だち、

「まことに布袋《ほてい》さまのような」

と助兵衛がいっている与左衛門は、この渾名《あだな》のとおり無類に人の良い人物だった。

「で、その後どなたかまいられたか」

いつもそういってやってくるところを見ると、かれは父親が将軍とまでは知らずとも、いずれかの権門勢家から迎えの行列がやってくるのをかれなりに楽しみにしているらしかった。

「いや、それが」

お七夜の祝いも身内だけですますしかなかったし、この分では勝手にお宮参りしてよいのかどうかもわからない、と助兵衛が憮然として答えると、与左衛門はしきりに同情してくれた。

「ならばわしが、父親代わりをつとめて進ぜる」

いったん地つづきの自宅へ帰ってまたやってきたかれが、さ、これを、といって差し出したのはひと振りの脇差であった。

「銘は備前康光。これをお守り刀となされい」

その情にほだされ、助兵衛は与左衛門にだけは真実をうちあけることにした。

高遠まで

幸松はさして目方のある方ではなかったが、お静に似て鼻筋が通り、色白で口もともふっくらしていて可愛らしい赤ん坊だった。わけもなくむずかってお静たちを困らせることもなかったから、四条与左衛門などは、

「さすが、高貴の血筋でござりますなあ」

とすっかり感服したようにいったものだった。

しかし、その誕生からふた月とたたないうちに、町奉行からはこんなお触れが出た。

「公方《くぼう》さまのお胤《たね》を懐妊した者があれば、何者によらず注進いたすべし。お取り立て下さるべし」

その真意をたずねるべく、ある夜また竹村助兵衛《すけのひょうえ》が米津勘兵衛《よねきう》をおとなうと、これは秀忠の命令ではなく、お江与《えよ》の方の意向に発したものだ、との答えが返ってきた。

お江与の方は、お静の大奥からの退出が懐妊によるものだったと気づきはしたが、そのお静がすでに出産をおえたことや、現在の居場所まではまだつかんではいないらしい。

「だが、用心するに越したことはない。われら夫婦は、身命をなげうつ覚悟で和子さまをお育てしようではないか」

助兵衛はあらためて妻お栄に決意を伝え、その後は外出さえいっさい差しひかえることにしたほどだった。お静は大奥づとめをしていたころは十三石四人扶持《ぶち》と御合力金《ごこうりよくきん》四十両、薪六束、五菜銀三両の高給を受けていたし、貯えも少なくはなかったから、助兵衛が働かずともさしあたり暮らしむきに不安はない。

幸松も、また五月がめぐってきたころにはよちよち歩きをはじめて、お静と姉夫婦とを喜ばせた。

それに四条与左衛門は、助兵衛から特に秘められた事情をうちあけられたことを多とし、

「これを和子さまに差しあげて下され」

といって、三日に一度はお菓子や果物を持ってやってくることを欠かさなかった。

この与左衛門には、藤市という名のすでに二十歳をすぎたせがれがいた。慶長十七年(一六一二)五月五日の節句当日、与左衛門・藤市父子はなにを思ったか麻裃《あさがみしも》の礼服に衣装をあらため、手に白扇を持ってあらわれた。

「幸松さまのおために、節句の鯉幟《こいのぼり》を立てましてござる。おふくろさまと御一緒に、御覧にお越し下され」

との口上に、お静は秀忠から拝領した紺地腰替わり振袖の熨斗目《のしめ》を幸松に着せかけ、その小さなからだを抱きあげて地つづきの四条家にいってみた。

その鯉幟は、なぜか前庭ではなく吹き抜けのひろい土間のうちに立てられていた。

「まあ、これは」

思わずお静が嘆声をはなったのは、その幟にあしらわれていた家紋に気づいた時であった。

下から上へ緋鯉、真鯉、吹き流しとつづく竿の先端に、まといのように飾られていたのは葵《あおい》の御紋にほかならなかった。

しかもその竿の下には、畳が二枚敷かれている。

「庭へ出して近所のみなの衆に見てもらえぬのは口惜しいことではございますが、当家では和子さまのすこやかなる御成長と早うお城へお入りになる日のくることを祈りまして、それまでは毎年この幟を飾らせていただくことにいたしました」

丸い顔をほころばせた与左衛門は、藤市をうながして草履《ぞうり》を脱ぐと、白足袋《たび》の裏を見せてそろってその畳に上がった。そしてくるりとからだをまわすと、父子肩をならべてそこに正座してみせた。

「本日は、せがれとともに一日中この幟の番をいたすつもりでござります」

と頭を下げた与左衛門は、お静の胸に抱かれている幸松ににこやかに呼びかけた。

「和子さま、どうかよく御覧《ごろう》じて下されませ。これは、和子さまの鯉幟でございますぞ」

もとより幸松に、そのことばの理解できようはずはない。しかし幸松はお静の腕のなかでふっくらとした顎をあげてこの幟を眺めると、にこにこしながら小さな手を打ち合わせてみせた。

「おお、わかって下さったぞ、なんと賢い和子さまじゃ」

お静は与左衛門のはしゃぎように人の世の善意というものをしみじみと味わいながらも、

(いつかほんとうに、この幸松さまがお城に入れる日はくるのかしら)

と考えずにはいられなかった。


幸松はしっかり歩けるようになるにつれて、外で遊びたがるようになっていった。

お江与の方の手前、あまりおおびらに外へ出すのははばかられたが、助兵衛・お栄夫妻の子でひとつ年上の真太郎が室内での遊びにすぐに飽き、外へ出たがるので、幸松も一緒にゆきたがるのはやむを得なかった。

「きっとだれかがつきそうことにして、なにかあっても声がこの家に届く範囲で遊ばせて差しあげようではないか」

という助兵衛の提案にしたがい、幸松は少しずつ近所の同年輩の子供たちともまじわりはじめた。

それにつれ、

「あの幸松という品のいいお子は、実は将軍家のお胤なのだそうじゃ」

という噂が近所にひろまっていったのは、自然ななりゆきであったろう。

とはいえ将軍家のお子をひと目見たいと、竹笛や折紙細工を進呈しにやってくるひとびとがふえてくると、

（これが御台《みだい》さまに伝わったら）

と考えて、お静は次第に不安をつのらせた。

このころ、将軍秀忠の近習《きんじゅう》井上半九郎の拝領屋敷は、番町の武家地のうちにあった。その母である大うばさまが、さすがに寄る年波に勝てず大奥を去り、この屋敷に老いの身を養うことになった、とお静が知ったのは、ある日見性院《けんしょういん》から届いた手紙によってであった。

「大うばさまは、そもじが御機嫌うかがいにまかり出ればきっと喜んで下さることでしょう。一度幸松さまのお顔をお見せしにゆき、今後のことにお力添えをお願いしてはいかが」

見性院がそう伝えてきたのは、お静の困惑を大うばさまが知ったならば井上半九郎を介して秀忠の耳に入れることもできよう、と思案してのことに違いなかった。

丈高い竹村助兵衛に守られたお静が、かぞえ二歳の幸松を抱いて番町の井上家をおとずれると、大うばさまはすぐに三人を出会いの間へ通してくれた。

「おお、おお、こちらが幸松さまか。まあ、お顔だちやらお目もとやら、凜々しくてほんに上さまに似ておいでだこと。ささ、ばばの膝にのんのなさりませ、有平糖《あるへいとう》を差しあげましょうほどに」

いまも変わらず黒地のうちかけをまとっている大うばさまは、からだもひとまわり縮んでしまったように見えたが、初めて幸松を見るや細い目を皺のなかへ埋めこんだような笑顔になった。

「ありがとう」

お静手縫いの小袖と小さな袴を着けている幸松は、その膝にちょんと腰を下ろすと、

(食べていいの)

というように、もらった有平糖の包みをお静の方にかざして見せる。

「どうぞ、いただきなさいませ」

と答えたお静が、ひさしぶりに白い勝虫《かつむし》文様の小袖をまとっていたのには理由があった。大うばさまに初めて面会を許された時に着用した衣装をふたたび着用することにより、せめてもう一度だけ自分の願いを聞き届けていただければ、とお静は念じていたのである。

大うばさまは、その願いをあっさりと受け入れてくれた。お静が将軍家からいまもってなんの連絡もないことを遠慮がちに伝えただけで、もう大うばさまは、

「なんと、おいたわしい」

と幸松のまだ和毛《にこげ》のような髪を撫で、半九郎に頼んでお上に申しあげていただきましょう、とその場で確約してくれたのである。

つづけて大学という名の七歳の孫をまねき入れた大うばさまは、やさしくいってくれた。

「これからは時々幸松さまをこちらへおつれして、大学と一緒に遊んでいただくといいでしょう。いずれそのおりに、吉報をお伝えできるかも知れませんし」

大うばさまの好意に甘え、お静はそれ以来時々幸松とともに井上家をおとずれるようになった。

大学と呼ばれている大うばさまの孫は、ほんとうは大学助《だいがくのすけ》という幼名だったが、幸松と庭で鬼ごっこをしたり、木馬の乗り方を教えてくれたりとなかなかの遊ばせ上手で、次第に幸松から慕われはじめた。

しかし大うばさまは、いつになってもお静に吉報を伝えてはくれなかった。また秋がきたころ大うばさまは悪い風邪を引いて寝こんでしまい、面会することすらもむずかしくなった。

その大うばさまが老衰によって静かに息を引き取ったのは、あけて慶長十八年（一六一三）正月二十日のことだった。二十三日になってから見性院にそれと知らされ、衝撃を受けたお静はすっかりふさぎこんでしまった。

（井上家は、どうして大うばさまがお隠れになったことをわたくしに知らせて下さらなかったのか）

と思うとうらめしくもあり、

（これでもはや、幸松さまをお城にお迎えいただく夢は破れてしまった）

と考えると口惜しくさえある。

だが、——。

大うばさまは、決してお静との約束を忘れていたわけではなかった。それどころか大うばさまは、死が近づいたことを悟った時からますます懸命に幕閣に対して働きかけていたのである。

その反応は、お静の知らないところで起こっていた。

（いえ、きっと大うばさまは、わたくしが弔問にお邪魔して御台さまからのお使者と鉢合わせしてはいけないと思し召し、あえてわたくしにはなにも伝えないままお隠れになったのだ、……）

お静がそう思いなおしていた三月一日、田安門内の比丘尼《びくに》屋敷にはふたりの珍しい客があった。ともに老中職にある、本多佐渡守《さどのかみ》正信と土井大炊介《おおいのすけ》利勝。

本多正信は、家康の隠退以前は、

「お上のふところ刀」

といわれていた側近中の側近であり、いまから二十三年前の天正十八年（一五九〇）、家康が初めて関東へ入った時には、相模国玉縄一万石を与えられて関東総奉行をつとめた実績がある。

当年すでに七十六歳、いまは秀忠につかえて重きをなしているこの本多正信が、土井利勝をうちつれ、肩衣半袴《かたぎぬはんこ》姿であらわれたということは、幕府の正使としてやってきたことを意味していた。

「ほほう、ともかく書院の間へお通りいただくよう」

野崎太左衛門という初老の家臣に告げられた見性院は、首をかしげるようにして答えた。

土井利勝は肉厚く鼻筋もたくましい人物だったが、老いたる本多正信は目ばかり大きく、顎の肉が削げ落ちたようなとがった風貌の持ち主だった。上使として書院の間の上座に肩をならべていたふたりは、薙髪《ちはつ》した頭部を白い頭巾につつんだ見性院が下座に着座すると、おもむろに時候の挨拶を述べてから切り出した。

「本日まかり出でましたのは、ほかでもござりませぬ。幸松さまの一件につき、こなたさまのお力を拝借いたしたいがためでござる」

土井利勝のことばに、見性院はおだやかにほほえみながら応じた。

「おやまあ、この尼にお貸しする力などないことは、大炊介さまの方がようご存じでしょうに」

「いえ、これはふた月前にみまかられた大うばさまの最後の願いでもござりましたので、どうかお聞き下され」

とがった顎を動かしてことばをはさんだ本多正信は、一気につづけた。

「大うばさまがせがれの井上半九郎殿を介してしきりに願い出ておられたのが、この幸松さま一件。すなわちまごうことなく将軍家のお胤にあらせられる若君を、すでに大奥を去ってひさしいお静の方さまのお手もとにいつまでも置いておくわけにもまいりますまい、との進言でござった。われら両人もこれをまことにもっともなことと存じ、おりおりお上に言上いたしおりましたるところ、このほど内々に上意をうけたまわったのでござる。その上意とは、幸松さまをこちらのお屋敷にお預けいたし、見性院さまのお子として御養育していただけまいか、との御趣旨でござった」

「なんと、……」

あまりに意外な申し出に、いつもおおどかにかまえている見性院もさすがに絶句してしまう。

「――これはなんとも、思いも寄らざるお頼みでござりまする。徳川家譜代のお歴々も持ちあぐむ若君を、この尼などの力にてお守りせよとは、当家にはまことに似合わぬ御依頼としか申しようもござりませぬ」

考え考え見性院が口をひらいたのは、少しの間沈黙があたりを支配したあとのことだった。

しかしそのことばは、少しずつ力のこもったものになっていった。

「なれどお上にも、この尼を尼と御承知の上で親となれとの思し召しならば、わらわも女ながら、かつて弓矢取りて天下に名を知られたる武田信玄の娘でござります。きっとお引き受けいたしましょうほどに、もはや少しもお気づかい下さりますな」

その堂々たる口上に打たれた土井利勝と本多正信は、そろって深々と頭を下げた。

見性院は、ふっくらとした頬を心なしか紅潮させて、さらにいった。

「お手前さまがたもご存じのとおり、わらわは御台さまにはことのほか御懇意にしていただいている者にて、采地《さいち》に下ることもなくいつもこの北の丸のうちにすごしているのもそのためでござります。されど若君をお預かりいたしますからには、今日からはいっさい本丸奥御殿の御台さまのおんもとにはまいりませぬ。一刻も早う若君に、この屋敷へお入りあるようお伝え下さりませ」

これは戦国の世を生きぬいてきた見性院が初めて垣間見せた、女の気迫というものであった。

その威厳あふれる答えように感服した上使ふたりは、

「よろしく願いたてまつります」

とまた頭を下げて、本丸へと帰っていった。

しかしいったん幸松養育を承諾してしまうと、もう見性院は上使が迎えにゆくのを待ってはいられなかった。

翌朝、見性院は野崎太左衛門と、たまたまふたたび大牧《おおまき》の里から用事で出府してきていた有泉《ありいずみ》五兵衛とを使者に指名し、長棒引戸の乗物二挺をそえて神田白銀丁《しろがねちょう》へ迎えにゆかせた。むろん一挺には幸松を、女用のもう一挺にはお静を乗せるつもりである。

陣笠、ぶっさき羽織にたっつけ袴姿のふたりの使者が、それぞれ乗物の脇に貼りついてもどってきたのはまだ昼前のこと。見性院がひさしく忘れていた心のときめきをおぼえながら玄関式台上へ出迎えにゆくと、玄関前に置かれた女用の乗物から出てそれに気づいたお静は、

「見性院さま！」

と小さく叫んでその足もとにひれ伏していた。

その肩が小刻みに震えているのは、一度は子を水として流し、その後も刺客《せっかく》の影におびえつづけた緊張感から一気に解きはなたれたためであった。

「なにもおっしゃいますな。これでもう、心配はないのですから」

式台上に膝をついた見性院は、目尻に皺のある細い目をしばたたきながらお静の背を撫でてやった。

「さあ、早う幸松さまに上がっていただきなさい。まずはこの尼の顔を、ようおぼえていただかなければ」

「あ、はい。つい取り乱してしまいまして、申し訳ございません」

お静があらためて礼を述べ、ふりかえって幸松の姿を探し求めると、幸松はちょうど乗物から出て草履をはいたところだった。

子供用の羽織袴をつけて前髪を揺らしている幸松は、母にさしまねかれたのがうれしくてならないというように、にこにこと両手を差しのべながら玄関へ駆けこんできた。


「けん、しょう、いん――?」

書院の間へ案内されて見性院から正式に挨拶を受けた時、お静につきそわれて上座にちょこんと正座した幸松は不思議そうに復唱した。

「はい、さようです。わらわは見性院という名の尼なのでござります」

見性院が若やいだ表情で応じると、

「あ、ま――?」

また幸松は、お静ゆずりの切れ長の目をまたたかせる。

「はい、尼とはみ仏におつかえする女のことを申すのです」

楽しそうに答えた見性院は、つと立ちあがったかと思うと違い棚に置かれていた細長い錦の包みを手にし、幸松の前へすべらせていた。

「幸松さま、よう聞いて下さりませ」

その錦の包みをきょとんとして見つめている幸松に、見性院は相変わらずにこやかな表情で呼びかけた。

「本日からこの尼が親代わりを相つとめさせていただきますから、幾ひさしゅうよろしゅうお願い申しあげます。つきましてはお守り刀としてこの宗近《むねちか》の脇差を進呈いたしましょうほどに、どうかお納め下さりませ」

そのことばを聞いたとき、お静は思わず目をみはっていた。

宗近といえば、平安時代に京にあらわれ、

「三条小鍛冶」

の異名を取った不世出の名匠三条宗近のこと。時の帝《みかど》一条天皇の勅命によって宝刀「小狐丸」を鍛えたことは謡曲「小鍛冶」の題材ともなっているほどだから、これは天下の重宝といってもよい名刀である。

(この宗近作の脇差とは、甲州武田家ゆかりのお品なのではないかしら)

とひそかに考えた時、お静の脳裡に甦《よみがえ》ってきた記憶があった。

場所は、この比丘尼屋敷の茶室のなか。話しているのは、大うばさまのもとからお使いにきたお静に茶を点《た》ててくれている見性院そのひと。

勝頼の敗死によっていったん甲州武田家が滅びたあと、家康が自分の五男万千代を立てて武田家を再興してくれたこと。その万千代あらため武田七郎信吉が、慶長八年（一六〇三）わずか二十歳で病死し、子もなかったため武田家はふたたび絶家とされてしまったことを淡々と語った見性院は、こうしめくくったものだった。

「いま一度だけ武田家再興をお願いしようか、と考えたこともありましたけれど、家にも人とおなじく定命《じょうみょう》があるのだと思って、近ごろはすっぱりと諦めました」

その見性院が幸松に宗近の名刀を与えるとは、あるいは幸松によっていま一度武田家再興をこころみる、ということなのか。

（まさか、そんな。そのようなお志であればありがたいことではあるけれど、まだかぞえ三歳の幸松さまには荷が重すぎる）

と思いながら、お静はふたりのやりとりを見守っていた。

だがお静の感じたところは、あたらずといえども遠からず、であった。

翌日、召し使う者たちを下男下女までふくめて二十数人、のこらず広間に集めた見性院は、幸松の手を引いて上段の間に姿をあらわすと高らかに告げた。

「本日より、当家のあるじはこれなる幸松さまと相なりました。みな、これまで以上に精を出して幸松さまに御奉公いたすように」

幸松は徳川家に正式に認知されてはいなかったため、これまでは姓を持たない存在であった。それが見性院の子と定められたため、これ以降は、

「武田幸松」

となのることになったのである。

同時にお静には侍女数人と野崎太左衛門とがつけられたが、ある日進み出た太左衛門

は居住まいを正してお静にいった。

「幸松さまのことは、これまではゆきまつさまとお呼び申しあげてまいりましたが、御当家に入らせられましてよりは、甲州武田家と徳川家、すなわち元松平家とをつなぐ大切な絆《きずな》とおなりあそばされました。されば『幸』の音読みは甲州の『甲』に通じ、『松』は松平の『松』にほかなりませぬから、これよりは甲松《こうまつ》さまと申しあげてはいかがでござりましょう」

その熱意あふれる口ぶりには、やはり幸松によって甲州武田家を再興したいという思いが色濃く宿っている。

「太左衛門殿も、甲州武田家におつかえした家筋の御出身ですか」

お静がたずねると、咳《せき》ばらいをひとつした太左衛門は、

「さん候《ぞうろう》」

と胸を張って答えた。

「見性院さまがお許し下さるなら、わらわは一向にかまいませぬ」

お静が答えたため、幸松はこれ以降甲松とも書かれ、こうまつさまと呼ばれることが多くなった。

やがてまた五月の節句がまわってくると、これまで一度もこの行事を祝ったことのない比丘尼屋敷でも、前庭に真新しい鯉幟を立てることになった。

野崎太左衛門が立てた幟には、吹流しと真鯉、緋鯉が縦一列にならび、中空に翩翻《へんぽん》と身をひるがえした。

その竿の先には、まといのように作られたふたつの家紋が陽光に照り映えていた。上に葵の御紋、下に武田菱《たけだびし》。武田菱は、むろん甲州武田家の紋である。

「いまだいとけなき若君をお迎えしたのですから、無病息災と長寿、お家の繁盛を祈って辻売りをいたさねばなりますまい」

見性院がいったのは、五月の節句もおわってまもなくのことだった。

辻売りとは、またの名を辻商い。朝早く幼な子を抱いて四つ辻に立ち、通りかかった三人目の人物にその子を買い取ってもらう芝居をしさえすれば、きっとその子は丈夫に育つ、という一種のまじないのこと。

かつての天下人太閤秀吉が、愛妾淀殿の産んだ最初の子鶴松を、

「お棄て」

その夭折《ようせつ》後に生まれた秀頼を、

「お拾い」

と呼び、わざわざ群臣たちの前で秀頼を拾う芝居をして見せたのも、この辻売りの信仰にもとづいている。

「ではそのお役目は、お静の方さまをしばらくお守りいたした御縁もござれば、ぜひともそれがしにお命じ下され」

と申し出たのは、田植えの季節もおわってまた大牧の里から出府してきていた有泉五兵衛であった。

さいわい田安門の石垣造りの枡形《ますがた》の外側には、堀をはさんで九段坂の四つ辻がある。

翌朝、まだ眠そうな幸松をぶ厚い胸にしっかりと抱いて九段坂へ出かけた五兵衛は、大貫《おおぬき》四郎右衛門という若い侍に幸松を抱き取ってもらい、礼として小脇差ひとふりを与えて意気揚々と引きあげてきた。

「三人目に通りかかったお方が、お武家で祝着《しゅうちゃく》でした。して、その大貫殿とはどちらの御家中の方でしょう」

見性院に問われ、五兵衛は答えた。

「はい、さる御番衆の御家来といっておられましたが、まだ若いのにはきはきと話し、なかなか気骨ある者と見ましてござる」

「ではつぎにゆきあったなら、辻売りの御縁もあることゆえ、主家を代えて幸松さまに御奉公する気はないか、とたずねておくれ」

見性院の知行高はわずか六百石にすぎないし、比丘尼屋敷に奉公するのは女たちがほとんどである。幸松を迎えた以上は、その幸松を守《も》り立ててゆくためにもさらに有為の侍たちを召しかかえたい、と見性院は考えているのだった。

翌日からまたおなじ時刻に九段坂の四つ辻に立った五兵衛は、早くも二日目に大貫四郎右衛門に再会。その快諾を得て、かれを幸松の家来の列にくわえることに成功した。

「武士は二君につかえず」

とは家康が新しい武家道徳としてひねり出したことばにすぎず、その裏には、関ヶ原牢人たちを徳川家の仇敵である薩摩島津家、長州毛利家、大坂城に健在の豊臣秀頼などに再仕官させないというねらいがあった。

だが時代はまだ戦国の余塵を漂わせていたから、このような家臣採用法も充分に可能だったのである。

あけて慶長十九年（一六一四）の八月二日は、まだ駿府城に矍鑠《かくしやく》としていた大御所家康が、ついに関ヶ原以来の念願だった豊臣家つぶしにむかって第一歩を踏み出した日として知られている。

大坂城の淀殿・豊臣秀頼母子は、かねてから家康のすすめにしたがって京都東山方広寺の大仏再建にうちこんでいた。その鐘も四月のうちにできあがり、八月三日にはいよいよ大仏開眼供養をおこなう手はずとなった。

ところが、――。

自分の目の黒いうちになんとしても豊臣家を叩きつぶしたいと願っていた家康は、

「黒衣の宰相」

の異名をとる側近の金地院崇伝《こんちいんすうでん》や五山の僧たちのささやきにより、その鐘銘に注目。

八月二日、

「国家安康」

とわが名を分断して刻んであるばかりか、

「君臣豊楽」

と豊臣家をたたえるような字句のあるのはどういうことか、と居直ったのである。

これをきっかけに徳川家と豊臣家の間には不穏な空気が漂いはじめたが、それから三日後、江戸には不吉の前兆のごとき大風が吹き荒れた。

上空には奔馬のいななきのような空気を切りさく音が渦まき、土くれや木の枝を飛ばすので、出歩くこともできない。町屋のつましい造りの家々はあらかた倒壊してしまい、江戸城とそのまわりの武家地でも、屋根瓦が紙吹雪のように吹き飛ばされたり、庭木が根こそぎ倒れたりする被害が続出した。

「これでは、このお屋敷も吹き倒されてしまうかも知れぬ」

比丘尼屋敷の奉公人たちも顔色を失ってしまっていたが、さすがに見性院だけは、機敏に命じた。

「ともかく地震の間に、長持をふたつ運び入れておならべなさい。幸松さまに、その間に入っていただくのです」

地震の間とは、大地震《おおない》に襲われてもこわれないよう頑丈に造った部屋のこと。そこにならべた長持の間に座っていれば、天井がくずれてもその下敷きになることはない、という読みであった。

火がなにかに燃えうつっては大変だから、紙燭《しそく》はいっさい使えない。暗い廊下を伝い、見性院、お静とともに幸松が地震の間へ避難すると、やの字結びの帯を締めた侍女たちも青白い顔をしてこれにつづいた。

地震の間のうちは闇がひときわ濃かったが、長持の間へ導かれた幸松は、ひとりだけけろりとした表情をしていた。

幸松はおびえきっている侍女たちが面白くてたまらないらしく、隙を見てわざと長持の間からはい出そうとする。

「なりません、どうかここに」

お静がたしなめると幸松は一度はこくりとうなずくが、少しするとまたきゃっきゃっと笑い声を立ててはい出してしまう。

「まことに、ものに動じぬ健気《けなげ》な御気性ですこと。さすがは将軍家の和子さまでいらっしゃる」

見性院は戸外に吹きすさぶ風の音も耳に入らぬかのように、感動の面持ちでその姿を見守りつづけた。

幸い夜に入ってさしもの暴風もやみ、比丘尼屋敷は外まわりと庭木に多少の被害を受けただけで倒壊をまぬがれた。

そしてこの出来事は、幸松が一段と見性院に親しむきっかけとなった。この日以降幸松が、

「おばばさま」

と見性院に呼びかけるようになったのも、そのあらわれであったろう。

「おばばさま、お肩を叩いて進ぜましょうか」

と幸松が見性院の部屋へ入ってゆくと、見性院はほんとうの孫が遊びにきたかのように、

「どうぞ、入らせられませ」

といつもにこやかに迎えてくれるのだった。

時には信松院も八王子から顔を出し、

「まあ、御立派におなりですこと。お静さんも、御苦労なさった甲斐があったというものですね」

とたおやかなほほえみを浮かべていってくれた。

幸松はこの信松院がとりわけ好きで、滞在中はその側から離れようとしない。いざ信松院が八王子へ帰る日がくると、

「今度くるのはいつ、みんな楽しみにしているからまたすぐきてね」

と何度もたずね、信松院が指切りげんまんの約束をしてくれるまでその墨染の衣にまとわりつくのをつねとした。

やがて十月となり、大坂冬の陣がはじまったころ、信松院はまた比丘尼屋敷へ顔を出して三日間幸松の遊び相手をつとめてくれたあと、

「またきますから、おりこうな若さまでいて下さいね」

と言い置いて去っていった。

玄関式台まで出てそのうしろ姿を見送った見性院は、かたわらに控えて手を振っている幸松とお静にいった。

「ちょっと、書院の間へきて下さいな。若さまに差しあげたいものができました」

ふたりが入室すると、見性院は違い棚に飾られていた桐の箱を手にして上座に正座し、静かにその箱のふたを取った。

白い袱紗《ふくさ》につつまれてそのなかに入っていたのは、フナの形をしたやや時代がかった

水差であった。金物でできているのに、色合いはなぜか紫色をしている。

「おばばさま、これを下さるの」

幸松が邪気のない口調でたずねると、

「はい、さようでございます」

と見性院はにこやかに答えた。

「これは紫銅《しどう》鮒形の水差と申しまして、わらわが亡き父上よりいただきました形見の品と思し召せ。昨夜信松院とも相談したのですが、わらわたちも老い先短いことゆえ、この品は幸松さまにもらっていただくのが一番よい、ということになりましたの」

見性院は甲州武田家ゆかりの宗近の脇差につづき、信玄の形見の品をも幸松に与える、といっているのだった。

「いえ、見性院さま。お志のほどはありがたく存じますが、……」

お静が恐縮して口をはさもうとすると、なにもおっしゃいますな、といいたそうに見性院は白い頭巾につつんだ頭をゆっくりと振った。

その間に幸松が、

「わあ、これを下さるの。ありがとう」

と水差を手にしてしまったので、お静はあとをつづけられなくなってしまう。

——幸松によって、甲州武田家を再興する。

この出来事により、見性院・信松院姉妹がそう夢見ていることはますます明らかになった。

とはいえ見性院が、そのような思いを天下にむかって公言したというわけではない。だがまもなく、見性院の心情がついにあらわになる時がきた。

秀忠が大坂城攻めのため、江戸を留守にしているのを好機と見たのだろう。ある日、お江与の方づきの老女が比丘尼屋敷を不意に訪問。見性院が出会いの間に請じ入れると、ねばつくような口調で厭みなことを言い出したのである。

見性院のことをおもと、と呼んで、その老女はいった。

「御台さまもおもとのことを心やすく思し召し、長い間懇意にしておいでだったことはよもやお忘れではありますまい。と申しますのは洩れ聞くところによれば、近ごろこれなる屋敷のうちに、縁もゆかりもない者をお預かりだそうでござりますなあ」

どうだ、御台所はすべて見通しているのですよ、とでもいいたげに胸をそらした老女に対し、

「おっしゃるとおりでございます」

見性院は臆することもなく、きっぱりと答えた。

「けれど幸松さまを当家にお迎えいたしましたるは、お預かりしたというわけではござりませぬ。そこを間違えていただいては困ります」

見性院は、さらに声をはげました。

「幸松さまのことは、わらわの子としてもらいきりにいたしたのです。つつがなく成人あそばされたあかつきには武田の苗字をおなのりいただき、わらわが大御所さまよりい

ことのただいている知行をもおゆずりして、わらわの亡き跡をも弔《とむら》っていただこうと考えてのこと。さればたとえ御台さまよりおとがめがありましょうと、一度この見性院が子といたしたお方を放ち捨てにいたすことなど思いも寄りませぬ。さよう御台さまにお伝え下され」

見性院の堂々たる応対に、その老女は顔を蒼くして帰っていった。

その後まもなく、今日こういうことがありました、と見性院から伝えられたため、その思いはようやくお静の知るところとなったのだった。

ただしその時のお静は、お江与の方がなおも幸松を目の仇にしていると知ったことの方に、より強い衝撃を受けていた。

(見性院さまが御台さまの介入をきっぱりとはねつけて下さったからよいものの、御台さまははたして黙って引きさがるだろうか)

と考えると、お静の目の裏側にはお江与の方の赤い憎しみのまなざしが甦ってきた。

それは、決して杞憂ではなかった。

また枯れ葉の舞う季節がめぐってきたころ、田安門の南の小石川門と水道橋との間にある吉祥寺《きっしょうじ》という名刹で、本堂改築のための勧進能がおこなわれることになった。

「観世七郎左衛門という京からきた能師が、薪能《たきぎのう》を見せるそうじゃ」

という噂は比丘尼屋敷にも伝わり、能好きの野崎太左衛門などは興行の数日前からそわそわしはじめた。

当日の夕刻、太左衛門がお静の前へ進み出て外出の許しを求めたので、お静は快くこれを認めた。しかしこの時、ひとつだけ計算外のことが起こった。

「一緒にゆく！」

と幸松が言い張り、

「観能も武士のたしなみなれば、それではそれがしがお供いたしましょう」

と太左衛門がうなずいたため、お静としてもいけないとはいえなくなってしまったのである。

それでも用心のため、もうひとり供の者をふやすように、とお静が頼んだので、万沢権九郎という若侍も同行することになった。

三人が吉祥寺の山門をくぐると、鐘楼の先にしつらえられた能舞台のまわりは早くも大変な混雑ぶりであった。左右に据えられた大かがり火にはつぎつぎに薪が投じられ、莚《むしろ》に座りこんだ客たちは背後に長く影を曳いている。

「これは、立ち見するしかござりませんな。若さま、それがしが肩車をいたしましょう」

太左衛門が小腰をかがめた時、それは起こった。

太左衛門は、左腰に差しこんだ大刀の鞘で羽織の裾を持ちあげていた。その大刀の鐺《こじり》に、うしろからきた者が臑《すね》をしたたかにぶつけたのである。

「やい、痛えじゃねえか、なにをしやがる」

という怒声に太左衛門がふりむくと、大袈裟にたたらを踏んでいるのは髭面、着流し姿の牢人者だった。

「これはすまぬ。この混み合い方じゃ、こらえてくれい」

太左衛門が白髪混じりの茶筅髷を軽く下げてまた幸松に顔をむけようとすると、その牢人はとがった目つきをして居直った。

「なんだと、おのれの無礼を混雑のせいにするんじゃねえ、なにさまだと思っていやがる」

牢人はたちまち冷飯草履を脱ぎ捨て、古小袖を尻はしょりして大刀に右手をのばす。

「なんだ」

「どうした」

と四方から声がかかったかと思うと、似たような牢人たち約十人が早くも幸松主従を輪のなかに取りこんでいた。明らかにこの牢人どもは、はじめからしめし合わせ、幸松たちに目をつけて遠巻きにしていたのである。

(すわ、御台さまの放った刺客《せっかく》どもか!)

太左衛門もようやく気づき、幸松をうしろ手にかばいながら応戦の腹を固めた。

「喧嘩だ!」

その時だれかが怒鳴ったため、あたりからは潮の引くようにひとが消えて、牢人どもと幸松主従三人だけが人垣のなかに取り残される。

幸松をはさみ、太左衛門と背中合わせに立って身構えていた万沢権九郎は、次の瞬間、人垣の一角によく見知った人物がいることに気づいていた。有賀九右衛門という、剣友であった。

権九郎が目で助けを求めると、着流し姿の有賀九右衛門は機転を利かして大音声《だいおんじょう》を張りあげた。

「お味方なら、多数ここに控えてござる。少しもひけをとってはなりませんぞ」

弱い者いじめと見て眉をひそめていた見物客たちも、これに応じて、

「そうだ、そうだ」

と野次を飛ばしはじめる。

「くそ、引け引け」

九右衛門のせりふを真に受け、いままさに抜刀しようとしていた牢人どもは一斉に散っていったので、幸松たちはかろうじて危地を脱することができたのである。

帰邸した野崎太左衛門からそれと報じられた見性院は、万沢権九郎にたずねた。

「その有賀九右衛門殿とやらは、若君の命の恩人ではありませんか。どちらへ出仕しておいでか」

いいえ、牢人中の者でござります、との答えを聞いた見性院は、その場で九右衛門を家来として採り立てる、と宣言していた。

この見性院の反応とくらべると、お静のそれはきわめて対照的なものだった。

「いや、牢人どもにかこまれましても若さまが顔色ひとつお変えにならなかったのは、まことに豪胆なことでござった。長ずれば、さぞかし名将とおなりあそばされましょうて」

と太左衛門に告げられほほえみを返しはしたものの、お静は、

（もう二度と幸松さまが危ない目に遭うことなどないように）

との祈りをこめ、これ以降定期的に荏原郡《えばらごおり》目黒の里の成就院《じょうじゅいん》に参拝することにしたのである。

比叡山を開山したことで知られる伝教大師《でんぎょうだいし》最澄の高弟慈覚大師円仁《えんにん》により、天安二年（八五八）にひらかれたこの古刹は、別名を、

「蛸《たこ》薬師」

本尊の蓮華座を三匹の蛸が支えていることに由来する名称だが、境内で売られている石でこすれば頑固ないぼも簡単に取れる、という伝承もある。

小侍従という女房名前でお静につかえてくれている太左衛門の妻は、かねてから指のいぼに悩まされていた。その小侍従のため、いぼ取りの石を買いにゆくという太左衛門とともに成就院に参拝したのをきっかけに、お静は幸松の身の安全と出世とを祈り、成就院に願《がん》をかけることにしたのだった。

田安門から目黒の里までは二里もないから、女の足でも日帰りは充分に可能である。ただしその手前を西の高井戸から流れてき、品川で江戸湾にそそぐ目黒川の岸は北側が高く、南側はゆるやかな傾斜地になっていた。

その北側の高みから舟渡しへ進みながら眺めると、目黒の里はこんもりとした椎や赤松の林におおわれているのがよくわかった。

江戸府内からやってくるとこの川筋でふっつりと人家が途絶えることから、いつのころからか目黒川は府内と郊外の境とみなされるようになっている。晴れた日には、はる

か西の空に白雪を冠した富士の峰がくっきりと浮かびあがるのも美しかった。

野崎太左衛門、あるいは万沢権九郎を供とし、市女笠《いちめ》に顔を隠してその林の奥の成就院に通ううち、お静は自然、住職の舜興《しゅんこう》和尚と親しくことばを交わすようになった。

舜興和尚は頭を青々と剃りあげた小柄な僧だったが、お静の祈禱の願いを聞くとすぐに錦の袈裟をまとい、二間幅の沓脱《くつぬぎ》、四室の八畳間を左右に有する本堂に入り、荘重な声で読経をおこなってくれる。その背後に正座したお静は、一心不乱に手を合わせて倦《う》むことを知らなかった。

その本堂は天井から金箔の大きな天蓋《てんがい》をつりさげており、左右計四室の八畳間とは金塗りの柱で区切られていた。法灯に照らし出される壁にはさまざまな菊が描かれていて、お静に江戸城内の障壁画のみごとさを思い出させた。

だがこれらの装飾には、かなり問題があった。いささか傷みすぎていて、ところどころ塗りが剝げてしまっている。

「この草深い片田舎では、しかるべき檀家とてごじゃりませぬからのう」

舜興和尚は剃りあげた頭を撫でながら笑ったが、聞いていると腕利きの石工《いしく》なら近くにいるという。

その石工に彫ってもらって地蔵尊を何体か寄進したお静は、本堂修繕のためのお布施もおこなうことにした。吉祥寺で勧進能のあった日以来、お江与の方はふっつりと動きを見せなくなっていたから、

（これも阿弥陀さまの御加護のたまもの）

とお静は考えていた。

しかし、真実はやや遠くにあった。

十二月にいったん和睦で幕を閉じた大坂の陣は、あけて慶長二十年（一六一五）四月に再戦と決定。五月八日のうちに大坂城は猛火につつまれ、淀殿・豊臣秀頼母子はともに自刃して果てた。

淀殿はお江与の方の長姉であり、秀頼の妻千姫は秀忠・お江与の方夫妻の長女であったから、お江与の方としては大坂城に落城の時がせまるにしたがい、幸松をつけねらうどころの騒ぎではなくなっていたのである。

「元和偃武《げんなえんぶ》」

幕府は豊臣家の滅亡によって乱世がまったく終息し、太平の世となったことを、七月十三日に年号が元和と改元されたこともあってこう称した。その後もお江与の方はいっさい不穏な動きを見せなかったため、幸松はようやくこのころから田安門の左右にのびる内堀あたりへ出かけて、のびのびと遊ぶこともできるようになった。

その幸松も五歳だからなかなかのやんちゃとなり、ある時などは見性院からゆずられた紫銅鮒形の水差を棒で叩き、表面にでこぼこを作ってしまった。

それと気づいてお静は蒼くなったが、見性院は笑って答えた。

「さようなことなど、気にするにはおよびません。武門の子はそれぐらいでないと」

いつも鷹揚《おうよう》にかまえていてくれる見性院、時に匂うように美しいかんばせを見せてくれる信松院に深く感謝し、この姉妹の長寿をも祈りながら、お静は成就院に参拝しつづけた。

六本の腕をもつ准胝観音《じゅんていかんのん》、酒壺《しゅこ》をもつ十一面観音、金剛願地蔵、金剛幢《どう》地蔵、……。

お静の寄進した石像はいつしか十体以上にのぼり、舜興和尚はこれらをまとめて、

「お静地蔵」

と呼ぶようになった。

とはいえ四季の循環にたとえるならば、お静・幸松母子にまだ花の季節はおとずれなかった。天はなおしばらく、このふたりに悲しみのみを与えつづけた。

その第一は、元和二年（一六一六）四月十六日、信松院が八王子でひっそりと息を引き取ったことであった。享年五十六。

元甲州武田家お抱えの猿楽師のせがれから幕府代官頭にのぼった大久保長安《ながやす》の庇護を受け、信松院はその名も八王子信松院という寺を建ててもらってそこに暮らしていた。もともと蒲柳《ほりゅう》の質だった信松院は、冬の間に法事にまねかれることがたび重なったことから胸を病み、ろうそくの火が消えるように静かにその生涯をおえたのである。

信松院は比丘尼屋敷の使用人たちからも慕われていたから、翌日、八王子千人頭の使者からそれと報じられた時、屋敷内は一瞬静まり返ってしまったほどだった。

「そうでしたか、近ごろあらわれないのでどうしたのかと思っているところでした。けれど、これも定命と申すもの。わらわはとても八王子まではゆかれませんから、今夜は書院の間でお通夜をおこない、信松院が無事に父上のおんもとへゆけることを祈りましょう」

腹違いとはいえ自分より十五歳も年下の妹を失い、さすがに見性院も声を震わせていた。

夜に入り、野崎太左衛門・小侍従夫妻とともにお静が幸松の手を引いて書院の間におもむくと、経机《きょうづくえ》に線香と供物《くもつ》が載っていたことから、早くも幸松は異変を察知した。

喪主として座った見性院に侍女たちがおくやみのことばを述べるのを怪訝《けげん》そうに見つめた幸松は、

「ねえ、どうしたの、なにがあったの」

とお静の袖を引くようにしてたずねた。

「よく聞いて下さいませ、八王子の信松院さまが、……」

お静が書院の間の隅で事情を告げようとすると、

「うん、信松院さまが――?」

と幸松は目を輝かせて復唱する。

死とはなにか、ということがまだ幸松にはわかっていない。中剃りの髷を結って前髪を立てている幸松は、大好きな信松院の名前が出ただけで、てっきりまた遊びにきてくれるもの、と思いこんでしまったようだった。

「いえ、あの、信松院さまは、もうわたくしどもとはお会いできない遠いところへ行ってしまわれたのです」

とその幸松に語りかけるうち、お静も声を潤《うる》ませていた。信松院の﨟《ろう》たけた顔だちとやさしい声が不意に脳裡に甦り、お静はもう涙が頰を伝うのをこらえようもなかった。

「その後なにかとおつらい目にお遭いだったと今日になってから姉上に聞いて、わらわもほんとうに驚きました」

もう六年前の慶長十五年の冬のある日、そういって神田白銀丁へあらわれた信松院を迎えた時のうれしさは、お静にとっては忘れられるものではない。

その後、大牧の里までともに旅をしてくれた上、ふたたび白銀丁へもどってからも出産のあとまでつきそってくれていた信松院が、まだなんの恩返しもできずにいるうちにひとり彼岸へ旅立ってしまうとは。

思わずお静が手巾を目に当てると、初めて母の泣く姿を間近に見、凝然と立ちすくんでいた幸松も、みるみるうちに顔をゆがめ、ふっくらした頰に涙をしたたらせながらしゃくりあげはじめた。


訃報は、これにとどまらなかった。

「大御所さま、御不例」

との飛報はこの年の一月末からひんぱんに伝えられてきていたが、あけて十八日には、十七日の四つ刻（午前一〇時）に家康が駿府城に薨《こう》じたことが知れたのである。享年七十五。

同時に、その遺体は遺命によって久能山へうつされた、とも聞こえてきた。幸松からすれば、養家の叔母とまだ正式な対面もしていない実の祖父とをほぼ同時に失ったことになる。

さらに六月七日、見性院に幸松養育を依頼した本多正信も七十九歳で世を去ったから、見性院と徳川家との橋渡し役はもはや土井利勝だけとなってしまった。

しかも幸松は、年があければ七歳。

「男女七歳にして席をおなじゅうせず」

の教えにしたがい、武門の子として学問と弓馬刀槍の稽古とをはじめるべき時が近づいていた。

それに比丘尼屋敷に暮らしていると、野崎太左衛門や万沢権九郎、あるいは見性院があらたに召しかかえてくれた大貫四郎右衛門や有賀九右衛門あらため九左衛門らがいるとはいえ、どうしても侍女や女童《めわらわ》たちと遊ぶ機会が多くなる。

幸松のことばづかいにも、時として女の子のようないいまわしの混じる癖がめだちはじめていたから、

（なんとかしてさしあげなければ）

と、見性院はこのころから考えはじめた。

そこで見性院は、お静にも告げずに土井利勝に手紙を送り、

「七歳とおなりあそばされるのを潮《しお》に、幸松さまをお上のお手もとに引き取ってはいただけまいか」

と非公式に打診してみた。

しかし土井利勝の答えは、

「なかなか、むつかしゅうござる」

のひとことであった。

（ならば、徳川家以外に当たるしかない）

見性院は、ひそかにほぞを固めた。


「保科《ほしな》」

という家筋が、かつて武田信玄につかえた部将たちのうちにある。

本貫の地は、信州高井郡川中島の保科の里。もともと諏訪神社につかえていたことから神《かみ》氏をなのっていたが、里の名を取って保科氏を称し、鎌倉時代に将軍頼朝に出仕して信濃源氏となった一族である。

その先々代の保科弾正《だんじよう》忠《のちゆう》正俊は、武田信玄の部将として三十七度にもおよぶ武功をあらわし、

「槍弾正」

の異名を取った剛の者であった。

天正十年（一五八二）の武田家滅亡の際には、そのせがれ保科越前守《えちぜんのかみ》正直《まさなお》が、武田家当主四郎勝頼の弟仁科五郎盛信の副将として、ともに信州伊那郡《いなごおり》の高遠《たかとお》城に入っていた。

仁科盛信は織田・徳川連合軍が殺到してきても一歩も引かず、ついにみごとな最期をとげて武田武士の華とうたわれたが、保科正直は二の丸にあって主力と分断されてしまったため、飯田城へ脱出。半年後には高遠城奪回に成功し、家康とも和睦して下総多古《たこ》一万石の大名に封じられた。

正直は多古において家督をせがれの肥後守《ひごのかみ》正光にゆずったものの、正光は慶長五年(一六〇〇)のうちに信州高遠二万五千石への転封《てんぽう》を命じられた。ために保科家は、武田家ゆかりの高遠城へもどって今日に至っている。

(だれか、若君を託せる者はおるまいか)

と考えはじめた見性院が、この保科正光の姿を思い浮かべたのは理由のないことではなかった。

すでに五十六歳ながら三日月形の眉の下に黒目がちの目を輝かせた丸顔の正光は、きわめて律義な性分だった。江戸へ参勤したときにも高遠へ帰るときにもかならず比丘尼屋敷に挨拶にくるし、たとえ高遠在城の年であろうと中元と歳暮の品を届けるのを欠かしたことはない。

甲州武田家滅びて、すでに三十五年。その遺臣団から徳川家に召しかかえられたのは大小あわせて九百家近くにのぼったとはいえ、なおも見性院を主筋の姫君とみなし、下にも置かないあつかいをしてくれるのはかれだけになっていた。

それゆえにこそ見性院は、

(頼みまいらせるとすれば、あの保科肥後守殿しかいない)

と思い切ったのである。

この時から見性院は、首を長くして正光の来訪を待ち望みはじめた。

しかしこの年、かれは高遠在城だったため比丘尼屋敷には顔を出さなかった。その間に月日は進み、元和三年(一六一七)がきて幸松は七歳になった。

頭に風折烏帽子《かざおりえぼし》を乗せ、上には浅葱地《あさぎ》に角九曜《かくくよう》の大紋《だいもん》を打った素襖《すおう》、下に小袴《こばかま》を着用して長大な太刀を佩《は》いた保科正光が、供侍に進物を持たせて比丘尼屋敷に姿を見せたのはこの年の春まだ浅い日のことであった。

見性院は、ただちに書院の間へ通した。そしてその挨拶を受け、二月に家康に東照大権現の号が朝廷から与えられてめでたく思うこと、三月に造営のはじまった日光東照社の落成が楽しみなことなどを話題にしてから、おもむろに切り出した。

「わらわが近年大切なる若君をお預かりしていることは、そこもともご存じでありましょうな。その若君も今年で七歳、お上のお子ゆえひたむきに今日までお育てしてまいりましたけれど、この屋敷内にあるのはほとんど女子衆ばかりなれば、御成長にはどうにも不向きなところが出てまいったのです。そこもとはこの尼をも捨て置かぬ志をお持ちなれば、若君に対してたてまつりましてもさぞかし誠実につかえて下さるものと思って頼み入ります。そこもとが権現さまの妹君を母上となされたのもなにかの御縁、どうか若君の御養育をお引き受け下さり、弓矢の道をも教えては下さりませぬか」

亡き家康の妹が母にあたるというのは、正光の父正直が最初の正室の死後、家康の異父妹多劫《たこう》の君を娶《めと》ったことを指していた。正光は最初の妻の腹ながら、保科家はこうして徳川家と縁つづきになったことにより、関ヶ原の戦いや大坂の陣に際しても家康を助けつづけたのである。

大坂夏の陣に際しては、天王寺表の激闘に参加。首級十四を挙げて祖父と父とに負けぬ剛の者であることを天下に示した正光も、この意外な申し出を聞くと驚いたように特徴あるまなこをまたたかせた。

しかし胡坐《あぐら》をかいて見性院に対していた正光は、浅葱色の素襖の両袖を蝶の羽根のようにふわりとひろげて両手をつくと、

「それがしには、こなたさまよりうかがいましたることに背き申す心底はまったくございませぬ」

と、生真面目そのものの口調で答えた。

「さりながら、将軍家の若君をこの肥後守ごときの子といたすのは、まことにもって畏れ多いことでござる。せめて内々にても上意をたまわり、よく御奉公いたせということでござれば、かしこまってうけたまわりたくは存じまするが」

信州人には、一徹者が多いといわれる。筋の通らないことを嫌う心が強いからであろうが、正光もその思いに駆られ、幸松の養育を頼むというのであれば非公式であっても徳川家からひとことあってしかるべきだ、とやんわりと応じたのである。

「もっともな仰せでござります」

見性院は、やはり見こんだ者だけのことはある、というようにほほえみ返した。

下総佐倉三万二千四百石の藩主であり、幕府の老中をもつとめる土井大炊介《おおいのすけ》利勝は、慶長十七年(一六一二)のうちに四万五千石に加増されていた。それが大坂夏の陣に参加した功により、六万五千二百石へとふたたび加増にあずかり、家康の死後は秀忠の側近中の側近の名をほしいままにしている。

見性院がこの土井利勝に保科正光とのやりとりを伝えてしばらくしたころ、利勝は江戸城のうちに与えられている屋敷に正光をまねいた。

正光が比丘尼屋敷をおとずれた時とおなじく風折烏帽子に素襖姿でその書院の間へ通ると、すでにひとりの先客が下座に控えていた。正光より十五歳年下、まだ四十一歳の井上半九郎あらため井上主計頭正就《かずえのかみまさなり》。

いまは亡き大うばさまのせがれの半九郎は、大坂の陣に際しては、はじめ歩行頭《かちがしら》、のち小姓組番頭《ばんがしら》として秀忠に供奉《ぐぶ》。敵の首級六を挙げ、ほうびとして一万石を与えられ従五位下に叙されて主計頭正就となのったのである。

「本日それがしは、大炊介さまより立会人を命じられて参上した次第でございます」

やはり烏帽子を着けている正就から挨拶され、

「御苦労に存ずる」

と正光が会釈を返してそのかたわらに着座すると、まもなく利勝が太刀持ちの小姓をしたがえて上座にでっぷりと肥えた姿をあらわした。

ふたりにねぎらいのことばをかけた利勝は、侍女たちが茶と茶菓子を出して静かに去ってゆくのを見定めてから、口調をあらためた。

「保科肥後守殿、そこもとに内々の上意が下りましたるにより、この段、相申し伝える」

「ははっ」

正光が両手をつくと、利勝のおごそかな声が通った。

「お上には幸松殿のこと、そこもとへお預けあそばされると仰せ出されてござる。高遠城のうちに御養育いたすようにとの思し召しなれば、ありがたくお受けいたすがよい」

「かしこまって候」

正光がつつしんで答えるのにつづき、

「保科肥後守殿がお受けなされしこと、この主計頭がたしかに見届けましてござる」

と正就が高らかにいって、この儀式はおわった。

幸松はやがて正光を養父とし、保科姓をなのることがここに正式に定められたのである。

正光が見性院にそれと報じ、見性院がお静におなじことを伝えるのに、さして時間はかからなかった。

保科家に養子入りするとは、幸松がいずれその家督を相続し、信州高遠二万五千石の大名となることを意味する。

お静からすれば、徳川将軍家の冷たさ、特にお江与の方の執念深さは骨身に沁みていたから、これにまったく不満はなかった。それどころかお江与の方の目の届かない高遠へ幸松をつれてゆくことができ、しかも幸松を大身《たいしん》とはいえずとも武門の子とすることができるのであれば否やはない。

(これで、わたくしの願いは叶ったことになる)

肩の荷を下ろしたような気分にひたったお静は、満願成就のお礼のためにまたしても目黒の里の成就院へ参拝に出かけたほどだった。

「へえ、たかとお——？　それは、どのあたりじゃ」

対して幸松は、見知らぬ土地へうつるのだと聞かされてもまだ実感が湧かないらしかった。

「若さまは、高遠のお城の若殿さまとして迎えられるのですよ」

と侍女たちに教えられても、

「ふうん」

としか答えない。

幸松の知っているのは神田白銀丁の竹村家とこの比丘尼屋敷だけなのだから、それも無理はなかった。

対して、

「幸松さまに、養い親として正式に御挨拶させていただきたい」

と望んでまた比丘尼屋敷にあらわれた正光の態度は、まことに立派なものであった。

「このたび、不肖ながらそれがしが養い親と相なりましたるにより、幾ひさしゅうよろしくお願い申しあげたてまつります」

正光が下座に平伏してうやうやしく頭を下げたのは、かれがもったいなくも将軍家のお子をお預かりする、という恭謙な気持でいることを充分に物語っていた。

「こちらこそ、幾ひさしゅうよろしくお願い申しあげまする」

幸松とともに上座に座らされていたお静が答えると、幸松は大人たちのあらたまった態度がおかしく感じられたのか、正光のまろやかな顔を見つめてにっこりと笑った。

その幸松にほほえみ返した正光は、同席してこのやりとりを眺めていた見性院にむかい、胸にある計画を伝えた。

「それがし、本来ならば来春まで江戸におる所存でござったが、若さま御一行をお迎えいたす用意もあれば十月中に帰国いたしたいと申し出て、すでに許されましてござる。高遠までは、六泊七日の旅。お女中衆も同道のことなれば、天候の変わりにくい晩秋に御出立いただくのがよろしいかと存じまするが、いかがなものでござりましょうや」

見性院の答えは、幸松とお静がそれでよければ自分は一向にかまわない、というものであった。

「では御家来衆のうち、どの者を召しつれるかは見性院さまの御判断におまかせいたしたく存ずる。いざ御出立となりましたなら、当家の江戸詰めの者どもからもお供を出しましょうほどに」

そう言い置いて、正光は比丘尼屋敷を去っていった。

十月下旬ないし十一月上旬に高遠へ引きうつるのであれば、まだ月日は半年もゆとりがある。

しかし見性院は、その直後から早くも、幸松について高遠へゆき、そのまま保科家家臣となってかの地へとどまるべき者たちの人選をひそかに始めていたらしかった。

それがお静の知るところとなったのは、まだ花の散らないうちに見性院に呼ばれ、

「若君にお供するのは、このような者たちでいかがでしょう」

と、すでに紙に書き出されていた名前を見せられた時のことだった。

そこには見性院自身の筆跡で、つぎのように書かれていた。

供　侍　野崎太左衛門
　　　　万沢権九郎
　　　　大貫四郎右衛門
　　　　有賀九右衛門あらため九左衛門
お小姓　有泉金弥
草履取り　伝九
　　　　虎若
上　臈　小侍従
おはした　千代
　　　　松

ほとんどはすでに幸松とお静についてくれている者たちばかりだったが、見性院の知行地大牧の里で育っている有泉五兵衛の子金弥の名がまじっているのが、お静にはふしぎに思われた。

「あの、有泉五兵衛殿は、あとつぎの金弥さんに同行していただくことを御承知下さったのでしょうか」

お静がためらいがちにたずねると、

「ええ、さようです。かねてから五兵衛殿に、わらわはこう伝えてあったのです。そなたの子が成人するころ、わらわはもうこの世にはおりません。ですが金弥にはわらわがきっとよい奉公先を見つけて進ぜます、とね」

と、見性院は少しさびしそうにほほえみながらいった。

「でも、お小姓とはいえ若君の遊び相手ですから、もうひとりいてほしい気もします。侍女たちもこれから考えねばなりませんから、そもじも心当たりがあったら声をかけてみて下さいな」


衣装や道具類のうち、なにを持ってゆき、なにを置いてゆくかと考えながら少しずつ荷物をまとめていると、月日の流れるのはまたたく間のことだった。

「では、それがしはお先に帰国つかまつります。来月高遠にてお目にかかりましょうほどに、若君もおふくろさまも達者におすごし下され」

十月末に保科正光が別れの挨拶にくると、翌日には高遠藩江戸屋敷から樋口勘四郎、宮下孫三郎となのる筋骨たくましい侍ふたりが比丘尼屋敷へ姿を見せた。

「御出立の際にはわれら両名と腕利きの徒《かち》の者三人が若さまをお守り申しあげます。どうかお見知りおき下さりませ」

との口上であったところを見ると、このふたりは正光に荒武者ぶりを買われ、幸松の護衛役を命じられた者のようだった。

さらに、――。

「土井大炊介さまのお指図により、われらもお供つかまつることに相なりました」

と幕府黒鍬頭《くろくわがしら》の橋爪久左衛門とその配下の黒鍬者十数名もやってきて、いよいよ出立は十一月八日と定められた。

黒鍬者とは日ごろは江戸城内の除草や下水の見まわりなどにあたっているが、将軍が外出する場合には先触れ役や物資の運搬をつとめる者たちのことをいう。土井利勝がこれら黒鍬者を使うと決めたことにより、ようやく幸松一行は、将軍家ゆかりの者の旅という体裁をととのえることが可能となったわけである。

つづけて、意外な供もふたりくわわることになった。お静の実兄神尾《かんのお》嘉右衛門のせがれ左門と、竹村助兵衛・お栄夫妻の子の半右衛門。

かねてから見性院にもうひとりお小姓役の少年がほしいといわれていたお静は、竹村の神尾家へ別れの挨拶に出むいた時、そのことを嘉右衛門にうちあけた。すると嘉右衛門は、

「ほほう、ちと待ってくれ」

とうれしそうにいって席を立ち、妻のお光となにやら相談する気配だった。

やがて夫婦そろってお静の前に端座すると、嘉右衛門は申し入れた。

「さきほどの件だが、よかったらせがれの左門を採り立ててはくれまいか。左門が幸松さまにおつかえいたせば、わが神尾家はふたたび武門へと返り咲くことができると申すもの」

（それこそ、亡きお父上の願いでもあった）

と思い、お静はこの申し出を受け入れることにした。

別の日、お静が神田白銀丁をたずねると、左門の件を聞かされた助兵衛とお栄がまっ

たくおなじことを申し入れたので、半右衛門も召しかかえられることになったのである。

まだ少年とはいえ血のつながった者がふたりも同行してくれることになったのが、お静にはうれしくてならなかった。

十一月八日の明け六つ刻（六時）、ついに幸松一行は、墨染の衣の袖をうち振る見性院とその使用人たちに見送られ、冬の弱日《よわび》の射しそめるなかを田安門めざして動きはじめた。

先頭をゆくのは、黒鍬頭橋爪久左衛門にひきいられた黒鍬者十余名。ぶっさき羽織にたっつけ袴、腰に柄袋をかぶせた両刀を差しこみ、面体《めんてい》を一文字笠に隠したかれらは、油断なく左右に目をくばり、白い息を流しながら大股に歩いてゆく。

つぎに動き出したのは、上は縹染《はなだぞめ》の法被《はっぴ》、下は素足をむき出しにした陸尺《ろくしゃく》の者四人のかつぐ長棒引戸の乗物と、それよりひとまわり小さな女乗物。幸松とお静との乗るこれら乗物の両脇には、保科家からやってきた樋口勘四郎、宮下孫三郎と徒士《かち》三名とが、黒鍬者たちとほぼおなじ身なりでぴたりと貼りついていた。

陣笠に、襟に黒ラシャを掛けた紋つきの半合羽、その左脇腹に切られた穴から刀の柄をのぞかせた野崎太左衛門以下は好みの槍を手にして背後を守り、さらにそのうしろからは、市女《いちめ》笠に被布をまとった侍女たちと有泉金弥、神尾左門、竹村半右衛門の三人の小姓がわらじ掛けで足ごしらえしてこれにつづいた。これら足弱の者たちは、疲れた時には最後尾からゆく駄馬とその曳きかえの馬とに順次乗せられる手はずである。

甲州街道をのぼっていった一行は、この日は八里八丁（三二・九キロ）進んで府中泊まり。翌日も冬枯れの景色のなかをほぼおなじだけゆき、武州多摩郡の西はずれの小仏泊まりと順調に旅をつづけた。

ただしこのあたりから道は次第に爪先あがりになり、視界北側には峨々たる秩父山地、南側には富士の裾野へとつながる甲州都留《つる》郡の雪を冠した山々が見はるかせて、お静はまだ見ぬ高遠の地が、まことに高く遠い土地であることを実感させられた。

その思いは、竹村や目黒の里から眺めたよりもふたまわり大きい富士の霊峰を南の空に拝して甲府盆地を北西に越え、甲州巨麻《こま》郡から信州諏訪郡へ近づくにつれてますます強くなった。

左側には北から南へ釜無《かまなし》山（標高二一一七メートル）、駒ヶ岳（二九六六メートル）、仙丈ヶ岳（三〇三三メートル）、北岳（三一九二メートル）とつづく赤石山脈の、天空に浮かんでいるような純白の姿が屹立。右側にも蓼科《たでしな》山（二五三〇メートル）、茶臼山（二三八三メートル）、硫黄岳（二七六五メートル）、赤岳（二八九九メートル）とうちつづく連山が澄みきった青空と境を接している壮大な光景は、息を飲むほどの美しさだった。

次第に風も冷たくなり、江戸では見られない唐松の林がめだつなか、一行がこれらの山脈の間を縫うようにして金沢宿に入ったのは十三日黄昏《たそがれ》時のことであった。

明日は最後の難所である金沢峠によって信州伊那郡の山の鞍部を西に越え、一里二十九丁（七・二キロ）下れば御堂垣外《みどうがいと》宿。そこはもう高遠藩領であり、三里ゆけば城下に達するから明日のうちには城へ入れる、と髭の濃い樋口勘四郎から教えられて、やや疲れを見せていた幸松や金弥たちも生気を甦《よみがえ》らせた。

ところが、——。

十四日の正午までに予定どおり御堂垣外宿に入り、思い思いに茶屋に休憩して昼食をとろうとするうちに事件が起こった。

その発端は、一同に白湯をはこんできた茶屋の婆さんが、

「奥のお部屋へ通られた若さまこそ、こたび高遠保科家に迎えられた幸松さまにおわします。粗相があってはなりませぬぞ」

と、供の侍女たちから告げられたことにある。

「あれまあ」

と大袈裟に驚いて見せたおしゃべり好きの婆さんは、

「お城にはもう真田左源太さまとおっしゃって、お殿さまには甥《おい》にあたるお方が養子に入っておいでじゃと聞いておりますけど」

と、注文を聞くのもそっちのけにして答えたのである。

「なんですと、それはまことか」

すばやくそのことばを聞きつけ、縁台から腰をあげたのは野崎太左衛門の妻の小侍従であった。

小侍従もすでに、保科正光の正室が信州上田九万五千石の前藩主、真田昌幸の娘であることは知っていた。それだけに甥から養子に入った者の名は真田左源太と聞き、

(らちもないただの噂ではあるまい)

と感じたのである。

「へ、へえ、……」

婆さんが渋紙色のしわんだ顔に困惑の表情を浮かべた間に、小侍従は紫色の被布を羽織ったまま幸松とお静の入った奥座敷へ走った。そして、

「御免下さりませ」

と声をかけ、からりと襖をあけると、いま聞いたところを口迅《くちど》に伝えた。

これにいちはやく反応したのは、ほかならぬ幸松だった。まだ七歳にもかかわらず、幸松はその場に立ちあがると激した口調で叫ぶようにいった。

「肥後守にそんな養子がいるのなら、われらが高遠城へゆくまでもない。母上、すぐ見性院のもとへ引き返しましょう」

幸松はこれまで、お静にとっても家来たちにとっても、聞き分けがよくて手間のかからない少年であった。その幸松が顔を朱に染めて怒ったのは初めてのことだったから、その声を耳にした野崎太左衛門も奥座敷へ駆けつけてきた。

妻の小侍従からわけを聞いた太左衛門は、婆さんにもたしかめてお静と相談した結果、事情をただすためこれよりみずからが高遠城に出むく、と申し出て許された。

むろん保科家の返答も婆さんとおなじだったならば、供頭としておめおめとふたたび江戸へもどることはできない。いざとなれば城内で無念腹をかっ切るつもりだから、いつかかれもまなじりを決していた。

「万沢権九郎殿を、副使として同行させなさい。樋口勘四郎殿には、道案内を頼むのです」

それと気づいたお静が命じたので、この三人がとりあえず城に走ることになった。

ただちに曳きかえの馬三頭が曳き出され、三人は一斉にその背にまたがり馬腹を蹴る。土ぼこりを巻きあげてそのひづめの音が遠ざかってからも、幸松は出された膳にいっさい箸をつけようとはしなかった。

まだ前髪を立て、武田家の家紋武田菱を打った小さな羽織を着用して宗近の脇差を差しているその姿は、幼いながらも切れ長の目に鼻筋が通り、なかなかの美少年であった。

しかし、お静があれこれなだめても、

「もしこの噂がまことなら、高遠の食事など口にするのは厭なことです」

と答えて唇をきつく引きむすぶばかり。これは筋の通らぬことを断じて嫌うその気性が、初めてあらわになった一瞬でもあった。

三人の使者たちが保科家から新しい馬を貸し与えられ、御堂垣外宿へ駆けもどってきたのは八つ刻(二時)をすぎたころあいであった。

顔をほこりで白っぽくしている野崎太左衛門は、陣笠をはずして奥座敷へすすむと、土間に片膝をついて報じた。

「ただいま御城内にて肥後守さまにお目通りいたし、じきじきに真田左源太さま一件についてうけたまわってまいりました。肥後守さまの仰せによれば、左源太さまはたしかに御城内に御逗留されてはおりますが、これはしばらく遊びにきておられるのであって、決して養子としてきているものではない、とのことでござった」

これを聞いて、お静はほっとした。その思いは、幸松もおなじらしかった。

「そうか、苦労をかけた」

大人びた口調で太左衛門に呼びかけた幸松は、機嫌を直してつづけた。

「ならば腹をこしらえ次第、高遠城をめざそう。その方たちも、さぞひもじかっただろうな。ここで、われらとともに箸をとるがよい」


「藤沢川」

という清冽な流れは、北の諏訪湖と南の御堂垣外宿のほぼ中間にそびえる守屋山（一六五〇メートル）を濫觴《らんしょう》の地とし、御堂垣外で松倉川と合流してそのまま南下。左右の河岸段丘上に点々と集落を発達させつつその渓谷沿いにのびてゆく街道と並行して流れ、高遠城下の北側から西へまわりこんでから、外堀の役を果たしている三峰《みぶ》川の激流に飲みこまれる。

その合流地点より少し北、藤沢川右岸の弥勒《みろく》村で保科正光と重臣たちの出迎えを受けた幸松は、

「左源太のことにて御迷惑をおかけいたし、まことに御無礼つかまつりました」

との正光の陳謝を諒《りょう》とし、

「出迎え、苦労である」

と堂々と答えてまっすぐ城下へすすんでいった。

藤沢川の右岸を下るうちに、その左岸には次第に高遠城の雄姿が迫ってくる。

岸辺に鬱蒼たる老松とけやきの林を繁らせた城の台地は、高さ五十六、七間（一〇

一・八〜一〇三・六メートル)。さらにその上には、等間隔に銃眼の穴をうがたれた黒瓦白しっくい塗り、下見板《したみいた》貼りの城壁がどこまでもつづいていた。

女乗物には、左右と前方とに幅一寸(三センチ)の板を連子《れんじ》とし、内側に萌黄《もえぎ》紗を貼った夢想窓がついている。お静はその左側の夢想窓に顔を近づけて高い城壁を仰ぐうち、

(ああ、これがかつて信松院さまの兄上さま仁科五郎盛信さまのお住まいだったお城。その高遠城へ、とうとう幸松さまをおつれすることができた)

との感慨がこみあげてきて、いつ自分が城西へまわりこんで藤沢川に架かる橋をわたったのかも気がつかなかった。

幸松もまた、その前方をゆく乗物のなかから食い入るように城壁を見あげていた。

城西へとめぐり、西側の町屋と東側の武家屋敷の間を流れてゆく藤沢川は、幅は六、七間(一〇・九〜一二・七メートル)である。そこに架かった太鼓橋を東へわたり、急な坂道にさしかかったかと思うと、もう武家屋敷のただなかであった。

その武家屋敷の間をさらに東進、左に折れ右に折れれば「く」の字に曲がった石段の追手《おうて》坂に入る。太鼓橋と石段上にひらいた冠木《かぶき》門との距離は、百五十間(二七二・七メートル)。

この冠木門を入れば、枡形《ますがた》の空間をはさんで門台の上に二階造りの多聞櫓《たもんやぐら》を乗せ、鉄貼りの門扉を閉ざした追手門にぶつかる。

「若君の御着到でござる。開門、開門!」

先駆の者が駆け寄って叫ぶのを、幸松は身じろぎもせずに乗物のなかから透かし見て

いた。

　こうして幸松の入るところとなった高遠城は、わずか二万五千石の小大名の持ちものとはとても思えぬ名城であった。

　鎌倉時代以来、この地では諏訪氏支流の藤沢氏や高遠氏が覇を競ったが、甲州の覇者武田信玄は天文《てんぶん》年間（一五三二～五五）に信州侵攻を開始。天文十六年（一五四七）に、高遠城を造営したのである。

　形態からいえばこの城は、

「平山城《ひらやまじろ》」

　に分類される。

　平山城とは、一方から見れば平城《ひらじろ》、他の方角から眺めれば山城《やまじろ》のように見える城のこと。高遠城は地上から一丁五反（一六四メートル）の高さに盛りあがった月蔵山《がつぞうざん》西麓の台地、冑山《かぶとやま》の上に縄張りされているため、東側から望めば平城、その他の方角から見あげれば山城と感じられるのである。

　その本丸のひろさは、東西四十一間（七四・五メートル）、南北三十五間（六三・六メートル）、面積にして八百八十坪。その南側東寄りには六百二坪の南郭《みなみぐるわ》、西寄りには三百七十九坪の笹郭、南郭のさらに南側には三百二十坪の法幢院《ほうどういん》郭がある。

　また本丸の西側には、本丸を内側にかかえこむようにして三日月形二千八百五十九坪の二の丸と、その腰郭である八百二十坪の勘助郭がつづき、さらにその西側にはおなじく三日月形七千三十六坪の三の丸が張り出している。

西にひらいた追手門、東につけられた搦手門《からめて》はともにこの三の丸の門であり、それぞれの郭は深い空堀《からぼり》とうず高い芝の土居（土手）によって画されていた。

ただし本丸に、天守閣はない。

追手門とおなじ櫓門造りの二の丸門と本丸門をくぐり、本丸へすすむと、その東南のすみには、

「巽櫓《たつみ》」

西南のすみには、

「角櫓《すみ》」

と呼ばれる黒瓦白しっくい塗り下見板貼りの二階櫓が建ち、二の丸にも同様の櫓があるものの、その本丸御殿はともに平屋造り、建坪二百坪の政庁と七十坪の奥殿とからなっていた。

茶室や隠居所は南郭のうちにもうけられていたが、保科正光の父正直は、正光が慶長六年（一六〇一）下総多古一万石から高遠へ復帰してまもなく、この隠居所において六十歳の生涯をおえた。

そのため幸松・お静母子と供の者たちとは、あらたに手入れされた隠居所とそのまわりに建てられた長屋に住まい、高遠城における新生活を始めることになったのだった。

保科正光とすれば、十一月十四日に幸松が高遠城にはすでに真田左源太という養子がいると聞き、憤然として、

「肥後守にそんな養子がいるのなら、われらが高遠城にゆくまでもない。母上、すぐ見性院のもとへ引き返しましょう」

と叫んだという話はきわめて衝撃的であった。

（いまだいとけなきお子にも似ない、このおっしゃりようはどうじゃ。後世畏《おそ》るべしとは、幸松さまのようなお子のことをいうのであろう）

と深く心にとどめた正光は、幸松につかえるのは将軍家に奉公するのとおなじ気持でなければならぬ、とひそかに決意。以後は定期的にみずから南郭に挨拶に出むくことを怠らず、家臣たちのいずれかと幸松について語る時にも、

「幸松殿」

と、かならず殿文字をつける誠実な態度を身をもって示した。

なお幸松・お静母子には夢にも思いおよばぬことであったが、御堂垣外宿の婆さんがついうっかりと口にした話は、まんざら誤りではなかった。

真田家出身の正光の正室は、慶長十五年（一六一〇）のうちに子も残さずに逝去していた。そのころの正光はよもや幸松の養い親になるとは考えもしなかったため、まだ幕府に届け出てはいなかったものの甥の真田左源太を高遠城へまねき、

「部屋子」

という名目で育てていたのである。

幸松の逆鱗に触れ、これまでどおり左源太を部屋子としておくのはむずかしくなったが、この時代には十歳まで育たずに夭折してしまう子も珍しくはない。一方、秀忠は嗣

子なくして当主の死亡した大名家はどしどし廃絶する政策をとっていたから、正光はその後も左源太には真田姓をなのらせたまま城中にとどめおき、万一の場合の幸松の控えとすることにした。

その正光が幸松につけてくれたのは、井上市兵衛、狩野《かのう》八太夫、小原内匠《おばらたくみ》の三人であった。三人は、ともに保科家の家中にあっては賢《さと》き者たちとして知られていたが、特に八太夫は文武両道の士として一目置かれていた。

正光の三歳年下の腹違いの弟、多劫の君の産んだ弾正忠《だんじようのちゆう》正貞は、兄とともに大坂夏の陣に出撃したものの、槍傷三カ所、鉄砲傷一カ所の重傷を負って乱戦のなかに倒れ伏した。いちはやくそれに気づいた八太夫は、血槍を杖にしてそのからだを背負い、

「保科弾正殿にて候。功名はいたせども、深手四、五カ所なり。道をあけい!」

と叫びながら正光の陣に送り届けたことによって勇名を馳せた。

正光はこれらの者たちをつけることにより、いよいよ幸松に武門独自の教育を始めたのである。

信濃さま

天正十八年（一五九〇）の家康の江戸入り前後からはじまったこの物語は、もっか元《げん》和《な》三年（一六一七）にさしかかった。

保科幸松はこの年かぞえ七歳だが、かれがまだ一歳の時に死亡した肥後熊本五十二万石の藩主加藤清正には、その学力がどの程度のものだったかを示す逸話がひとつ伝わっている。

――ある時、加賀百万石の藩祖前田利家が、清正その他の大名たちと話をするうちに『論語』泰伯《たいはく》篇の一節を口にした。これは、こういう一文だった。

「曾子《そうじ》いわく、もって六尺の孤を託すべく、もって百里の命《めい》を寄すべく、大節《たいせつ》に臨みて奪うべからず。君子人か、君子人なり」

漢文を理解できないことをチンプンカンプン（ブ）ンという古い冗談がある。この時の清正がその例で、かれにはこの文章がまったく理解できなかった。

関ヶ原の戦いがおわって学者から『論語』を講義された時、清正はようやく右の一文の意味を知った。それは、こういうことだった。

「幼いみなしごをあずけることができ、百里四方の国の政治をゆだねることができ、重大な事態となった場合にもその志をあらためさせることはできない。このような人こそ、君子というべき人物か。そう、これこそ真の君子なのだ」

『明良洪範《めいりようこうはん》』という慶長年間以降の実話を多数採録した史料に見えるこの逸話は、清正が利家亡きあともその学識を惜しみつづけた、という流れのなかで語られている。

しかしそのような編者の意図とは別に、この逸話は、一時代前までは公家や僧侶たちにしか知られていなかった『論語』が、徳川時代の開幕とともにひろく武士階級にも愛好されはじめたことを物語っている。

駿府城に隠退して大御所と称した家康が、京から林道春《どうしゆん》こと羅山《らざん》を召して『論語』を講義させたことが、その流行のきっかけとなった。

家康は、君臣の間の大義名分をあきらかにする政治哲学を必要としていた。同時に武士たちは、右に引いた一文などに武人としての生き方の手本を見出したように感じたからである。

ただしこの時代、藩校という教育機関はまだどの藩にも置かれてはいない。

それでも『論語』とその注釈本の写本はかなりの勢いで出まわっていたから、幸松もこれらの書物に通じる井上市兵衛、狩野八太夫、小原内匠の三人により、『論語』の初歩の手ほどきを受けはじめたのだった。

「子のたまわく、巧言令色、鮮《すく》ないかな仁」

当番の師が素読すると、横一列にならんで見台《けんだい》にむかっている幸松、有泉金弥、神尾《かんのお》左門、竹村半右衛門の四人が一斉におなじくだりを音読する。

それが、高遠城南郭《みなみぐるわ》における朝の日課となった。

素読がおわったあとは、手習いにうつる。そのつぎには、武田家および保科家に伝えられる武功談を聞く。午後からははだしで庭に降り立ち、木刀の素振り、相撲、組みうちなどをおこなって、とにもかくにもからだをきたえることが求められた。

幸松も三人の小姓たちもからだが小さく、力が弱いため、弓馬刀槍四芸のうち弓術、馬術、槍術はまだ手ほどきされなかった。それでもひとりずつ馬装をほどこした木馬に乗せられ、手綱をつかうこつだけは伝授された。

これらは、どの藩でも一様におこなわれている子弟教育法であった。

しかし幸松とその小姓たち、および供侍として高遠へ同行し、保科家から禄を受けることになった野崎太左衛門以下の男たちには、ひとつだけ保科家特有の作法を守ることが求められた。

公の行事に出席する時以外は、足袋《たび》をはかずに一年中素足ですごし、股引《ももひき》も着用しないこと。

これは、底冷えのきびしい伊那谷の冬に堪えられるからだをふだんから作っておく、という質実剛健の家風から生まれた作法らしかった。

やがて十二月となり、庭に出ただけでも手がしびれるほどの寒さとなったが、幸松がひそかに観察すると保科家の侍たちはたしかに驚くほど寒さに強かった。

城下の屋敷から毎朝かわるがわる南郭へやってくる三人の師にしても、面体《めんてい》を宗十郎頭巾につつんだだけでけろりとしている。講義をはじめる時刻がくるまで控え部屋に端座している間も、火鉢には決して上体をのしかけず、炭火の上にちょっと手をかざすこともしない。

かれらから身をもってこのような作法を教えられるうちに、幸松たちは霜の降りた庭にはだしで踏み出し、

「えい、えい」

と叫びながら素振りを百回、二百回とおこなうこともいつしか平気になっていった。

その影響は、お静とともに高遠入りした侍女たちにも次第にあらわれた。

（わたくしだけがぬくぬくとしていては、幸松さまに申し訳ない）

そう考えたお静は、自分もふっつりと足袋をはくのをやめ、いつも素足ですごすようになっていた。

小侍従がそれに気づいてお静にならうと、侍女たち全員がふたりを真似たため、男も女もまったく足袋を用いなくなったのである。

それは、

（いずれ高遠保科家をおつぎになる幸松さまに、すこやかな若武者に育っていただきたい）

という祈りに似た気持のあらわれでもあった。

「信州筑摩郡の洗馬《せば》郷五千石の地を、その方に加増する」

徳川秀忠が保科正光に対して伝えたのは、年があけてまもなくのことだった。

つつしんで命を奉じた正光は、大紋烏帽子《だいもんえぼし》の正装で本丸御殿から南郭へやってくると、幸松とお静とに会見。自分は下座に腰を据えて正式にこれを伝え、個人的な感想をもつけくわえた。

「それがしが思いますに、これは上さまより幸松さまの御養育料を下された、ということでござりましょう。やはり上さまも幸松さまの御成長ぶりがお気がかりなのであろうと存じ、いずれ幸松さまの御知行となることも考えあわせて、ありがたく頂戴つかまつった次第でござる。それにいたしましても、いずれ上さまと幸松さまと、晴れて父子としての御対面ができればよろしゅうございますなあ」

幸松が保科家の家督を相続するあかつきには、その時点で正俊―正直―正光とつづいてきた高遠保科家の血筋は実質的に途絶えることになる。なのに律義者として見性院《けんしょういん》にもその名を知られた正光は、そんなことなど歯牙にもかけていないのだった。

幸松も、もう八歳。ものおぼえのよさは小姓たちがその足もとにも寄りつけないほどで、一度学んだことは水が乾いた砂にしみこむように理解する能力をそなえていたから、自分がきわめて特殊な境涯に置かれていることももう充分にわかっていた。

――いずれ実の父である将軍家と、正式に父子のなのりをする。

それが漠然とながら幸松の目標となったのは、養父正光から右のようなことばを聞かされて以降のことであった。

そして、その機会は意外に早くやってくるかに思われた。

また信濃路の秋が深まったころから、江戸の見性院がしきりに書き送ってくるようになったのである。

「幸松さまは、おすこやかにお育ちでいらっしゃいましょうか。もう、この尼のことなどお忘れになったのではございませんか。もしそうでないのならば、せめて一度御出府あそばされて、お顔を見せて下さりませ」

見性院は幸松とお静、それに長年自分につかえていた野崎太左衛門・小侍従夫妻をも送り出し、火の消えてしまったような比丘尼《びくに》屋敷のうちにひとり老いを深めつつある。その見性院は、一度は甲州武田家再興の夢をも託した幸松のことを思うと、ますます寂寥感に襲われるのをどうしようもないらしかった。

「見性院さま、お可哀相に」

その手紙を読んだお静が涙声でつぶやくのを聞いた時、

（おばばさまに会いに、江戸へゆきたい）

という思いが激しく幸松の胸に湧きあがってきた。

幸松のその思いがいやましに強まったのは、お静がつづけて、

「見性院さまは、ずいぶんとおからだがお弱りになったような」

といたわしげに告げたためでもあった。

「母上、どうしてわかるのですか」

幸松が驚いてたずねると、秋草文様のうちかけをまとっていたお静は、さびしそうに

ほほえみながら教えてくれたのである。

「母はそなたを出産するために信松院《しんしょういん》さまと大牧《おおまき》の里に身をひそめていたころ、見性院さまから幾度かお手紙をいただいたことがあります。そのころの見性院さまの筆跡は、女子《おなご》のものとはとても思えないまことにのびやかなものでした。それが近ごろのお手紙を拝見しますと、一字一字が小さくなって筆の勢いもめっきり弱々しくなったように思われてなりません」

幸松はそれを聞いて、胸ふたがれる思いがした。

思えば、幼いながらに類なくやさしく類なく美しいひとと感じられた信松院がこの世を去ってから、もう二年の歳月が流れている。

信松院は今年で三十五歳になる母とくらべても、五、六歳年上にしか見えなかった。その信松院が実は享年五十六だったと聞いたおぼえがあるから、それより十五歳年上の見性院はもうとうに七十歳をすぎている勘定になる。

「母上」

めまぐるしく考えをめぐらした幸松は、思い切って申し入れた。

「幸松は江戸へいって、おばばさまを見舞ってやりとうございます。信松院の時のように、死に目にも会えぬままとなるのはもう厭です」

(見性院は、もういつ寿命がつきてもおかしくはない年齢なのだ)

と気づいた時から、幸松は自分を足かけ五年間も養ってくれた見性院の孤独を思い、いたたまれない気持に襲われていた。

「そなたのことばを聞けば、見性院さまもさぞ喜んで下さるでしょう」

お静は必死に涙をこらえている幸松に、おだやかにうなずきながら答えた。

「それではそなたの江戸出府の件は、野崎太左衛門殿を介して肥後守さまのお許しを得ることにいたします。肥後守さまは御老中の公許をいただかねばなりますまいし、供ぞろえをととのえるのにも日にちがかかりましょうから、話が決まるまではこれまでどおり学問と武芸の稽古にはげんでいて下さいね」

「はい」

と応じた幸松は、涙を見せたことがにわかにきまり悪くなり、くるりと背をむけると母の部屋から駆け出していった。

公許を得るのに日にちがかかったこともあり、幸松が江戸へ旅立ったのは元和五年（一六一九）二月になってからのことだった。

この年の二月一日は、いまの暦であれば三月十六日にあたる。異例に春の早い年になることはわかっていたし、見性院もどこに持病があるというわけではなかったから、お静は木々の芽ぶくのが遅い高遠にも春の気配が充分に感じられるようになるのを待って、幸松を送り出したのだった。

「母子ともにお城をあけては肥後守さまに申し訳ありませんから、母は御一緒いたしません。けれど帰りをいそぐこともないのですから、たんと見性院さまのお話相手になってさしあげるのですよ」

とお静はいい、これまでどおり学問と武芸にはげめるようにと三人の師と三人の小姓をも同行させてくれた。三人の師は鍛冶橋にある高遠藩江戸上屋敷に入り、そこから交代で比丘尼屋敷にかよってくる、という打ち合わせもすでにできていた。

「まあ、立派になられましたこと。ほんとうに、この尼などに会いにきて下さるとは」

比丘尼屋敷に入った幸松とひさしぶりに対面した時、幸松をむりやり上座に座らせて自分は下座についた見性院は、そういったきり手巾を目にあてて、ことばをつづけられなくなってしまった。

「御恩は、決して忘れてはおりません。おかげさまで母も息災にしておりますから、その点はどうか御心配なきように」

お静からことづけられたたくさんのみやげの品を差し出し、幸松はあらためて教えられてきた口上を述べた。すると、もうそれだけで見性院は、

「ほんに、すっかり大人びたおことばづかい。お声も、また一段と凛々しゅうおなりですこと」

と感に堪えたように首を振り、ふたたび手巾を目にあてるのだった。

見性院は、たしかに衰えていた。

女性としては大柄な方だったのに、少し背が縮んだように見えたし、ふっくらとしていた頬もしぼみ、口もとと目尻のしわはあきらかにその数と深さを増していた。墨染の衣につつんだ背をいつもしゃんとのばしていたのに、腰が曲がったせいか少し顎をつき出すようにして座り、ことばもなめらかには出てこないのが痛々しい。

すっかり涙もろくなった見性院は、高遠へうつってからわずか一年四カ月たらずのうちに背丈もずいぶんと伸び、からだに厚みのそなわってきた幸松とまた会えたことがうれしくてならないらしかった。

（血もつながっていないのに、自分のことをこんなにも思っていて下さる方がいる）

しみじみと考えると、幸松には老いという現象が理不尽なものにすら思われた。

しかし見性院は、幸松が滞在している間はかつてのすこやかさをとりもどしたように見えた。

「笑われるかも知れませんが、若さまがおなじ屋敷のうちにおいで下さると、なにやら安心して夜もぐっすり眠れるのですから妙なものです。おかげさまで近ごろは、いただくものもみんなおいしゅう感じられます」

毎日、機嫌をうかがいにその居間へゆく幸松に見性院は大切な秘密をうちあけるようにいって、老いの目にほほえみを浮かべることもあった。

その見性院が、高遠城におけるお静・幸松母子の日々の暮らしをたずねたがるのは無理からぬことだった。だがそれにもまして見性院には、

（わらわがまだ生きているうちに、なんとしても幸松さまにお伝えしておかなければ）

と思いつめていることがあったのである。

幸松がそれと知ったのは、ある日見性院が、

「ところで若さまは、今年で何歳におなりでしたか」

とわかっているはずのことをたずねた時だった。

「はい、九歳に相なりました」

物忘れなさったのだろう、と考えて幸松が気軽に答えると、

「ああ、それではわらわがお静さんと知りあってから、もう十一年にもなるわけです」

見性院は、昔を思い出す茫洋たる目つきをしてつぶやいていた。

「え、するとおばばさまと母上とは、わたくしの生まれる三年も前からのおつきあいだったのですか」

これは初耳の話だったから、幸松は驚いて問い返した。

母や養父の保科正光、あるいはまわりの者たちのことばから、幸松はすでに理解していた。実の父は現将軍徳川秀忠だということも、その秀忠がなぜか自分を江戸城へ迎えてくれなかったため、初め見性院、ついで正光を養い親として育てられているのだということも。

さらに母の口から、自分がまだおなかにいるころ信松院につきそわれて見性院の知行所の大牧の里というところにひそんでいたことがある、と教えられていたから、自分の出生にいわくがあることは幸松にもよくわかっていた。

それにしても、子供が母の胎内にいる期間は十月十日と聞いている。母と見性院・信松院姉妹とのまじわりがそれ以前にさかのぼるものとは幸松は夢にも思っていなかった。

「はい、三年も前からなのです」

見性院は、遠くを眺めるような目つきになってゆるやかに語りはじめた。

……若さまのお母上は、はじめは大奥で大うばさまと呼ばれていたお上の乳母《めのと》にあた

る方に奉公するため、江戸城へお入りになったのです。その大うばさまのお使いとしてこの屋敷へお越しになるうちに、わらわや信松院ともうちとけた話をするようになったのでした。

でもそれからしばらくすると、お静さんはふっつりとお顔を見せなくなりました。わらわはお静さんがお上に見そめられ、お上づきのお中﨟に出世なされたためと知ってひそかにその出世を喜んでいたのでしたが、あれは慶長十五年（一六一〇）の秋でしたか、不意にお静さんから助けを求めるお手紙を届けられて愕然としたのでした。

お上のお胤《たね》をみごもったことを御台《みだい》さまに気づかれてつらい目に遭わされ、板橋の竹村の実家へ里帰りしたあとも兄上の神尾嘉右衛門殿が刺客に幾度となく襲われたこと。おそろしくなってお胤を水としてお流ししてしまったものの、ふたたび大奥にもどらざるを得なくなり、まもなくまたみごもったこと。

不義の子でもないものを二度までも水となしたてまつるのはあまりに畏れ多い、という御舎弟才兵衛殿の意見がとおり、神尾家の方々は一族が磔刑《はたもの》に架けられてもやむなし、との悲壮な決意のもとにお静さんに和子さまを産んでいただく覚悟を決めたこと。

それらのことをわらわははじめて知り、お気の毒に思っておりよく八王子からやってきた信松院をお静さんのもとへやることにいたしたのでした。そしてその信松院の意見を入れて、しばらくお静さんを大牧の里へひそませることにしたのです。

「そうして生まれたのがわたくしだった、ということですね」

とたずねた幸松の声は、わずかに震えをおびていた。

「さようでございます。ですが若さまは、なぜわらわがいまごろになってかような話をするのかと思っていらっしゃるのではありますまいか」

見性院は、静かに茶を喫してから逆にたずねた。

幸松がどう答えようかと迷っていると、見性院はふたたび口をひらいた。

「では、こうおたずねしましょう。お静さんはあのように気立てのよいお方で、つつましやかな御気性ですから、おんみずからがいかに苦労し、いかに覚悟を決めて若さまを御出産なされたかということまでは若さまにお伝えしてはいないのではありませんか」

「はい、裏の事情をはじめて知って、びっくりしているところです」

「やはり、さようでしたか」

見性院は、まだなにかいい足りないようだった。

幸松は見性院のうちあけ話を聞くうちに、目から鱗が落ちたような気分にひたっていた。

ようやく、幸松にはわかったのである。なぜ自分の小姓には、大牧の里を宰領する有泉五兵衛のせがれ金弥、竹村在の伯父神尾嘉右衛門のせがれ左門、神田白銀丁《しろがねちょう》に住まうもうひとりの伯父竹村助兵衛のせがれ半右衛門の三人が選ばれたのか、ということが。

それにもまして衝撃だったのは、

(神尾才兵衛という自分のまだ知らない叔父上がいなければ、自分もまた母上のみごもった最初の子とおなじく水に流されてしまう定めだったとは)

とはじめて知ったことだった。

（そういえば比丘尼屋敷にきてまだ間もないころ、野崎太左衛門たちと吉祥寺へ勧進能を見にいって、あやうく牢人どもと斬り合いになりそうになったことがあった。あの牢人どももいま思えば、この身をねらう刺客どもだったのか）

あらためて考えると、幸松は自分が橋の下に千尋《せんじん》の谷が口をひらいていることも知らず、その橋をのんびりとわたってきたのんきな少年だったような気がした。

その幸松の耳に、ふたたび見性院の声が響いた。

「かようなことは、若さまがせめて十二、三歳におなりになってから申しあげようとついさきごろまでは思っておりました。ですがこの尼もいよいよ衰え、それまで生きてはいられまいと思うようになりましたので、思い切っていまお伝えすることにいたしたのです。なにせわらわが生きているうちにお伝えしなければ、若さまに人の世の真実をお教えできる者はいなくなってしまいましょうから」

「驚きはしたけれど、知ってよかったような気もする」

幸松が答えると、見性院はつづけた。

「いずれお上と御対面を果たされたあかつきには、若さまはさらに大身《たいしん》のお大名に出世あそばされることとわらわは信じております。そのお姿を拝見いたしたいのはやまやまなれど、それまでこちらの寿命がもつかどうかわかりませんから、もうひとことだけいわせて下さりませ。若さま、大身のお大名となられましても、世のなかにはお静さんとその御兄弟のように仲良く生きてゆこうとしている方々が少なくないことをどうかお忘れ下さいますな。そして、いまの御台さまのように御自分のお気に召さぬ相手を憎んだりなされず、またさような考えをもつ者はお側に置かれませぬように。これだけをお願いしておきまする」

母お静の受けた迫害の実相を知らされた直後だけに、見性院の願うところは痛いほど幸松の心に沁みわたる。

（そして母上のことも、これまで以上に大事にしてさしあげなければ）

と思いながら、よくわかりました、と幸松は頭を下げた。

見性院は幸松出生の秘密を当人にうちあけて肩の荷をおろした気持になったのか、その夜寝所にしりぞくともう枕から頭があがらなくなってしまった。

「どうなされました、大丈夫ですか」

幸松が見舞にゆくと、それでも見性院は、かつての気丈さを思い出させる答え方をした。

「若さまが混み入った話を大人のようにすらりとわかって下さるものですから、何日かにわけてお話しすればよいものをついまとめてお話しして、疲れが出てしまったようでございます。あまり御心配下さいますな」

「どうぞ、ゆっくり養生して下さい。恢復なさるまで、わたくしはこの屋敷を動きませんから」

幸松がその枯れた手をさすりながら伝えると、

「もったいのうございます」

顔を仰むけた見性院は、その目尻から静かに涙の筋を伝わらせた。

比丘尼屋敷にしばらく滞在することに決めた幸松は、有泉金弥、神尾左門、竹村半右衛門の三人をひとまず実家に帰してやることにした。見性院の述懐から、子が両親のもとで育つことの大切さがわかったような気がしたからである。

左門は十歳、半右衛門は幸松とおなじくまだ九歳だから、ひとりで自宅には帰れない。金弥のみはもう十三歳だが、足立郡大牧の里までの五里三十丁は、とても歩ききれるものではない。

そこで、それぞれの父親に迎えにこさせることになったが、前後してあらわれた神尾嘉右衛門、竹村助兵衛、有泉五兵衛の三人は、それぞれ幸松に目通りすることを願った。幸松がそれを許すと、三人は異口同音にせがれを召しかかえてもらったことへの謝辞を述べた。

「叔父上の才兵衛殿は、いまいずこにおられる」

嘉右衛門がやってきた時、幸松は特にたずねた。

しかしその答えは、

「若さま御誕生の前に安産祈願のためと称して上方《かみがた》へ去って以来、杳《よう》として行方がつかめませぬ。もしどこにどうしているか知れた場合には、一番にお伝えいたします」

というものでしかなかった。

幸松との対面をおえた三人は、それぞれのせがれの手を引くように比丘尼屋敷を去っていった。

金弥、左門、半右衛門の三人を、これまで幸松は遊び仲間、勉強仲間としか考えていなかった。だが玄関式台に立って三組の父子のうしろ姿を見送るうち、幸松は生まれてはじめて嫉妬に似た感情に襲われていた。

（自分にも、あのような父がほしい）

「いずれ上さまと幸松さまと、晴れて父子としての御対面ができればよろしゅうございますなあ」

と、保科正光はかつて詠嘆するように語ったことがあった。

「いずれお上と正式に御対面を果たされたあかつきには、……」

と、見性院も口にした。

それらのことばを聞いた時にはまだ実感が湧かなかったが、自分に小姓としてつかえる三人の少年たちが実の父にまとわりつくようにして四脚門のかなたへ消えてゆくのを眺めるうち、正光や見性院の願うところが幸松にもつくづくと理解できたのである。

しかし見性院が床に臥し、正光が高遠にある現状では、幸松が秀忠に面会するための橋わたし役をしてくれる人間がいなかった。

やむなく幸松は、元和六年（一六二〇）三月高遠へ帰国することにした。このころようやく見性院が床ばらいをして最悪の事態は回避できたこともあり、秀忠と父子のなのりをすることについて、正光とあらためて相談しておく必要を感じたからでもある。

それぞれの里から満ちたりた表情で集まってきた金弥、左門、半右衛門とともに高遠城へ帰着すると、見性院はそれを追いかけるように手紙を寄せてきた。

そこには、すがれた墨づかいでつぎのように書かれていた。

「……若さますでにご存じのごとく、わらわが権現さま（家康）の代よりいただいている知行は六百石でございます。当屋敷御滞在中は申しあげるおりとてござりませんでしたが、うち三百石を若さまにまいらせとうございます。

のちのちお大名におなりの節、わらわの志を思い出していただければと思ってのことにて、決して他意はござりません。ですからどうぞ、鼻紙代になりとおつかい下さりますように」

これを読んで幸松が、

（あっ）

と声をあげそうになったのは、あきらかに見性院が自分に形見分けをする、といっていることに気づいたためだった。

（すると母上の種々の苦労を教えて下さり、大名となった時の心構えを諭してくれたのも、遺言がわりとしてだったのか）

と思い直すと、幸松はうかつにも高遠へ帰ってきてしまった自分がなさけなくなった。

しかし、見性院とおなじように自分の老い先の短さを考え、あわせて幸松の将来のために策を講じておこうとしている者は、高遠にもいた。ほかならぬ保科正光そのひと。

この年に還暦を迎え、ようやく健康の衰えを感じはじめた正光は、幸松が江戸へ行っている間に遺言状を作成していたのである。

高遠藩保科家の筆頭老臣は、名前を保科民部《みんぶ》少輔《しようゆう》正近《まさちか》という。禄高一千石、城代家

老をつとめる保科正近は正光の叔父にあたり、

「民部さま」

と家中の者たちからは呼ばれていた。

色浅黒く彫りの深い精悍な風貌と堂々たる体軀をもつかれは、大坂の陣に際しては正光とともに戦場を駆けたつわものでもある。

この保科正近はいつしか高遠城本丸にいる正光と南郭の幸松との橋わたし役をもつとめるようになっていたが、幸松が江戸から帰って五カ月をへた元和六年七月二十二日、正光は本丸の政庁へひそかにかれをまねき、すでに作成されていた自身の遺言状を託したのである。

この遺言状は、つぎのような六カ条からなっていた。

第一条　自分が死んだ時、家督は幸松殿にゆずる。このことは米津勘兵衛《よねきつ》殿をお頼みし、老中土井利勝殿へお伝えすること。

第二条　幸松殿が二十歳になるまで、領内の仕置きは自分在世中のものを変更しないこと。

第三条　自分の死後、幸松殿に御加増があった場合、家中の者たちの知行の加増あるいは牢人たちの新規召しかかえについては、米津勘兵衛殿の指図を受けること。

第四条　左源太の身の上については、幸松殿が成人なされてなにか気づいたところがある場合には、その判断にしたがう。それまでは勝間と會倉の両郷を知行地として与えておくが、幸松殿に御加増があった時は左源太にも相応に加増してやっていただきたい。なお左源太がなにか不届きなことをしでかした場合にも、自分に免じて許してやっていただきたい。
第五条　召しつかってきた女たちをどうするかは、別紙を見ていただきたい。
第六条　弟の弾正忠《だんじようのちゆう》正貞は、面々すでに承知のごとく狂人の体《てい》なれば義絶してある。
このことを御老中へ申しあげること。

「右条々少しも相違あるまじきもの也」

と正光は最後に記し、保科肥後守と署名して花押《かおう》と印形とを捺《お》していた。

正光の三歳年下の異母弟正貞には、もともと徳川家出身の多劫《たこ》の君の腹であることを鼻にかけるきらいがあった。大坂夏の陣で武功をあげたことからさらに驕慢の度がめだつようになったので、

(ほうっておいては幸松殿に仇するおそれがある)

と考えた正光は先ごろかれを義絶し、自分の死後に起こるかも知れない相続争いの芽をあらかじめつみとっておいたのである。

「ちと、拝読つかまつります」

保科正光からこの遺言状を受け取った保科正近は、うやうやしく一礼してその書面を黙読しはじめた。

「まことに、お心配りのゆき届いた文面でござる」

正近が浅黒い顔をあげて感想を述べると、脇息《きょうそく》を引きよせていた正光はその目をまっすぐ見返して告げた。

「まだ生きているうちに、幸松殿がお上と父子のなのりをはたし、御加増にあずかって大身の大名になられるのを見届けたいのはやまやまだ。しかし余も次第に老衰いたし、もはや余命いくばくもない。その方に幸松殿のお守《も》り役を申しつけるから、心をつくして大切に守り立ててさしあげてくれい。その方もすでに承知のごとく、幸松殿は御性格も大変よろしく、おすこやかに育っておられる。いずれお上と父子のなのりができるよう、その方からも心がけてくれ」

「殿のお志、この民部がたしかにうけたまわりましてござる」

正光に似て律義な気性で家中にその名を知られた正近は、唇を一文字に引きむすんで頭を下げた。

これ以降正近は、領内を巡回する時にはなるべく幸松をともなうようになった。このような巡回は蔵奉行以下にまかせておいてもよいのだが、幸松に民情を学ばせるにはこれが一番と正近は信じていた。

たとえば、巡回の途中に喉がかわいたとする。その場合は手近の農家に立ち寄って井戸水を汲ませればいい。しかし、裏金の陣笠、ぶっさき羽織に馬乗り袴姿、たくましい黒馬にまたがって幸松の乗る忍び駕籠の前をゆく正近は、決してその庭先へは馬を乗り入れなかった。

供の者に手綱をわたしたかれは、忍び駕籠から降り立った幸松にこう教えた。

「農家の庭には、馬の好きな豆類や穀物が日に干されているものでござる。もしもわが馬がそれらを食べたとしても、農家としてはわれらを城の者と知っている以上、文句はいえますまい。とはいえ苦労して育てた作物を馬に食われては、心中おだやかならぬものがあるのは人情と申すもの。さような思いを民たちにつのらせては、つらい野良仕事にうちこむ気持を萎《な》えさせることにつながりましょうし、もしそうなれば藩の収入の減少とも相なります。それゆえ、拙者はいつも馬は庭の外へ置くことにしているのでござるが、若さまもいずれ馬の達者となられましたとて、どうか田畑に馬を乗り入れたりはなさらぬように」

そしていざ井戸ばたへ近づき、母屋からその家の者が飛び出してきても、正近はいつもそれを制してみずからの手で井戸のつるべをたぐった。農民たちを顎でつかうのではなく、農民たちの気持のわかる藩主になっていただきたい、とかれは幸松に対して言外に伝えつづけたのである。

山坂がちの高遠からは、夏がきても残雪消えやらぬ日本有数の高山の突兀《とっこつ》たる姿を西と南の空とに望むことができる。木曾山脈と赤石山脈。

夏のさかりにまた幸松とともに巡見に出ると、正近は木陰に馬をつなぎ、ようやく馬に乗れるようになったばかりの幸松を気づかってか、

「ちと、ひと休みいたしましょう」

と提案することが多かった。

幸松は、この「ひと休み」が大好きだった。麻かたびらに馬乗り袴、角九曜《かくくよう》の紋を打った真新しい陣笠をぬいで幸松が汗をぬぐっていると、きっと正近は新しい知識を伝えてくれる。

ある日、また木陰に馬をつないで青草を食べさせはじめた正近は、道ばたに立つ木の根本にしゃがみこんだかと思うと、なにやら拾い集めて、そのひとつを幸松に差し出した。

「これはあんずの実でしてな、なかなかうまいものです」

ひとつ口にふくんだ正近は、すばやく嚙みくだいて種だけを手のひらに吐き出してみせた。

「腹が痛くなっても知らぬぞ」

もらったひとつぶを口にせず幸松が眉をひそめても、正近は笑って答えた。

「梅の実とおなじことにて、まだ青いのはいけませんが山吹色に熟して枝から落ちたものなら決してそうはならぬものです。ところで若さまは、この城下にあんずや梅、柿、くるみの木などが多いのはなぜかわかりますか」

「いや、わからぬ」

幸松が答えると、正近はいった。

「これらは、ただなんとなく道ばたに立っているのではございません。これら実のなる樹木を領内に多く植えておくことは、飢饉の年のための用心でもござる。武家屋敷の庭や御城内に竹藪が多いのは、竹槍をすぐ作ることができ、その藪のなかへ逃れれば鉄砲玉をもはじいてくれるため、さらには大地震《おおない》がきても地割れをふせいでくれるためと思し召せ。では、桐の木を植えるのはなにゆえかおわかりかな」

「え、桐の木――？」

にわかに話題が変わったので、幸松はおうむ返しに問い返した。だがすぐに気づき、ほほえみながら答えていた。

「うん、わかったぞ。下駄やたんすが造れるからであろう」

「さすが、若さまは賢うござる」

うれしそうにうなずいた正近は、まだ持っていたあんずの実を足もとの土のなかへ埋めこんだ。こうしておけばまたあんずの木がふえるかも知れない、政事《まつりごと》というのはこの種を埋めるようなことなのです、と静かに伝えながら。

しかし保科正近が幸松に伝えようとしていたのは、単に藩政をつかさどることになった場合の心がまえだけではなかった。

――武門をたばねる以上は、いくさ上手とはどういうことをいうのか知っておいていただかねばならない。

そうと信じている正近は、また高遠城周辺の山々が黄金色に染まりはじめたころ、幸松に提案した。

「明日は紅葉狩をかねまして、天神山の鉾持《ほこじ》天神社の方へ遠出してみませんか」

天神山とは、藤沢川が三峰《みぶ》川に合流すべく郭内《かくない》西のはじで北から西へと大きく蛇行した地点から八丁（八七二メートル）ほど西側に盛りあがった、地上二百間（約三七〇メートル）あまりの山塊のことをいう。

その中腹には、まだ王朝時代の安和《あんな》二年（九六九）に創建され、瓊々杵尊《ににぎのみこと》、彦火々出見尊《ひこほほでみのみこと》、大山祇神《おおやまつみのかみ》の三神をまつる鉾持天神社という西高遠の郷社があった。

「民部がいうなら、いってみよう」

幸松がうなずくと、正近は大月代《おおさかやき》ふたつ折りに結った髷の下から男臭い笑みを返してきた。

「では井上市兵衛、狩野八太夫、小原内匠とお小姓の有泉金弥も召しつれることにいたし、明日の四つ刻（午前一〇時）には出発しましょう。あの辺は足場のあやういところもござれば、若さまには山駕籠にお乗りいただくことにして、弁当の用意もしておきます」

山駕籠とは網代《あじろ》屋根をのせた竹の骨組だけの乗物で、垂れもないから四方がよく見わたせるし、軽いので山道をゆく時によく用いられる。

そして当日、――。

ぶっさき羽織にたっつけ袴、紺足袋わらじがけで足ごしらえした正近が、うしろ腰には替えのわらじと竹筒をゆらしてあらわれると、三人の師もほぼおなじいでたちで集まってきた。

太刀持ちの金弥をしたがえ、小袖に袖なしのこうもり羽織姿で玄関式台下におりた幸松は、うなずいて山駕籠のなかにおさまる。その前後左右に散った正近たちは、見送りに出たお静、小侍従以下に会釈して一斉に一文字笠を頭にのせた。

追手門を出て殿坂と呼ばれる追手道を下った一行は、刈り入れのおわった鉾持村に点在する板葺石置屋根の民家の間をぬけて、半刻《はんとき》(一時間)後には早くも老松《おいまつ》と古杉《こさん》が頭上をおおう三百三十段の石段をのぼりつめ、天神山中腹に鎮座する鉾持天神社の社前に出ていた。

野鳥の啼き声しか聞こえないこのあたりは、幸松にとっては別天地としか思えない静けさであった。

深い森のなかに神さびた雰囲気をたたえている鉾持天神社の御神体は、文治四年(一一八八)にこの地から掘り出されたという霊鉾《れいぼう》である。そのため、この郷社は軍神のいますところとされて歴代領主の尊崇を受け、今日に至っているのだった。

山駕籠をかつぐ小者を気の毒に思い、石段下でおりて自分の足で中腹まで登ってきた幸松は、正近に案内されて板塀にかこまれた境内に入り、正面の社殿にすすんでしばらく両手を合わせた。

正近たちもそれにならって柏手を打つうちに、ようやくその姿に気づいた禰宜《ねぎ》のひとりが遠い禰宜所から白い大口《おおぐち》の袴の裾を乱して飛び出してきた。

「これはこれは、御城代さま」

ちょび髭をはやしたその禰宜が立烏帽子をのせた頭を下げると、ふりかえった正近はたしなめるようにいった。

「控えよ。これなるは、お世つぎの幸松さまである」

あわてふためいた禰宜は、今度は幸松にむかって深々と腰を折る。

「まあ本日は微行のようなものゆえ、そうあらたまるな」

苦笑した正近は、その禰宜にたずねた。

「ところで、かつて先々代の筑前守《ちくぜんのかみ》さまが小笠原勢五千を鎧袖一触《がいしゅういっしょく》いたした時、鉾持桟道《さんどう》に無数の石弓《いしゆみ》が仕掛けられたことはそこもとも知っておろう」

「はい、さようけたまわっておりまする」

禰宜がほっとした顔つきなって答えると、正近は幸松にはよくわからないことを再度たずねた。

「その石弓につかわれた材木は、どの辺で伐《き》りだされたのかわからぬか」

「さあ、そこまで考えたことはございませんでしたが、もう少し山すその方ではございますまいか」

「ふむ、やはりさようか」

と答えてかたわらの幸松を見やった正近は、幸松になにか新しい知識を伝える時に特有のやわらかな口調で告げた。

「そうですな。せっかく鉾持天神社に参拝いたしたのですから、保科家の戦った最大の大一番、鉾持桟道の戦いのあらましを弁当をつかいながらお話ししておきましょうか。まずは、あそこで休憩いたしましょう」

正近が指差した禰宜所の手前には、絵馬堂が建っていた。一同がそれにむかって歩き出すと、

「では、粗茶を御用意いたしましょう」

と禰宜はいい、大いそぎで禰宜所へ走って行った。

一同は、絵馬堂にあがりこんで車座になる。井上市兵衛たちも、静かに耳をかたむける姿勢になった。

「保科家先々代の正俊公は、筑前守をおなのりになる前は弾正忠《だんじょうのちゅう》と号し、槍弾正の異名をとった武田家屈指の驍将《ぎょうしょう》におわした。このことは、すでに市兵衛たちから聞いたでしょうな」

正近がまずたずねたので、幸松は答えた。

「うむ、それは素読と手習いのあとに何度か教えられたことがある。それにしても、武田信玄公につかえて三十七たびも功名をおあげになったとは、筑前さまは古今無双のつわものというべきお方だったのだなあ」

井上市兵衛たちが武功談のおりにこもごも語ってくれたところは、幸松に強い印象を残していた。

まだ保科弾正忠と称していた正俊がはじめて世に知られたのは、天文二十二年（一五五三）八月、信玄が川中島で越後の上杉謙信と初対戦した時のことだったという。

この時四十三歳の正俊は、夏の光をはじきかえす黒の鉄板とじ合わせの当世具足に鹿角《ろっかく》を打った南蛮兜《かぶと》、右脇に西国樫《さいごくかし》の柄《え》をつけた九尺五寸（二・九メートル）の大身槍《おおみやり》をかいこんで馬格雄偉な黒馬にまたがり、騎馬武者、徒武者《かち》五百をひきいて雁行《がんこう》の陣の第二陣に控えていた。

すると八月十八日の朝靄のなか、千曲川左岸の姨捨山《うばすてやま》の北の麓に布陣していた謙信は、先鋒三十を右岸に投入。信玄が足軽百をこれにむかわせると、前夜から夏草の下に折り敷いていた上杉方足軽二百が不意に出現し、双方つぎつぎに兵力を逐次投入して大乱戦となった。

一時は兵力二千の武田方が勝ち色となり、正俊も千曲川左岸へ馬を駆けあがらせた。しかし、その時またしても上杉方の新手二千があらわれ、武田方は右岸へ引かざるを得なくなる。

その間に、赤備えの姿で正俊とおなじ第二陣にあった真田弾正幸隆が瀕死の重傷を負って倒れた。いち早くこれに気づいた正俊は単騎ふたたび馬首を返し、真田幸隆と上杉勢との間に割って入った。

「真田を討たすな！」

と絶叫し、頭上に風音立てて血槍をふりまわす正俊の魁偉《かいい》な姿は、まさしく軍神そのものであった。

「敵は一騎じゃ、おしつつんで討ち取れい」

上杉勢は包囲の輪を縮めてきたが、逃げ散りながらふりかえってこの光景を見つめた武田勢は、身を捨てて真田幸隆を救おうとしている正俊の決意を知り、口々に叫んだ。

「保科弾正を討たすな、軍兵《ぐんぴょう》ども！」

こうして逆襲に転じた武田勢により、正俊は真田幸隆とともに死地を脱して信玄からその武功をたたえられた。

その時から正俊は、槍弾正と呼ばれるようになったのである。

その後何度もつづいた川中島合戦以外でも、槍弾正こと保科正俊は稀代の武辺者であることを身をもって示した。

かれが信玄から信州飯田城を預けられていたころ、志賀平六左衛門《へいろくざえもん》という荒武者が佐久郡の志賀城にこもり、武田家に謀叛《むほん》の色を見せたことがある。

信玄からその討伐を命じられた正俊がわずかに家臣ふたりをつれ、古着屋に変装して志賀城下で情報を集めると、騎馬武者四、五十と雑兵《ぞうひょう》数百の部下をもつ志賀平六左衛門は、身の丈六尺（一・八二メートル）以上の大男で大力無双の者だという。漆黒の美《び》髯《ぜん》をたくわえたこの男は、兜の緒をしめると自慢の髯が乱れるため、鉄札《てつざね》五枚つづりの錣《しころ》をつけた鎖頭巾を愛用。身には黒糸縅《おどし》の大鎧を着け、夜ごと城外の草原で調練にははげんでいるともいう。

その道筋の空き家にひそんで機会を待った正俊は、ついに四日目の雨の晩、志賀が右脇に大薙刀《なぎなた》をかいこんでその右手に手綱をまとめ、左手に傘を差して単身馬を草原へ歩ませる姿をとらえた。

まず家来ひとりに追尾させると、その家来は左背後から忍び寄り、馬の左脇腹に脇差を刺しとおす。いなないて竿立ちした馬から志賀はもろくも落馬し、腰をしたたかに打っていた。

「ううむ」

とうめきながらぬかるみに両手、両足をつき、起き直ろうとしたその姿を正俊は見のがさなかった。小袖たすきがけ、尻はしょりして足もとにしぶきをはねあげながら肉薄した正俊は、長刀を抜き放ったと思った時にはもうそのからだの左側に位置をとっていた。

「下郎、推参《すいざん》！」

と叫んだ正俊は、拝み打ちにその長刀を振りおろす。志賀は声ひとつ発する暇もなく、鎖頭巾の綴ぐるみ首を斬り落とされていた。

同時にその顎のあたりから黒いかたまりが吹きとんだので、もうひとりの家来が拾いあげてみると、それは志賀自慢の長さ一尺ほどの美髯であった。正俊が大地にまで斬りこんで刃先を損じてはならぬと咄嗟《とっさ》に考え、太刀先を左へ流すように一閃《いっせん》したことが、このような結果となってあらわれたのである。

毛髪や糸、藁《わら》などというものは、両端を固定しておかないかぎりとても一刀両断できるものではない。志賀のまだ兜におさまったままの生首と長髯とを差し出されてその太刀風のするどさを思い知った信玄は、正俊に腰のものの銘をたずねた。

「備前元重《もとしげ》の鍛えし業物《わざもの》に候」

正俊がつつしんで答えると、信玄は満足そうにいった。

「これよりはその太刀を髭切りの太刀と名づけ、長く保科家の家宝といたすがよい」

養父正光の祖父にあたる人物の残したこのような武功談は、幸松にとっても誇らしく感じられた。髭切りの太刀と信玄が正俊に与えた感状とが、保科家の重宝として城内に大切に保管されていることも幸松はすでに知っている。

しかし、正近がさきほど口にした「鉾持桟道の戦い」の実相を、幸松はまだ教えられてはいなかった。

禰宜が全員に茶をくばると、正近は弁当をひらきながら語りはじめた。

「先々代の正俊公は、先代正直公に家督と弾正忠のなのりをおゆずりになって以降は、筑前守となのられて隠居ぐらしを楽しんでおられました。ところが天正十三年（一五八五）三月、正直公とまだ甚四郎と呼ばれていた正光公とは、権現さまの命を受けて上田城主真田安房守《あわのかみ》昌幸公と戦うことになったのです。ともに甲州武田家に属していた間柄ながら、その後保科家が権現さまに臣下の礼をとったのに対し、真田家は豊臣家に臣従していたからでござる。両公は騎馬武者、雑兵あわせて二千をひきいて出立なされたので、城内にはもはや当時七十五歳の正俊公と騎馬武者四十騎、雑兵三百四、五十しか残っておりませんでした。それに目をつけたのが、松本の深志城主小笠原右近大夫《うこんだゆう》貞慶《さだよし》めでござる。越後の上杉景勝《かげかつ》から兵二千を借りた小笠原は、主力のまだもどらぬ高遠城に押し寄せてまいった。正俊公がその動きに気づいたのは、開戦からわずか二日前の十二月一日のことでござった」

「待て。小笠原勢の兵力はいかほどあったのだ」

幸松の問いに、

「これは失礼つかまつった。小笠原勢は兵力三千を擁しておったのです」

と正近は答え、三人の師たちもほぼ同時にうなずいていた。

「なに、すると筑前さまは、四百たらずの城兵によって五千を相手に戦ったと申すか」

「いえ、いそぎ領内に廻状を発し、農兵三百が募に応じましたので、正確に申すと五千対七百のいくさと相なったのです。多勢に無勢の戦いだったことに違いはございませぬが」

「それでどうなったのだ」

思わず幸松が上体を乗り出すと、正近はまた淡々と話しはじめた。

「はい、正俊公はまず乱波《らっぱ》をはなって小笠原勢の動きを見張らせながら、農兵たちに鉄砲の撃ち方を親切に伝授なされたのです。敵兵をねらうには、その下腹を的とせよ。敵もこちらの下腹を撃とうとするから、立ち撃ちは避けて片膝立ちの構えを心がけよ。こうすれば下腹が膝に隠れてしまい、敵から見れば的が小さくなる、と」

高遠城二の丸の武器庫には、鉄砲三百挺と弾丸三千発が残されていた。お貸し胴具足と鉄笠もたくさんあったから、七百たらずの守兵にはこれで充分だった。

「さればこそ、米蔵とともに武器庫をいっぱいにしておくことこそ肝要なのでござる。その武具の類を日ごろ入念に手入れしておくことも、でござるが」

正近はさりげなく幸松に教訓を与えてから、正俊が立てた起死回生の策略に話をうつした。

正俊が隠居所に集めた腹心の者は、八名であった。志賀平六左衛門成敗の時にも供をしていた客将の文明寺行尊《ぎょうそん》法師、北原彦右衛門のほかに、赤羽又兵衛、井深《いぶか》茂右衛門、金子左近、上島伝太、保科美濃守《みののかみ》正房、保科三左衛門。

うちもっとも若いのは、片鎌槍を得手とする赤羽又兵衛三十七歳。井深茂右衛門は正俊が武田家を見かぎるに際し、勝頼の人質となっていた甚四郎正光を床板を切りやぶって救出してきた智謀の臣、保科姓のふたりは正俊の叔父にあたっていた。

「いくさには、主将たる者の気性が露骨にあらわれる。小笠原めはいくさの駆け引きに暗くてな、かならず緒戦から大逸《はや》りに逸り立つ癖があるから、こたびも大軍を頼みとして、さしたる武略もなく平攻めに押し寄せてくるつもりであろう」

そこにこそわれらの勝機があるのだ、と老いてなお鷹のようにするどい目を光らせた正俊は、坊主頭の文明寺行尊にたずねた。

「三年前にわしがこの城を奪いし時、内藤源助から兵五百を借りたことはおぼえておるな」

「もとより」

内藤源助とは、上野箕輪《こうずけみのわ》城主内藤大和守《やまとのかみ》昌月に養子入りし、すでに当主になっている正俊の三男のことである。

「たしか内藤勢は、箕輪へ帰る時二の丸の倉に幔幕や旗の類を残していった。それを取り出し、四方の城壁に掲げよ。倉のなかには白布十反も入っておるから、これも旗に仕立ててさまざまな紋を描かせよ。それでもたりなければ、城下の寺々から大般若経を差し出させ、布地をはいで旗にこしらえよ。城壁のほかに、それらの旗を立てるのは、白《はく》山《さん》じゃ」

三峰川をはさみ、高遠城法幢院郭の南方二丁（二一八メートル）まで山裾をのばした白山は、地上からの高さ四十間（約七三メートル）。その山ぶところにある白山権現堂の森の梢に旗をむすびつけ、敵が近づけばひとに振らせて伏兵多数がひそんでいるように見せかけよ、と正俊は命じたのである。

「かしこまって候」

と答えて行尊がいくさ評定《ひょうじょう》の席を立つと、つぎに正俊は北原彦右衛門に村びとから力ある者百数十人を選び出し、その者たちをつかって鉾持桟道の断崖上に石弓をもうけよ、と伝えたのだった。

鉾持桟道とは、天神山の南麓を西の飯田へむかってのびてゆく山道をいう。

桟道とは、切り立つ断崖の下を狭い棚のように走る隘路《あいろ》のこと。鉾持桟道は、

「刃《やいば》の上をわたるがごとし」

といわれる高遠屈指の難所である。

西にひらいた地形の東の奥にある高遠城へ攻めこむには、まず左に天神山南麓を見あげ、右の崖下に三峰川の急流を眺めながら、道幅わずか一間（一・八メートル）、長さ三丁（三二七メートル）におよぶこの難所を越えなければならない。

「正俊公が小笠原勢はかならず鉾持桟道からくると確信なされたのは、乱波の復命を聞いた時でござった。松本へ潜入した乱波は、小笠原勢が十二月二日は六道原《ろくどつぱら》に夜営し、三日早朝をもって城に押し寄せる手はずと聞きこんでまいったのです」

西へ流れてゆく三峰川は、高遠から約二里半行ったところで南へ流れる天竜川に合流する。六道原とは、その左辺を天竜川、底辺を三峰川、右辺を天神山によって画された原野である。ここに夜営するならば、もはや高遠城下に侵入するには鉾持桟道を越える

しかない。

正近がそう説明して茶を喫すると、幸松が質問した。

「待った。その鉾持桟道の断崖上にもうけた石弓とは、いったいどのようなものか」

「はい。これは城壁や断崖の上に太綱によって巨岩、大木の類を支えておき、機を見てその綱を切ってこれらを一時に落下させる仕掛けのことを申すのです」

という説明に、幸松と金弥は同時に固唾《かたず》を飲んでうなずいていた。

正近の話は、いよいよ佳境にさしかかった。

……十二月三日の夜明け前、六道原から動き出した小笠原勢は、先鋒一千、本軍二千、後詰めの上杉勢一千という陣立てであった。のこる上杉勢一千は下流で三峰川を渡河し、天神山対岸から白山の尾根を越え、高遠城の搦手《からめて》にあたる東の月蔵山側へまわりこむ作戦をとったのである。

しかし、この日は異様な天候となった。

小笠原勢が雪のような霜を踏み砕きながら天神山の西麓にせまったころ、ただでさえ身を切られるような寒さがますますきびしくなり、烈風が吹き出してついに猛吹雪となったのである。

白地に小笠原家の家紋三階菱を打った旗のぼりは風にあおられ、騎馬武者や足軽たちが具足の背のカッタリ（環）にさしこんでいる丸に小の字の旗指物《はたさしもの》は吹き折られてしまう。

鎧の草摺りはまくられ、兜も頭から脱げ落ちるありさま。鉄砲足軽、槍足軽のなかには手をこごえさせて得物を取り落としてしまう者も続出し、なんとも意気のあがらない行軍となった。

それでも小笠原勢の先鋒一千は、七つ刻（午前四時）には鉾持桟道にさしかかった。

「刃の上をわたるがごとし」

といわれるあまりの道幅の狭さに、おのずと隊形は縦一列に変化。兵一千が前後に長くのびきったため、本軍二千はまだ六道原で足踏みし、猛吹雪にさらされていた。

これに対し、鉾持桟道手前の地点に待ち受けていた保科方先鋒の大将は、赤羽又兵衛。緋縅《ひおどし》の具足に馬耳《うまみみ》の兜、片鎌の槍をかいこんで愛馬を輪乗りし、人馬ともにからだをあたためていたこのつわものには、金子左近、保科正房、おなじく三左衛門を部将とする騎馬武者三十、雑兵二百、鉄砲足軽百がしたがっていた。

この者たちは物陰で火を焚き、充分にからだをあたためていたから動きも軽快であった。いよいよ吹雪の奥に小笠原勢の前かがみになった姿が見えてくると、赤羽は鉄砲足軽百を道の左右に折り敷かせ、片膝立ちの構えから一斉射撃をおこなわせた。

小笠原勢は横に散開して応射することができないから、むなしく射すくめられるばかりとなる。それでも山伏姿の先導役が大薙刀を手にして突進してくると、馬藺《ばりん》の旗指物を背にした赤羽自身がこれを迎え撃つべく馬腹を蹴った。

猛吹雪のなかでふたりが交錯したと思った時、保科方の兵たちは早くも烈風とともに血の臭いが吹きつけてきたのを感じ取っていた。赤羽の乗馬の前肢を薙ごうとした山伏は、一瞬早く馬上からくり出された片鎌槍の刃に喉笛を突き斬られたのである。

勢いに乗じて突撃にうつった保科勢は、一時は小笠原勢を鉾持桟道へと押しかえすかに見えた。保科方雑兵が敵の槍の柄を自分の得物で思いきりなぐりつけると、手をごごえさせている相手にはその衝撃が日ごろに倍する痛みとなって伝わり、思わず槍を取りおとして逃げ出してしまう。

しかし、――。

一千対三百三十あまりの兵力の差が次第にあらわれ、あたりがようやく明るくなってきたころには保科勢が押され気味になった。城寄りの高地からこの激戦を遠望していた老将正俊も、いつか軍扇を鷲づかみにして床几《しようぎ》から立ちあがっていた。

保科家重代の馬印は、上に一文字、下に細長い革製の馬簾《ばれん》をつけた大まといである。その馬印を突っ立てた本陣にあり、正俊を守っている旗本はわずかに騎馬武者十騎と雑兵数十。

（赤羽又兵衛を討たせぬためには、虎の子の旗本どもを前線に投入すべきか）

高遠城本丸を守る文明寺行尊からの使いがその本陣に走りこんできたのは、さしもの槍弾正も迷いを生じた時のことであった。

その使いは、黒の鉄板とじ合わせの当世具足に鹿角を打った南蛮兜をかむっている正俊の前にひざまずいていった。

「行尊師が申しますには、城内の婦女子の最期は拙僧が見届けましょうほどに、大殿が万一このいくさに敗れた場合お腹を召されようとのお志ならば、お城へ引かずに馬印のもとでつかまつり候え、とのことでござります」

「もとより、そのつもりじゃ」

正俊が即座に答えたのは、城外に本陣があればこそ、実はもぬけの殻になっている城内に後詰めの大軍が充満しているかのように擬装できるからである。

この読みは、あたっていた。

使いが城へ駆けもどっていったころからあたりは白みはじめ、吹雪もにわかに弱まって急速に視界がひらけた。それにつれ、保科方先鋒を押しもどしながら高遠城の方角を見やった小笠原勢は、愕然として息を飲んだ。

高遠城の高い城壁には、なんと無数の旗が翩翻《へんぽん》とひるがえっているではないか。なかでも正俊の三男内藤源助の旗印である下がり藤の旗のぼりはあちらこちらに吹き流しのようにたなびいて、箕輪城内藤家からの援軍がいましも城から討って出るところのようにしか見えない。

(高遠城を守る兵はわずかに四、五百、という話はただの噂だったのか)

小笠原勢のうちにはそのような思いが一気にひろまり、かれらは追撃にうつるのをためらいはじめた。

戦意あふれる軍勢の旗のぼりや旗指物は深く前にかたむき、戦意なき軍勢のそれはうしろへのけぞりがちになる。

旗色がいい、悪いといういいまわしもここからきているが、小笠原勢は正俊の智略にまどわされ、緒戦を有利にすすめていたのに旗色を悪くしてしまったのである。

天神山の高みにひそんでいた北原彦右衛門が、待っていたのはこの一瞬であった。

「やれい」

石弓を支える太綱に走り寄った北原は、農兵たちに命じて一斉にその綱を切って落とさせた。

農兵たちの振りあげた鉈《なた》が銀色の流れと化すと、たちまち石弓の太綱ははずれ、なかば宙づりの状態にあった大岩、巨木は大音響とともに落下。長さ三丁の鉾持桟道は、大いなる山津波に襲われたかのような惨状を呈した。

いち早く頭上の仕掛けに気づき、六道原寄りにのがれて身をまっとうした兵もなくはない。しかし小笠原勢先鋒のうち、騎馬武者五、六十は全身を砕かれて圧死。やぶれかぶれに右手の崖から飛びおりた数百は、三峰川の冷たい流れに重い具足をつけたままはまりこみ、ことごとく溺死する運命をたどった。

すでに鉾持桟道をわたりきっていた小笠原勢先鋒の先頭の者たちに対しては、赤羽又兵衛らが馬首を返して再戦を挑んだから、後続の兵が一気に潰滅して茫然自失していたかれらはたちどころに討ち取られてしまう。

いまだ六道原の東はじに停滞し、前方からの巨岩大木の落下する大音響と絶叫とを聞いた小笠原勢の本軍二千も、同時に浮足立っていた。

と思う間もなく、この二千にはあらたな衝撃が走った。北側後方の高地から、こぶし下がりに鉄砲の一斉射撃が浴びせかけられたのである。

この時、天神山を越えて小笠原勢本軍のうしろへまわりこんでいたのは、上島伝太のひきいる決死隊であった。その数わずかに七十三。

しかし上島たちは、天神山を越える間にその道筋の木々の梢に無数の旗をむすびつけていた。ために小笠原勢は、主力を天神山にひかえさせた大軍の鉄砲足軽たちが果敢に挑戦してきたものと錯覚。恐怖に襲われて三階菱の旗のぼりや長柄《ながえ》槍を投げすて、後詰めの上杉勢一千にむかってなだれを打ったのである。

「これでもはや、小笠原勢三千と上杉勢一千は戦場から離脱した計算でござる」

保科正近は、幸松ににこりと笑いかけてからまた話をつづけた。

「この時上杉勢の別働隊一千は、三峰川左岸を城南の白山めざして進撃しておりました。とは申せ右岸を走る鉾持桟道は左岸からよく見わたせますから、そこの石弓が切って落とされ、小笠原勢が三峰川に呑まれてゆく断末魔の光景をまざまざと見ては、生きた心地もしなかったでしょうな」

そこに白山の中腹から殷々《いんいん》と響いてきたのは、ほら貝の音であった。長く尾を曳くように吹き鳴らされるのは、

「押し貝」

といって攻撃開始の合図に用いられる。

この押し貝に驚いて上杉勢がゆく手の白山を見あげれば、城壁のみならずその中腹にも内藤家の下がり藤の旗のぼりが林立し、その一部は早くも山を下る気配ではないか。

これを見て意気沮喪《そそう》した上杉勢一千は、ふくろのねずみとなることを恐れ、われ先に三峰川下流へと後退していった。

こうして四百弱の城兵と三百の農民によって五千の大軍を逃げ走らせた槍弾正最後の

戦いは、やがてつぎのように歌われた。

高遠の三峰《みぶ》の川風はげしくて敗れて北《にぐ》る小笠原かな

その日のうちにこの勝利を報じられた家康は、正俊の武勇と智謀のほどに感服。感状と手掻包永《てがいかねなが》の名刀を送ってきたので、保科家の宝刀は髭切りの太刀にくわえてふた振りとなったのである。

「それでは、鉾持桟道へ実際に行ってみることにいたしましょう」

話しおえた保科正近は、そう提案して手早く弁当をつかった。

幸松は天竜川へ舟遊びにゆくおりなどに、何度か鉾持桟道を通ったことはある。しかし、いったん石段をおりてから徒歩で桟道へむかうと、保科正俊のあざやかないくさぶりを教えられた直後だけに、すべての景色がこれまでとはまったく違って見えた。

桟道から二十五間（四五メートル）ほど下をうねる三峰川を見おろせば、小笠原勢の溺死者の遺体がまだどこかの瀬にひっかかっているような気がする。高い青空へむかって切り立っている右側の崖を仰げば、削れたような岩肌は、石弓から切って落とされた大岩や巨木によってえぐられた跡かと思われた。

幸松がこの日以降つくづく感じるようになったのは、日ごろの藩政がいかに大切か、ということだった。

（筑前さまが鉾持桟道の戦いにさきんじて農兵をつのったところ、三百人もの人数が集まってきた。また石弓を造るにあたっては、百人以上が手を貸してくれたという。これも筑前さまと先代越前さまの仕置きについて、民たちが満足していたからに違いない。もし保科家が苛斂誅求《かれんちゅうきゅう》をこととしていたら、民たちは命を的に戦うどころか、小笠原勢に石弓の仕掛けがあることをひそかに告げて、ほうびをもらおうとしたかも知れない）

そう考えると幸松は、正近が領内をまわる時、いつも自分を誘ってくれる理由がようやくわかったような気がした。

元和七年はこうして平穏のうちにすぎていったが、翌年五月、とうとう江戸から凶報が届いた。いよいよ見性院が衰え、ついに立てなくなったという。

「おばばさまの御最期は、わたくしが看取《み》ってさしあげます」

と言い置いて急ぎ江戸へ出府した幸松は、幸いにもその臨終に立ち会うことができた。褥《しとね》に横たわっている見性院は、鼻も肉が削《そ》がれてとがったようになり、とろとろと眠ってはうっすらと目をひらき、呼びかけの声にわずかに反応するだけになっていた。

それでも古参の侍女が、

「見性院さま、若さまがおいで下さりましたよ」

とその耳に大きな声で伝えると、

「ああ、幸松さま」

とはっきりといい、唇を笑うかたちにしようとした。

だがそれにつづく見性院のことばは、幸松のと胸を突くものだった。

見性院はかすれ声で、とぎれとぎれにつぶやいたのである。

「……幸松さま、……お上と、晴れて父子のなのりを果たされましたとか、……まことに、まことにおめでとうございます、……」

これは、あきらかにうわごとであった。見性院は最期の時が迫り、意識が混濁してもなお幸松の将来を案じつづけていたのである。

胸にこみあげてくるものを感じた幸松は、ひとり別室に退いて涙をぬぐった。

その幸松に枯れ細った腕をにぎられながら、見性院が静かに息を引きとったのは五月九日夕刻のことであった。享年七十七。

その遺体は知行地大牧の里へはこばれ、天台宗の慈了山《じりようざん》覚源院清泰寺の墓所に埋葬されることになった。

慈覚大師円仁の開山といわれ、その円仁の作とされる寄木造り、彫眼の十一面観音の立像を本尊とする清泰寺は、浦和宿の東南のはずれ、見沼という大きな沼のほとりにある。葬送の行列にしたがってこの寺をおとずれた幸松は、かつて母お静が身重の身をひそめていた有泉五兵衛の屋敷にも立ち寄り、感慨をあらたにして高遠へ帰ってきた。

おって幸松は、その清泰寺の見性院の墓所の近くに阿弥陀堂を建立し、自分をわが子のようにいつくしんでくれた故人への感謝の気持をあらわすことにした。

そしてまた暑い季節がめぐってきたころから、幸松はますます学問と武芸にはげむようになった。

「……幸松さま、……お上と、晴れて父子のなのりを果たされましたとか、……まことに、まことにおめでとうございます、……」

という見性院の今わの際のことばを忘れられなかった幸松は、

（実の父である将軍家に見られても、はずかしくない人間にならねばならぬ）

と思い切ったのである。

高遠保科家の菩提寺は臨済宗妙心寺派の建福寺であり、甲州武田家最後の当主武田四郎勝頼の母諏訪御寮人や正光の父正直の墓もここにある。

その住職で、近在きっての名僧といわれる鉄舟和尚についてさらに深く儒学をまなびはじめた幸松は、暑いさかりには天竜川へ遠出して水練を稽古。真っ黒に日焼けして帰ってくると、囲碁や将棋にも打ちこみはじめた。

囲碁は武将としての大局観をやしなうのに効果があり、将棋は戦いに勝機を見出す感覚を身につけるのに役立つ。養父正光にそういわれてはじめたのだが、あけて元和九年（一六二三）、秀忠に囲碁棋士としてつかえる安井算哲《さんてつ》が高遠にきた時、幸松は教えを乞うてみた。

「しからば、まず初めは三目置いて様子を拝見つかまつる」

剃髪している算哲は、やや尊大な口調で応じた。

囲碁の発達も、儒学の普及とおなじく家康の力に負うところが多い。

本因坊算砂は信長から名人の称を受け、家康の世になってからは、

「碁所《ごどころ》」

と呼ばれていた。これは碁界の総取締役という意味で、免状発行や御城碁の差配をおこなう権利をともなっていた。

いうまでもなく算砂の碁格は、

「名人碁所」

という最高のものであり、本因坊家に対抗する囲碁の家元三家――井上・安井・林
――の当主の碁格は、まだ段位制がなかったこともあって、

「名人格」

「名人と上手の間」

「上手」

などということばで評価された。

当年三十四歳、打ち盛りの安井算哲は、その実力を名人と上手の間といわれている斯界の雄だけに、わずか高遠二万五千石の小大名のせがれの棋力を頭から見くびっていたのである。

さて算哲はまず十三歳の幸松に三目置かせてその棋力を見たのだが、この一局は幸松の善戦がめだった。

「まことに御器用な打ち方でござる。されど、ちと田舎碁にて打ち方が卑しいような」

局後の算哲の歯に衣《きぬ》を着せぬ講評に、その一局を見守っていた井上市兵衛、狩野八太夫たちは顔色を変えた。

しかし、幸松のみは怒ることもなく算哲に局後の検討を求め、

「ここはこう、ここはこう打つのがようござる」

と途中の局面を再現しては、流れるように最善手を解説してゆく算哲の手もとから一度も目を離さなかった。

その努力がみのるのに、さして日にちはかからなかった。日一日と棋力をつける幸松に、ついに算哲もかなわなくなる日がやってきた。

算哲としては、囲碁棋士として幕府から扶持《ふち》を受けている以上、幸松に三目置かせないわけにはゆかない。もし手合割りをあらためて、なおかつ自分が敗れたならば、囲碁棋士としての体面を汚してしまうことになる。

とはいえ、三目置かせては幸松になかなかかなわなくなってしまった算哲は、苦笑して告げた。

「これではもはや、若さまに囲碁を指南いたすことなど思いも寄らぬことでござる」

これ以降算哲は、二度と高遠城へはあらわれなかった。

賭博には運不運が勝ち負けを左右するが、囲碁や将棋には相手に読み勝つ能力が求められる。幸松はこうして、なみなみならぬ頭脳の持ち主であることを家中の者たちに初めて示したのだった。

寛永三年（一六二六）をもって、幸松は十六歳となった。

三年前の元和九年（一六二三）七月、すなわち幸松が安井算哲から囲碁を学んでいたころ、徳川二代将軍秀忠は将軍職を嫡男家光にゆずって大御所と称し、江戸城本丸から西の丸へ居をうつしていた。

これにともない、その正室お江与《えよ》の方も大御台所《おおみだいどころ》と呼ばれるようになっていたが、この年の九月十五日、お江与の方は西の丸奥御殿において五十四年の生涯を閉じた。戒名、崇源院殿昌誉和興仁清大禅定尼。

この訃報は、旬日のうちに高遠にも伝わってきた。

しかし幸松につかえる者たちの間には、前将軍の正室の死を悼むというよりも、むしろその死を知って安堵の表情を浮かべた者たちの方が多かった。むろんお江与の方こそが、初めは懐妊したお静の、のちには幸松の命をねらいつづけた張本人とよく承知していたからである。

みずからもこのような事情をよくわきまえている保科正近は、また幸松をつれて領内の巡行に出たおりにさりげなく伝えた。

「大御台所がおかくれあそばされましたることは、大御所さまと若さまが晴れて父子の御対面をあそばされるのに、なんの障りもなくなったということでござる。それは殿も充分御承知にて、つい先日、拙者にこう仰せられました。父子のなのりをしていただくには、どなたかに仲介役をお願いするのが早道かも知れぬ。世にときめく駿河大納言さまをお頼みしてはどうかと思うのだが、その方の考えはどうじゃ、と」

駿河大納言とは、三年前に二十歳にして三代将軍となった家光の二歳下の実弟国松あらため徳川忠長のこと。元和四年(一六一八)に甲斐国に封ぜられ、おって従三位権中《ごんの》納言に叙任されたこの幸松の異母兄は、寛永元年、駿河・遠江《とおとうみ》五十五万石を与えられて従二位権大納言に昇進。その家格は、家康の創設した水戸、名古屋、和歌山のいわゆる徳川御三家よりも上に立つと見られていた。

「ほほう、それで民部はどう答えたのだ」

幸松に問われ、正近は馬首をならべながらいった。

「はい。むろん、それがよろしゅうござりましょう、なんならそれがしが駿府城へひと走りしてもようござる、と申しあげました」

「それは気早いことだな」

幸松が小さく笑ったのには、理由があった。幸松はもうこのころになると、秀忠と父子のなのりをすることをさほど大事なこととは思わなくなっていたのである。

その心境の変化がなんに根ざしたものかといえば、幸松にはふしぎなくらい現世における執着心が欠けていた、としかいいようがない。

幸松が衣服や食事について、自分の好みを主張したことはかつて一度もなかった。

小なりとはいえ大名家の若君となれば、中元や歳暮としてさまざまな品が諸方から贈られてくる。なのにかれはことごとく近侍の者や母お静づきの者たちに与えてしまい、大切にしている品といえば見性院からゆずられた宗近の脇差と信玄の形見の紫銅《しどう》鮒形の水差くらいしかない。

ふたりの異母兄のうち、ひとりが将軍に、もうひとりが五十五万石の大大名になったと知れば、

(世が世であれば、おれとても四、五十万石の大名になれるはずだ)

と考えて歯ぎしりしてもふしぎではない。

しかし幸松はまったく逆に、

（そのような義兄ふたりと張り合うようなことをしては、おふたりに迷惑がかかるし、おれはこの高遠が気に入っている）

と考えてしまう欲のない性分なのだった。

養父保科正光と城代家老の保科正近とが、ともに秀忠と晴れて対面する日のくることを待ちくらしているのに、当人の幸松にはさほどその気が感じられない。その結果、正光と正近とが、

（やがて大御所さまと御対面あそばされたあかつきには）

と考えていた幸松の元服は遅れに遅れ、あけて寛永四年（一六二七）十七歳になってもかれには幸松という幼名しかなく、前髪もまだ立てたまま、という状況がつづいた。

武家の男児は十四、五歳で元服し、幼名を捨てて新しい通り名と諱《いみな》とをなのる。同時に前髪も落として大きく月代《さかやき》を剃りひろげるのがふつうだから、おっとりとかまえている幸松に対して周囲は次第に気をもみはじめた。

特に正光は近年おのれの老いを自覚していたこともあって焦りを生じ、

「今後は幸松殿を、信濃さまとお呼びするように」

と家中にひそかに布令したほどだった。

肥後守《ひごのかみ》に任じられている正光は、

「肥後さま」

と呼ばれることがある。幸松を信濃さまと呼んでおけば、世間はすでに幸松が信濃守《しなののかみ》に任じられているかと思うだろう、という苦肉の策だったが、それと伝え聞いても幸松は、

「――そうか」

と笑っただけでなにも感想は口にしなかった。

このようになにごとにつけ恬淡《てんたん》としている幸松が正近に対して初めて強く自分の希望を述べたのは、この年の初夏、かれが田中右京という名の少年藩士を幸松に紹介した直後のことであった。

幸松は夏になると小姓たちとともに天竜川のほとりへ出かけ、水練に励む習慣がある。その師は井上金右衛門という藩士だったが、金右衛門はこの年おり悪しく夏風邪をこじらせてしまい、幸松に同行することができなかった。そこで正近が、

「では、この者に代稽古を命じましょう」

といって南郭へつれてきたのが、田中右京であった。

初めに幸松が、

(おや)

と思ったのは、右京がまだ前髪を立て、自分と背格好も似かよった同年輩の少年と見えたからである。

「面《おもて》を上げよ、年はいくつか」

若草色の麻かたびらに竜胆《りんどう》色縦縞の馬乗り袴という涼やかな装いで目の前に平伏した

右京にたずねると、

「はい、十五歳に相なりました」

とさわやかな口調で答えて上体を起こした右京は、なかなか意志の強そうな面がまえをしていた。

やや面長な顔だちのなかに、真一文字の濃い眉とそれに迫った切れこみの深い両眼、太い鼻梁とひきしまった唇がおさまって、十五歳とはとても思えない老成した人柄を感じさせる。

「田中家とはどのような家筋か、申してみよ」

その人物を見るつもりで幸松がふたたび問うと、

「はい、申しあげまする」

両手を拳に握って膝の上に置いた右京は、臆することなく幸松の目を見つめながら答えた。

「田中家はもともと伊勢国の地侍でござりましたが、祖父田中治郎右衛門玄儀《はるよし》の代に甲州へうつり、武田信玄公におつかえいたしました。しかし玄儀は、天正三年（一五七五）三月の三河長篠の合戦にて討死。父清右衛門玄重《はるしげ》はその七年後の武田家滅亡を見届けまして佐渡島の加茂郡沢根村へ流れ、野本家出身の妻との間に男児ふたりをもうけました。上は清兵衛玄次《はるつぐ》と申し、いまも佐渡に住まいいたしておりまするが、下がすなわちそれがしにて、慶長十八年六月十八日の生まれにござります。父と兄とは佐渡に土着して生涯を送る覚悟でござりますが、それがしは部屋住みなれば島を去ることを許され、このほど父の知るべを頼って御当家に身を寄せた次第。なにとぞよろしゅう、お見知りおき下されたく」

その淀みない口調、父の代からの苦難の流浪生活を恨みも気負いもなく淡々と語る姿に、幸松は思わず感服していた。

その思いが右京をいったん別室へ去らしめてのち、

「民部よ、あの右京をおれにくれぬか」

ということばとなってほとばしったのである。

「拙者の見ましたところ、かの者は目はしのきくことといい、真心にあふれる気性といい、いずれ信濃さまのふところ刀となる器と存じます」

保科正近の快諾を得て田中右京を小姓頭として以来、幸松と右京の間柄は、

「あれが水魚の交わりというものか」

と保科家家臣団が口々に語るほど緊密なものとなっていった。

学問をする時も野遊びをする時も、右京は幸松に影のようにつきそって離れることがない。幸松に一日の長がある儒学や囲碁将棋においては右京が教えを乞い、水練や武芸においては幸松が右京に呼吸を伝授されるという風で、やがて幸松が保科家当主となるあかつきには、右京がその股肱《ここう》の臣として藩政に腕をふるう時代がくるのはだれの目にもあきらかかと思われた。

ふたりがかくも急速にうちとけたのは、ともに武田家にゆかりがあり、生まれ育った土地を去って高遠へきたという共通点もさりながら、幸松に家来たちを見下した態度を

とる癖がなく、右京にもまた必要以上にへりくだるところがないからでもあった。

たとえば天竜川へ水練の稽古に行った時、右京は幸松がすでに抜き手や鴨泳ぎといわれる浮き身の術を身につけていると知るや、

「では、甲冑を着て泳ぐ術をお伝えしましょう」

といった。

「待て、鴨泳ぎができたなら、次は立ち泳ぎしながら書画をかいたり、膳部から食事をしたりするこつを学ぶのではないか」

幸松が反問すると、右京は声を荒げて答えた。

「むろんさような技もございますが、それは芸人どものすべきことにて、武門のなすべきこととは思われませぬ。甲冑を着けて泳ぐことができてこそ、渡河してのいくさにも溺れ死になどいたさなくてすむのでござる。鉾持桟道のいくさにおける、小笠原勢のぶざまな死にようを思い出して下され」

右京は、槍弾正といわれた正光の祖父正俊が小笠原勢を撃破した大一番に、小笠原勢多数が三峰川の激流に呑まれたことをも知っているのだった。


高遠の三峰の川風はげしくて敗れて北る《にぐ》小笠原かな

かつて保科正近から教えられた狂歌を思い出した幸松は、うなずいて甲冑をまとったまま泳ぐ稽古をはじめた。

初めはとても川面《かわも》に顔を出すことができず、何度も水を飲んで溺れそうになった。だが次第に手足を素早く動かすこつをおぼえ、幸松は一夏のうちに甲冑を着けたまま対岸まで往復することもできるようになった。

こうしてすこやかに生い育ち、十八歳となった幸松が、田中右京をしたがえて江戸へむかったのは寛永五年（一六二八）十二月のことであった。

このころ参勤交代の制度は、まだ武家諸法度に正式に定められたところとなってはいない。家康以来のならわしとして、特に外様《とざま》大名の江戸参勤とその妻子たちの江戸居住とが奨励されているだけである。

しかし参勤した大名には、大御所ないし将軍から刀剣や書画、あるいは鷹や馬などが下賜されることが習慣化していた。帰国する際には、江戸城へ登城して秀忠と家光とに直接別れの挨拶をすることも許される。

高遠保科家は譜代大名だから、かならずしも参勤交代をおこなう必要はなかった。だが見性院に対するのと同様、徳川家に対しても律義に奉公していた保科正光は、これまでも隔年に江戸へ出府して半年間鍛冶橋《かじばし》にある江戸上屋敷に滞在するのをつねとしていた。

その正光が自分に代わって幸松を江戸へむかわせたのは、わが身の老いの深まりを自覚したためでもあるが、右のような習慣を利用して幸松をさりげなく秀忠に対面させてしまおう、と考えたためでもあった。

年があければ十九歳となり、背丈も五尺（一・五二メートル）を越えたというのにまだ前髪を立て、幼名しか持たない幸松の行く末が、正光はいよいよ心配でたまらなくなっていた。

「大御台所がおかくれになってからもう丸二年以上たったのだから、信濃さまが徳川姓にもどり、大封を得る日も遠くはあるまい」

と楽観的な見とおしを述べる藩士もあったから、正光はこのような声に押されるようにして幸松を江戸へ旅立たせたのだった。

しかし、――。

慶長五年（一六〇〇）に始まる江戸城総構えの拡張整備は、なおもその途上にあった。

「天下普請」

と呼ばれるこの空前の大工事により、その総構え、すなわち外郭は土塁から石垣造りにあらためられつつあった。今日の東京都千代田区という区名自体が、千代田城という江戸城の別名に由来しているが、江戸城総構えの面積は千代田区の全域に相当するひろさだったから、この大工事はいつおわるとも知れないものであった。

そこへもってきて、家康時代に築かれた石垣には早くも老朽化がめだっていたためこれも改修する必要が発生。この年の十一月十一日、幕府は諸大名七十四家に四万四千五百三十坪あまりの石垣工事を命じ、諸国から石工たちが蟻のごとく集まってきたところだった。

ために秀忠にも家光にも、ふらりと出府してきた小大名のせがれに面会するゆとりはまったくなかったのである。

ふつう諸大名の参勤期間は、半年間とされている。

だが、あけて寛永六年（一六二九）の五月がすぎても、江戸城とその周辺の騒がしさにはなんの変化もなかった。工事はこの七月をめどに一応の完成を見る、とのことであったが、伊豆から伊豆石と呼ばれる薄紫色の巨石を切り出し、海路はこびこむ諸役も諸大名に発令されているため、鍛冶橋の高遠藩上屋敷の近くでもふんどしひとつの筋骨たくましい男たちが、その肩を汗に光らせ、

「えい、えい」

と、もっこはこびをする光景がいつも見られた。

そこで六月もなかばすぎ、幸松はあきらめて高遠へ帰国することにし、その旨を老中土井利勝に届けさせた。

すると折りかえし土井利勝から使者がきて、こう伝えて去った。

「お上には近ごろ御体調すぐれずどなたさまにもお会いなさりませぬが、大御所さまにおかせられては、二十四日であれば謁見を許すと仰せ出されたそうにござります」

幸松は、もうこの年かぞえ十九歳。生まれて十八年目にして、初めて実の父と対面することになったのである。

使者の口上を伝えられた時、

「――そうか」

と幸松は答えただけだったが、内心では喜びよりも緊張の方が先に立っていた。

天下人たる現将軍の上に立つ大御所が、

「長い間、ほうっておいて済まなんだの。許してくれい」

などというわけはないから、自分が秀忠に、

「父上」

と呼びかけることを許されようとは、さらに思えない。

それだけに相手がどう出るか想像できず、その分だけどう応対すればよいのかわからなくなって、幸松はとまどいすら感じたのである。

「その方なら、この場合どのようにするか」

その夜、幸松が田中右京にたずねた時の、右京の反応は思いがけないものであった。

「しばらく、お待ち下さりませ」

といって自室へ去った右京は、まもなく両手に畳紙《たとう》を捧げ持ってあらわれた。

「それは、——」

なんだ、と幸松が問うより早くその前に畳紙を置いた右京は、手早くそのひもを解いてゆく。

なかからあらわれたのは、男児用の腰替わり振袖の熨斗目《のしめ》であった。徳川家の定紋《じょうもん》、葵《あおい》の紋所のついているこの衣装は、幸松には忘れようもない品である。

「お察しのごとく、これは若さま御誕生のおり、大御所さまが当時大炊介《おおいのすけ》さまと申しあげた御老中土井大炊頭《おおいのかみ》さまよりそれと報じられましておぼえはある、とお答えになり、その場で土井さまにおわたしあそばされたお品でございます」

にこりと笑った右京は、お静の名を直接口にするのをはばかっておふくろさまと呼び、いつもどおりのさわやかな口調でつづけた。

「肥後守さまにおかせられましては、さる十二月にそれがしが若さまのお供をしてこの江戸に下ることになりました時、ひそかにそれがしをまねいて、おふくろさまよりお預かりしておいでだったこの品を持ってゆくようお命じになったのです」

「もし大御所さまと独礼《どくれい》にて謁見することが許されたなら、これを御覧に入れよ、と肥後さまはおっしゃったのか」

よもや右京がこの品を持参していようとは、幸松はこれまで考えてもみなかった。その幸松の視線を正面からうけとめた右京は、

「御意にござります」

と、幸松のととのった顔だちを見返しながら答えた。

しかし、十九歳と十七歳の若き主従の期待は、みごとに裏切られることとなった。二十四日の午前四つ刻（一〇時）、江戸城西の丸の宏大な白書院に案内されたのは幸松だけではなかったのである。

まだ元服前のこととて、幸松は烏帽子をかむることを許されてはいない。納戸色の地に角九曜の保科家家紋を白く散らした大紋をまとい、熨斗目を入れた風呂敷包みを胸に抱くようにしてすすんでゆくと、石垣工事の責任を果たして帰国する大名多数がすでに下段の間に居流れていて、幸松ははるか後方から上段の間を遠望することしかできなか

った。

やがて太刀持ちの小姓をつれて出座した秀忠は、すでに五十一歳だから鬢も白くなっていたが、黒い羽織をまとっているその上体はなかなかがっしりした体格と見えた。だが尻を浮かしてその姿をまじまじと見つめることは、幸松の衿持《きょうじ》が許さない。

その間に最前列に席をとっていた者が、居流れた大名たちの姓名と官位とを読みあげはじめた。呼ばれた大名は、前の者の背に隠れるようにして平伏する。

「保科幸松殿」

と最後近くに名を呼ばれ、幸松もそれにならった。

(なにかあるなら、いまだ)

と思いながら。

が、なにも起こらなかった。つぎの者の名が呼ばれるのと同時に面《おもて》をあげた幸松は、不意にこみあげてきた激情にわれ知らず唇を震わせていた。

幸松のその思いをよそに、儀式は静かにつづいていった。

「一同、これからも家光によく忠義をつくしてくれい」

と最後に答えたよくとおる太い声が秀忠のものらしかったが、幸松にそんなことはもうどうでもよくなっていた。

独礼——単独で秀忠に謁見できるものと考えていたのは、幸松と田中右京の勝手な思いこみにすぎなかったのである。

幸松の着更えは、これもいつのころからか右京のとりしきるところとなっている。鍛

冶橋の上屋敷に帰って右京とふたりきりになった時、

（首尾はいかがでございました）

と右京が目でたずねているのを感じ、ついに幸松は激情をほとばしらせていた。

「右京。大御所さまの魂胆は、しかと見届けたぞ」

着更えを持って目の前にひざまずいた右京に対し、幸松は叫ぶように告げたのである。

「徳川家はおれの養育料として肥後さまに五千石を加増したことにより、すべては済んだと考えているのだ。さればこそ大御台所亡きあと、正室に直って大奥に入ってもよい母上にもなんのお沙汰もないのだ」

いうやいなや幸松は、なおも小脇にかかえていた包みから腰替わり振袖の熨斗目をつかみ出し、その場に叩きつけて脇差を引き抜いていた。

「若さま、なにをなさいます！」

右京が驚いてたしなめたが、もう間に合わなかった。

「なんだ、こんなもの。くそ、くそ！」

幸松は口惜しさに顔をゆがめながら幾度も脇差をひらめかせ、足もとの熨斗目をずたずたにしてしまっていた。

「若さま、殿中にてなにがあったのでございます。せめてこの右京にだけは、教えて下さりませ！」

幸松は袴の裾をつかまれて、ようやくわれに返った。

幸松は高遠に帰ってからも、この時の自分の不可解きわまる心の動きを思い出すたび慙愧《ざんき》の念に堪えなかった。

(自分では、大御所さまと父子のなのりをすることをさほど大事なこととは思わなくなっていたのに、どうしてあの時、あのような激情に捉えられたのか)

とふりかえると、見性院の今わの際のことばや、あの熨斗目を十八年間も大切に守ってきた母お静、そしてそれを右京に託した養父正光の切々たる思いとはあまりにかけはなれた秀忠のよそよそしさこそ、自分の怒りのよってきたるところだったような気がした。

しかしあの日、袴の裾を引かれてわれに返った幸松が事の次第を伝えると、右京はこう答えたものであった。

「ものは考えよう、と申します。お上の御体調すぐれず大御所さまにはことのほかお忙しいようなれば、独礼にての御対面はこのつぎといたし、せめて諸侯とともになりと若さまの御成長あそばされたお姿を御覧《ごろう》じておこうと思し召されたのかも知れません」

その時幸松は、

「ならば初めから、そうと伝えてくれればよいではないか」

と反論したのだったが、日がたつにつれて右京の言い分にも一理あるように思われてきた。

だが、もし右京のことばが正しいとすると、あの日の激情は秀忠の冷たさにではなく、自分の失望感に発していたことになる。そう考えると幸松は、まだ自分のどこかに、

「自分は徳川将軍家の血筋であって、本来ならばこの草深い高遠になど生い育つべき者ではないのだ」

と主張したい奢《おご》りの心がひそんでいるような気がし、養父正光に対する申し訳なさで胸がいっぱいになった。

その正光は、この寛永六年（一六二九）で六十九歳の高齢に達していた。

見性院の住まう比丘尼屋敷を定期的におとずれていたころの正光は、三日月形の眉の下に黒目がちの目を輝かせており、大紋烏帽子に長大な太刀を佩用《はいよう》してやってくるその姿はまことに堂々たる武者ぶりであった。

しかし老いがすすむにつれて枯れしぼみはじめた正光は、いまではふたまわりも小さくなり、眉もすっかり白くなって丸みのあった頰もこけてしまっていた。

それでもかれは、七十五歳となってなお小笠原勢五千の大軍を撃破した槍弾正正俊の血を引く男だけに、幸松を世に出すことをまだあきらめてはいなかった。

かねてから幸松の異母兄にあたる駿河大納言徳川忠長に人を介して接触をこころみていた正光は、ついにこの夏、忠長自身の口から、

「ほほう、余にさような腹違いの弟がおったとはな。ならば、ぜひ会おうではないか」

とのことばを引き出すことに成功。

「九月になったなら、駿府へその者をつれてまいれ」

との命を受け、その九月になるのを待ちかねて幸松同道の上、駿府めざして旅立ったのである。

高遠から駿府へゆくには甲州街道の韮崎《にらさき》宿まで出てその五里南の鰍沢《かじかざわ》へ下り、さらに左手前方に富士の峰を仰ぎながら身延《みのぶ》山道を南下して東海道の奥津《おきつ》宿へ出るのがよい。奥津から駿府へは、西へわずか四里足らずの道のりであった。

駿府とは、そのかみ駿河国の国府の置かれたところだから、駿河府中というのが正しい。とはいえ府中の発音が不忠に通じることもあり、駿府と呼ばれて城にもこの名がつけられた。

駿府城は、天正年間（一五七三〜九二）に家康が居城としていた城である。慶長十二年（一六〇七）にはその家康が隠居城に定め、諸大名に再普請させただけにきわめて優美な姿を誇っていた。

五層七階建て、独立式の天守閣の外壁は、ことごとく白しっくい塗り。銅瓦の屋根の大棟《おおむね》の両端には一対の金鯱《きんこ》を飾り、この天守の二階まで上りさえすれば北東に富士山、万古不易の霊場とされる浅間《せんげん》神社が眺められる。

家康の存命中、大名たちは江戸のみならずこの城下にも参勤し、その御機嫌をうかがうことをならわしとした。寛永元年（一六二四）、家康直系の孫にあたる徳川忠長が入城して以降もこの習慣はつづいていたから、駿府の城下はなおも殷賑《いんしん》をきわめていた。

この駿河大納言こそは、自他ともに天下の副将軍と認める存在にほかならなかった。それだけに保科正光にとり、駿府へまねかれたということは、いずれ幸松が世に出ることを確約されたも同然の事態として意識されていたのだった。

だが長棒引戸の乗物におさまって登城した正光と幸松は、南側から多聞櫓《たもんやぐら》を抜け、天守閣をよく晴れた北西の空に見あげながら本丸御殿の銀の懸魚《げぎょ》を飾った玄関に近づいた時、そろって妙なことに気づいた。いま抜けてきた櫓門にも玄関のまわりにも、番士の姿がいっさい見えなかったことである。

ともに乗物から降りたち、玄関式台下へすすみながら、思わずふたりは目と目を見かわしていた。

すると、ようやく式台上のくらがりに接待役らしい夏羽織姿の老人があらわれ、

「お待ちいたしておりました。あるじはすでに白書院にてお待ちでござれば、こうおいで下さりませ」

と小腰をかがめてから、ふたりを長い畳廊下の先へと案内してくれた。

それからあとは、なんの問題もなかった。

上段の間に生絹《すずし》の素襖《すおう》をまとって出座していた忠長は、鼻の下に細い髭をたくわえ、おとがいのとがったやや神経質そうな顔だちを見せていた。しかし、正光が膝行《しっこう》して献上品の目録を差し出すとにこやかにそれを受け、幸松にもおだやかな視線をむけてくれた。

「――これなる幸松殿儀、畏れ多くも大御所さまのお胤にましますことは亡き本多佐渡守殿、御老中土井大炊頭殿もよく御承知のことでござる」

それに力を得たのか正光は、懸命に声を励まして口上を述べはじめた。

「……されば幸松殿おひろめの儀、それがし存命のうちにうけたまわりまして相果てたく、この保科正光、それのみが今生の願いにござりますれば、なにとぞなにとぞおとり

もち下されたく、この段伏して願いあげたてまつりまする」

正光がややせきこみながら挨拶をおえると、その斜めうしろに両手をついていた幸松も、

「よろしくお願いたてまつります」

と声をそろえて深々と上体を折った。

「そこもとらの気持は、ようわかった。委細聞き届けたにより、とりあえず長旅の疲れをいやすがよい」

鷹揚にうなずいた忠長が下段の間入口近くに控えた先ほどの老人に合図を送ると、かしこまって立ちあがったその老人は摺り足で退出してゆく。

入れかわりにあらわれたのは、息のかからぬよう膳部を高く捧げ持った小姓たちであった。一の膳、二の膳、三の膳。高遠ではついぞ見られない駿河湾の海の幸をふんだんに使った豪勢な料理の数々は、幸松の目を驚かすに充分だった。

さらに、最後に入室したふたりひと組の小姓は、ひとりは朱塗り金蒔絵《きんまきえ》の杯台と三重杯を、もうひとりはおなじ文様の長柄《ながえ》の銚子を捧げ持ち、まず忠長のもとへすすんでいった。

忠長がふわりと袖を浮かせて最初の杯をとり、酌を受けると、つぎにふたりは正光と幸松の前へまわってくる。正光が両手に杯を押しいただいて口をつけるのを待ってから、幸松も一礼して杯に手をのばした。

そのあとも、忠長と正光の会話は終始なごやかにつづいた。

見性院から幸松の養い親になるよう求められた時には、ことのほか意外に思ったこと。しかしいまの大御所さまから御内意も下った以上、身命を賭してもお引き受けしようと決意したことなどを、正光は淡々と語った。

当時の正光の心情を聞くのは初めてのことだから、幸松も正光のことばがつづく間は箸を休め、その声に静かに耳をかたむけた。

やがて食事がおわると膳部が下げられ、また小姓たちが別の品々を持って入室した。錦の袋におさめられた守り刀ひと振り、白銀五百枚、そして畳紙入りの衣装ひとかさね。

その披露がすむと、忠長はつけくわえた。

「ほかに鷹ひと据えと青馬一匹を信濃への引出物として進ぜよう。その鷹とは、余が鷹狩につかっているものの弟鷹じゃ」

なんと忠長はこのことばにより、

(父と兄はいざ知らず、少なくとも自分だけは幸松を弟と認めたぞ)

という思いを言外に伝えてくれたのである。

「ありがたき幸せにござりまする」

幸松は、胸を高鳴らせながら答えた。

頰を紅潮させた幸松を満足そうに見やり、忠長はひと呼吸置いてまた口をひらいた。

「許す、その畳紙をあけてみよ」

「はい、それでは」

と答えて幸松が膝行し、畳紙のひもを解くと、なかからあらわれたのは一枚の古めかしい色合いの小袖であった。しかし両の胸前には、まごうことなき葵の紋が打たれている。

「それはな」

と、忠長の声が通った。

「かつて権現さまのお召しあそばされていた小袖じゃ。そこもとにも、おっつけめでたく葵の御紋の使用を許される日がまいるであろう。その日の近からんことを祈って、これをとらせる」

異母兄忠長の示してくれたあまりあるこの好意に、幸松は初めて肉親の情に触れたような気さえした。

まもなく下城する段になった時には、玄関の車寄せにもそのかなたの下馬先にも、多数の番士たちが居ならんで幸松一行を見送ってくれた。櫓門をくぐる時も同様だったから、

(はて、まいる際には番士の姿はどこにも見えなかったが、駿河大納言家にはなにか格別の作法でもあるのか)

と幸松は乗物のなかで首をかしげた。

その思いは、供侍にくわわっていた田中右京も同様らしかった。深い堀をわたりきって城下へすすんでいった時、その右京が幸松の乗物の脇へからだを貼りつかせ、小腰をかがめてささやいた。

「若さま、御面談は上首尾だった由、まことにおめでとうございます。ところで御登城

のおり、番士たちがことごとく姿を消していたわけを聞きこんでまいりましたぞ」

「ほほう、どういう次第だったのだ」

内側から少し引戸をあけた幸松に、右京は陣笠のへりを片手で持ちあげ、笑顔を見せながら報じた。

「はい、ただいま御近習《きんじゅう》のおひとりに御造作に相なったお礼を述べながらおたずねいたしましたところ、大納言さまにおかせられては若さまが御登城あそばされる直前、おじきじきに番士どもはすべて遠慮せよ、と仰せ出されたのだそうでございます。その心は、失礼ながら若さまを高遠の田舎育ちと思し召され、もしもおふるまいに不調法があって番士たちの物笑いの種になってはお気の毒、とのお考えに発しておりましたとか。されど謁見あそばされるうちに若さまの理にかないましたるお答えようと御作法に感じ入り、帰るさにはいそぎ御近習から触れ出させて、番士一同に若さまをお見送りさせることになされたのだそうにございます」

「なんと、おれは木曾義仲と思われていたのか」

幸松は、前棒をかつぐ陸尺《ろくしやく》の者ふたりが思わずふりかえるほどの笑い声をあげた。

それから一年以上、徳川家からはなんの沙汰もなかった。

それでも幸松の心は、晴れやかだった。忠長がそれとなく秀忠に幸松と会見するよう口ぞえしてくれていることは確実だったから、

（あとは、潮が自然に満ちるのを待っていればいいのだ）

とかれは思い切っていた。

寛永七年（一六三〇）がくると幸松はいよいよ二十歳となったので、さらに老いのすすんだ養父正光に代わり、藩政を見るようになった。

保科家代々の政治は、税率を四公六民未満に押さえこんだゆるやかなものだった。

しかも貢租の対象は、田畑からの収穫物のみ。今日の消費税のごとき余計な税はいっさい課さなかったし、藩主の狩場や御用林においてさえ、その下草は領民たちに刈り取り勝手にさせていた。

これを、小事と見てはならない。この時代の肥料はまだ牛馬の糞尿がおもだったから、牛馬の飼料となる青草がただで手に入るかどうかは、農民層には切実な問題であった。

高遠は山坂がちの小国であり、領民たちの暮らしは決して楽ではない。しかし保科家のおだやかな政治は一般からも歓迎されていたから、幸松が藩政を見ることになって以降もなんの問題も起こらなかった。

それどころか、若き日から城代家老保科正近と領内の巡行を心がけてきた幸松は、領民たちからひそかに慕われていた。幸松は決して尊大な態度をとらず、農民たちに迷惑のかかることはいっさいしなかったためである。

見知らぬ旅人と農道ですれ違う時にすら、

「こんにちは、いいお日和で」

とすすんで声をかける純朴な村人たちは、ゆるやかに馬を歩ませてくる幸松にゆきあうと、

「おらが家で、そばを召しあがっていって下され」

と呼びとめることすらあった。

まだ干鰯《ほしか》が普及せず、かつお節も高価な時代だけに、高遠の者たちは焼き味噌を大根おろしの汁に溶いたそばつゆでそばをすするのが普通だった。

「うむ、このそばは腰があってうまいな」

幸松が縁側に腰かけてそばの味をほめると、村人たちは顔をくしゃくしゃにして喜ぶのだった。

そんな毎日を楽しんでいた幸松に対し、

「大御所さま御不例により、御機嫌うかがいに江戸へ出府してはいかがか」

と江戸家老北原光次《みつつぐ》が手紙でいってきたのは、寛永八年の夏のさかりのことであった。

養父保科正光、城代家老保科正近と相談した結果、幸松は正光をともなって即刻江戸へむかうことにした。

「そもそもの初め、信濃さま御養育の御内意をうけたまわりましたるは殿でござれば、信濃さまが大御所さまと会見あそばされる時にも、殿が御同席なされてしかるべきかと愚考つかまつります」

との正近の助言にしたがったのである。

すでに七十一歳となり、駿府へ旅した時よりさらに足腰の衰えた正光も、

「これが、わしの最後の御奉公じゃ」

と老いの目に涙を浮かべ、近習たちから手足を折りたたまれるようにして乗物におさ

まった。

しかし炎天下における江戸まで六泊七日の旅は、命を細らせつつある正光にとっては幸松の想像以上にこたえたらしかった。

ようやく鍛冶橋の上屋敷にたどりついた時、旅の途中から食事を受けつけなくなっていた正光は、両脇からかかえられなければ玄関式台にも上がれない衰弱ぶりであった。ただちに正光は寝所にはこばれ、その夜から藩医の寝ずの看護を受ける身となってしまった。

悪い時には、悪いことばかりがつづく。

(なんとか、肥後さまに息のあるうちに)

と念じ、幸松は老中土井利勝に江戸入りしたことを伝えつづけた。だが五十三歳の頽《たい》齢《れい》となっている秀忠の病もことのほか篤いらしく、利勝からは、

「いましばらく、お待ちあれ」

とのことばしか返ってこない。

そして十月七日の夜明け前、数日前から昏睡状態に入っていた正光は、ついにめざめることなく息絶えてしまった。

(なんと、もう少しでお望みをかなえられるところだったものを)

幸松はさすがに胸ふたがれる思いがしたが、あるじの死亡した家は予想外の忙しさに見舞われるものである。

その日夕刻のうちに上使としてやってきた小姓番頭《ばんがしら》松平伊豆守《いずのかみ》信綱の弔問を受けた

幸松は、九日には遺体を荼毘《だび》に付し、その遺骨を紀州高野山へ納めねばならなかった。さらに高遠に帰り、先代保科正直の眠る建福寺において法要をおこなうとともにその墓をも建立せねばならなかったから、秀忠との謁見の話はいつしかないも同然となってしまった。

土井利勝から幸松に、正近以下保科家の五人の家老をつれて出府するようあらためて伝えてきたのは十一月初めのこと。十二日、ふたたび江戸へ下った幸松が江戸城本丸へ登城すると、肩衣半袴《かたぎぬはんこ》姿の老中酒井雅楽頭《うたのかみ》忠世が家老五人を別室にまねき、幸松に高遠三万石の相続が許されたことを伝えた。

幸松は紆余《うよ》曲折の果て、ようやく二十一歳にして元服の時を迎えたのである。

将軍家光

徳川三代将軍家光は、

「われ、生まれながらに鷹狩と鉄砲とを好む」

と語った祖父家康に似て、ことのほか鷹狩に出るのが好きだった。いちいち鷹を放つのを面倒に思い、みずから鉄砲をあやつって鳥をしとめることも少なくない。

よく行く狩場は王子や川越であったが、寛永八年（一六三一）の師走に入ると、家光はひさしぶりに目黒川の川辺へおもむくことにした。古くは品川と呼ばれ、同名の地名の起源ともなったこの大いなる川は、海に近く流れがゆるやかで岸辺に葦が繁っていることから、冬になるとさまざまな水鳥が餌を漁りにやってくる。

その日の家光は、髻《もとどり》をそのまま納められる綾藺笠《あやいがさ》をかむり、尻鞘《しりざや》の太刀を佩用《はいよう》して野袴の上には鹿皮の行縢《むかばき》をつけていた。

番方《ばんかた》の者たち多数をしたがえて馬上疾駆してゆくその姿は、まだ二十八歳の若さだけに絵巻から抜け出てきたような凜々しさであった。

まもなく草深い荏原郡《えばらごおり》のうちにすすみ、冬の弱日《よろび》の下、目黒川の流れの遠く近くに点々と浮かんでいる鴨の群れを心ゆくまで狩りたてた時、いつか西の空には早くも夕焼がひろがりはじめていた。

馬腹を蹴って高みに馬を駆けあがらせ、手綱を控えながら目を凝らせば、夕日ははるかかなたに眺められる富士の霊峰を逆光に暗く翳らせ、白金色の光の矢を無数にはなって椎や赤松の林をこの日最後の輝きで縁どっている。

（今日は、もうよかろう）

快い疲れをおぼえた家光は、なおも四方に散っている番方の者たちが集まってくるまで、先ほどその門前を駆けぬけた小さな寺で休憩しようと思いついた。

「蛸《たこ》薬師　成就院」

と書かれた扁額《へんがく》をかかげた古めかしい山門へと馬を歩ませてゆくと、その左右には冬枯れの生垣《いけがき》が結いまわされていた。その一角には頭を頭巾におおった住職らしい老人がこちらに背をむけ、生垣の修繕に余念がない。

（みずから将軍となのって、あわてさせることもあるまい）

と考えた家光は、下馬してその馬を手近な木につないでから、その小柄な僧の背に近づいて声をかけた。

「将軍家の狩りのお供をして近くまでまいった者だが、少々休ませてはくれぬか」

「おお、この時刻まで馬を走らせては、さぞお疲れでごじゃろう。ささ、どうぞこれへ」

頭巾を取って青々と剃りあげた頭部を見せた僧は、舜興《しゅんごう》和尚となのり、綾藺笠をはずした家光を本堂へと案内してくれた。

二間幅の沓脱《くつぬぎ》と四室の八畳間を左右にそなえた本堂は、正面奥に蛸薬師如来を安置し、天井からは金箔の天蓋《てんがい》をつりさげている。

「ここは、なかなか由緒ある寺のようだな」

家光が庫裡《くり》から白湯《さゆ》をはこんできてくれた舜興和尚に話しかけたのは、法灯に照らし出された壁や左右四室の襖にみごとな菊が描かれているのに気づいたためであった。

「当山は天台宗の宗祖、伝教大師の高弟でごじゃりました慈覚大師により、天安二年（八五八）にひらかれたのでごじゃる」

「ほほう。それにしても、障壁画も凡手の筆とはとても思えぬ。よい檀家をもっているようだな」

尻鞘の太刀をかたわらに置き、沓脱のあがりはなに腰かけていた家光が白湯をひとすりしてたずねると、

「いいや、江戸と申しましてもこのあたりは草深きところ、しかるべき檀家もごじゃりませぬよ」

盆を間にして正座した舜興和尚は、正直に答えた。

「ただし、わずかに保科肥後守《ひごのかみ》さまの御生母、お静の方さまが祈禱のことなどをお頼みあることは昔からごじゃります。いまもお静の方さまは聖《しょう》観音や金剛宝《ぼう》地蔵を石に刻んで寄進して下さるとおっしゃっておられるところでごじゃるが、これは、いまの大御所

さまとの間に生まれましたる肥後守さまが信州高遠三万石を相続なされ、ようやくお静の方さまの念願の一部がかないましたことへのお礼としてでごじゃります」

「なんと、――」

まったく意外なことを聞いて、家光はしばらく絶句してしまった。

高遠藩主保科肥後守正光が死亡したと伝えられたのは、わずか二カ月前のことだから家光もよくおぼえている。そしてさる十一月十二日、老中酒井忠世の口からその遺領をせがれの幸松に相続させると伝えさせたのは、父秀忠の内命によるものだった。

しかしそれから六日後、相続を許されたお礼として献上品をたずさえ、江戸城へ登城してきた幸松という品の良い青年と初めて謁見したのは、ほかならぬ家光自身であった。

さらに二十八日、元服して正之《まさゆき》と名をあらためたという幸松にふたたび謁見を許し、

「従五位に叙するにより、以後は父とおなじく肥後守と称するがよい」

と伝えて清之の太刀を取らせたのも家光自身であった。

その保科正之が父秀忠の胤、すなわち自分の異母弟にあたることを、家光はこの日までだれからも教えられてはいなかったのである。

家光の驚愕にも気づかず、舜興和尚はふたたび口をひらいた。

「それにいたしましても保科家も僻遠《へきえん》の地の小大名なれば、高遠においでのお静の方さまも、当山へいちいち人をつかわしてお布施して下さるのにいろいろと気をつかっておいでの御様子。御辺《ごへん》は将軍家の御家人の由にごじゃれば申すもはばかりあることなれど、いまのお上の実の弟君におわす肥後守さまがわずか三万石の地を知行あそばすばかりに

て、御生母お静の方さまともども貧しくわたらせたもうとはまことにおいたわしいことでごじゃる。門内にならぶ石仏はことごとくお静の方さまの寄進下されたものなれば、当山ではお静地蔵と呼びならわしているのでごじゃるが、雨の日にそのお地蔵さまの頬が濡れているのを見るたびに、拙僧などはおのれの法力つたなくお静の方さまの願いをかなえて差しあげられぬことを無念に思っているほどでごじゃる。まこと、卑賤の者とて御兄弟の仲むつまじきは人の世のならいでごじゃるに、上つ方ではなにゆえにかくも弟君を無情にお扱いなさるのかのう、……」

黙って立ちあがった家光は、かわいた声で舜興和尚に告げた。

「上さまもそろそろ還御あそばされる時刻ゆえ、もはやゆかねばならぬ。和尚よ、馳走になった」

「いやいや、気をつけてお帰りなされ」

冬枯れの門外へそそくさと消えてゆくそのうしろ姿を見送った舜興和尚が、湯呑と盆とを片づけてまた本堂にもどってきた時であった。

「上さまは、いずこにおわす」

山門から駆けこんできた本物の番方の者たちが、かれに息せききってたずねた。

「上さまのことは存じませぬが、そのお供の方ならついいましがたまでここに休んでおいでじゃった」

「それこそ、上さまよ」

といいかわした番士たちは、うしろ腰に鴨を数羽ずつさげた姿でばたばたと山門から飛び出してゆく。

（な、なんじゃと。あのお方が上さまじゃと、……）

ことの意外さに口をあんぐりとあけた舜興和尚は、とりかえしのつかないことをしでかしてしまったことに気づいて背筋に冷たいものが走るのをおぼえた。

その場に茫然とたたずんでいると、

「舜興和尚とは、その方か。お上に対したてまつって無礼のかずかず、僧籍剝奪のうえ打首獄門を命ずるにより、立ちませい」

と冷酷に宣言する寺社奉行の姿すら目の裏にちらついて、とても勤行《ごんぎょう》をはじめる気にはなれない。

この出来事があってからしばらくの間、舜興和尚は山門に人影が見えただけで胆の縮みあがる思いがした。

保科幸松あらため正之もまた、高遠藩主となったとはいえ、鍛冶橋《かじばし》の上屋敷のうちに心晴れない日々をすごしていた。

その理由は、ふたつあった。

ひとつは初めて自分を実の弟と認めてくれた駿河大納言忠長が、秀忠の勘気に触れ、事実上駿府城を取りあげられて甲州のうちに蟄居《ちっきょ》を命じられてしまったこと。もうひとつは、その秀忠の病が少しずつ篤くなってきたことである。

「そこもとにも、おっつけめでたく葵《あおい》の御紋の使用を許される日がまいるであろう」

二年前の初見参の日、正之にやさしいことばをかけてくれた忠長は、寛永三年に家光が上洛することになった時には、大井川を兄に安全にわたってもらおうとして多数の船を一列にならべて固定。いわゆる船橋を造ったり、城下をさらに繁栄させるため、散在する寺社をまとめて郊外にうつしたりしたこともあるから、決して暗愚な気性ではない。

「浅間《せんげん》神社の神獣といわれる野猿《やえん》の群れが駿府の西丸子山に棲みつき、近隣の田畑を荒らしているが、農民たちは神罰を恐れるあまり、この野猿を退治できずにいる」

と聞き、忠長が猿狩を思いたったのも初めは民の迷惑を考えてのことであったろう。

しかし、家臣たちの間からも神罰をうんぬんする声があがった時、忠長は強気にいいはなった。

「この国のあるじは、われなるぞ。いかなる神であろうと、この国にましますのであればわが命令にしたがってもらおうではないか」

そして正之が高遠に帰っていた間に、忠長は数万人の勢子《せこ》を動員。野猿一千二百四十余頭を殺し、意気揚々と帰途についた。その途中で忠長は、のちに、

「やはり神罰が下って、大納言さまは乱心なされたのだ」

と噂されることになる暴挙におよんだ。

輿《こし》に乗っていた忠長は、なにを思ったものか脇差を抜くと、輿をかついでいた者の尻にやおら突き刺したのである。その男が驚いて逃げ出すと、供侍たちに追跡を命じ、斬り殺させてしまった。

そのあと鷹狩に出かけた時にも、忠長は残虐なことをしでかした。

その日はにわかに寒風が烈しくなったので、忠長は手近な草庵に入って暖をとろうとした。すると近くを、小浜七之助という家来が馬で通りかかった。

なぜか気分を害した目つきをした忠長は、七之助を呼びつけて火を焚くよう命じた。だが、その草庵にあった薪は湿っていて、なかなか火を発しない。それに舌打ちした忠長は、囲炉裏に顔を寄せて懸命に火を吹いている小浜の首を一刀のもとに斬り落としてしまったのである。

忠長に手討ちにされた者たちの数は、この年だけで七、八人にのぼった。わけもなく殴り倒された奥女中たちも少なくなかったから、いつしかこのような荒《すさ》んだ所業は秀忠の耳にも達した。

秀忠にとって、忠長は目に入れても痛くない愛子《あいし》である。とはいえ現将軍の弟、事実上の副将軍たる者が、かくも乱行をかさねていては世間体を考えざるを得ない。

そこで秀忠は、寛永八年四月のうちに忠長に通告した。

「その方、病いえるまで鳥居淡路守成信《あわじのかみなりのぶ》が所領、甲州のうちに蟄居し、養生いたせ」

鳥居成信は駿河大納言家の家老であり、甲斐国の谷村《やむら》三万五千石を領している。同時に駿河の国政は、もうひとりの家老朝倉宣正《のぶまさ》が掌握。駿府と甲府へは大番頭《おおばんがしら》四人が交代で勤番するよう命じられたから、忠長は事実上官位も封土も召しあげられたことになる。

それと聞いた時、正之はまたしても大切なうしろ盾を失ったことを知った。

（大納言さま御乱心とは、なにかの間違いではないか。なにか、お助けする手だてはあ

るまいか)

とすら思ったが、働きかけるべき相手がまだ父子のなのりを交わしていない天下の大御所とあっては、動くに動けない。はらはらしているうちに大御所御不例と聞いてにわかに江戸へ下ることになり、つづけて養父正光の死に立ち会うことになったのだった。

その秀忠の病は、寛永八年も押しつまるにしたがって次第に予断を許さないものになっていった。

諸大名も祈禱とお見舞にやっきになり、在国の者たちも、いつでも登城できるようにとこぞって江戸出府を願い出たほど。家光の目黒川遊猟も、秀忠の病状が一時好転した間の息抜きとしてこころみられたものにほかならなかった。

しかし目黒から帰城した家光が、舜興和尚の口から出たことばが真実かどうか、秀忠に直接たずねることはもう無理な状況になっていた。翌日、家光が本丸から西の丸へと見舞にゆくと、病み衰えた秀忠は紫色の病鉢巻を額に巻いて昏々と眠っているばかりだった。

あけて寛永九年(一六三二)一月九日になると、もう秀忠は食事を受けつけなくなった。十一日には、薬も飲みこめなくなった。

ついに危篤に陥ったのは、二十三日のこと。その直前、秀忠は家光に徳川家の宝刀である不動国行、江雪正宗、三好宗三左文字と豊後藤四郎の脇差とをゆずった。これらは、家康が関ヶ原と大坂の両陣に佩用したものである。

あわせて奈良柴の茶入れと捨子の茶壺をも贈与した秀忠は、ついに二十四日の夜四つ刻（一〇時）、江戸城西の丸のうちに逝《い》った。享年五十四であった。

保科正之としては、ついに実の父の秀忠とは、その生前に父子のなのりをおこなう機会を得られなかったことになる。

秀忠の葬儀は一月二十七日、その霊柩《れいきゅう》を芝の増上寺にうつしておこなわれた。正式には三縁山広度院と号するこの徳川一門の菩提寺は、二十五万坪にもおよぶ寺域のうちに壮大な伽藍《がらん》を誇っている。

だが、その霊柩に供奉《ぐぶ》したのは、老中土井利勝以下わずか十人。むろん正之に声はかからず、つづけて利勝により、四十九日までの間、交代して寺中勤番をおこなう四十二人の大名が選ばれた時にも正之は指名されなかった。

（これは、ちとむごいのではないか。忠長めが愚かしきことをしでかして葬儀への参列すら許されなかった今日、いずれ余の片腕へと育つやも知れぬ血筋の者は肥後守しかおらぬ。せめて父上と、最後の別れぐらいはさせてやりたかったものだ）

と思った家光は、法事の合間を見て土井利勝をお小座敷《こざしき》にまねき、こうたずねてみた。

「高遠の保科肥後は、余の腹違いの弟だというではないか。その方は、このことを知っておったのか」

「はい。大御所さまに口外を禁じられておりましたが、いまは亡き本多佐渡殿とそれがしのみは承知しておりました」

秀忠の死を哀しみ、髷を落として剃髪してしまっている利勝は、家光には初耳のことをつけ加えた。

「肥後守殿の御生母お静の方さまは、このたび大御所さま御他界を悼み、高遠城のうちに髪を下ろして浄光院《じょうこういん》と名を変えられたと、その肥後守殿より報じられましてござる」

「あっぱれ、けなげな女性《にょしょう》ではないか。して、肥後自身はいかがいたしておる」

「はい。おおやけに将軍家血筋の者と認められた身にあらざることは肥後守殿もよくわきまえておられますが、先代肥後守が亡くなった時と同様、鍛冶橋の上屋敷のうちに藩士たちともども精進潔斎いたし、喪に服して屋敷中が静まり返っていると聞いております」

「ほほう」

二重まぶただった秀忠と異なり、家光は一重まぶたの持ち主だった。若き日から家康とともにあまたの戦場を駆け、筋骨を練りあげた秀忠よりもからだは細いが、鼻筋が太く通り、頰の肉づきが豊かで耳の大きいところは秀忠ゆずりの顔だちである。

手にしていた白扇をパチリとひらいた家光は、つぎに正之の評判をたずねた。

「はい、先代の肥後守はまことに律義者にて領内の仕置きもよろしく、領民どもに慕われておるやに聞いておりました」

と、利勝は青い頭を下げて答えた。

「いまの肥後守殿は、保科家相続を許されましてより江戸にとどまっておりますので確かなことはわかりませんが、まだ馬に乗れぬ年ごろからしばしば領内巡行をこころみ、民草にじかに作物の出来をたずねるなどして政事《まつりごと》を学んでいた様子。囲碁棋士の安井算哲がかつて大御所さまに奏上したところによると、算哲と烏鷺《うろ》（囲碁）を争った時には三目置いたとは申せ算哲を敗ったほどにて、算哲が故意に田舎碁などと評してその気配をうかがいましても、気色ばむところがなかったと申します。されば上さまに似て明敏なる御気性にましまし、圭角《けいかく》のないお人柄かと察せられます」

秀忠がひそかにその性格を探っていたとは思いがけないことだったが、土井利勝のいうところは、家光にははなはだ満足のゆくところであった。

「そうか。ではさらにその人物を見るため、少し使ってみようか」

家光のことばに、

「それがよろしゅうございましょう」

と、利勝は答えた。

「大御所さまゆかりのかたがたへ、御遺物をつかわす」

と称し、家光が一種の金配りをおこなったのは二月六日から二十八日にかけてのことであった。

いまは落飾して天樹院と号している家光の長姉千姫への金五万枚、銀二万枚、先代後《ご》水尾《みずのお》天皇に入内《じゆだい》し、三年前から東福門院和子《まさこ》の院号を許されている妹への金二万枚、銀一万枚にはじまるこの金配りで、家光みずからは金三十万枚を本丸の御金蔵におさめた。

松平一門および譜代の大名たちには家格によってかなりの差があったが、十四日には正之も登城を命じられ、三万石の譜代大名相等の銀五百枚を拝領した。

家光が白書院上段の間からそれとなくその立居ふるまいを観察していると、褐色《かちんいろ》の地味な大紋《だいもん》に烏帽子《えぼし》をつけてつつましく諸侯の背後に控えていた正之は、左右から挨拶されれば相手よりさらにていねいに上体を折る恭謙な態度をくずさない。大御所の御落胤であることを鼻にかけているようなところは、ついぞ見られなかった。

つづけて家光は隠密御用をつとめる忍びの者に命じ、高遠藩上屋敷の様子をさぐらせてみた。忍びの者の報告は、あるじが大御所の御遺物から銀五百枚を下賜されたことにより、

「もうすぐわが殿は、姓を徳川か松平におあらためになる。これは、その前兆じゃ」

などとはしゃいでいる気配はいっこうに見られない、というものであった。

(弟の忠長なら、とてもこうはゆくまい)

と感じ入った家光は、いよいよ正之に幕命を下してみることにした。

(使うのであれば、自分が保科肥後をすでに腹違いの弟と知っていることを、さりげなく諸侯に知らしめることのできる役目を与えてみるにしくはない)

と考えあわせたかれは、三月中に土井利勝を介して正之に伝えた。

「台徳院《たいとくいん》さま御廟地《ごびょうち》の御普請を命ずるものなり」

台徳院とは、秀忠の追号のこと。この台命《たいめい》(将軍の命令)を拝したことにより、晴れて正之は実の父の墓所の整備にたずさわることになったのである。

「その方が用むきを伝えた時、肥後はどのような態度を示した」

ふたたびお小座敷に召されて家光から問われると、利勝は答えた。

「はい、これより上意を申し伝える、と切り出しますと、肥後守殿はただちに襟を正し

「平伏いたしました。それがしが伝えおわりましたところ、それはまことでござります か、と目をみはるようにしてたずねられ、ありがたくお受けつかまつります、とことばをおつづけになりましたが、もうその時には感激のあまり、まなこを潤《うる》ませておられたほどでござりました」

正之の反応は、家光の期待したとおりのものであった。

家光はその後も正之の働きぶりを気にし、定期的に利勝に報告を求めた。しかし正之の才覚と熱意には予想以上のものがあった。

台命下るや正之は高遠に早馬を送り、組頭《くみがしら》の井深《いぶか》重次と赤羽武兵衛はむろんのこと、ほかの物頭《ものがしら》たちもただちに江戸へ召し寄せた。このころ監物《けんもつ》と称していた井深重次は、昭和になってからソニーをおこす井深家の遠祖。赤羽武兵衛は、槍弾正と武名をうたわれた保科正俊の先鋒の大将として、伝説的なあの鉾持桟道《ほこじさんどう》のいくさを勝利に導いた赤羽又兵衛の忘れ形見である。

かれらが普請にうちこむ姿は、先ごろ江戸城総構えの拡張整備にたずさわった諸大名家のそれとは、かなり変わったものであった。

保科家の組頭、物頭たちは、ただ単に足軽たち、あるいは日傭《ひよう》取りとしてやとわれた者たちを監督するだけではない。小袖をもろ肌脱ぎにして腹のまわりにたくしこみ、上体をあらわにすると、みずから溝を掘り、土を捨て、石をはこぶなどの力仕事に嬉々としてくわわった。

どの者も生き生きと立ち働きつづけたのは、あるじがこの格別な普請を命じられ、自分たちが特に高遠から呼ばれたことをこよなく光栄に思っていたからである。

正之自身もかならず毎朝馬で増上寺にやってきて、井深重次たちになにか問題はないか、病人や怪我人は出ていないか、とたずねることを怠らなかった。

おやつとは、もともとは八つ刻（午後三時）に仕事をひと休みして口にする軽食のことをいう。正之は八つ刻になるとまたやってきて、あんころ餅など腹に力の入る食物の差し入れも欠かさなかった。

四月末、その正之は土井利勝に報じた。

「御普請はうまくすすんでおりますので、七月中にはすべておわる見通しでございます」

利勝からそれと伝えられた家光は、うれしそうにうなずいていた。

つぎに家光が考えたのは、五月におこなわれる家康の十七回忌の法会《ほうえ》に正之を供奉させてみよう、ということであった。

家康が世を去ったのは元和二年（一六一六）四月十七日のことだったが、遺体は遺言によってその夜のうちに久能山へうつされ、神式で葬られるとともに増上寺に仏式の廟も造られた。朝廷からは、

「東照大権現」

の神号が勅許されたため、徳川御家人ないし諸大名たちは、家康のことを口にする時には神君、あるいは権現さまと呼ぶようになったのだが、その遺骨は元和三年四月に下《しも》野国《つけのくに》の日光山に改葬されたため、法会は日光において営む必要があるのだった。

かに思いやっていた。

「このたびの供奉のことをお伝えしましたところ、肥後守殿には台徳院さまの御廟地御普請を命じました時にもまして、感泣の面持ちでござりました」

また利勝の報告を聞きながら、家光は初めて祖父の墓参を許された正之の心情をひそかに思いやっていた。

江戸の日本橋と日光山とをむすぶ日光街道は、四十里半の道のりである。千住《せんじゅ》から宇都宮までは奥州街道とおなじ道をいうのだが、日光街道は宇都宮城下で奥州街道とわかれて西北へむかい、野沢─徳次郎《とくじら》─大沢─今市─日光鉢石町と五つの宿場をへて日光山に至る。

ただし、この日光街道の本道とは別に日本橋から千住ではなく足立郡の川口に出、戦国の世の末までは下総国《しもうさのくに》、いまは武州に属する葛飾《かつしか》郡の幸手《さって》で本街道に入る将軍専用の道があって、

「御成道《おなりみち》」

といわれていた。

家光が、この御成道をめざして江戸を立ったのは五月十三日のこと。伊勢神戸《かんべ》五万石の藩主一柳《ひとつやなぎ》直盛とそのせがれ直重、小姓の有馬豊長と伊東祐豊、中奥《なかおく》番の大久保正朝、幕府御典医たちとともに正之もその乗物に供奉し、まだ夜明け前の闇のなかをゆっくりとすすんでいった。

十三日夜は若槻城、十四日は古河城、十五日は宇都宮城と泊まりをかさねた家光一行は、十六日に今市へ入った。

その間、家光は日光参拝の時にはいつも供奉する一柳父子と小姓たちとにかこまれていたので、江戸家老北原光次以下をしたがえている正之は、その輪の外側におとなしく控えているだけであった。

（ほほう。かような人少なのおりであれば、ころあいを見て余におのれの素姓をうちあけようとするかと思ったが）

家光は、正之の無欲で恬淡《てんたん》たる態度にあらためて驚いていた。

東照大権現十七周神忌の祭典の期日は、あけて十七日のことと予定されていた。ただし家光はまだ服喪中だから、家康の遺骨をおさめた宝塔のある東照社奥院へ足を踏み入れることはできない。

ために家光は十七日も今市にとどまり、奥院へはあとから追いついてきた近江《おうみ》彦根二十五万石の藩主井伊直孝を使いさせて、祭事は土井利勝に宰領させるつもりでいた。掃《か》部頭《もんのかみ》をなのっている四十三歳の直孝は、大坂夏の陣にあっては豊臣方の勇将木村重成の首を取り、さらに大坂城中に突入して淀殿・豊臣秀頼母子に自刃を決意させた大剛の者である。

すると、十六日の夜五つ刻（八時）、別の宿にいる正之のもとから田中三郎兵衛《さぶろべえ》となのる若侍がやってきて、一柳直盛に家光からさることの許しを乞うてほしいと申し入れた。

田中三郎兵衛とは、かつての右京。正之につづいて元服した右京は、通称を三郎兵衛、諱《いみな》を正之の「正」の一字をもらって正玄《まさはる》と定め、末席ながら早くも家老職に抜擢されてこの日光社参の旅にもくわわっていた。

しかし、いかに家老とはいえ三郎兵衛は保科家の者だから、徳川家から見れば陪臣にすぎない。家光にお目見《めみえ》することは許されないため、歴戦のつわものながらいまは好々爺として知られる直盛に面会を求めたのである。

「実は当家のあるじ肥後守もよんどころない事情で服喪中でござりまして、明日、井伊掃部頭さま、あるいは土井大炊頭《おおいのかみ》さまに随行して日光山へ登ることはかないませぬ。さればこ、明日は当家の家来をもって太刀目録と白銀三十枚とを御神納いたすことをお上にお許しいただきたいのでござりますが、この段おとりつぎ願えますまいか」

との田中三郎兵衛の口上を、直盛はまっすぐ家光にとりついでくれた。

「その者は、肥後守もよんどころない事情で、と申したのだな」

上段の間から直盛にたずね返した家光は、

「それがしも台徳院さまの血筋の者なれば」

とは決していわない正之の奥床しさに、しばし感嘆していた。

思えばこれは、正之にとっては祖父家康の神前にぬかずく初めての機会だったのである。ついに父子のなのりを果たし得なかった、いや、とうとう最期まで、

「そなたは、わがせがれである。長い間、苦労をかけてすまなんだ」

といってくれなかった父秀忠にそこまで義理立てする正之の心情は、家光にはほとんど貴重なものにすら思われた。

(肥後は、いずれ徳川の天下を支えてくれる器量の持ち主なのではあるまいか)

家光はちらりと考えたが、

「即断は、禁物でござりますぞ」

と、だれかにいわれたような気もした。

いまは日光山に眠っている祖父家康は、そのせがれたちを各地の大藩に封じることにより、徳川家のとこしえの藩屏《はんぺい》たらしめることを悲願としていた。

若くして死んだ嫡男信康と三男秀忠は別として、次男結城《ゆうき》秀康を越前北ノ庄六十八万石へ、四男松平忠吉《ただよし》を尾張清洲六十二万石へ、五男武田信吉を常陸《ひたち》水戸十五万石へ、六男松平忠輝を越後高田六十万石へ。

のこる三人には徳川姓のまま立藩させることにして、九男義直を尾張名古屋六十二万石へ、十男頼宣《よりのぶ》を紀伊和歌山五十五万五千石へ、十一男頼房を水戸二十五万石へ。

しかし、四男忠吉と、はじめ水戸十五万石に封じた五男信吉とは子なくして若死にしたため、この両家は早い時期に廃絶となった。頼房があらためて水戸を与えられたのもそのためだが、さらに六男忠輝と結城秀康のせがれ松平忠直とは、あまりの乱行のため元和年間に改易処分となった。

しかも、家光の弟忠長もこのふたりの二の舞となりつつあるところだから、本来八家あるべき徳川家の庶流は、実のところは名古屋・和歌山・水戸のいわゆる徳川御三家しかなくなっている、というのが現状であった。

家光自身も六年前に関白鷹司《たかつかさ》家から孝子という正室を迎え、側室もたくわえはしたが、まだ男児に恵まれてはいない。

このことと徳川家の藩屏が家康時代より激減したこととを考えあわせると、家光が正之に期待したくなるのは人情というものであった。

そのためには、正之をわずか三万石の高遠などではなく、どこかの大藩へ移封してやりたい。だが、そう思案すると同時に大藩のあるじとなったとたんに増長し、忠輝や忠直、あるいは忠長のような所業に走られては天下の名折れだ、という気分も動きはじめて結論が出ない。

そこで家光は、日光から帰ったあともなおしばらく正之の言動を見守りつづけることにした。

家光が正之の挙措動作をながめることのできるのは、正之が江戸城本丸表御殿へ登城してきたおりである。

登城した大名たちは、その家格によって詰めるべき部屋を指定されていた。

徳川御三家は、西南にある白書院の北側の御三家の間《ま》。国持ち大名たちは、南北に走る大廊下の南のつきあたりにある大広間、というように。

さらに時代が下ったあとは、松平一門あるいは徳川家の大番頭格の井伊家など将軍の相談役をつとめる家筋は溜《たまり》の間詰め、譜代大名たちは帝鑑《ていかん》の間詰め、譜代でも身代《しんだい》の小さな者たちは菊の間詰め、あるいはその縁頬《えんぼう》詰めなどと家格が細分化されることになる。

縁頬詰めとは、ひらたくいえば菊の間にすら入れず、そのまわりをうろうろしていなければならない小大名のこと。この物語の時代にはまだ参勤交代も制度化されず、ここまで厳然たる区別はなかったものの、譜代の小大名である高遠保科家はのちの菊の間詰めに相当する家格であった。

そのため正之は、肩衣半袴《かたぎぬはんこ》をまとって登城すると、まず茶坊主に案内されて譜代の小大名たちのいる部屋へゆき、世慣れた年長者たちの雑談に静かに耳をかたむけるのをつねとしていた。

しかも正之が座るのは、かならず敷居際の一番の末席であった。かれが白い足袋裏を見せて正座するうしろ側は、もう畳廊下の縁頬である。

ある時、大奥と表御殿との間にある中奥《なかおく》の御座所（居間）を出た家光は、御三家の部屋へ顔を出すふりをしてこの部屋をのぞいてみた。室内ではだれも廊下の家光に気づかず、雑談に花を咲かせていた。

ただし表御殿には、

「お目付」

と呼ばれる二十四人の旗本たちが、監察役として出仕している。

いつも黒紋付に生麻の麻裃《あさがみしも》を着用している目付たちには、殿中でだれとすれちがっても挨拶しなくてよいという特権があった。そのかわりにどこかの部屋に入る時は、ひとつ咳ばらいして目付がきたことをそれとなく周囲に知らせることになっている。

背後で咳ばらいがすると、家光は逆にその目付にたずねた。

「あれは、たれじゃ」

あれ、といわれたのは、正之に背をむけている大名であった。目付が小声で答えると、家光はひとりごとのようにつぶやいた。

「ふむ、肥後の上座に着ける身でもあるまいに」

この話は、たちどころに譜代大名たちのうちにひろまっていった。

つぎに正之が登城していつものように末座に着こうとした時、先に入室していた大名たちはにわかに慌てふためいた。

肩衣半袴、白扇を手にしていた大名たちは、申しあわせたように立ちあがったかと思うと、

「肥後殿、もそっとこちらへ」

と正之をこもごも上座へさしまねいた。それでも正之は、

「いえ、それがしはいまだ若輩者なれば、ここにて充分でござる」

とにこやかに応じ、いつもの席に着いて刷毛先《はけさき》を固めた小名髷《しょうみょうまげ》を一同にむけた。

きちんと小袖の襟を合わせている正之は、中肉中背、やや面長ながらふっくらとした若々しい顔だちをしていた。怜悧さを思わせるすずやかな瞳と鼻翼の張らない鼻筋、ひきしまった血色のよい唇に、ある種の気品を漂わせている。

「さようなことを、おっしゃらずに」

と再度いっても正之がおだやかにほほえむばかりなのに、大名たちは困りきった。もしもいままでどおりにふるまって、家光の怒りに触れてはたまらない。

やがて一計を案じた大名たちは、ぞろぞろと正之の背後へまわりこみはじめた。縁頬は時ならぬ人の波であふれ返り、室内はすっかりがらんとしてしまうという珍妙な光景がここにくりひろげられた。

目付からこのことを報じられた家光は、笑いながらその時の正之の反応をたずねてみた。

「はい、保科肥後守さまはたいそう戸惑われた御様子にて、どうかみなさま、いつもどおり上座におとおり下され、としきりに申しておられました」

この答えに、

「下がってよい」

家光は満足そうに告げた。

「お上はすでに肥後守殿が実の弟君にあらせられることを知りたまい、大藩に封じるころあいを見計らっておいでのようじゃ」

という噂が一気にひろまるのに、こうなるともはや日にちはかからなかった。

すると、いまのうちに正之に取り入っておこう、と考える大名もあらわれた。

このような者たちは、あたりに人影のないおりを見すまして正之に近づき、

「ちと、お耳を」

とそのかたわらにかがみこむと、白扇をなかばひらいた陰でささやいた。

「お上とこなたさまとが血を分けた間柄におわすことは、まことに祝着《しゅうちゃく》。それがしから御老中がたに働きかけ、早う天下にこれをあきらかにするよう進言いたしてもようござる」

「お志は、まことにありがたく存じます」

そのような時、正之はいんぎんに答えながらも、ひとことつけくわえるのを忘れなか

った。

正之は白扇などひらかず正面から相手の目を見つめ、はっきりといった。

「しかし、それがしは幼くして高遠保科家に養子入りいたし、それがしをこよなく慈《いつく》しんでくれた先代の死にともないまして家督を相続いたした者。これすなわち台徳院（秀忠）さまの台命によりましたるところなれば、いまさらいらざることをお上に申し出て御迷惑をおかけするのもいかがかと存じます。されば、お気持のみ頂戴つかまつります」

高遠の建福寺の住職鉄舟和尚は、養父正光が徳川忠長に接触しようとしていたころ、当時まだ幸松という幼名しかなかった正之に儒学のみならず老子の教えも学ぶよう助言してくれたことがあった。

鉄舟和尚が貸してくれた『老子道徳経』の一節には、つぎのような文章があった。

「みずから勝つ者は強く、足るを知る者は富む」

武力による強さや米穀収入による豊かさではなく、克己心と知足《ちそく》の精神とを説いたくだりである。正之はまだ十代だったこともあり、その意味が理屈としてはわかったもののどうにも実感が湧かなかった。

それがにわかにすとんと腑に落ちたような気がしたのは、半年前の寛永八年（一六三一）十一月、老中酒井忠世から、高遠保科家相続を許すとの上意を伝えられた時のこと。上意とは家光ではなく大御所秀忠の意向を意味したから、正之は保科正近から間接的にそれと報じられた時、

（これこそ大御所さまが、心のなかではおれのことを実の子と認めて下さっている証しであろう）

と、ふと思ったのだった。

それ以来、正之は秀忠を怨じるのではなく、

（そうだ、おれの場合、足るを知るとは領民たちに善政をほどこし、かつ将軍家には譜代の保科家のあるじとして忠勤を励むことをいうのだ）

と考えるようになっていた。

お気持のみ頂戴つかまつります、という老成した答え方もこのような思いに発したものであった。


だが世の中には、壁に耳ありというたとえもある。これとおなじやりとりが殿中でいくどとなくおこなわれたことは、まもなく家光の耳にするところとなった。

（やはり肥後は、忠長めとは人としての格が違うようだな）

家光は、確信した。

ただし同時に、解せないこともものこった。それは、

（どうして台徳院さまは、このような弟がいることを教えて下さらずにみまかったのか）

というもっともな疑問であった。

家光のもっとも信頼する股肱の臣は、酒井讃岐守《さぬきのかみ》忠勝である。

家光より十七歳年上の酒井忠勝は、三河の生まれ。関ヶ原へおもむく秀忠にわずか十四歳にして供奉し、まだ親がかりのうちに従五位下讃岐守に叙任される可愛がられようであった。

元和六年（一六二〇）、十七歳の家光づきとなるや穏健誠実な性格を愛され、いまは老中に列して武州川越十万石を与えられている。知力すぐれ、神道、仏教、儒学を好む忠勝は、顔だちもどこやらの大仏さまのように福々しかった。

家光が鷹狩のためしばしば川越にゆくのは、そこが忠勝の領地だからにほかならない。初め三千石で召し出されたこの忠勝を、家光が十万石へと引き立てたのも理由のないことではなかった。

父秀忠の正室で家光の母でもあるお江与《えよ》の方は、お静・正之母子に一度ならず刺客《せっかく》を放ったことからも知れるように好き嫌いの激しすぎる性分であった。この気性は、自分の産んだ家光・忠長兄弟に対してもはばかることなくむけられた。

お江与の方が溺愛したのは忠長であり、ないがしろにされつづけたのが家光だった。忠長が幼くして目から鼻に抜ける才気を垣間見せたのに対し、家光はどこかぼんやりしたところのある少年だったから、お江与の方の癇にさわったのである。

長姉淀殿に似て鼻っ柱の強すぎるきらいのあるお江与の方の好悪の情は、いつしか秀忠に伝染。秀忠のそれは、改易を恐れる大名たちの敏感に察知するところとなっていった。

ために家光・忠長兄弟の御機嫌うかがいにきた大名たちが出むくのは、忠長のもとばかり。手みやげや中元、歳暮の類も忠長へのものがほとんどとなり、家光は幼な心に屈辱感を味わいつづけた。

大名たちのこの傾向は、家光が疱瘡《ほうそう》を病んで寝こんだ時にもっとも露骨にあらわれた。家光の病床を見舞った者もいるにはいたが、そのすべてはついでに顔を出しただけのことで、忠長が食事をはじめたと聞くと、それとばかりに一斉に忠長の部屋へ去ったのである。

そのあとには家光の薬袋すら蹴散らかされていたほどだったから、大名たちがつぎの将軍は忠長、と信じていることは疑いようもなかった。この時どこにもゆかずに家光の病床に貼りついていたのは、ひとり酒井忠勝のみ。家光が徳川三代将軍となれたのは祖父家康の鶴の一声によるものだったが、かつてこのような出来事もあったために家光は忠勝を老中とし、ついで川越十万石を与えることによってその忠勤にむくいたのである。

他聞をはばかり、忠勝をあえて中奥の御座所へ呼んだ家光は、その福々しい顔を見ると中奥小姓たちにしばらく下がっているよう命じた。

「近う寄れ」

脇息《きょうそく》に右肘を乗せていた紋羽織姿の家光は、肩衣半袴、白足袋の酒井忠勝が目の前へ膝行《しっこう》してくるのを見定めて口をひらいた。

「讃岐よ、そちに考えを聞きたいことがあってな」

言い出したのは、父秀忠がなぜ死ぬまで正之を正式に徳川家の庶流と認めなかったと思うか、という一点であった。

家光はやや蒲柳の質ではあったものの成人するにつれて活発になり、特に忠勝や新陰流の剣によって兵法指南役をつとめる柳生又右衛門、その又右衛門から紹介された禅僧沢庵宗彭《たくあんそうほう》のいうところにはよく耳を傾ける美質をも見せている。

「はい。お人払いなされてまでの御下問は、忌憚《きたん》なく申せとのことかと存じますので、率直に申しあげとうござります」

畳に両手をついて面《おもて》を伏せたまま、忠勝は答えた。

「保科肥後守殿御誕生のみぎり、台徳院さまがこの御城内へお迎えすることをお控えあそばされましたのは、崇源院さまのお手前をはばかってのことと、われひとともに承知しておりまする」

崇源院とは、お江与の方の追号のことである。

家光にこの指摘は、説明されずとも納得できることだった。慶長十六年（一六一一）十月二十四日、駿府から不意にやってきた家康が家光を三代将軍に指名したあと、お江与の方は産みの母とはとても思えない血走った目つきで、家光をにらみつけたことも再三ではなかった。

「しかし崇源院は、もう六年も前に亡くなったではないか。なのに、なにゆえいままで、肥後をそのままにしておいたのであろうな」

「さあ、それは」

言い淀んだ忠勝に、家光はたたみこんだ。

「当て推量でもかまわぬ、そちの見たところを知りたい」

「されば、申しあげまする」

いったん面をあげた忠勝は、また上体を深く折って答えた。

「申すもはばかりあることなれど、台徳院さまの御世《みよ》に改易されましたる大名家は、都合三十九家にのぼりましてござります。外様大名が二十三家、御親藩ないし譜代藩は十六家。むろんこれらの家々の内情を知るわれらは、徳川将軍家の天下を長久ならしめるためにも、台徳院さまの御勇断はまことになくてはならぬものであった、と存じております」

かつて豊臣家につかえていた者たちを追い落とすことこそ、秀忠の大名改易策の目標とするところであった。

それを家光に思い出させてから、忠勝はさらにいった。

「ただし下世話にも、下衆《げす》の口に戸はたてられぬと申します。もしも崇源院さまがお隠れあそばされてのち肥後守殿に御親藩を立藩させたといたしますと、これら改易された家々あるいは主家を召し放たれた牢人どものうちから怨嗟の声があがって面倒なことになったかも知れませぬ」

「そちは、なにをいいたいのじゃ」

秀忠の大名改易策は家光の受けつぐところであり、いまや忠勝を中心に動いている幕閣の大方針でもある。それだけに家光が聞きとがめると、忠勝もそれは計算のうちだったらしく巧みに答えた。

「そのかみ栄耀《えいよう》栄華をきわめました平氏の時代には、平氏にあらずんば人にあらず、と申すことばがあったと聞いておりまする。その平氏の栄耀栄華がなにゆえたちどころにうたかたの夢と相なったかを、とくと思い起こして下さりますよう」

忠勝は、平家の盛衰にたとえてこういおうとしているのであった。

——御一門ばかりを大藩に封じ、その一方で外様大名ばかり締めつけておりますと、天下の屋台骨が軋みはじめたかも知れませぬ。台徳院さまはそこまでお考えになったうえで、肥後守殿になんのお声もかけなかったのではござりますまいか、と。

ことばに出さずとも、そのいわんとするところは阿吽《あうん》の呼吸で家光に伝わっていた。こういうやりとりは、家光より三十一歳、忠勝とくらべても十四歳も年上の土井利勝との間ではとてもできない。

「それも一理あるのう、さすがは讃岐じゃ」

家光は、機嫌をなおしてにこやかにうなずいた。

「そのうちに駿河大納言の愚かしき所業がつぎつぎとあきらかになり、台徳院さまとしてはますます世間体を考えねばならぬことになってしまったのかも知れぬ」

「御意《ぎょい》にござります」

と同感の意を示した忠勝に、

「面をあげよ。そちに、もうひとつ考えてもらうことがある」

家光は、急に思い出したようにいった。

「なんなりと」

「それはな、肥後を今後どのように遇するかということじゃ。台徳院さまの思し召しがそちの申すとおりであったとしても、肥後のごとく美質ある者をなおも捨ておくのはいかにも惜しいとは思わぬか」

「まことに仰せのとおりでござります」

忠勝は、うれしそうに答えた。

「では、申しあげます。御加増の件はいま申しましたとおりなればいずれおりを見て、ということにいたし、まずは四点ほど御配慮あそばされてはいかがでございましょう」

忠勝はすでに正之の器量を認め、登用の腹案さえ用意しているような口ぶりであった。

日本橋から東海道を西へ二里すすむと、最初の宿駅品川である。品川の海に、

「袖ヶ浦」

という美しい別名があるのは、その東の沖に昇る朝日に波の照り映える様子が、娘たちの袖をひるがえす姿を思い出させるからだともいう。

その手前、芝高輪の泉岳寺はいずれ赤穂四十七士の墓所としてあまねく世に知られ、それにほど近い東禅寺の方は、幕末の文久年間にイギリス公使館が置かれて注目を浴びる。

しかし寛永九年（一六三二）の時点でいえば、泉岳寺も東禅寺もまだ麻布霊南坂にあった。のちにこれらの大寺院や大身の大名たちの中屋敷、下屋敷がつぎつぎに建てられるほど、空地ばかりだったということである。

品川宿付近の海に面した南側には、足もとまでひたひたと波を打ち寄せる茫漠《ぼうばく》たる海

原がひろがるばかり。芝から品川へかけて西へ大きく湾曲する街道ぞいには片側町が発達しつつあったが、品川への入口右側には谷山《やつやま》と呼ばれる丘がとりとめもなく盛りあがっているだけだった。

春には山桜につつまれ、南端に立てば眺望の一気にひらけるこの丘の利用価値に最初に気づいたのは、室町時代の武将太田道灌だったろう。かれは江戸城までも見わたせる谷山南端の断崖上に館《たち》をいとなみ、

「品川館」

と名づけた。その一室で霊夢を見、あらたに造営したのが江戸城の原型となる館だったともいう。

ただし家康が江戸入りしたころもうこの館は朽ち果て、

「御殿山《ごてんやま》」

という地名にその名残《なごり》をとどめるだけになっていた。

だが、名は体《たい》をあらわすともいうから、地名が建物をまねき寄せることもあるのかも知れない。徳川家が御殿山に品川御殿をいとなんだため、谷山の一角には時には上級武士たちが大挙して姿を見せるようになった。

はるか下総《しもうさ》の葛西の方角からくる小舟は、白鷺の無数に飛び交う芝の生洲《いきす》の森を目安に品川をめざす。

「葛西の舟はおなごも漕ぐ　生洲の森を目当てに　生洲の森が見えないならば　白鷺の巣かくる森を目当てに」

と歌われるのどかな景色も、質朴な造りながら海側に欄干《らんかん》をめぐらせた品川御殿からは存分に楽しむことができた。

しかも御殿山は、その南側は切り立った崖とはいえ平らかな後背地につづいていた。ひろさはおよそ三町八反（約三七〇〇平方メートル）。なかには、ひろやかな馬場ももうけられている。

家光は酒井忠勝と相談した結果、まず正之のお披露目のため、この馬場を利用することにした。

品川御殿付属の馬場は、御殿の廻遊式庭園と目かくし代わりの森をはさんでさらにその南側にある。

ひろさは百二十間（二一八メートル）四方。雑木林を伐《き》りひらくや、まず平らかに大石を敷きつめ、つぎに砂利、さらにその上に砂をぶ厚く置いたのは、馬が窪地に足をとられたりひづめを割ったりしないように、という工夫である。

この馬場の三方は土手でかこまれ、その外側には桜の木が点々と植えこまれていた。のちの世に、

　のりならす駒のひづめのかほるまで並木の桜はる風のふく

とうららかな歌を詠《よ》んだ侍もいたごとく、桜吹雪と馬とのとりあわせはよく絵になるものとされている。

そして残る一辺には埒《らち》が走り、その外側には、「馬見所《うまみじよ》」と呼ばれる階段状の桟敷席があった。朱塗りの手すりがめぐらされたこの席は、家光やまねかれた旗本大名たちが馬術の達人たちの技のほどを見るための場所にほかならない。

日ごろは無人のこの馬見所がにわかに華やいだのは、寛永九年（一六三二）の全山が紅葉に染まったとある昼下がりのことであった。酒井忠勝や兵法指南役の柳生又右衛門・又十郎父子以下をしたがえて江戸城からかろやかに馬を走らせてきた家光は、先着していた気に入りの旗本たち四、五十人とともに馬見所にすすみ、諸流の馬術の妙を競わせることにしたのである。

まだ二十歳の柳生又十郎は、家光の小姓として出仕したばかり。さきごろ従五位下に叙され、但馬守宗矩《たじまのかみむねのり》と名をあらためたその父又右衛門は、万一にそなえて馬場をかこんだ番士たちの動きにも油断なく目配りしつづけていた。

家光が酒井忠勝とともに最前列中央の席にすすむと、左背後には太刀持ちの又十郎が着座。右背後には獅子頭のような顔つきの宗矩が警固役として陣取り、旗本たちはこの桟敷席を遠巻きにするようにコの字形に居流れた。

この日は、まず大坪流馬術の達人たちが登場する手はずになっている。その姿に期待して、旗本たちが馬場のかなたにひらいた表門へ顔をむけた時であった。

つと立ちあがった家光は、旗本たちを眺めわたしながら大きな声を出した。

「保科肥後守は、まいっておるか。おるなら立って見せよ」

旗本たちが目をきょろきょろさせるうち、

「ここにおりまする」

と、静かな声が通った。

その声がきこえたのはもっともうしろの列、しかもその右はじの最末席であった。

旗本とはいざ合戦という場合、大将たる者が旗印をかかげる本陣に詰める身分、という意味だから旗下とも表記する。万石以下とはいえ将軍親衛、すなわち直参《じきさん》の誇りに生きるかれらに対しても、保科正之はまだ二十二歳の若さゆえに三枝《さんし》の礼をとっていたのである。

その正之は立ちあがって低い位置にいる家光に一礼すると、ととのった顔だちに心なしか当惑の色を刷《は》いた。

これは、自然な反応だった。将軍が満座のなかでじかに特定の個人に呼びかけることは、きわめて異例なことである。

家光の意図もまた、そこにあった。

自分や旗本たち同様、ぶっさき羽織と馬乗り袴をまとっている正之に目を当てた家光は、にこやかにいった。

「おお、さようなところにおったのか。そこでは、ちと話が遠い。余の桟敷がまだあいておるから、これへまいれ」

「ははっ」

と答えた正之は、田中三郎兵衛《さぶろべえ》をしたがえて階段を下り、家光の前へすすむと片膝をついて深々と頭を下げた。

家光はうんうんとうなずいて、ほほえみながら自分の右隣りの席を指ししめす。正之はむこう隣りの酒井忠勝と背後の柳生宗矩にも目礼して、家光の指示にしたがった。

正之が家光の異母弟であることは、旗本たちの間にもすでに知れわたっている。しかしかれらは、このやりとりを眼前に見て初めて確信したのだった。家光自身もそれを認め、正之を弟としてあつかおうとしている、ということを。

「いずれかようなめでたい日がまいることは、それがしにはわかっており申した」

なかにはしたり顔でうなずきながら、隣りの旗本にささやいた者もいた。

「お上が台徳院さまの御廟地の普請を保科肥後守殿に宰領させたのも、権現さまの十七回忌のお供に御指名あそばされたのも、かようなさりげないお披露目につなごうと思し召されてのことだったのじゃ」

あたらずといえども遠からぬこのような反応も知らぬげに、家光と正之はともに育った兄弟のように肩をならべて馬場に顔をむけていた。

その馬場には、いましも三人の馬の名手がそれぞれの手馬《てうま》（自馬）にまたがってあらわれたところであった。

白鉢巻、真新しい刺子《さしこ》の稽古着に紺袴、右手になにかを持っている三人は、手綱を左手一本にまとめて馬を馬見所から見て左はじへと寄せてゆく。そしてくるりと馬体を反転させ、ほぼ二間幅に馬首をならべたと思った時、三人は一斉に馬腹を蹴った。

三頭の馬は、砂を蹴立てて視界を左から右へ疾駆してゆく。首を振り、尾の房毛を長くうしろへ流した三頭の鞍《くら》の上では、それぞれの乗り手が右手を肩口にかざしていた。その手のつかんでいるのは、糸取り用の木の桜《わく》であった。三人はその桜に巻きつけてある絹の細布を、馬を走らせながらくるくると解きのばしてゆく。

赤、白、黄。

いつか後方へたなびきはじめた三色の絹布は、さながら吹き流しのようだった。しかもその長さが馬体の三倍、四倍、とくり出されても、乗り手たちは決してその先端を地面には触れさせなかった。

「絹引き」

と呼ばれるこの競技では、長さ一反（一〇・六メートル）の絹を引き、かつその先を汚さなければ馬の上手と格づけされる。

ところがこの三人は優に一匹（二一・二メートル）もの長さの絹をみごとに引き、家光、正之以下の視界を色あざやかに染めて馬場の右側まで走りぬいた。馬首を立てなおした三人が馬上から拝礼すると、馬見所からはやんやの喝采がまきおこる。

聞きようによっては、それは秀忠のついに認めなかった正之を、家光が懇意の旗本たちに実の弟と知らしめたことに対する称讃のようでもあった。

「みごとなものであったな」

馬場から出てゆく三人から目を離した家光は、ややからだをかたむけて話しかける。

「まことに」

と応じた正之も、家光と同時に背後の者たちに横顔を見せることになった。

家光の横顔には、ようやく実の弟と君臣の境を越えて親しくことばを交わすことのできた満足感がにじみ出ている。兄にうなずき返す正之の物腰には、はからずもこのような席へまねかれたことに対する万感の思いがあふれていた。

その間に馬場のなかでは、表門からわらわらと走りこんできた小者たちが左右にふたつの毬門《きゅうもん》をもうけるのに余念がなかった。つぎには、これも馬の名手たちによる打毬《だきゅう》の試合がおこなわれるのだ。

打毬とは西洋のポロによく似た競技で、毬門には紅白いずれかの旗が立てられ、参加者たちも鉢巻ないし腰にさした小旗などで紅軍か白軍かを示して騎乗してあらわれる。

手にした打毬竿で取りあうのは、あらかじめ散らしておかれているいくつかの小さな毬《たま》。むらがり寄る敵方をかわしながらこの毬を打毬竿で打ち、敵の毬門に多く入れた方を勝ちとするもので、合戦さながらの手綱さばきを求められるところに妙味がある。

家光と正之がそろって馬場に顔をむけた時、試合開始の鉦《かね》が打ち鳴らされた。

馬見ヶ崎川

寛永九年（一六三二）から翌年にかけて、高遠《たかとお》藩江戸屋敷はまことにあわただしかった。あるじ保科正之に対し、つぎつぎにめでたい台命《たいめい》が下ったからである。

太陰暦を用いているこの時代には、正月の前に立春を迎えるのがふつうだった。寛永九年の立春は十二月二十八日であったが、この日拝賀のために江戸城へ登城した正之は、特に従四位下に叙された。

位階は養老二年（七一八）制定の養老律令により、親王は四階、諸臣は三十階にわけられている。

親王の四階とは、一品《いっぽん》から四品《しほん》まで。上品だ、下品だなどという表現が今日もよくつかわれるのは、長くつづいたこの位階制度と関係があろう。

また諸臣の三十階とは、一位から三位までがそれぞれ正と従とに二分されて、計六階。四位から八位までは正と従、および上と下とに四分されて計二十階。従三位《じゅさんみ》以上は公卿《くぎょう》、正四位上から従五位下までは殿上人《てんじょうびと》と呼ばれ、従五位下ですらない者はただの地《じ》下人《げにん》、その地下人が武士階級ならば地下侍という。

いまは亡き保科正光は従五位下であり、正之も家督相続するとともにこの位階を引きついでいた。それがわずか一年あまりで従五位上を越え、二段階上の従四位下に叙されたのは、むろん家光の意向が反映されてのことにほかならなかった。

ちなみに、老中土井利勝と酒井忠勝の位階も従四位下であり、徳川忠長は従四位下から従三位、従二位権大納言へと昇ったところで謹慎を命じられている。

なおこの日、正之とともに従四位下に昇った者に内藤左馬助政長《さまのすけまさなが》がいた。

すでに六十五歳、奥州の磐城平《いわきたいら》藩七万石の当主である内藤政長は、十六歳にして長篠の合戦に初陣《ういじん》。関ヶ原の大一番に際しては宇都宮にあって会津の上杉景勝《かげかつ》勢の牽制につとめ、大坂の陣にもよく関東留守居を果たした誠実一途《いちず》の老武者である。

保科家の紋は角九曜《かくくよう》、内藤家のそれは丸に下がり藤。それぞれの紋を散らした大紋烏《だいもんえ》帽子《ぼし》姿で家光のもとから退出してきた正之と政長は、譜代大名同士のよしみですでに顔見知りになっていた。

ともに一室に休息したふたりの会話は、おのずと、

「お上に対するこのお礼は、どのようにすべきか」

という話題になる。

「では、それがしが土井大炊頭《おおいのかみ》さまにうかがいまして、なるべく早くお伝えいたしましょう」

正之がいうと、対座していた政長は意外なことをたずねた。

授けられた位階の書かれている位記は、麻紙を料紙として木の軸をつけ、巻物にしつらえてひもでむすばれている。桐箱入りのそれをまだ膝にのせている政長は、ほっそりとした顔だち、その真っ白い長者眉の下から色褪せた茶色い瞳をむけてこういったのである。

「では、よろしくお願いいたす。ところで肥後殿は、もう妻帯されておったかな」

「いえ、まだ独り身でございます」

「ほほう。で、側室はおもちか」

「滅相《めっそう》もございません」

正之は、苦笑して答えた。

しかし大名や旗本が妻帯以前に側室を置くのは珍しいことではなかったから、政長の問いが頓狂なものだったわけではない。

「では、どこぞに良き姫がおるなら、娶《めと》る気はおありなのじゃな」

「これまであまり考えずにまいりましたが、それがしの代にて保科家をつぶしてしまいましては申し訳ござりませぬ」

正之がおだやかに応じると、政長は長者眉をぴくりと動かしてまたたずねた。

「ではそれがしが、おさがししてさしあげてもかまいませぬか」

「お気に懸けて下さいまして、ありがたく存じまする」

と答えはしたが、正之はいつしかこのやりとりを忘れ去った。

それは自分の嫁迎えのことよりも、高遠城におこないすましている母お静のことをいつも案じていたためでもある。

だがより大きくは寛永十年（一六三三）二月十五日、ふたたび家光から台命が下ったためであった。この日家光は、正之にあたらしい江戸屋敷を与えたのである。

高遠藩江戸屋敷は、これまでは江戸城西の丸の東南、東側の呉服橋門と西側の数寄屋《すきや》橋《ばし》の間にひらいた鍛冶橋《かじばし》の門内にあった。対してあらたに拝領した屋敷は、西の丸南側の外桜田門のうちにある。

外桜田門は江戸城三の丸の大手門でもある内桜田門と一対の郭門《かくもん》で、そのまわりには有力外様大名の豪壮な屋敷が多かった。家光は高遠藩邸を鍛冶橋よりもより重要な門のうちにうつすことにより、前年秋の品川御殿での催しごとにつづき、あらためて徳川家と高遠保科家との格別な関係を世に知らしめたのである。

あたらしい屋敷のひろさは、二千六百二十七坪半。三万石の家格としては妥当なものでしかなかったが、正之がありがたく思ったのは、家光が鍛冶橋の屋敷も自由につかってよい、といってくれたことの方だった。

義父正光の意思にそむくことになったとしても、正之には、

（どうしても、あのことだけはなんとかしておかねば）

と考えている問題があった。

それは、保科家の本流をどうすべきか、という一点であった。

一年半前に死んだ正光は、あらかじめ城代家老の保科正近に遺言状を託していた。正之が正近からわたされたその遺言状には、正之が養子入りしなかったなら保科家を相続

していたかも知れない真田左源太と、正光の異母弟である弾正忠《だんじょうのちゅう》正貞のあつかいに触れたくだりがあった。

十六年前の元和三年（一六一七）十一月に初めて高遠入りする直前、正之は城にはすでに左源太という養子がいると聞き、

「肥後守にそんな養子がいるのなら、われらが高遠城へゆくまでもない」

と憤慨して叫んだことがある。

その左源太は正光の死に先だつこと四年、寛永四年（一六二七）正月のうちに病死していたから禍根は残さなかった。

一方正光は、正貞についてはこう遺命していた。

「弟の弾正忠正貞は、面々すでに承知のごとく狂人の体《てい》なれば義絶してある。このことを御老中へ申しあげること」

初めてこの文面に接した時、正之は正近にいった。

「これは弾正殿と余が家督相続争いなどせぬように、とおもんぱかって書かれた一条ではあるまいか」

「たしかに、仰せのとおりでありましょう」

と正近も答えたが、正貞にはやや驕慢のふるまいがめだったとはいえ決して「狂人の体」とはいえなかった。

しかも男子のない場合には、兄から弟へ家督をゆずることもあり得ないことではない。

いや、むしろしばしばおこなわれているところだから、

(おれが養子入りしなければ、保科家は弾正殿のつぐところとなっていただろうに)

と思うと、正之は正貞に悪いことをしたような気がしてならなかった。その気分が、正之のうちにはなおも尾を曳きつづけているのである。

その正貞は、正光が遺言状を作成した元和六年にはまだ高遠城内に住んでいたが、二年後に出奔して諸国を流浪。桑名藩主松平定勝や老中酒井忠世を頼って幕府への仕官をもとめつづけた結果、それから十年後の寛永六年(一六二九)、高三千俵の御家人に列することができた。

さらに、家康の異父妹多劫《たこう》の君を生母とする徳川家との血のつながりによって知行三千石の旗本にあげられ、近年は上総周准郡《かずさすえごおり》の飯野村に陣屋をかまえている。大番頭《おおばんがしら》、大坂城在番その他の役目もそつなくこなしていたから、正之は心中ひそかに期するところがあった。

それはひとことでいえば、

(お上がおれをここまで引き立てて下さったのだから、今度はおれが弾正殿になにかしてさしあげる番だ)

という思いであった。

自分さえ日の目を見さえすればあとの者はどうでもいい、などとは、正之は決して考えない。

ところが田中三郎兵衛の報じたところによると、正貞の江戸屋敷は三千石の小身が災いしてか、門も朽ちかけた粗末なものだという。

（いずれさらに出世なされるであろうが、せめて屋敷の手当てだけはいまのうちに）

と思案した正之は、また登城した日、思い切って酒井忠勝に希望を伝えた。

「おかげさまにてようやく外桜田へ引きうつりましたが、お上より好きにつかってよいとの仰せをたまわりました旧藩邸の用途につき、おり入ってお願いがございます。叔父の保科弾正忠にゆずりますことを、お許しいただけませんでしょうか」

「これは奇特なお志じゃな。おりを見てお上の耳にお入れいたし、それがしからもちと後押しして進ぜましょう」

忠勝は近ごろ珍しいいい話を聞いた、というように福々しい顔に笑みを浮かべてうなずいてくれた。正之は、ほっとして退出していった。

数日後、家光が正之の申し入れを快く認めてくれたので、これを田中三郎兵衛から伝えられた正貞は、大喜びで正之をたずねてきた。むろん、礼を申しのべるためである。

この時、正貞は四十六歳。正之のちょうど倍の年齢であり、世を拗《す》ね、雌伏していた時代が長かったからか、三日月のようにしゃくれたその顔には、面談の初めのうちこそ狷介《けんかい》の色がほの見えた。

だがともに保科姓をなのって徳川家の直臣となっているふたりは、時は違ってもともに高遠城のうちに人となり、南東はるかに万年雪をいただいて屹立する仙丈ヶ岳を眺めながら育った仲でもある。酒肴がはこばれるにしたがって座はなごみ、垣根をとりはらったふたりの会話はいつはてるともなくつづいていった。

しかし、人はひとつ気が晴れると、急に別のことが気になりはじめることがある。この時の正之がその例で、かれはにわかにもうひとりの人物のことが気がかりでならなくなった。

——神尾《かんのお》才兵衛。

いまは髪を下ろして浄光院となのっている母お静の末弟にあたる才兵衛は、正之がこの世に生まれるに際してもっとも重要な役を果たしてくれた人物といってよかった。かつて母や見性院《けんしょういん》から教えられたその言動は、正之にはいくら感謝してもしたりないほどのものであった。

母お静が最初にみごもった秀忠の子を水として流し、ふたたび正之を懐妊して兄たちからおなじように処置せよといわれた時、ひとり才兵衛のみは断固として主張したという。

「いやしくも姉上のおなかの子の父親は、現将軍なのですぞ。ほかならぬその将軍家との間に生《な》したる和子さまを、御台《みだい》さまにはばかりあるとて一度ならず二度までも水となしたてまつるとは天罰を恐れぬ所業。……この才兵衛は、姉上のお心のままにさせてあげとうござります」

こうして兄たちと決裂してしまった才兵衛は、姉お静の手をとって板橋の竹村を去り、その足で神田白銀丁《しろがねちょう》の長姉お栄をたずねた。お静が正之を出産したのもこの白銀丁でのことだから、もしも才兵衛という叔父がいなかったならば、正之もまた水子として消えてゆく定めだったに違いない。

母や見性院からこのようないきさつをうちあけられた時、まだ少年だった正之は一瞬背筋を凍りつかせたものであった。同時にかれは、こうも思った。

(人というものは、生まれる前からだれかに助けられるということがあるのだな)

まだ母の胎内にいるうちから、

「生きよ」

と、自分にいってくれた者がいた。若くしてそうと知ったことは、儒学の教えとはまた別に、正之の足るを知る心、村人たちにそばをふるまわれれば喜んでする飾らない性格を形成するのに微妙な影響をおよぼしていた。

だが、母は正之がその後才兵衛はどうしているのかとたずねても、哀しげに首を振るばかりだった。才兵衛はお静の身をお栄に託するや、

「わたくしはこれより上方《かみがた》へ走って霊験あらたかな古寺名刹をまわり、姉上の安産祈願をいたしてまいります」

といっていずこともなく姿を消し、その後杳《よう》として行方が知れないまま、もう二十三年たっている。

正之はその安産祈願の甲斐あってすこやかにこの世に生まれ、初め見性院、のち高遠保科家に養われて、いまはその当主となったのである。才兵衛がなおどこかの地に生きており、いずれかの段階で正之の消息を耳にしたならにこやかにあらわれてもよさそうなものなのに、それもない。

(神尾という姓はそう多くはないから、もし才兵衛殿が名を変えることなくいずれかの家中に出仕していれば、やがて噂が伝わってくるはずだ)

と考えた正之は、まだ信濃さまと呼ばれていたころからひそかにその行方をもとめつづけていた。義理の叔父保科正貞との交流が復活すると、正之はますますもうひとりの叔父の所在が気がかりでならなくなったのである。

まもなくその才兵衛の居場所が、突然わかる時がきた。

太陰暦の二月は、三十日まである。その二月三十日のたそがれ時、筑前福岡藩黒田家から使者があらわれ、応対に出た田中三郎兵衛にこう告げて去ったのである。

「尊藩におかせられては、御主人さまの叔父御にあたられる神尾才兵衛殿の消息をもとめておいでと聞きおよんでおりまする。その才兵衛殿は越前松平家に禄二百石をもって召しかかえられ、いまも国許詰めをつとめておられますからどうか御懸念あそばされませぬように、とお伝え下さりませ」

驚いた三郎兵衛は、本殿御座の間にいる正之のもとにすぐこれを注進した。

「なんと、才兵衛殿は越前におられるのか。道理で、いくらこの江戸を探してもわからなかったわけだな」

廊下をはさんで庭に面した付《つけ》書院にむかい、読書していた正之は、三郎兵衛にむきなおって晴れやかにいった。

越前松平家は、五十万石。福岡藩黒田家といえば、太閤秀吉につかえて世にならびなき軍師とうたわれた黒田如水《じよすい》を藩祖とする武功の家である。先代甲斐守《かいのかみ》長政も、関ヶ原の合戦に際しては真っ先に一軍を敵将石田三成の陣地に突入させた武辺一筋の男であり、最初の妻の死亡したあとその後添えとなったのは、保科家先々代正直の娘栄姫であった。

（その縁で教えてくれたのだろうが、考えれば才兵衛殿が越前松平家を頼ったのは、弾正殿が桑名松平家にすがったのとおなじ動きではないか）

と思うと、正之は自分のうかつさが恥ずかしくなった。

とはいえ禄高二百石といえば上士の待遇だから、才兵衛が手元不如意な暮らしむきをしているとは考えられない。

（これは早く母上にお伝えして、安心していただかねば）

正之が書状をしたためるべく、筆硯《ひっけん》に手をのばしかけた時であった。

「おそれながら」

下座に正座していた三郎兵衛があらためて口をひらいたので、正之もまたむきなおった。

十五歳にして正之につかえ、すでに六年目になる三郎兵衛は、ひろやかな月代《さかやき》の下から切れこみの深い両眼をむけ、低い声でつづけた。

「おそれながら殿は、なにゆえ今日になってから黒田家が、当の越前松平家をさし置いて才兵衛さまの所在を伝えてきたとお考えでしょうか」

「今日になってから、――？」

正之がおうむ返しにたずねると、三郎兵衛はきっぱりといった。

「殿の叔父上さまが越前に御健在と知れましたのは、まことにめでたいことでございます。しかしこの話には、あきらかに裏がござります」

「なにがいいたい、ありていに申せ」

正之が眉をひそめても、三郎兵衛はひるむことなく答えた。

「ただいま黒田家をゆるがしております黒田騒動と、この一件とのかかわりを考えておくべきであろう、ということでございます」

昨年天下にあきらかとなった黒田騒動は、黒田家当主である長政のせがれ右衛門佐《うえもんのすけ》忠之《ただゆき》と、長政の時代からの宿老栗山大膳との不和に発していた。あろうことか栗山大膳が、

「あるじに謀叛《むほん》の気配あり」

と幕府に訴え出たため、江戸への出府を命じられた忠之はすでに幾度かの吟味を受け、目下江戸藩邸で裁決の下るのを待っている。

「いわば黒田家は、ただいま存亡の瀬戸際に立たされているのでございます。一方、当家は近ごろお上のお覚えことにめでたいがため、いずれ保科家は徳川と改姓いたし、かつ殿におかせられてはやがて副将軍にお昇りなされよう、とまで取り沙汰されております。もとより、さような根も葉もない下馬評に浮かれている者など家中にはござりませんが、はたから見ますれば、――」

そこで三郎兵衛が息をつぐと、

「わかった」

正之はおだやかにこの若い家老を制した。

「三郎兵衛よ、その方はこういいたいのであろう。黒田家はなんとかことを穏便にすませようと、八方手をつくすうちに将軍家と当家とのかかわりに気づいた。そこで才兵衛

殿が越前にいることを知らせて当家に近づくことにより、お上の御裁定をなんとか有利にはこべまいか、と考えるに至った。使者の不意の来訪はその布石であろうが、当家としては断じてかような天下の大事に口をさしはさむべきではない、と」

「おそれ入りましてござります」

と三郎兵衛が両手をついたのは、正之の指摘が核心に触れていたからである。

「それにしても、三郎兵衛よ」

正之は、しみじみとした口調で語りかけた。

「余がなにか手柄をたてたというわけではさらになく、お上のおかげにて旗本衆との交際もふえ、あらたな位階と屋敷とを頂戴したということだけで、さっそく当家に近づこうとする者があらわれる。驕《おご》れる平家はひさしからず、戦国の世に一頭地を抜いた織田信長公が天下統一の寸前に滅びたのは高ころびにころんだのだと説く者もあったとか。これからはお上の御威光にすがって増長したり、お上に御迷惑をおかけしたりせぬよう、さらに身をつつしまねばならぬな」

「御意にござります」

と答えた三郎兵衛が思わず顔をほころばせていたのは、正之が諫言《かんげん》するまでもなく自分の立場をよくわきまえていることがわかったためだった。

黒田騒動は、家光の直裁《じきさい》によってその後まもなく決着を見た。栗山大膳の主張するところはあまりに証拠が乏しかったため、黒田忠之は罪に問われることなくおわったのである。

　家光が黒田家の本領安堵を宣言したのは、三月十五日のこと。その舞台となった江戸本丸の黒書院には国持ち大名と譜代大名に同席がもとめられたから、正之はこの日も磐城平藩主内藤政長と顔を合わせることになった。

　その内藤政長が、

「肥後守殿、ちと内々にお話が」

と正之に呼びかけたのは、詰所へもどってすぐのことだった。

「はい」

と応じて正之が歩み寄ろうとすると、長者眉の下、老いて色褪せた瞳にほほえみを湛えた政長は、部屋の一角に立てまわされた六曲の屏風の陰へと正之をさそった。

　そして正之の正面に正座すると、政長はひとつ咳ばらいしてからいった。

「本日おり入って御相談いたしたいのは、ほかでもないさる立春の日におたずねしたお手前の嫁御の件でござる」

「はあ、――」

（そういえば、あの日そんな話をしたことがあった）

と考えながら、正之はあいまいに答えた。

　すると政長の話は、それとこれとどうかかわりがあるのか一見よくわからない話題に変わっていった。

「お手前も、元服される前には天竜川でよく水練にお励みになったとうけたまわっており申す。そういえばお上も水練がえらくお好きでの、夏になると当家によくお出まし下さるのもそのためですじゃ」

家光が水泳のため磐城平藩邸へゆくというのは、この屋敷が赤坂の溜池《ためいけ》近くにあるためだった。

溜池といえば、江戸城西南の赤坂門から東南の虎之門の西側にまでおよぶ宏大な池のことをいう。長さ十丁（一〇九〇メートル）、幅はせまいところで二丁、ひろいところで三丁あまり。

江戸開府当初、その水は虎之門の位置から滝となって流れ落ちていた。それが秀忠の代にせきとめられ、堤も築かれて満々たる溜池に変化。琵琶湖のフナも放たれ、その水は江戸城の上水としても用いられている。

「さような次第で、わが内藤家はありがたくも将軍家とことのほか懇意にしていただいておるのじゃが、あのあとお上にさることを申しあげたるところ、お上もよきにはからえ、と仰せ下さいましての」

と話のもどった先は、やはり正之の縁談であった。

相手は、政長自身の娘だという。

娘の名は、菊姫。当年十五歳の菊姫は、政長にとっては長男忠興《ただおき》と次男正晴との間に生まれた、目に入れても痛くないひとり娘である。

（おやおや。たしか立春の日の話では、だれかさがして下さるということだったから他家に心当たりがあるのかと思ったら、御自身の娘御とは）

なかなかちゃっかりしている、という気がしないでもないそのことばに、正之は内心苦笑を禁じ得なかった。

その気配を察したかのように、政長はしゃんと背筋をのばしてつけくわえた。

「親の欲目と笑われましょうが、お菊にはひととおりの礼儀作法と稽古事は身につけさせ、武門に嫁ぎましてからの心がまえもよく教えこんでござる。気性もそれなりにまっすぐ育っておりますれば、お手前のごとく将来あるお方にもろうていただけるなら、この老いぼれにはもはや思い残すことはない、というのがありていのところでしてのう」

その飾らない口調は、好感のもてるものだった。

正之も、まじめに答えた。

「拙者ごときにお目をかけて下されまして、ありがたく存じまする。されどこれは大切なるお話なれば、一度老臣どもとも相談いたし、後日御返答申しあげる、ということでいかがでありましょう」

「うむ、それが筋と申すもの。それがしも槍一筋の木強漢《ぼっきょうかん》なれど、それぐらいは存じており申す」

政長が目を細めてうなずいたので、この日の会話はここまでとなった。

時の保科家家老は、城代でもある保科民部こと正近を筆頭に、篠田半左衛門、代々采女《うね》と称する家筋の当主北原光次、一瀬《いちのせ》勘兵衛、竹村半右衛門、田中三郎兵衛、小原《おばら》五郎右衛門の七人であった。

半右衛門はお静の姉お栄と竹村助兵衛《すけのひょうえ》との間に生まれ、正之の高遠入りに際して小姓に採り立てられていた者。正之の従兄《いとこ》にあたり、万事そつのない性格だったため、正光の死の間際に家老に登用されていた。

そのうち、江戸家老をつとめているのは篠田半左衛門、北原光次、一瀬勘兵衛、田中三郎兵衛の四人であったが、正之自身の口から縁談のあったことを伝えられた四人は、ただちに内藤家の調査にとりかかった。

別にこれは、菊姫のあらさがしをしようというのではない。

内藤家は三河以来の譜代の家筋であり、その表高は七万石、政長の世つぎ忠興はすでにその支藩泉二万石に封じられているため実質九万石――これは保科家の三倍にあたるから、家格の点ではだれも異を唱える者はいなかった。

とはいえ大名家には、表高、官位、役職、徳川家との血縁などによる格式とは別に、それぞれの家の内情がある。

暗愚、あるいは乱行にふける藩主のもとで財政が火の車になった家もあれば、黒田家のように君臣の不和が宿痾になっている家もある。そのような家とは知らずに縁をむすび、火の粉がふりかかってはたまらないから、やはり相手の家の内情を調べておくに越したことはない。

さまざまに調査した結果、内藤政長は、

「裏表のない謙虚なお人柄」

という評判どおりの人物であることが、まずあきらかになった。

関ヶ原合戦前夜、伏見城を居城として実質上天下の政務を見ていた家康は、会津の上杉景勝討伐を名目にしていったん関東へ下ることにした。そうすれば、近江佐和山城に隠退している石田三成が反徳川勢力を結集して挙兵する。それでこそ開戦の名分が立つ、と考えてのことだったが、ここにひとつ深刻な問題が生じた。

はじめから伏見城をまったくの空城《あきじろ》としては、三成に策を見破られかねない。そこで名のある部将を城代として残留させねばならないが、三成が挙兵したならまず真っ先に伏見城攻略をめざすに違いない。

すなわち伏見城代とその配下の真の役割とは、いずれ殺到してくるであろう大軍を相手に一日でも長く籠城戦をつづけることにより、家康が関東から馬首を返す時間を稼ぎ出す、という一点に存した。

しかしそうなると、伏見城は大波の打ち寄せる浜辺にひとつだけ取りのこされた砂山と化してしまうから、いずれ波に呑みこまれるのは目に見えている。伏見残留とは、徳川の天下をつくるための捨石となることを意味した。

その城代の役を買って出たのは、十三歳にして家康につかえ、すでに六十二歳となって下総《しもうさ》矢作《やはぎ》四万石を与えられていた鳥居彦右衛門元忠。その副将となったのが政長の父で、上総《かずさ》佐貫《さぬき》二万石に封じられていた内藤弥次右衛門家長であった。

慶長五年（一六〇〇）七月十五日から半月間つづいた伏見籠城戦は、西軍（石田方）三万九千に対して城兵わずか二千あまり。八月一日、鳥居元忠が炎上する本丸の一室で切腹したころ、二の丸を破られた内藤家長も次男小一郎とともに燃えさかる鐘撞《かねつき》堂に駆け入り、焼死する道を選んだ。

家長は五十五歳、小一郎は十五歳。この父子は、身は魂魄《こんぱく》となって徳川家を守護することを願ったのである。

その遺領をついだ政長が七万石へと加増されたのも、先代がこのようにして忠死したためにほかならなかった。

政長自身もそのことをよくわきまえていたから、口癖のようにいつも語っていた。

「それがしの栄進などは、すべて先代の功によるものでしかござりませぬよ」

しかし政長は、藩政においてもなかなかの力量を見せていた。

磐城の海岸地方に風と潮の害がはげしいことに気づいたかれは、防風・防潮のための植林をおこなって領民たちにありがたがられていた。越後の新潟港に防風林のつくられたのが幕末になってからだったことなどと考えあわせれば、政長の先見性が感じられよう。

またその嫡男で帯刀《たてわき》と称し、泉二万石の支藩を立藩している忠興も、父に劣らぬ器量をそなえていた。

慶長十九年（一六一四）十月、——。

大坂冬の陣に際して父政長とともに国許《くにもと》留守居を命じられていた忠興は、

「ぜひとも弓矢の御奉公を」

と願い、父から騎馬武者二十騎、雑兵《ぞうひょう》百を拝借。伏見へ走って家康に喜ばれ、当時まだ井上半九郎となのって秀忠の歩行頭《かちがしら》をつとめていた主計頭正就《かずえのかみまさなり》の陣に迎えられて、武門の面目をほどこすことができたのである。

すでに四十二歳になっているこの忠興も検地や新田開発につとめており、おって領民の領外への奉公を禁じるなど、種々の国力増強策を工夫するに至る。戦場のかけひきは得意だが藩政は苦手、という武断派の大名たちがまだ少なくない時代にあって、内藤家の父子は地味ながら堅実な家風の一族であった。

なお内藤忠興を陣中に迎えてくれた井上正就は、正之の母お静が若き日に奉公した大奥の実力者、大うばさまのせがれとしてこの物語にも数度登場した。

その正就は元和八年（一六二二）秀忠から遠江《とおとうみ》横須賀五万二千五百石に封じられ、同年十二月からは老中にのぼって幕政の枢機に参与した。

しかしかれは、寛永五年（一六二八）八月十日正午、江戸西の丸の殿中において不慮の死をとげていた。目付の豊島刑部少輔《ぎょうぶしょうゆう》信満に、不意に刺し殺されたのである。享年五十二。

正就のせがれ、あるいは娘の婚姻違約を恨んでの犯行と伝えられたが、たしかなところはよくわからなかった。

ただし、これは江戸城の殿中における初めての刃傷沙汰だったから、老中たちのほとんどは、

「豊島一族をことごとく罪に問え」

と主張してやまなかった。

対してひとり酒井忠勝のみは、福々しい顔に決意をみなぎらせて異をとなえた。

忠勝はいった。

「小身《しょうしん》の武士が大名を相手に遺恨を晴らそうとしても、屋敷内や登城の途中ではとてもできない。されば、殿中こそよき勝負のつかまつりどころとなるのであり、遺恨をそのまま捨ておかぬのも武士道でござろう。しかるに、いま豊島刑部少輔の罪を一族の罪といたさば、武門の意地などはたちまち昔語りとなり、武士は農商婦女となんら変わりない者どもとなり果てましょうぞ」

関ヶ原の戦いから二十八年、豊臣家滅亡から十三年の歳月が流れ、武士道は理念化の方向をたどりつつあった。老中たちもこの意見に服したから、豊島家は一家の処罰のみで、その親族は連座をまぬがれることができたのだった。

春秋の筆法をもってすれば、のちの世の浅野内匠頭長矩《たくみのかみながのり》による「刃傷松の廊下」と赤穂浪士による吉良邸討ち入りとは、このような時代の精神によって発生した、ともいえようか。

当時、正之は母と多少の縁があった者の非業の死を知り、衝撃を受けた記憶がある。内藤政長から菊姫との縁談をもちだされた時、

「一度老臣どもとも相談いたし、――」

と答えて慎重に事をはこんだのは、縁談がひとつ間違って命のやりとりにつながった井上・豊島家の例を思い出したためでもあった。

その正之からすれば、内藤家の堅実な家風はきわめて満足のゆくものだった。

「この御縁談、ありがたくお受けつかまつりたく」

と、正之が田中三郎兵衛を使者として内藤家へ答えさせたのは、寛永十年（一六三

三）六月吉日のこと。月のあらたまった七月一日、両家は月初め恒例の将軍拝賀のおりに家老たちから老中たちに許可を仰いだ。大名家同士が勝手に婚姻関係をむすぶことは、固く禁じられているのである。

日ならずして家光が快諾してくれたので、保科家と内藤家の間には、

「菊姫さまお輿入れ《こしい》の儀は、この十月中に」

との合意もむすばれた。

日柄のよいのは十月六日、という点でも、両家は意見の一致を見た。

しかしこの年の十月七日は、

「大宝寺殿信厳道義大居士」

の法号を与えられ、道義《どうぎ》さまと呼ばれている保科正光の三回忌である。それを考えあわせた正之は、両家の間を奔走している三郎兵衛にひとつだけ条件を示した。

「娘御を送り出す立場としては、できるだけ華やかにと願うのが人情というものだ。だが六日は道義さまの御逮夜《ごたいや》（忌日前夜）だから、できるだけ控え目な式にしたい。そうあちらに伝えて、承諾を得ておくように」

三郎兵衛を介して内藤家にこう申し入れたことが、結果として意外な発見にむすびついた。

即日赤坂の磐城平藩邸に出むき、汗をかいて帰ってきた三郎兵衛は、ふたたび正之の前に膝行《しっこう》すると、

「あちらさまにては、万事殿の御意向にしたがうとのことにござりました」

と報じてから、手にしていたうるし塗りの短冊入れを差し出した。

「なんだ、内藤家はわざわざ返事をしたためて下さったのか」

この年の七月初旬は、新暦なら八月初旬だから暑い日がつづいていた。単衣《ひとえ》のかたびら姿でくつろいでいた正之がなにげなく口にすると、夏羽織をつけている三郎兵衛は居住まいをあらためて答えた。

「いえ、それが、どうか驚かれませんように。本日それがしが使いにまいり、いつものように使者の間へ通していただいてしばらくいたしますと、なんと左馬助（政長）さまがおんみずからお出まし下さいました。それで御用むきは簡単にすんだのでございますが、左馬助さまは少し待つようにとおっしゃって一度席をお立ちになりました。そして四半刻（三〇分）ばかりたってからまた入室なさいますと、これをそれがしにおわたし下さいまして、こう仰せになったのです」

三郎兵衛のいうところによると、内藤政長は、

「そろそろお菊本人からも、肥後殿になにか挨拶させねばならぬと思うておったところですじゃ。ちとお菊に文を書かせましたにより、これを肥後殿にお届け下さらぬか」

と前置きして、この短冊入れを差し出したのだという。

「ほう、それは」

よもや菊姫本人から返事があるとは思ってもいなかった正之は、すぐに朱房のひもを解いて短冊入れのふたを取った。

手にした短冊には、当年まだ十五歳の菊姫自身の筆なのだろう、あまり仮名をくずさ

ない初々しい書体で、和歌一首が記されていた。

秋ならで逢ふことかたき女郎花《おみなえし》風の心にたがひはすまじ

なんともたおやかな詠《よ》みぶりであった。

表の意味は、秋にならなければ花をつけない女郎花は、もし咲いたならば風にさからうことなくひそやかに息づくことでしょう、ということである。

しかし、その裏には自分を女郎花にたとえた菊姫の、

「できるだけ控えめになさりたいというお心に、わたくしもしたがいとうございます」

という思いが秘められていた。

「風の心にたがひはすまじ」

下の句を口ずさんでみると、正之はまだ見ぬ許婚《いいなずけ》のおだやかな心映えの一端に初めて触れたような気がした。それは正之に、一陣の涼風に吹かれたようなすがすがしささえ感じさせた。

そのため正之は、ほんの少しの間ながら三郎兵衛がいることをすっかり忘れてしまっていた。

正之がまだ短冊を手にしたまま菊姫のことを考えていると、その三郎兵衛が、

「おそれながら」

と口をひらいた。

「おさしつかえなければ、それがしにも拝見させて下さりませぬか」

「うむ」

われに返った正之は、深く考えることもなくその短冊を三郎兵衛に手わたした。両手で受け取った三郎兵衛は、うやうやしく一礼してから短冊に目を落とした。

謹厳実直を絵に描いたような三郎兵衛が唇を引きむすぶと、たくましい鼻梁の両脇にはいつも深い縦皺がきざまれる。

だがこの時は、様子が違っていた。三郎兵衛の目が上下するにつれてその縦皺は消え、唇はなにかに不意を打たれたようになかばひらき加減になってゆく。

正之がふしぎに思ってその表情の変化を眺めていると、

「いや、これは恐れ入りましてござります」

正之の視線に気づいた三郎兵衛は、短冊を返しながらいった。

「かように大切なるお歌とはつゆ知らず、それがしごときが拝見つかまつりましたること、ひらに御容赦下さりませ」

すっかり恐縮しきっている三郎兵衛に、

「いったい、どうしたというのだ」

と、正之は思わずたずねた。

「いえ、それがし、よもやこれが」

いつも冷静沈着な男にしては珍しく、三郎兵衛はへどもどしながら答えた。

「よもやこれが、菊姫さまからの相聞《そうもん》の歌とは思わなんだもので、……」

相聞とは、『万葉集』の部立《ぶだて》のひとつとなっているごとくひろくは唱和・贈答の歌のことだが、特に男女の間で交わされる恋歌のことをいう。

「なに、これが相聞歌だと」

正之が意外というように聞き返したので、今度は三郎兵衛の方が驚いた顔をした。

正之は七歳にして高遠入りして以降、女性といえば母お静と見性院、そしてその侍女たちぐらいしか間近に見たことがない。江戸藩邸においても身のまわりのことは小姓と小納戸《こなんど》衆にまかせ、まったく女気のないくらしをしているだけに、男女の機微にはうといところがあった。

「はい、それがしはそう拝見つかまつりました」

三郎兵衛は、思いきってつづけた。

「殿も御承知のごとく、それがしは敷島の道（和歌）などはまったく不調法の高遠侍なれば、読み違えているのかも知れませぬ。しかしこのお作の『秋ならで逢ふことかたき女郎花』という上の句には、十月六日の御婚儀の席にて殿に御挨拶あそばされることをひそかに待ち遠しく思し召しておられる菊姫さまのお気持が、それとなく盛りこまれているのではござりますまいか」

いわれてみれば、なるほどそのとおりと思われた。

にわかに正之は照れくさくなり、すぐには三郎兵衛のことばに答えられなかった。かれは二十三歳のこの年まで、自分が女性に恋い慕われることがあろうとは考えたこともなかったからである。

遠くは万葉の時代から、身分ある男女はまず相手の評判を耳にして恋心をめばえさせ、それから相聞歌の交換、妻問いとすすむのがふつうだった。

正之もそれくらいの知識はもっていたが、よもや自分がそのような立場に置かれようとは思いもかけなかった。そんなことを考えていると、頰と耳に血がのぼってくるのが自分でもわかる。

「余計なこととは存じますが、返し歌をなされた方がよろしくはございませんか」

三郎兵衛の声に、いよいよ正之は自分が王朝の世に生きているような錯覚に陥った。

三郎兵衛を退らせて自室へもどった正之は、

（菊姫から歌がきたのに、ほうっておいてがっかりさせては気の毒だ)

と考え、やはり返歌をつくることにした。

付書院《つけ》にむかった正之は、行灯《あんどん》の火を近づけてしたためた。

女郎花まねく尾花のなびきあひ玉をつらぬく秋の夕暮

菊姫がみずからを女郎花にたとえたのを受けて、正之は自分を尾花になぞらえた。そして、なびきあう両者がともに露を置くのを「秋の夕暮」の姿とすることにより、婚儀に先だつ挨拶の歌としたのである。「秋の夕暮」は、この時代の婚礼が暮れ六つからおこなわれることにも意味を通わせたつもりだった。

「その婚儀の席でお目にかかります」

という気持が伝わりさえすれば、と思いながら正之は静かに筆を置いた。
その時かれは、かつてなく胸がときめいていることに気づいた。

正之と菊姫との結納の儀は、九月九日の重陽《ちようよう》の節句に赤坂の磐城平藩邸の大広間でとりおこなわれた。

この席に、いずれ夫婦《めおと》となるふたりは顔を出さない。両家の使者を、

「たのみのお使者」

と称するのは、舅《しゆうと》とたのみ、妻とたのみ、婿とたのみ、夫とたのむ祝儀の交換だからである。

正之から特に指名され、保科家からたのみの使者となったのは、田中三郎兵衛。室町のころからの習慣にしたがい、三郎兵衛は濃い縹色《はなだ》(藍色)の素襖《すおう》と小袴《こばかま》をまとい、頭には烏帽子をのせて磐城平藩邸へむかった。

かれはいまでは禄五百石を受ける身だから、この日は馬ではなく長棒引戸の乗物におさまり、侍ふたりに中間《ちゆうげん》四人、草履《ぞう》取《り》りひとりをしたがえていた。侍ふたりも、特別に縹色の絹物を着用している。

磐城平藩邸の表門は、左右に格子出しの番所をそなえ、両脇戸をつけた重厚な構えであった。

丸に下がり藤の内藤家の家紋を打った法被《はつぴ》に菖蒲《しようぶ》革の袴をつけた門番たちに出迎えられ、門径《もんみち》をすすんでゆくと、内藤家側のたのみの使者が三郎兵衛とおなじ衣装をまとっ

てにこやかにあらわれた。

その玄関の式台上には、すでに保科家からの進物がところせましとならべられていた。

菊姫へは唐綾《からあや》、練り、縫箔《ぬいはく》その他の小袖のかずかずと七荷七種。七荷とは一斗入りの酒樽十四を意味し、七種とはこんぶ、するめ、鯛、串あわび、鰹《かつお》、鯉、雉《きじ》のことをいう。

さらに、内藤政長への進物は、太刀ひと振り、小袖、黄金馬代《こがねうましろ》（馬の代わりに贈る黄金）、こんぶ、するめ、酒樽二荷。

菊姫づきの侍女たちに贈る白銀《しろがね》の包みも三方にのせられてならべられていたので、これらの品を大広間へはこぶだけでも大変な手間がかかった。

やがて政長が大紋烏帽子に身をつつみ、満面の笑みを浮かべて出座すると、三郎兵衛は堂々と口上をのべた。

「本日は吉日につき、幾ひさしゅう御意を得さすべし。保科肥後守正之より御息女へ、結納の御祝儀まいらせ候。たがいに千秋万歳ののちまでも、珍重に存ずべく候」

「よろしくおとりなしのほど、たのみ入り候」

政長に代わって内藤家側のたのみの使者が答えたところで目録が交換され、小姓たちが入室した。雑煮、三汁十一菜と酒盃がはこばれ、たのみの使者同士の三献の儀がとりおこなわれて、式次第はつつがなくおわりを告げたのである。

そして十月六日、——。

外桜田門内の高遠藩邸は、夕方からにわかに人の出入りが激しくなった。

まず、そのあけはなたれた表門めざしてすすんできたのは、夕闇に赤々と輝く松明《たいまつ》の列であった。丸に下がり藤の紋を打った法被姿の小者たちが、ふたり一組になって菊姫の嫁入り道具をはこんできたのである。

幕箱、銭箱、長持、屏風箱、帯箱、……。

「表道具七品」

と総称され、これだけは持参しなければならないとされているものだけでも、長柄《ながえ》、薙刀《なぎなた》、女駕籠、挟箱、お茶弁当、煙草盆、薬用茶碗の七種があり、これらや長持には両家の紋が金蒔絵《まきえ》で描き出されていた。

これらの品々に琴、三味線、鏡台、鉄漿《かね》一式その他の手道具類から『百人一首』『伊勢物語』『徒然草』『源氏物語』、二十一代和歌集などの書物まで持参し、婚家の確認を受ける。それがおわると小者たちは、縁起をかついで表門へはもどらず、裏門から赤坂へと帰っていった。

それと入れ違いにあらわれたのが、菊姫を乗せた梨地《なしじ》高蒔絵の輿《こし》であった。松明と提灯《ちょうちん》に先導されてきたこの輿の受けわたしこそ、

「輿入れ」

ということばの由来にほかならない。

菊姫自身が玄関式台へすすむ直前には、両家の間で貝桶わたしがおこなわれた。これは、貝桶に収められている貝合わせ用の貝のすべてがそろっているかどうかを調べるのである。

貝合わせの蛤《はまぐり》は、三百六十個。これが右貝（地貝）と左貝（出し貝）にわかれている

から数を調べるのも大変な手間だが、右貝を陰すなわち女、左貝を陽すなわち男に見立て、そのむすびつきを占う重要な儀式だから、武家の婚儀に双方から貝桶わたし役人を出しあうのは常識とされていた。

それも無事におわり、老女に手を取られて式場にすすんだ菊姫は、上に白綾幸菱《さいわいびし》、下に白無垢をまとって帯も白いものを着用し、やはり白無垢の角隠しと呼ばれるかむりものに顔を隠していた。

式三献その他の儀式は、日がとっぷりとくれてからもゆるやかにつづけられた。

ただし菊姫は、色直しはおこなわなかった。この時代の色直しとは、出産から百日間白小袖をまとっていた産婦と赤子とが、百一日目に初めて色小袖を着ることをいう。

正之がひとつだけさびしく思ったのは、この席に母お静の姿がないことであった。本来ならば宴《うたげ》の途中で、菊姫はお静とも盃事をおこなうはずなのである。

そのお静こと浄光院が、正之が丸二年間も江戸にとどまっているにもかかわらず高遠城から動こうとしないのは、

(高遠の土となろう)

とひそかに思い定めていたためであった。

保科家が正之を養子に迎えてくれただけでもありがたいことなのに、自分が江戸藩邸などへ出かけて人手を割《さ》かせては申し訳ない。

内藤家との婚儀がととのいつつあることを伝えた正之の手紙に浄光院はそう答え、

「菊姫さまがいずれそなたのお子をお産みになりましたなら、幸松《こうまつ》さまとなづけてたも

れ」

といいよこしていた。

秀忠とのはかない縁ゆえに刺客《せっかく》の影におびえる歳月を送らなければならなかった浄光院は、いまは高遠に心安らぎ、正之・菊姫夫妻の子も正之のように育ってほしいと願っているのだった。

これまで用いられていなかった高遠藩邸の奥殿は、一の間と二の間の各十畳の寝所をそなえていた。

菊姫づきとして内藤家からきたり、このまま保科家にとどまる老女や侍女たちに介添され、正之と菊姫が奥殿へ歩み入ったのは夜五つ半（九時）すぎのことであった。侍女たちが二の間に席をしつらえているうちに、ふたりは別室で白無垢の夜着に着更えてあらわれた。

「では、これにて。おやすみなされませ」

と侍女たちが姿を消したのは、ふたりだけであらためて固めの盃を交わすためである。

「菊でござります。ふつつか者ではござりますが、幾ひさしくよろしくお願い申しあげまする」

「うむ。これからは当家の奥をたばねてもらうから、たのむぞ。以後は、お菊と呼ぶことにいたそうか」

初めてじかにことばを交わしたふたりは、たがいに朱塗りの三つ盃に口をつけ合って最後の儀式をおえた。

すでに髪を解き、背に流して正座している菊姫は、小柄で顔だちもちんまりとしていて、

（まるで雛人形だな）

というのが正之の最初に受けた印象だった。

しかもこのお雛さまは緊張に青ざめているように見えたから、正之は少し気分を楽にしてやりたくなった。しかし、ふたり共通の話題といえばひとつしかない。

「秋ならで逢ふことかたき女郎花、――」

正之がほほえみながら口にすると、菊姫ははっとしたように目をあげた。ちょっと黒目が内側に寄り、淡いながらに色香がただよう。

頬を桜色に染めた菊姫は、はにかみながら答えた。

「――風の心にたがひはすまじ」

江戸時代およびそれ以前、十四、五歳で嫁ぐ女性が多かったのは理由のないことではない。

大家族制度のもとでは、嫁は夫ばかりでなく舅姑《しゆうとしゆうとめ》にもつかえねばならない。どのような嫁に育つかは姑の腕次第とされていたから、生家の母の教えが頭にしみついてしまう前――いわば、まだなんの下絵も描かれていない画布のうちに嫁にもらってしまう、という感覚が一般的だったのである。

菊姫あらためお菊の方のように、舅も姑もいない家に嫁いだのは珍しい事例だったと

いってよい。

しかしお菊の方は、かつて政長も正之に語ったように、礼儀作法も稽古事もよく身につけた素直な気性の娘だった。

大名は、食事や寝所をいつも正室とともにするとは限らない。政務を見る表と女たちの住まう奥のほかに、中奥《なかおく》といわれる一角があるのは江戸城とおなじ。あるじは中奥小姓や小納戸《こなんど》衆に給仕から結髪《けっぱつ》までの用事をさせて、この中奥にくつろぐことも多かった。

奥に泊まる日は、中奥小姓たちが夕方までに奥へそうと伝えておかねばならない。なんの連絡もなくあるじが奥へいったりしたら、奥づきの者たちは風呂や食事の支度に大恐慌をきたしてしまう。

寛永十年十月七日は養父正光の三回忌にあたっていたから、正之もお菊の方と新枕《にいまくら》を交わした翌日からは中奥泊まりをつづけた。

ただし、あまり顔を合わさないでいると、他人行儀な関係が固まってしまいかねない。そうも考えた正之は、泊まらずともなるべく一日一度は奥へゆき、お菊の方ないしその侍女たちと早くうちとけるよう心懸けた。

それにつけても、

（妻を娶るというのは、なかなかいいものだな）

と正之がふと思うのは、奥殿の廊下やお菊の方の部屋に、さりげなく花が活けられていたり香が焚かれていたりするのに気づく時だった。

自分ではわからなかったが、やはり正之には、

（お上がこのおれを事実上実の弟としてあつかって下さるのだから、決して他家からうしろ指を差されるようなふるまいをしてはならぬ）

と思いつめ、どこか身構えているところがあった。

高遠の野育ちで、良くいえば性愚直、悪くいえばかたくなな気性の者が多い家来たちにもその傾向はあきらかだった。だからお菊の方がいつもたもとに入れている匂い袋の白檀《びゃくだん》の香をかぎ、その奏でる琴の音に耳をかたむけるだけでも、正之にはひとつの安らぎだったのである。

約一年前、家光と老中酒井忠勝とが正之のために考えたのは、つぎの四点だった。

一　品川御殿において、おもな旗本たちに対して正之の披露をおこなう。
二　位階を従五位下から従四位下へすすめる。
三　鍛冶橋の高遠藩邸を、外桜田門のうちへうつす。
四　信頼できる譜代筋の大名家から、正室を迎えさせる。

家光としては、第三項までは自然な流れのなかで実現できたことになる。そうとは知らずに内藤政長がなのりをあげたことにより、第四項をも成就できたから問題はまったく残らなかった。

しかし秤《はかり》というものは、一方が重みを増せば他方がかならず軽くなる関係にある。家光という絶対権力者から見れば、実弟忠長と異母弟正之とは秤にかけて比較対照することの容易な存在であった。

大御所秀忠が、忠長に甲州のうちに蟄居するよう通告したのは寛永八年（一六三一）四月のこと。年の残りが少なくなるにつれて秀忠の病が篤くなったころ、忠長は父秀忠を見舞うべく江戸へ出府させてくれるよう嘆願してやまなかった。

だが秀忠は、断じてこれを聞き入れなかった。

「——なにゆえに」

さすがに家光も忠長への同情をつのらせて訳を問うと、すでに面やつれしていた秀忠は枕元の文箱《ふばこ》から一通の書状を取り出し、家光に示した。

そこには、忠長の筆跡でこう書かれていた。

「駿遠甲信《すんえんこうしん》（駿河・遠江・甲斐・信濃）四カ国のうちにて、いま一倍の御加増、あわせて百万石くだされたし。さもなくば現高《げんだか》（現在の石高）にて五畿内をくだされ、大坂城をもおあずけくだされたし。もしこの両条ともお叶えなきにおいては、切腹して相果て申し、永くお恨み申すべし」

あきらかに忠長が、蟄居を命じられるよりはるか前に寄せてきた文書であった。

とすれば、忠長が浅間《せんげん》神社の神獣である野猿一千二百頭以上を殺したり、家来たちを見境なく手討ちにしたりしたのは、自分の要求をしりぞけた父秀忠への腹いせだったことになる。

その後、正之のつねに控えめで無欲な態度に感じ入り、

（忠長なら、とてもこうはゆくまい）

と考えることのたびかさなった家光は、一方ではますます疑惑を深めていた。

（忠長は、いずれ破れかぶれになって謀叛《むほん》をたくらむかも知れぬな）

家光が、もはや名ばかりとなっていた駿河大納言家の重臣たちを各地に配流したのは寛永九年（一六三二）十二月中のこと。秀忠の死から、まだ一年もたってはいなかった。

あけて寛永十年正月の末、ついに家光は忠長自身を上野国《こうずけのくに》の高崎城に幽閉することにした。

時の高崎五万六千六百石の藩主は、安藤右京進重長《うきようのしんしげなが》十九歳。お小姓番頭《ばんがしら》と交代で将軍の給仕をつかさどる御書院番頭の職にあり、目くばりのよさで家光の信任を得ていた。

甲州から高崎へむかった忠長は、愛馬勝山《かつやま》にまたがって祖父家康から拝領した槍一筋をたずさえはしたものの、供はわずかに小姓四人という落魄《らくはく》ぶりであった。

以後、忠長は城内のはずれに建てられた一棟に住まわせられ、世捨てびとのようなくらしを余儀なくされた。それでもかれの悪評は、とどまることがなかった。

なかでも家光の心を逆撫でしたのは、黒田騒動を起こした筑前福岡藩主黒田忠之が、かねて忠長とことのほか懇意にしていたという事実だった。

忠之は国許と江戸表とを往復する途中、かならず駿府に立ち寄り、忠長のもとへ祗候《しこう》するのをならわしとしていた。

「万一の時は、その方をたのみにいたすぞ」

忠長は、忠之にそう伝えたこともあった。

「うけたまわって候」

と忠之が答えたことまで家光は調べあげていたから、黒田騒動を直裁することになった時、家光は忠之にこの点を問いただした。

忠之は、必死で釈明した。

「駿府大納言家は将軍家の御連枝《れんし》（兄弟）なれば、そのお方にお力ぞえいたすのはこれすなわち将軍家にお力ぞえいたすのとおなじと考えまして、さようお答えした次第でございます」

黒田家が正之に神尾《かんのお》才兵衛の所在を伝えることによって保科家へ接近しようとしたのも、家光がこの答えに納得するかどうかまだよくわからない時点のことだった。

その後まもなく、家光は黒田家の本領安堵を宣言。保科家と内藤家とが婚姻関係をむすぶことも、こころよく認めてくれた。

だが正之とお菊の方とが少しずつうちとけあっていたころ、家光はお小姓番頭の阿部対馬守《つしまのかみ》重次《しげつぐ》に密命を下していた。

——高崎の安藤右京進に、忠長をみずからの判断で切腹するよう仕向けさせよ。

この密命は、ひそかに高崎城をおとずれた阿部重次から、

「上意である」

というかたちで安藤重長に直接伝えられた。

しかし若さに似ず慎重な重長は、すぐにはうなずかなかった。

——すべては、お上のお墨つきを拝してからでなければ。

そう応じたところに、重長の深慮と当惑とがふたつながらにじみ出ていた。

お墨つきとは、

「仰せにより」

といういいまわしで将軍の命令であることを冒頭に明記し、将軍自身が黒印《こくいん》を捺《お》した公式文書のこと。これをもらっておかないと、忠長が家光の意向どおりに自殺したとしても、

「あれは、安藤右京進が勝手に殺したてまつったのだ」

などとあらぬ風聞が勝手に飛びかい、ひいては高崎藩安藤家の存亡にかかわる事態をまねきかねない。

そのような危険をはらんだ密命であることを、重長はいち早く察知したのである。

最初、家光が口頭でしか命令を下さなかったのは、

(文書をのこしては、忠長を死に追いやった張本人は自分だと認めることになって後味が悪い)

という思いを振りきれなかったためだった。

とはいえ、重長がそれだけでは動かないのであれば、やむを得ない。家光がしぶしぶとながら阿部重次を介してお墨つきを下したので、今度は重長が、いやいやながら方策を講じなければならなくなった。

忠長のいる高崎城内の建物の周囲に、鹿垣《ししがき》がひしひしと結いまわされたのは十二月六日早朝のことであった。

その物音に気づいた忠長は、障子をあけて幽鬼のような顔をのぞかせると、普請奉行とおぼしき陣笠姿の侍にたずねた。

「なにゆえ、かようなことをいたす」

普請奉行はその場に片膝をつき、縁側越しに答えた。

「御公儀よりの仰せでありましょう、詳しいことは聞いておりません」

忠長が自分の置かれた状況を知るには、これだけで充分であった。静かに障子を閉ざした忠長は、もう外には姿を見せなかった。

白小袖に黒い紋羽織を着用し、右手を手焙りにかざしつづけていた忠長は、七つ半（午後五時）となって職人衆の気配が消えると、召しつかっていた侍女三人を本丸奥殿の局《つぼね》へ帰した。

のこったのは、髪を肩の下で切った禿《かむろ》にしている女童《めわらわ》ふたりのみ。酒を、と命じられてそのひとりが燗酒をはこび、しばらくすると、

「いま少し、あたためてまいれ」

と忠長はいった。女童が座を立つと、忠長はもうひとりには肴《さかな》を持ってくるよう命じた。

ふたりが部屋にもどってきた時、忠長はうつぶせに倒れ、衣服を朱《あけ》に染めて事切れていた。かれは脇差で横から首を突き、それを切りまわして自害したのである。

まだ二十八歳の若さだった。

雪が人の足跡を消したところで、風がそのゆくえを伝える。

この寛永十年（一六三三）十二月五日のうちには、本郷の加賀金沢藩邸で盛大な婚儀がおこなわれていた。藩主前田利常の世つぎの光高に、水戸藩主徳川頼房の娘大姫《おおひめ》が嫁いだのである。

大姫は家光の養女というかたちで輿入れしたから、そのあつかいは下にも置かぬものだった。嫁入り道具はあまりの多さに前日からはこび入れなければ間にあわなかったし、貝桶わたし役人は老中酒井忠勝、輿わたし役人はおなじく酒井忠世。前田家側の輿受け取り役は当主利常自身がつとめるにぎにぎしさで、この日ばかりは幕府が金沢藩邸へ居をうつしたかのようだった。

その五日、正之をふくむ譜代大名たちは人少なの江戸城本丸表御殿に登城して祝儀の盛饌《せいせん》を拝受。七日には輿入れ三日目の祝いとして家光が前田家へ餅五百八十、肴二十種、酒二十荷を贈り、前田家から家光に対してもおなじ品々がおなじ数だけ献上された。

正之が忠長の凶変を知ったのは、あけて八日、小石川の伝通院《でんづういん》でおこなわれた法会《ほうえ》に出席した時のことであった。

伝通院とは、家康の生母お大《だい》の方の法号をいう。その墓所とされた宗慶寺が無量山伝通院寿経寺とあらためられ、世に伝通院の名で知られていたが、この日その三十三回忌の法要があったのである。

はじめ忠長の凶報は、

「阿部豊後守《ぶんごのかみ》の姿がここに見えぬのは、いそぎ高崎へむかったからじゃ」

というひそひそ話となって正之の耳に入った。

阿部豊後守とは、阿部重次のいとこの阿部忠秋のこと。重次とおなじくお小姓番頭として家光に近侍している忠秋は、幼い日から、

「ふくろうが鷹を生んだか」

といわれた聡明な質《たち》だった。

「だれか、ここから飛びおりてみせよ。ほうびを取らせる」

ある日家光が江戸城の隅櫓《すみやぐら》のひとつにのぼり、はるか下の地上を眺めて気まぐれをいったことがある。左右の小姓たちがだれもなのりを挙げずに押し黙っていると、家光は気色ばんでつづけた。

「かような場合はどう答えるべきか、よく豊後に聞いておけ」

小姓たちがこぞって忠秋のもとへ走ると、かれは端整な顔だちに微笑を浮かべて答えた。

「さような時は、傘を差せば心やすく飛べましょう、と答えるものだ。おたわむれには、たわむれのお答えをいたすよう心懸けよ」

忠秋はこのように臨機応変の者だったから、その忠秋が高崎に急派されたのは、正之には忠長の身になにか起こったためとしか考えられなかった。

その正之の直感は、不幸にも的中していたことになる。

「駿河さま（忠長）の御遺体は、高崎城下の大信寺に葬られたと聞こえてまいりました」

「御自害は、上意にもとづくものとの風聞もございます」

田中三郎兵衛の相つぐ報告から、この事件の背後に家光の意向が働いていたこともその日のうちにほぼあきらかになった。こうなっては保科家のみならず譜代藩としては、家光の手前、表だって弔使を送ることもできない。

(それにしても、なんということか。いやいや、正月に駿河さまが高崎へうつされたと聞いた時に、なにかして差しあげるべきだったのだ。なのにおれはお上の御懇情に甘えるあまり、駿河さまのことを忘れすぎていたのではなかったか)

その夜、中奥の寝所にひとり臥せった正之は、悶々としてどこからか一番鶏の啼き声が伝わってくるまで眠れなかった。

それはひとつには、幼時にすでに発生していた家光と忠長との宿怨を正之がよく知らなかったからでもある。まして両者の骨肉の愛憎関係が、もとはといえばかつて母お静ばかりか自分の命をもねらったお江与《えよ》の方の激情に根ざすものとは、正之には想像もつかなかった。

ただ正之の目の裏に焼きついているのは、四年前の寛永六年九月、初めて駿府城へ祗《し》候《こう》した自分に対し、やさしいことばをかけてくれた忠長の面長な風貌のみであった。

「そこもとにも、おっつけめでたく葵《あおい》の御紋の使用を許される日がまいるであろう」

と家康着用の小袖までゆずってくれた忠長が、所領も位階も奪われたあげく命まで失うことになろうとは、――。

「百万石へ加増してくださるか、五畿内と大坂城をおあずけくだされたし。さもなくば」

と忠長が父秀忠にあまりに非常識な要求をつきつけていたことも、正之には思いおよばぬところだった。それだけに正之は、この凶事を理解できないまま混迷の淵に落ちたのである。

それは、ひとり正之だけの受けた衝撃ではなかった。それが知れたのは、正之が胸のなかで忠長の初七日をおえ、ひさしぶりに奥殿のお菊の方と顔をあわせた夜のことだった。

夕餉《ゆうげ》の膳をともにしたお菊の方は、髪を御所風の根結いの垂髪《たれがみ》にして白元結《もとゆい》を掛け、白い肌着のうえに横筋、鴇《とき》色、牡丹色の小袖をかさねて市松に花唐草文様の可愛らしいうちかけをまとっていた。

町方と違い、武家方では食事中に会話するのははしたないこととされている。そのため、食事の間は給仕役の老女の衣《きぬ》ずれの音が、時にかそけく響くばかりだった。

そのあと正之は、大姫の前田家への輿入れがまことに豪奢なものだったらしいこと、伝通院での法事がしめやかにおこなわれたことなど、お菊の方にも関心のありそうな話題を選んで伝えた。そこだけに日が当たっているような華やかな色合いにつつまれているお菊の方は、時々こくりとうなずきながら耳を傾けていた。

まだあどけなさを残しながらも、たまご形のその顔だちとちょんとつまんだような愛くるしい鼻筋、小さくてふっくらとした唇は、いまは亡き信松院《しんしょういん》の臈《ろう》たけたおもざしをどこかしら思い出させる。

正之はそんなことを考えながら先に寝所にさがり、褥《しとね》に身を横たえて目を閉じた。ひめやかな音を伝えながら遅れて入室したお菊の方が、

「御前、もうおやすみでしょうか」

と小声で呼びかけたのは、それからまもなくのことだった。大名家では、御前といえばあるじのこと。御前さまと「さま」をつけると、奥方のことになる。

「いや」

正之は目をひらき、隣りの褥のうえに白無垢の夜着をまとって正座しているお菊の方に顔をむけて答えた。

すると枕元の行灯《あんどん》の火に上体を浮かびあがらせていたお菊の方は、よろしければお添い寝させてほしい、と蚊の鳴くような声でいった。お菊の方が、自分からそちらの褥へうつりたいという意思を伝えたのは、これが初めてのことだった。

「どうした、からだが冷えたのではないか」

とたずねながらも、正之は右へからだをずらして上掛けを持ちあげてやった。

「いいえ」

というようにかむりを振ったお菊の方は、箱枕をうつし、行灯の火を吹き消してからそっと正之に身を寄せてきた。

正之が闇のなかで自分よりふたまわりも小柄なからだを横抱きにすると、お菊の方はその首筋に顔をうずめるようにする。そして、くぐもった声でいった。

「ああ、御前が御無事でよかった。わたくし、とても恐くて仕方なかったのです」

「なにが恐かった」

正之がその背を撫でながらたずねると、

「駿河さまのことを、侍女たちが話していたものですから」

お菊の方は、次第に声をあえがせた。

「しかもそれがお上の思し召しによるとの噂だと聞いたものですから、わたくし、もしや御前にもなにかあったらと思いますと急におそろしくなって、……」

「お上を、さようにいうものではない。しかし、そなたが案じてくれていたとは」

正之は、初めて妻の愛情に触れたような気がした。

むろんお菊の方は、正之が家光の異母弟であることを父の内藤政長から教えられていた。それゆえにこそ、

（実の弟君をも亡き者とすることのできるお上ならば、わたくしを妻に迎えて下さった御前に対してもおなじことができるのだ）

という方向に思いを走らせてしまい、奥殿のうちでひとり心細さに堪えていたのだった。

「あまり余計なことに気をつかわず、もっと楽しいことを考えるんだ」

正之は諭すようにいってみたが、自身にも忠長の自害は激しい衝撃だったから、お菊の方の怯えがわからぬでもなかった。

「いいな、楽しいことを考えるようにするんだぞ」

とくりかえして正之がその黒髪に鼻をうめると、

「はい」

とかそけく答えたお菊の方は、おずおずとながらいとおしそうに正之の首筋を吸う。そのふっくらとした唇にお返しをして頬を寄せた時、正之はお菊の方の頬が濡れているのにようやく気づいた。

「そなた、――」

どうした、といいかけて、

（女子とは、このようなことで涙ぐむものなのか）

と初めて知った正之は、われ知らず闇のなかで目をみはっていた。

（おれの身を案じて、泣いてくれる女子がいる。母上のほかに、もうひとりここにいる）

という発見に、正之はにわかに胸が熱くなるのを覚えたのである。

（こよい、われらはようやくほんとうの夫婦になれたのかも知れない）

と思いながら、正之は胸を合わせてひそやかに息づいているお菊の方の現身《うつしみ》のぬくもりを、しみじみありがたいことと思っていた。

しかし、お菊の方の不安は杞憂だったことが、二カ月後にあきらかになった。

あけて寛永十一年（一六三四）二月二十二日、豊後府内二万石の藩主竹中采女正《うねめのしょう》重義が、幕命によって封土没収のうえ切腹刑に処されるという事件があった。一年前まで長崎奉行の重職にあった竹中重義は、長崎赴任中の愚行をあばかれて命を縮めたのである。

――長崎の豪商平野屋の妾は、世に稀な美貌によって評判が高かった。

「酌をさせて、帰す」

しぶる平野屋からその女を借りた竹中は、その後半月たっても約束を守ろうとはしなかった。

女がいやがって逃げ帰ると、平野屋ももう長崎にはいられぬと思い切り、ふたりで泉州の堺へ走った。そこから、事件は思わぬ展開を見せた。

これに気づいて激昂した竹中重義は、平野屋の兄を有無をいわせず投獄してしまったのである。愕然とした親族たちは、平野屋の居場所をさがし出して勝手に女をからめとり、竹中のもとへ差し出した。

今度これに怒ったのは、平野屋当人。平野屋が腹をくくって竹中の所業を訴え出ると、南蛮渡来の珍奇な品々を幕府には届け出ず私《わたくし》したことなど、その悪業のほどがつぎつぎにあきらかとなった。ために江戸へ召還された竹中は、この日浅草の海禅寺において詰め腹を切らされたのである。

だが賢明なことには、家光はその日のうちに正之たち譜代大名を登城させ、大番頭や書院小姓組番頭の口から竹中重義の処罰理由をすみやかに伝えさせた。その結果、

「駿河さまも竹中采女正とおなじようなふるまいがつづいたために御生害《しょうがい》を余儀なくされたのであろうが、お上は実の弟君のことだけに、くわしい背景まではおおやけにできなかったのであろう」

という感想を抱く大名たちは一気にふえた。

つづけて、忠長は五畿内と大坂城とをその手におさめ、かつての豊臣家のように徳川

家と天下を二分しようという野望を胸に秘めていた、という噂もたしかな筋から流れてきた。

(さような動きがあったとは)

と正之もあらためて思ったほどだから、忠長と夫正之とを家光の弟という共通項でとらえ、それゆえにめばえていたお菊の方の不安もさらにつのることなくすんだのだった。家光は正之とお菊の方とに投げかけた波紋も知らぬげに、その後も正之を重用しつづけた。

かれは時に正之を江戸城二の丸のうちの茶室にまねき、みずから茶を点《た》てながら政治むきについて意見をもとめることも多くなった。

四月、正之はまた家光に命じられて二年ぶりに日光社参に供奉《ぐぶ》。すでに秀忠の喪はあけていたから、祖父家康の遺骨をおさめた東照社奥院の宝塔に初めて参拝することができた。

二年前の四月に家光の供をして日光におもむいた時、将軍と兄と弟としてことばを交わす日があろうとはとても考えられないことだった。それだけに正之は、この二年間の自分をとりまく環境の変化がまだにわかには信じがたいような気さえした。

社会的、あるいはおのれの属する組織内での地位が向上するにつれ、第三者に対してすら威丈高な態度をとるやからはどこにでもいる。そのような傾きのまったくないことが、正之の美点のひとつであった。

日光から帰府したその正之を待っていたのは、思いもかけない朗報であった。お菊の方に、懐妊の兆があきらかになったという。

「医師の診立てによりますれば、御出産は師走中旬すぎとのことでございます」

ひさびさに奥殿にくつろごうとしてお菊の方づきの老女から居住まいを正して報じられた時、

（ほう、おれが父に、お雛さまのようなお菊が母になるのか）

と思うと、正之にはまだどうにも実感が湧かなかった。

もう十四年も昔の元和六年（一六二〇）三月、田安門内の比丘尼《びくに》屋敷に余生をすごしていた見性院《けんしょういん》は、まだ十歳だった高遠の正之にこう書き送ってきたことがある。

「……わらわが権現さま（家康）の代よりいただいている知行は六百石でございます。……うち三百石を若さまにまいらせとうございます。……鼻紙代になりとおつかい下さりますように」

いまや見性院の形見となってしまったこの手紙を、正之はなおも掛硯箱《かけすずりばこ》のうちに大切に保存していた。かれは思い屈することがあるとこの手紙を読み返し、やさしかった見性院・信松院姉妹のおもかげを偲んで、

（あのおふたりを嘆かせるようなことだけはいたすまい）

と気力をふるい立たせることにしている。

正之にはそんな習慣があるだけに、二十四歳となったいまも自分を見性院や保科正光の養い子と考え、人の親になるべき年齢になったことを自覚していない一面もあった。

それでも正之は、老女と夫とのやりとりと聞いて初々しく頬を染めているお菊の方に、

「でかしたぞ」

と、ことばをかけてやることを忘れなかった。

すると清流に一瞬銀鱗を光らせる渓流魚のように、その脳裡をよぎったものがある。

わざと咳ばらいをひとつした正之は、かたわらのお菊の方にほほえみながら告げた。

「生まれてくるのが男子であれば、幼名はもう決めてある」

「まあ」

お気の早いことですこと、といいたげにお菊の方と老女とが顔をむけてくる。正之は、なんのてらいもなくいった。

「それはな、幸松というのだ。それがそなたを娶る前からの、母上のお気持でもある」

そしてかれは、浄光院がふたりのむすばれる前から、

「菊姫さまがいずれそなたのお子をお産みになりましたなら、幸松さまとなづけてたもれ」

といいよこしていたことを初めてお菊の方にうちあけた。

お菊の方を正室に迎えてもう半年になるというのに、その姿をまだ浄光院に見てもらっていない。それが正之には、このところ大いに気になってきていた。

この時代の大名家のうちには、正室と男子とを江戸屋敷のうちに生活させ、忠誠をしめす証人(人質)として幕府の監視下におかなければならない家格がある。

いわゆる外様大名。関ヶ原の戦いに際し、徳川家に対抗した薩摩島津家、長州毛利家などがその代表である。

対して譜代大名にこのような条件は課されなかったから、高遠保科家の場合、浄光院が江戸へくることもお菊の方が高遠へゆくことも、幕府の許しを得さえすれば不可能ではなかった。

しかし、あまりにも控えめな浄光院は、正之の妻にひとめ会いたいという気持も押さえて高遠城のうちにおこないすましている。正之は正之で家光のおぼえめでたくなにかと重用されるあまり、帰国のためのいとま乞いを申し出るおりとてなくお菊の方とともに江戸にとどまりつづけている。

しかもこの二月中に家光から茶室へまねかれた時、正之はじきじきに、

「六月に余の供として上洛する用意をしておくように」

と告げられていた。

朝廷では、寛永六年（一六二九）に後水尾《ごみずのお》天皇が幕府のきびしいあつかいに不満を抱いて退位。秀忠の娘東福門院和子《まさこ》との間に生まれた興子《おきこ》内親王がわずか七歳にして即位し、奈良時代以来の女帝となっていた。

ただし後水尾は上皇として院の庁をひらき、なおも朝廷の実権をはなさない。ために家光は諸大名以下三十万人を率兵上京して武威を示し、かつ朝幕宥和をはかる必要に迫られていたのだった。

供奉の先発組、陸奥仙台藩主伊達《だて》政宗以下がまず江戸を立ったのは六月一日のこと。十一日には一番組の上州館林藩主松平忠次らが、十二日、十三日には二番組と三番組の大名たちが順次出立し、十四日、正之は土井利勝とともに四番組として進発していった。

家光自身の発駕が二十日までずれこんだのは、都合三十万人以上が東海道を一斉に移動しては街道筋ばかりか宿駅の本陣、脇本陣まであふれ返ってしまうからである。

七月二十日、その家光は今上天皇と後水尾上皇とに会見。おもわくどおりの成果をあげ、八月二十日に帰府を果たした。

ところがこの大旅行の間の八月四日、幕府はあらたな大名統制策を打ち出していた。

——譜代大名の妻子は、ことごとく江戸屋敷にうつり住むべきこと。

外様大名とおなじく、譜代大名も証人制度にしたがうことになったのである。

お菊の方が高遠へいって浄光院に挨拶することは、これによって永遠に不可能となった。


さらにこの時期、正之には難題がひとつ降りかかっていた。

ことは正之が家光に供奉して上洛し、二条城南側、花畑の多い猪熊通りの宿舎にいた七月中にさかのぼる。二条城の家光のもとへ登城すべく行列を組んでいた間に、供先《ともさき》の若党同士が刃傷におよんだのである。同僚をなんなく討ちとめた若党は、陣笠、袖なし羽織姿に血刀をさげ、脱兎のごとく列外へ駆け出していた。

いち早くこれを追ったのは、すでに騎乗していた竹村半右衛門。二百石取りの家老として先駆《せんく》をつとめようとしていた半右衛門は、馬上抜刀して若党に迫った。

しかしかれは、もう一歩のところで追いつけずにおわった。若党は、馬の入れない路地へ駆けこんだのである。

「ここは拙者に——」

と叫び、その馬体をかすめて路地へ走りこんだのは、神尾左門あらため六左衛門であった。正之の高遠入りに半右衛門とともに小姓としてしたがった六左衛門は、いまは武辺いちずの者となって組頭に出世している。

この六左衛門が若党を無礼討ちして帰ってきたため、ことは大事に至らずにすんだ。だが半右衛門は家老たるおのれの不行届きを恥じ、江戸へ帰るや正之にいとま願いを差し出していた。

（神田白銀丁にともに育ち、おなじ前髪立ての姿で高遠におもむいた者をかようなかたちで失うとは）

と思うと、正之は口惜しいかぎりだった。

そのために決断を一日のばしにしているうちに、もうひとつ別の凶事が起こった。十月十七日、舅の内藤政長が老衰して死亡したのである。享年六十七。

同月二十七日、家光は磐城平七万石を政長の嫡男忠興に、忠興の旧領泉二万石を次男の政晴に相続させたので、混乱はなかった。

とはいえすべてが片づくと、またしても正之は竹村半右衛門の進退一件にむかいあわなければならなくなった。

つらつら考えても、家光の厚遇に甘えて不祥事の責任を不問に付すのは許されることではなかった。いまや、自分の一挙手一投足が諸大名の注目を浴びつつあることは、正之には痛いほどよくわかっている。

かれが泣いて馬謖《ばしよく》を斬る思いで半右衛門に退去を許すと、あるじの義兄として専横のふるまいがあってはならない、といつも自分をいましめていた観のあるおだやかな気性の半右衛門は、淡々と同僚たちに挨拶していずこともなく去っていった。

そして十二月二十一日、前夜から陣痛をうったえていたお菊の方が男子を出産した。

（あの小さなからだで、難産にならねばよいが）

と案じていた正之が、拍子抜けするほどの安産であった。

江戸時代初期から幕末まで、庶民よりもむしろ大身《たいしん》の武士階級の方が乳幼児死亡率は高かった、といわれている。

使用人もいないせせまい家の住人ならば、赤ん坊が泣けば親はすぐ気づくし、その泣きようでおむつが汚れて気持悪いのか、ひもじいのか、あるいはからだの具合が変なのかもおよそ察しがつく。

対して高禄の武門においては、赤ん坊は生まれてすぐ母から乳母《めのと》の手へうつされる。乳母はあずかった子を柔弱に育てては申し訳ないと思いがちで、泣いてもすぐには抱きあげない場合が少なくなかった。

いずれ一軍をひきいて戦場を疾駆する身、ないしはその留守を守らなければならない身に、甘え癖やこらえ性のなさを植えつけてはいけない、と考えるからである。

しかし幸松は、お菊の方に似たのか月満ちて生まれたにもかかわらずずいぶん小さな赤ん坊ではあったが、なんとか育つかに見えた。

そこで正之は、お七夜を無事おえてから高遠の母お静こと浄光院に幸松誕生を報じた。幸松は保科家の次代をになう存在だから、国許の城代家老保科正近以下も首を長くして吉報を待っているはずであった。さらに浄光院にとっては初孫だから、浄光院や正近は、いまは建福寺に眠る養父正光の墓前にもすぐに報告してくれるだろう。

　案の定、あけて寛永十二年（一六三五）となってまもなく、浄光院と正近からは祝賀の手紙が届いた。ことに浄光院は、

「これはばばからの御祝儀として、幸松さま用に仕立てて差しあげてたもれ」

と一筆書き添えて、反物をたんと贈ってよこした。

　ばばからの、ということばに、正之はかつて自分が見性院を、

「おばばさま」

と呼んでいたことを思い出し、なぜかにわかに胸がつまるのをおぼえていた。

（幸松が母上にむかって、おばばさま、と呼びかける日はくるのだろうか）

　お菊の方と幸松が江戸を動けず、浄光院が高遠を離れようとしないのであれば、正之の妻と子はいつになっても浄光院に会えはしない。しかも家光は、

「肥後守は本年も江戸にとどまるよう」

と酒井忠勝を介して松の内に希望を伝えてきていた。

　正之はそのような事情をつぶさに浄光院に書き送り、出府してくれるよう幾重にも申し入れた。

「せめて一度なりと、お菊と幸松にお顔をお見せ下さるべく候、……」

　すると春先にきた返事には、

「それもそうですから、御家老保科民部（正近）さまや小侍従にも相談して、少し考え

てみましょう」

と書かれていて正之を喜ばせた。

考えてみれば正之は、寛永八年（一六三一）十月、養父正光の葬送のために帰国した時以来まる三年以上も浄光院に会っていなかった。

「母上が、そなたたちに会いにきて下さるぞ。高遠の花のさかりは江戸の青葉の季節だから、たぶんそのころになるのではないかな」

一児の母となってややおもざしのふっくらとしたお菊の方に伝えた正之は、乳母に抱かれて乳を飲んでいる幸松の頰をちょんとつついてみることもあった。この時代、乳房は性的好奇心あるいは羞恥心の対象ではないので、乳母があるじの前で乳をふくませるのは珍しいことではない。

ところが、――。

また青葉の季節がめぐってきて庭の緑が日に日に色濃くなり、浄光院に予定が立ったかどうかたずねても、なぜか返事がなかった。

町飛脚の制度ができるのは後年のことだが、大名家の国許と江戸屋敷とはつねに文書によって連絡をとりあっている。

「密事往復留め」

と総称される文書がそれで、領内が豊作か凶作かという大問題から公事《くじ》（訴訟）と公事奉行のその裁定、城下の珍談奇談、家臣団の生死までが、細大洩らさずここに記されて藩主に報じられるのである。

ある日、付書院にむかって届いたばかりの状箱をひらいた正之は、いつもの書類のほかに、異例にも保科正近からの別の書状がおさめられているのに気づいた。胸騒ぎを感じながらそれをひらくと、やはりそこに報じられていたのは浄光院の近況であった。

「なおなお浄光院さまおんこと、この春先よりそこはかとなく弱らせたまい、南郭《みなみぐるわ》のうちよりお出ましあそばされるのも稀となりたまいしが、立夏をすぎてよりさらにはかなげな御様子と相なり、なにも召しあがらず臥床あそばされること日に日に多く、……」

　正之は、愕然とした。

　正近が浄光院について書いてきたのも初めてのことだが、正之はたちまちにして浄光院がただの病ではないことを読み取っていた。「はかなくなる」といえば、死を意味する。だから「はかなげな御様子」という表現もかるがるしく用いてはならないいまわしなのであって、あえて正近がそう書いてきたところに、正之は浄光院の容態のゆゆしさを感じ取ったのである。

「さらに詳しく伝えさせよ」

　すぐに高遠へ早馬を出すことにした正之は、また付書院の前に座るとわれ知らず死者たちの享年を思いおこしていた。

　見性院は七十七歳、養父正光は七十一歳、舅の内藤政長は六十七歳まで長生きしたが、信松院は五十六歳、実の父秀忠は五十四歳で逝った。対して浄光院は、今年五十二歳のはずである。

秀忠は位人臣《じんしん》をきわめ、徳川幕府の大御所として息を引きとったのだから、現世《うつしよ》に未練はなかっただろう。

対して、その側室として正之を産んでくれた浄光院は、お江与の方の憎しみを一身に浴びつづけ、ようやく心安らいだのは高遠入りした元和三年（一六一七）以降のことでしかない。

（かくも苦労なされた母上の御定命《じょうみょう》が、早くも尽きてしまうなどということがあってよいものか）

と考えて、正之はたまらなくなった。

夕刻から奥殿にゆき、お菊の方とならんで幸松が懸命にはいはいするのを見つめていても、正之はどうにも気分が落ちつかなかった。

（おれがこの幸松のようにまだよちよち歩きもできなかったころ、母上はどのようなまなざしで見守って下さっていたのだろう）

と思い返すと、胸が痛みさえする。

そのつねならぬ気配は、お菊の方にも伝わったようだった。遊び疲れた幸松が乳母に抱かれて去り、侍女たちが配膳のためいったん姿を消した間に、

「あの、なにか御心配なことでも、――」

盛夏が近づいているため青竹色の涼やかな生絹《すずし》の単衣《ひとえ》をまとっていたお菊の方は、政治むきのことなら口をはさんではいけないと思ってか、ためらいがちに口をひらいた。

「うむ、そなたにも知っておいてほしいことがあってな、――」

正之が事情をうちあけた時の、お菊の方の反応は驚くべき早さだった。

「それは、おいたわしゅうございます」

お菊の方は、正之の初めて見る切なげな目つきをしていった。

「御前は、浄光院さまにとってはたったひとりのお子でいらっしゃいます。どうか一日も早う、浄光院さまを見舞って差しあげて下さりませ」

そのことばで、ようやく正之はふんぎりがついた。

翌日、正之は肩衣半袴《かたぎぬはんこ》をまとって江戸城へ登城し、老中酒井忠勝にいとま願いを申し出た。中奥にいた家光は、浄光院が目黒の蛸《たこ》薬師成就院に願《がん》をかけていたことをいち早く知った立場でもあるため、すぐに正之の帰国を許してくれた。

だが公儀の許しが出たとて、藩主の帰国には供ぞろえその他を定める手順があるから、出立には一定の準備期間が必要になる。

ようやく正之一行が高遠へ旅立ったのは、八月の土用のこと。出発前に保科正近から早馬がきて、この秋が峠となるかも知れない、という藩医の診立てを報じたため、正之は気が急《せ》いてならなかった。


「おやすみであれば、お起こししてはならぬ」

五泊六日の旅をかさねて高遠城入りした正之は、侍女たちにそう伝えてから南郭の一室へおもむいた。そのため初会には、浄光院のひとまわり以上ほっそりとしてしまった寝顔しか眺めることができなかった。

秀忠の死を知るや、すなわち落飾して浄光院と名をあらためてしまった母の、つややかな黒髪の消えた頭部を見るのも正之には初めてのことであった。その貞節と覚悟のほどをいまさらのように思い知らされながら、

「母上、正之がまいりました」

とささやきかけるのが、かれには精一杯の挨拶だった。

別室に藩医を呼んで病状をたずねると、髷を総髪の儒者頭《じゆしやがしら》に結っている藩医は困惑の面持ちで答えた。

「特にどこがどうお悪いと申すのではなく、総じてお命を細らせておられるのでございます。浄光院さまにおかせられてはかねてより法華宗に深く帰依なされ、つねに一汁一菜の粗餐に甘んじられて極寒のおりにも日に何度もの勤行《ごんぎよう》をお欠かしになりませんでした。どうか御無理をなさらず、と幾度か申しあげたこともございましたが、この二、三年、季節の変わりめにはかならず御発熱あそばされるなど、体力が落ち気味になっておいででした」

「そうか、母上は温暖の地の小田原に生まれ、三十路《みそじ》すぎまで江戸におられた。高遠のきつい冷えこみが、年ごとにおからだにこたえるようになっていたのかも知れぬ」

としか、正之には応じようもなかった。

浄光院は、気分のよい時には、

「お手を」

と小さな声でいい、病床から青く血脈の浮いた白く細い手を正之にさしのべることが

あった。

「早くまた、お元気になって下さい」

正之がその耳に口を近づけて伝えると、

「いえ、そなたがこんなに御立派になって下さったから、もうよろしいのです」

浄光院は、長いまつ毛をまたたかせながらほほえむのだった。

「見性院さまと信松院さまが、呼んで下さっているような気がします。そなたのことを、おふたりにお伝えしなくては、……」

文箱《ふばこ》に遺言状をおさめてありますから、あとのことはそのとおりにしてほしい。それにしても、公用でお忙しいそなたにわざわざ帰国していただいたことは、お上とそなたにまことに申し訳なく、心苦しいばかりです、……。

あまりにも欲がなく、あまりにも慎み深い浄光院は、正之が見舞うたびにそうくりかえすばかりだった。正之はその病床に一カ月間つきそい、おりを見ては問わず語りにお菊の方と幸松のことを語りつづけた。

子守唄を聞くように目を閉ざし、正之のことばに耳を傾ける浄光院であったが、日が短くなるにつれてこんこんと眠りつづける時間の方が多くなった。

「おそれながら、御臨終の時が近いかと」

と藩医の告げたのは、九月十六日のこと。この日は太陽暦の十月二十七日にあたり、城内の樹木は早くも紅葉して燃え立つかのようであった。

あけて十七日の夕暮れが近づき、高遠城の東南はるかに浮かぶ仙丈ヶ岳の万年雪が夕日に赤々と染まったころ、にわかに浄光院の呼吸は切迫してきた。

「母上、お気をたしかに」

一晩まんじりともしていなかった正之は、藩医とすでに白髪の老婆となっている侍女の小侍従の手前もはばからず、声を励ました。そしてその冷えつつある小さな白い掌を両手につつみこむと、浄光院は切れ長の両眼を一瞬みひらき、かたちのよい唇に静かなほほえみを湛えてうなずいた。

それが薄幸な前半生に堪えて、ようやく高遠に安住の地を見出した浄光院の拈華微笑《ねんげみしよう》であった。

「それがしの葬儀については、御導師を法華宗妙法山長遠寺の日遵上人《にちじゆんしようにん》に願いたてまつり、なきがらも長遠寺のうちに埋葬いたしくれ候よう、――」

との遺言があったため、その葬儀は浄光院の希望どおりにおこなわれた。

それにしても正之は、二十一歳にして養父正光を喪って以来、二十二歳の時実の父秀忠、二十三歳の時異母兄忠長の死に際会し、二十五歳にして生母の死に立ち会うことになったのである。さすがに胸ふたがれる思いのした正之は、ひそかに哀傷の歌を一首詠んだ。


まことにもくるる夜ごとに野辺にふせる枕のもとのくさの露けき

正之の母、俗名お静には、

「浄光院殿法紹日恵大姉」

の法名が授けられた。

ただし正之は、日遵の承諾を得て妙法山長遠寺を法紹山浄光寺と改称。母の法名を寺の名とすることにより、いつもやさしかった母の思い出とすることにした。

こうして傷心のまま江戸へもどった正之を励ますかのように、寛永十三年（一六三六）二月二日、家光はかれを江戸城西の丸の留守居役に任じた。

幕末になると、留守居役という役職は幕閣の左遷先になってゆく。だがこの時の西の丸は、なおもつづいていた天下普請によって完成したばかりだから、これもひとつの抜擢であった。

そして七月二十一日、西の丸から本丸表御殿へくるよう命じられた正之は、考えてもみなかった台命に接した。

その台命とは、つぎのようなものであった。

「保科肥後守正之に、信濃国高遠から出羽国最上《もがみ》山形への転封《てんぽう》を命ずるもの也」

これまでの最上山形は二十四万石とされ、鳥居左京亮《さきょうのすけ》忠恒《ただつね》に与えられていた。鳥居家は、慶長五年（一六〇〇）八月一日、内藤政長の父家長とともに伏見城最後の日を迎え、みごとに切腹した鳥居元忠を藩祖とする。

その孫の忠恒は、かねてから異母弟の忠春とは犬猿の仲だった。男子もないのに忠春を家督相続者に指名せずにいたこの七月七日、忠恒は三十三歳で急死。そのため幕府は鳥居家の怠慢を責め、元忠の忠誠に免じて絶家とはしないものの、二十一万石を奪って忠春を高遠へ追いやることにした。

家光はこれを正之登用の機会とみなし、二十万石に引きあげて山形城へうつすことにしたのである。

正之がこの台命を受けたのは、月番の老中酒井忠勝を介してのことだった。

「まことに、ありがたき幸せにござります」

黒書院のうちに上体を折った正之は、つづけて家光の居場所をたずねた。

「中奥の御座の間におわすはず。では、同行いたす」

福々しい笑顔で応じた忠勝と肩衣をならべて中奥へすすむと、たしかに家光は絽《ろ》の夏羽織を着て書類に目を通していた。

「不意にまかりこしまして、申し訳ござりませぬ。こたびのお沙汰に、ひとことおん礼を申しあげたく」

二の間に平伏した正之に、家光は答えた。

「うむ。最上山形は、出羽と奥州の押さえじゃ。腕を見せよ」

「ははっ」

とさらに頭を下げた正之に、家光はことばをついだ。

「それにしても、いまの三万石の家格ならば軍役には六百一人を引き具せばよい。だが二十万石となると、——」

「四千人でござります」

とことばをはさんだ忠勝に、家光はうなずいた。

「うむ、そういうことじゃ。しかるに一方の鳥居家は、その四千人近くを召し放たなければ高遠にはゆかれまい。どうじゃ、鳥居家を牢人する者のなかから家来どもを召しかかえてみては」

「まことにおそれ入りまするが、それはちといたしかねるかと愚考つかまつります」

正之がはっきりと答えたので、家光と忠勝はほぼ同時に眉宇をひそめた。正之が家光にしたがいたくないという態度を見せたのは、これが初めてのことであった。

しかし正之は、まだ頭を下げていてふたりの表情の変化にはまったく気づかなかった。

正之は、確信に満ちた口調で理由をのべた。

「と申しますのも、もしも仰せにしたがって鳥居家の禄をはなれた者どもを採り立てました場合のことが、案じられるからでござります。それがしの存念ではなく台命によって召しかかえられたと知りましたならば、その者どもはおそれながら台慮《たいりよ》（将軍の意思）を鼻にかけまして、それがしを軽んずる心をめばえさせること必定《ひつじよう》かと思われます」

「――なるほど」

家光と忠勝は、顔を見あわせてうなずいた。

正之はこの発命と同時に江戸城西の丸留守居役を免じられたので、八月二十五日に高遠城を上使にあけわたし、二十七日には山形城を受け取ることになった。むろん自分自身も一日も早く山形入りし、領内の風土と民情とを検分する必要がある。

その正之が、城の受け取りに間にあうよう江戸を出発したのは十八日早朝のこと。まだ十八歳のお菊の方、よちよち歩きを始めたばかりの幸松と別れるのは気にならないでもなかったが、妻子を江戸に置くのは大名家には当然のこととなっていたから、

（割りきらねばならぬ）

と、正之は思っていた。

この出立には、古参の老中土井利勝が思いがけない助けの手をさしのべてくれた。二年前、みずからも下総《しもうさ》佐倉六万五千二百石から同国古河十六万石へ移封された利勝は、初めてのお国入りの重要性をよく知っている。三万石の格式で二十万石の城下へむかっては軽く見られる、と気をまわしたかれは、鉄砲百挺、弓五十張《はり》、持弓《もちゆみ》（将軍家より預かった弓）二十五張《はり》をたずさえた足軽衆から長柄《ながえ》の者すなわち長柄槍をかついだ徒士《かち》たちまで貸し与え、正之の初入部に花をそえてくれたのである。

十五日に家光にいとま乞いすべく登城した時、正之は行光の太刀のほか、熊の摘毛《つみげ》の鞘に青貝の柄の長柄槍三十筋も拝領していた。正之は陽光に青く輝くこの三十筋を先頭に押し立て、土井家の応援も得て威風堂々と山形入りすることができたのだった。

江戸を去ること北へ九十二里、出羽国村山郡の盆地のうちにある山形城は、

「霞ヶ城」

とも呼ばれる平城《ひらじろ》であった。

この城は、大、中、小三つの箱を入れ子にしたように縄張りされていた。矩形の本丸の外側には深い水堀をはさんで二の丸が、さらにその外側にはまた水堀をはさんで三の

丸がひろがる。

二の丸には重臣たちの宏壮な屋敷が、三の丸にはそれ以下の者たちの武家屋敷がならんでいた。

面積は、本丸が七千二百坪。これだけで高遠城のなかで最大のひろさを誇る三の丸の規模にほぼひとしかったが、二の丸は八万四千八百坪、三の丸に至っては七十一万千七百坪もある。

ただし、天守閣はなかった。本丸には白しっくい塗り石垣造りの二重櫓《やぐら》が城壁の北東、北西、西南の角にあって隅《すみ》櫓の体裁をとり、柿葺《こけらぶ》きの本丸御殿を守っていた。この柿葺きは、冬期の豪雪にそなえ、自重を軽くするための処置だという。

また、二の丸の西寄りには三重櫓が屹立しており、これが城内でもっとも背の高い建物であった。

正之がこの三重櫓の最上階に登ってみると、盆地の東側には熊野岳（標高一八四一メートル）を絶頂とする蔵王《ざおう》山へつづく山々が、西側にも羽越山脈を背に置賜《おきたま》郡の山塊につながる山なみが濃淡さまざまに重なっていた。

「ここは、高遠よりもはるかに山肌が町に迫っているな」

とかれが話しかけた相手は、保科正近であった。高遠から正之に先んじて山形入りしていた正近は、初老となって髷は小ぶりになったが、代わりに目方がふえて胴まわりもふたまわりほど太くなっている。

「御意にございます」

かつて十代の正之とともに高遠領内を巡見した時のように、正近はいった。

「当地は、冬には雪おろしをしなければ人家もつぶれるほどの雪に悩まされるとか。あの山々に降りつもった雪が春になって一斉に溶け出し、この盆地へ流れこむことを思うとぞっといたしますな」

「ふむ。民部は、当地をよく治めるにはまず治水が肝要と見たか」

「御意」

と答えた正近は、なおも青い山々を眺めながら口ずさんだ。

最上川早瀬に月も流されてしばし浮世にすむ甲斐もなし

「ほほう、民部も歌心にめざめたか」

正之がたわむれをいうと、正近は男臭い顔をむけて口調をあらためた。

「いえ、いまの歌は六、七年前にかの沢庵和尚が詠まれたもの。最上川を月も流されるがごとき急流といっておりますが、この城下の郭外には、最上川の支流にあたるあばれ川が流れているのでござる」

「それが、雪解《ゆきげ》の水であふれるのだな」

「はい」

「なんという川だ」

「馬見ケ崎《まみがさき》川でござります」

「鳥居家の、治水に関する文書をすぐに集めよ」

正之は、真顔でいった。

しかし正之には、治水よりも前にしておくべきことがあった。

鳥居家から召し放たれ、山形城下に置き去りにされて牢人と化した者たちは、保科家への採用を願って連日城へ押しかけつつある。

「まず、譜代の家来どもの採り立てが先。新規召しかかえは、人となりをとくと吟味してからのこととする」

と触れ出させて混乱を回避した正之は、その譜代の者たちの勤めぶりに応じて禄を引きあげることにした。

保科民部こと正近は、城代家老のまま一千石から三千石へ。すでに二番家老に昇進させ、やはり一千石取りとなっていた田中三郎兵衛こと正玄《まさはる》は千五百石へ。おなじく家老の北原采女《うねめ》こと光次は、三百石から千三百石へ、……。

つづけて正之は、この転封を好機として竹村半右衛門を呼びもどすことにした。一度退去した者を家老に復職させるわけにはゆかず、上士としての採用となったが、前知二百石を三百石としたので半右衛門は喜んで帰参してきた。

つぎにおこなったのは、越前松平家への申し入れだった。

「尊藩お国許に禄二百石にて御奉公中の神尾才兵衛殿、実はそれがしの叔父御につき、おさしつかえなくばゆずり受けたく」

と、北ノ庄あらため福居藩(のち福井藩)の当主松平伊予守《いよのかみ》忠昌に依頼したのである。

正之が才兵衛の消息を知ったのは、黒田騒動が世間の耳目を集めた寛永十年(一六三三)のことだから、もう三年も前になる。その時から正之は、この命の恩人を保科家にまねき、母の浄光院に再会させたくて仕方なかった。

だが、これにはふたつの問題があった。

ひとつは、越前松平家は五十万石の富裕な家柄だから、高遠より福居にいた方が良い暮らしができると思われたこと。ふたつには、血筋の者ばかり召しかかえるという批判が譜代の者たちの間から起こりかねないこと。

そんなことから才兵衛譲渡の申し入れをいままで見あわせていたのだが、家来たちをあらたに大量採用する必要に迫られたため、かれはようやく才兵衛召致に踏み切ったのである。

ところが、江戸の田中三郎兵衛から伝えられた松平忠昌の答えは、正之のまったく予測しないものだった。

才兵衛は、浄光院より先に死亡していた。ただし、やはり才兵衛と称するその嫡男が、家督を相続してなおも越前松平家につかえているという。

その者でよければ、と松平忠昌がいってくれたので、正之は二代目才兵衛を禄高四百石でゆずり受けることにした。

命の恩人でもある叔父の神尾才兵衛と、ついに相逢うことなくおわってしまったのは口惜しくてならなかった。

とはいえ二十万石の領国支配体制をすみやかにととのえなければならない時に、いつまでも傷心を抱いていることは許されない。

（才兵衛殿は上方へ出奔して以降流浪の境涯を送ったのではなく、名門越前松平家へ禄二百石で召され、妻を迎えてすでに前髪を落としたあとつぎまでいるとわかったのだ。それだけでよしとせねば）

と思うことにした正之は、ようやく鳥居家牢人たちの人品骨柄の吟味にとりかかった。

その結果、正之が保科正近以下とも相談のうえ召しかかえたのは、今村伝十郎二千石、神保隠岐《じんぼおき》おなじく、大熊備前千二百石、三宅孫兵衛千五百石、……。

「高遠以来」

と称した譜代の者たちに対し、鳥居家からの採用者たちは旧主鳥居左京亮忠恒のなのりから、

「左京衆」

と呼ばれるようになった。

禄百石以上の二百四十一家を見た場合、高遠以来の家は八十三家、左京衆は百五十八家、千石以上の重臣たちの比率は、高遠以来が七家、左京衆が六家。

正之がもっとも気を配ったのは、町奉行、郡《こおり》奉行、代官などの地方《じかた》役人を地方巧者との評判を得ていた左京衆で固めることだった。正之はとりあえず鳥居家の民政をそのまま引きつぐことにより、無用な混乱が起こるのを避けたのである。

ついで正之は、城南の八日町に普光山本誓寺《ほんけんじ》という境内地一万坪の法華寺院があるこ

とを知った。行ってみると、門前町に面した山門のうちに樹齢二百年を優に越えたと見られる大銀杏《いちよう》が亭々とそびえ立ち、大本堂も十間（一八・二メートル）四方の堂々たる寺院だった。

法華宗ならば、と考えた正之は、高遠浄光寺の日遵上人にすぐに連絡。この寺を本眘山浄光寺と改称して浄光院のあらたな位牌所とし、日遵を住職に迎えることにしてやっと晴れやかな気分になった。

こうして公私多岐にわたる問題を処理した正之は、九月から領内の巡行をはじめた。

保科正近と左京衆とに案内させて、まず行ってみたのは馬見ヶ崎川の岸辺。あたりは山あいから押し流されてきた土砂により、見わたすかぎりの荒田と化していた。

「この秋は日射が弱くて稲の実入りも悪く、このような冬は雪も深くなるとか。すると来年の五、六月あたりにこの川が」

「あばれ出すのか」

馬上、正近とことばを交わした正之は、いよいよ鼎《かなえ》の軽重を問われる時が近づいたことを感じて身震いした。

異変は東西に

不幸は時に、思いがけない方角から人を襲う。

寛永十三年（一六三六）十二月十八日、しんしんと雪に埋もれつつある山形から江戸へ参勤した保科正之の場合がそれであった。

正之は山形に城代家老としてとどまる保科正近と打ち合わせ、来年の五、六月に異変が起こった場合の対策をくわしく決めてから外桜田門内の江戸屋敷へ入った。ところがわずか四カ月会わない間に、お菊の方はいちじるしく健康を衰えさせていたのである。

「どうしたのだ、お菊」

ひさしぶりに幸松とも対面すべく、すぐに旅装を解いて奥殿に入った正之は、咳《せき》のため手巾を離せなくなっているその姿に凝然と立ちつくした。

緋色地に花蝶散らし、銀襴緞子《ぎんらんどんす》のまばゆいようなうちかけをまとって出迎えたお菊の方は、おしろいをたんと塗って唇にも紅を差しているので顔色の良し悪しはうかがえなかった。

しかし、熱があって悪寒《おかん》がするのだろう、室内は炭火で汗ばむほどの暑さで、

「お帰りなさりませ」

と懸命に三つ指をついたその声はあまりにか弱かった。白さを通りこして抜けるほどの色になった指先には、震えさえ見て取れる。

「少々風邪をこじらせておりまして、お見苦しい姿で申し訳もございませぬ」

お菊の方はかすれた声でかろうじていったかと思うと、また手巾で口もとをおおい、咳の発作をこらえようとした。

「御前さまは二カ月ばかり前からお加減よろしからず、いましがたまで臥せっておいでだったのでござります」

たまりかねて末座から膝行《しっこう》し、その背をさすったのは、染紋付に白地半模様のうちかけを着けている老女だった。

「血は、吐かなんだか」

その激しい咳が喉よりもさらにからだの奥からせきあげるもののように感じた正之は、内藤家からお菊の方の輿入《こしい》れについてきたその老女にたずねた。

「はい、いえ、あの、――」

一瞬ためらった老女は、隠しきれないと見たのか、あきらめたように答えた。

「ほんの少しではござりましたが」

「幸松は、どうしておる」

と正之が聞いたのは、もしもお菊の方が労咳《ろうがい》（結核）を病んだのならば幸松にうつし

外に示していた。この時代の労咳は、死に至る病である。


てしまった可能性がある、と即座に考えたためだった。

「はい、お部屋にいらっしゃいますが、御前さまの仰せにて朝夕の御挨拶もお控えいただいてしばらくに相なります」

その答えようは、この古参の老女の見方、ひいては藩医の診断も労咳であることを言外に示していた。この時代の労咳は、死に至る病である。


寛永十四年（一六三七）の正月を、正之は暗澹たる気持で迎えた。

山形から帰ってきた正之に挨拶するため、あえて床をはらい、華美な衣装に身をつつんで出座したお菊の方は、その無理が祟《たた》ったのか年賀の式にも出られないほど急速に病み衰えていた。

しかし、正之は家光からふたたび二の丸留守居役を命じられたため、そのお菊の方に常時ついていてやることは不可能だった。

（お菊は、今年ようやく十九歳になったばかりの身空ではないか）

正之はそう叫びたくなることもあれば、

（おれも幸薄き生い立ちだったかも知れぬが、母上のほかに信松院《しんしょういん》や見性院《けんしょういん》がいて下さった。なのにお菊がはかなくなってしまったら、まだ四歳の幸松はどうなる）

とお菊の遠からぬ死を心のどこかで前提としている自分にはっとし、おのれを責めることもたび重なった。

労咳という不治の病の傷ましさは、意識がどこまでも冴えわたっていることにある。

「御前」

下城するとかならず見舞におとずれる正之に、お菊の方が病床からはかなげに呼びかけたのは、庭の桜も散り敷いた夕暮れのことだった。

「わたくしは御前のおためになにもお力になれず、ほんに申し訳ございませんでした。先に逝《ゆ》く身を、どうかお許しくださりませ」

と息をあえがせた時、お菊の方の目はにわかに潤《うる》んだ。枕の上で細い首を動かし、正之の顔を見あげたふたつの瞳がちょっと内側に入ったことだけが、嫁いできた夜とおなじであった。

うん、うんとうなずく正之に、お菊の方は切なげにつづけた。

「幸松さまのことのみが気がかりでございます。どうか、どうか幸松さまのことを」

かつて正之がお雛さまのように感じたお菊の方は、面やつれして鼻梁と顎の肉が削《そ》げ、肌の色が透きとおるようになっているだけに、凄絶なほどの美しさだった。

「そう弱気なことばかり申すな。とにかく医師を信じ、滋養を摂《と》るよう心がけよ」

正之はその額を撫でてやったが、微熱が打ちつづくだけにお菊の方の肌はかすかに汗ばみ、ひんやりとしているのが哀しかった。

寛永十四年は三月に閏月《うるう》がつづいたため、五月に入るともう入梅だった。お菊の方には新鮮な空気が必要なのに、戸をあけておいては蚊や羽虫に悩まされる。

蚊帳《かや》をつることになった寝所に臥せりつづけるお菊の方は、正之がその蚊帳越しに見つめると、青い海の底に静かにゆらぐ白い珊瑚樹《さんごじゅ》のひと枝のようにはかなげに見えた。

薬石効なく、そのお菊の方が最後の喀血の発作に襲われたのは五月十四日払暁のことであった。

正之はその後しばらくの間、空蟬《うつせみ》のようになってしまってなにを考える気にもなれなかった。

母の浄光院を喪ってまだ二年もたたないというのにお菊の方まで逝ってしまうとは、山形入りしたころには思いも寄らなかった。正之は二十七歳にして、早くも男やもめとなってしまったのである。

幸松には乳母《めのと》とおつきの者たちとがいるからその点で心配はないにせよ、やはり幼くして母との死別を余儀なくされたさびしさは察するにあまりある。

（なぜ、わがゆかりの者たちは、こうもつぎつぎと死んでゆくのか）

正之が世の無常を思い知らされているうちに六月となり、山形の保科正近から早馬がきた。

「馬見ヶ崎川の堤が切れて大水《おおみず》と相なり、水は怒濤のごとく町屋をなぎ倒してお城まわりにまで押し寄せましてござる！」

この急な知らせに、正之はわれに返った思いがした。かれがお菊の死を嘆く間にも、馬見ヶ崎川は上流の雪解《ゆきげ》の水を含んで満々とふくれあがりつつあったのである。

（くるものが、ついにきたか）

よし、と思い切ったことが、正之の五体に力を漲《みなぎ》らせた。

即刻、田中三郎兵衛以下を書院に集めたかれは、言下にいった。

「山形城下は大水となり、切れた堤をあらたに普請いたすにも手の足りぬまでと相なった。しかし、うろたえてはならぬ。民部（正近）に先例を調べさせておいたところ、最上義光公の世に大洪水となった時には、遠く由利郡や庄内藩にも加勢を求めて治水をまっとうしたという。余はこれにならって領外からも人手をつのるべく、御老中に掛けあってまいる」

正之は喪中にもかかわらず月番の老中土井利勝をたずね、すぐに寄合普請の許しを得た。山形藩江戸屋敷からは、正之が帰邸するのとほぼ同時に早馬が国許めざして発進していった。

この時あばれ出した馬見ヶ崎川は、蔵王山の主峰熊野岳の北麓に発して初め北流、のち西流に転じ、谷の開口部である盃山と千歳山の間を出て山形城下の右肩を北西へ流れる。すなわちこの城下は扇状地上に位置し、川底は年々土砂がつもって高くなるだけに洪水に襲われやすいのである。

今日の馬見ヶ崎川は、延長二万二千メートル以上の一級河川。旧山形城下にあたる山形市には面積三十ヘクタールもの馬見ヶ崎川河川緑地が開設され、サイクリング場、サッカー場、野球場、テニスコートその他があることからも、そのひろさのほどは察せられよう。

保科正近が陣頭指揮をとった馬見ヶ崎川の堤の再普請は、決壊箇所を入念に調べて切れにくく頑丈な高い土手を造ることにしたため、その取りつけ枠の長さだけでも七十丁

（七六三〇メートル）に達した。しかもそのまわりには太い杭をびっしりと打ちこみ、一種の護岸設備としたので工事は八月中旬までつづけられた。

これは、山形はじまって以来の大工事であった。ために町方の者たちも、その出来映えに驚嘆。

「おんなじような大水がきても、今度の堤は切れはすめえ」

と胸を撫でおろしているという話も江戸へ伝わり、正之は張りつめていた気分が少しゆるむのを覚えた。

それでもなおこの年には、気の抜けない出来事が相ついだ。

その第一は、大水が田を痛めつけた当然の結果として、大凶作が予想されたことだった。正之は刈り入れの前から藩外に米を求め、これを領民たちに放出することによって急場をしのぐ万全の用意をととのえさせた。

さらに正之は、年があけたら検地をしなおすよう正近に命じた。

前山形藩主鳥居家には、農民たちを収奪の対象としか見ない悪しき体質があった。四公六民が常識とされる年貢高も、四割二分五毛の高率に設定していた。その検地も鳥居家の取り分がこの率になるようにという観点から逆算して村高を定めたひどいもので、

「左京縄」

と呼ばれて農民たちの怨嗟の的になっていた。

地方《じかた》役人として採用した左京衆の報告からこれを知った正之は、民情に合った年貢高をあらたに定めなければ、と決意したのである。

そのため、やがて山形藩の年貢高は三割九分三毛へと引き下げられることになるが、これと並行して高遠《たかとお》でも深刻な問題が生じていた。

高遠入りした鳥居家が、保科時代の先例を無視して税率を上げたばかりか、つぎつぎに新税をもうけるなどの酷政をおこないはじめたのである。

もはや高遠では身が立てられない、と考えた高遠の領民たちは、臼《うす》をひきながらこう歌っているという。


いまの高遠でたてられやうか早く最上の肥後さまへ

鍋や釜のみを手に着のみ着のまま山形へ流れこんでくる高遠の者たちも、次第にめだちつつあった。

譜代大名とは、徳川幕府のために戦う武将であると同時に、民をいつくしむ民政の巧者でもなければならない。正之はこの者たちから、藩主としての生き方をあらためて教えられたように思った。

その正之はおのれの感情をあらわにすることもなく、日々江戸城二の丸に精勤している。家光はこの異母弟の姿を、それとなく見守っていたようであった。

武蔵川越三万五千石の藩主堀田加賀守《かがのかみ》正盛といえば、家光の乳母春日局《かすがのつぼね》を外祖母とし、老中酒井忠勝の息女を正室に迎えた家光のお気に入りのひとりである。正盛の川越入り自体が、忠勝の川越から若狭小浜十二万三千五百石への栄転にともなう異動だったが、正盛は四年前、まだ二十七歳の若さで老中並《なみ》となっていた。

その堀田正盛が微行に見せかけ、黒塗り無紋の忍び駕籠に乗って山形藩邸へ正之をたずねてきたのは、正之が高遠の変化に気づいて胸を痛めていたころだった。

正之が書院に迎えると、四角い顔だちのなかに大きな目鼻と小さな口が奇妙な対照を見せている正盛は、思いがけず肩衣半袴《かたぎぬはんこ》を着用していた。これは来訪が実のところは微行ではなく、用むきのことであることを意味する。

「いざ、これへ」

「されば」

とことばを交わして上座へうつった正盛は、亡きお菊の方への弔意をあらわしてから口調をあらためた。

「実はこのほど、それがしに上意がございました。保科家伝来の品々はもはやお手前には必要ありますまいから、保科弾正忠《だんじょうのちゅう》（正貞）にゆずらせてはどうか。その方が間に立て、との仰せでございましたので、にわかに参上つかまつった次第でござる」

「これはありがたきことです。実はそれがしも、前々から弾正殿のことが気になっておりましてな」

正之は、ひさしぶりに笑顔を見せて答えた。

もしも正之がいなければ、養父正光の死後、保科家を相続していたであろう保科弾正忠正貞は、正之が保科家をついだ結果その支流のようなかたちになってしまっていた。

それを気にしていた正之が、正貞に鍛冶橋《かじばし》の元高遠藩江戸屋敷をゆずったのはもう四年前のことになる。それを知っている家光が、正貞に保科家伝来の品々をもゆずれと命じたことは、正貞を保科家の本流とし、正之には別流であり徳川家一門である保科家を興《おこ》すよう望んでいる、という意味にほかならない。

保科家伝来の品々とは、槍弾正の異名を取った正俊が家康から与えられた感状二通、保科家系図、髭切りの太刀と手掻包永《てがいかねなが》の宝刀ふた振りのことをいう。

翌日、正之が家老の北原光次を使者として鍛冶橋へおもむかせ、正貞に事情を伝えると、正貞は思わず落涙するほどの喜びようであった。これを聞いて、正之もようやく胸のつかえが取れたような気がした。


そのころ、はるか九州の肥前国では、まったく思いがけない大乱が勃発していた。

「島原の乱」

あるいは、

「天草一揆」

として世に伝えられることになるこの一大事件は、寛永十四年(一六三七)十月末、豊後《ぶんご》府内にいる豊後目付から初めて幕府へ報じられた。

「松倉長門守《ながとのかみ》の所領、肥前の島原において御禁制の天主教(キリスト教)を奉ずる者どもが一揆をくわだて、城下に火つけして有馬と申すところに立てこもりましてござる」

島原藩の表高は、四万三千石。なのに藩主長門守勝家の先代、重政《しげまさ》の代に松倉家は十万石の大名たらんとする悲願を立て、それにふさわしい家臣団を養うかたわら、三重五層の天守閣をもつ分不相応な島原城まで造営した。

当然のことながら財政は窮迫の一途をたどる。もともと五公五民ないし六公四民の高い年貢率だったにもかかわらず、勝家は出生税、穴銭（埋葬税）、いろり税から煙草税、牛のくびき税まで案出。はらえない者に対しては、水責め、蓑《みの》を着せて火をつける蓑踊りなど、残忍きわまる責め苦を与えることも辞さなかった。

もとをたどれば島原半島は、切支丹《きりしたん》大名でみずからもプロタジオの洗礼名をもつ有馬晴信の領地だった。そのため土着の者たちにも切支丹が多く、慶長十七年（一六一二）に禁教令が出されて以降は、指切り、穴つるし、木馬責め、雲仙の地獄湯への投げこみなどによる殉教者が続出した。

松倉家としては酷薄な刑罰をくわえることに慣れすぎていたわけで、その手法を徴税にも応用しただけの話であったろう。

しかし領民たちとしては、税を納めれば窮死、納めなければなぶり殺しにされるという八方ふさがりの状況だから、いつ、なにが起きてもふしぎではなかった。その熾火《おきび》のようなうねりが、水責めされた妊婦が悶死した出来事をきっかけに、一気に燃えあがるや全藩域へと拡大していったのである。

これを聞いた家光は、江戸参勤中の松倉勝家と豊後府内藩主日根野《ひねの》吉明に即刻帰国を命令。やはり肥前に領国のある佐賀藩主鍋島勝茂、唐津藩主寺沢堅高《かたたか》には、松倉家の手にあまる時は加勢するよう通達した。

むろん正之は、島原藩松倉家の内情をよく承知してはいなかった。

だがこれは、対岸の火事とは思えない事態であった。山形も馬見ヶ崎川治水工事はおわったものの、今年の大凶作はすでにあきらかになっている。来年の収穫の季節までの間に飢饉が起こり、すでに用意したほどこし米では間にあわない事態となれば、保科家が松倉家の轍《てつ》を踏むこともあり得ないことではなかった。

しかも、島原の一揆は隠れ切支丹の多い隣国肥後の天草地方にも飛び火し、約一万二千の大軍に成長。勢いにのった一揆勢は、島原城を包囲したばかりか、鎮撫に出動した唐津藩の兵たちにも逆襲をかけつつあるという。

いつか江戸城内もこの話でもちきりとなったため、正之もおのずと西国の異変に注目した。すると次第に、この大乱にまつわる面妖な因縁話が流れてきた。

――もう二十五年も前、天草に天主教をひろめようとした南蛮人の伴天連《ばてれん》（神父）にザビエルという者がいた。日本を去る時、ザビエルは預言した。

「これより二十五年後に、天にましますデウスが神童をこの地に降《くだ》したまい、天主教を再興するであろう。その時にあたって東西の空は赤く燃え、枯れ木が花をつけるであろう」

――それからちょうど二十五年後にあたる今年の秋口から、天草の上空には天を焼いたような赤い雲がひろがるようになった。そしてついに、桜がそこここに狂い咲きしはじめた。

――一方、天草の大矢野《おおやの》島の牢人益田甚兵衛には、四郎というふしぎな力をもつ男の子がある。まだ十六歳の四郎は、なにも学ぶ前から読み書きすることができた。

それが近ごろは鳩を手にのせて卵を産ませ、その卵のなかから天主教の経文を取り出してみせたりする。雀のとまった竹の枝を雀を飛びたたせることなく手折ることもでき、海上を道をゆくがごとくに歩むこともできる。

——ひと呼んで、天草四郎時貞。これぞザビエルの預言した神童であり、デウスの子ゼズキリシトの生まれかわりに違いない。ならばいまこそ天主教再興の時、と信じた隠れ切支丹がぞくぞくと集結したため、一揆は猖獗《しょうけつ》をきわめるに至ったのだ、……。

「あの噂は、どこまでほんとうなのでしょうか」

田中三郎兵衛が下城した正之に真顔でたずねた時、正之は即座にたしなめていた。

「三郎兵衛までが、かようならちもない噂を真に受けるとはの。敵陣に間者《かんじゃ》を入れて流言蜚語を飛ばし、敵兵の間に疑心暗鬼を生じさせるのはいくさの常道というものだ」

「はい、たしかに」

「さればこのような噂は、一揆勢にもあなどりがたい軍師がいる、という見地から受け止めるべきことなのだ。『論語』にも、子、怪力乱神《かいりょくらんしん》を語らず、とあるのを忘れてはならぬ」

これは、孔子は怪異、暴力、乱逆、鬼神については語ろうとしなかったという意味である。

しかし皮肉なことに、日ならずして正之自身が別の噂の主人公にされてしまった。

「まもなくお上は、一揆鎮圧のための上使をお立てあそばされるであろう」

という予測がめばえると、

「指名されるのは、保科肥後殿に違いない」

という見方がまたたく間に定説と化したのである。

「いよいよ、保科家二十万石のいくさぶりを天下に示す時がまいった」

と武者震いした正之の家来たちは、てんでに武具甲冑を取り出してつくろいや手入れを開始する始末。国許に妻子親戚のある者は、明日にも九州へ下向するような別れの手紙をこぞって書きはじめる騒ぎとなった。

ところが、——。

十一月九日、正式に上使として一揆追討軍の主将に任じられたのは、正之ではなかった。

板倉内膳正《ないぜんのかみ》重昌、五十歳。

三河深溝《ふこうず》一万五千石の藩主である板倉重昌は、大坂冬の陣に講和使節をつとめたこともあり、五年前におこなわれた九州諸大名の国替えに際しても下向して城の引きわたし役を果たした実績がある。

「それにしても内膳さまは、あまりの小身《しょうしん》。あれでは九州の大身《たいしん》の大名家を使えますまいから、内膳さまは孤軍奮戦を余儀なくされて討死されてしまうのではないか、と柳生但馬《たじま》さまも案じておられるとか」

と田中三郎兵衛が耳打ちしたが、正之はなんとも答えなかった。

そして、板倉重昌が九州へむかうのとほぼ同時に正之に下された台命《たいめい》は、帰国命令であった。

「これはしたり。お上には、なんぞ当家におふくみあそばされるところがあるのではあるまいの」

保科家の家中には、失望というよりもむしろ正之の身を案じる声がにわかに高まった。家光が実弟忠長を死に追いやってから、まだ四年の歳月しか流れてはいない。

（お上はふたたびお心変わりして、殿をうとんじはじめたのではないか）

と想像をたくましくして、保科家の者たちは気色ばんだのである。

だがひとり正之のみは、泰然自若としていた。そればかりか、その小さな髷の下に通った鼻筋、引きしまった唇の姿よくおさまった温顔には、うれしくてならぬ、とでもいうように微笑すら刻まれることもあった。

まもなく山形城へ帰った正之は、出迎えの城代家老保科正近ら国許詰めの者たちまで心おだやかならざる顔つきをしていることにたちどころに気づいた。

「おもだった者どもを、すぐ大広間へ集めよ」

かれは、きっぱりと正近に命じた。

「皆の者、余の参勤中も忠勤に励みおりしこと、まことに苦労であった」

角九曜《かくくよう》の家紋を打った紋羽織と紬縞《つむぎじま》の袴に衣装をあらため、上段の間へ姿をあらわした正之は、ゆるゆると口をひらいた。

「されどこたびの帰国について、余がお上の御機嫌を損じたのではないか、などとあらぬことを申すやからもいるようなれば、ちと申し聞かせる。余は権現さま（家康）がいまだ御在世のみぎり、台徳院さま（秀忠）に仰せ出されたおことばにかようなものがあ

った と聞きおよぶ」

つづけて正之が口にしたのは、

「奥州になにか凶事のあった場合は上方《かみがた》へ心を配り、西国に変事ある時は奥州の押さえを肝要とすべし」

という家康の遺訓であった。

かれは、つづけた。

「これはいうまでもなく、天下覆滅をたくらむやからが東西に相呼応して蜂起するのを用心せよ、とのお心である。遠くは承平・天慶《てんぎょう》の乱における平将門《まさかど》と藤原純友《すみとも》、近くは関ヶ原前夜における上杉景勝《かげかつ》と石田三成の談合を考えれば、権現さまがなにゆえかようなおことばを遺されたかはいうまでもない。そしてお上におかせられては、このおことばを日夜深く肝《きも》に銘じておいであそばされるからこそ、九州に切支丹一揆が起こった今日、余に奥州の押さえであるこの山形へ帰国するよう仰せ出されたのだ。お上がかくも権現さまの教えを一心大切に守っておいであそばされる以上、九州の騒乱もほどなく治まるであろう」

このさわやかな説明によって、保科家家臣団の胸にあった不安は一気にかき消えた。

こうして正之は家中の動揺を未然に防ぐことに成功したが、島原・天草の一揆の勢いはなおもとどまるところを知らなかった。

十一月も下旬になると、その兵力は二万四千と二倍に膨張。この大軍は雲仙岳の南方、早崎の瀬戸に面した原城にたてこもり、乱は長期化の様相を呈しはじめた。やはり板倉重昌の指揮する追討軍には、足並の乱れが大きかったのである。

これを憂えた家光は、十一月二十七日、武蔵忍《おし》藩主であり、土井利勝、酒井忠勝、阿部忠秋、堀田正盛とともに老中の職にある松平伊豆守《いずのかみ》信綱を第二の上使として九州へ派遣することにした。今年四十二歳の松平信綱は、

「知恵伊豆」

と渾名《あだな》された切れ者として世に知られつつある。

奥州押さえ役として乱の実態を見届けておく必要を感じた正之は、信綱にお供番の大村太兵衛を随行してくれるよう申し入れて快諾を得た。その信綱が千五百あまりの兵をひきい、江戸を出立したのは十二月三日のことであった。


まもなく、柳生但馬守《たじまのかみ》宗矩《むねのり》の予言は的中した。

松平信綱の九州下向を知り、上使の面目を失った板倉重昌は、原城籠城の一揆勢に対して無理攻めを敢行。年のあらたまった寛永十五年（一六三八）元旦、出丸《でまる》の塀ぎわで討死してしまったのである。

一月四日に着陣した信綱が代わってこころみたのは、

「干し殺し（兵糧攻め）」

であった。

こうして一揆勢を飢餓の淵に追いやった信綱は、オランダ軍艦には海上から砲撃してくれるよう依頼しておいて、二月二十七日から九州の諸大名十二万の大軍による総攻撃

を開始。討死千百人あまり、手負い八千人以上を出しながらも、天草四郎をふくむ一揆勢一万九千余をわずか二日で殲滅《せんめつ》することに成功した。

四月十二日、家光はこのような大乱のもとを作った松倉勝家の責任を問うて島原藩の没収を決定したが、正之は原城突入にくわわって帰国した大村太兵衛を従来の家禄二百五十石から五百石へと加増してその功にむくいた。

大村太兵衛を山形城本丸の黒書院にまねいて直接加増を伝えた正之は、つづけてたずねていた。

「ところでその方、島原の一揆が天草にも飛び火し、鎮定いたすのに五カ月もかかる騒ぎと相なったわけは奈辺《なへん》にあったと思う」

「それがしは槍一筋の者なれど、つらつら愚考つかまつりますに、――」

血槍、血刀をふるって奮戦してきた大村は、おのが武功を誇るでもなく淡々と存じよりを述べた。

それからまもなく、――。

正之は武家諸法度に関する自分の考えをまとめ、土井利勝、酒井忠勝、阿部忠秋、堀田正盛の四人の老中あてに書き送った。もうひとりの老中松平信綱は、なおも天草にあって事後処理に奔走している。

しかし、老中たちからの返事はなかなかこなかった。

その間に、江戸家老田中三郎兵衛が意外な事実を報じてきた。まだ五歳の幸松が、近ごろ病魔にとりつかれてしまったという。

「おそれながらお側医師どもの診立てによれば、泰教院さま（お菊の方）の御病気がいつの間にか若君に染《うつ》っていたもののごとく、……」

とその一節にあるのを見て、正之は慄然《りつぜん》とした。

幸松は生まれた時からからだが小さく、気性もおとなしくて、どちらかといえば影の薄い子供である。

（その幸松が、お菊とおなじく労咳《ろうがい》を病んではひとたまりもないのではあるまいか）

と最悪の結果を予測すると、正之は江戸へ飛んでゆきたくなった。

だが、正之のこのたびの帰国は、台命によるものである。それでなくとも大名が勝手に国許を離れることは許されないのに、この時の正之には、どうしても山形にいなければならない事情があらたに生じていた。

田中三郎兵衛の急報より一歩早く、

「将軍家におかせられては、前島原藩主松倉長門守（勝家）は切腹、その弟松倉右近はそこもと預けとなさる旨仰せ出され候」

との文書が帰府した松平信綱から届けられ、正之は謹んでお受けすると答えたばかりだったのだ。

松倉右近の山形送りは七月のことに予定されていたから、正之は少なくとも右近を受け取るまでは山形城を離れられない。

こうして正之が日一日と焦りと不安をつのらせるうちに、もうひとつ厄介な問題が起こっていた。

山形城下から北へ約八里、前方の空に月山《がっさん》の雄大な姿を仰ぎながら庄内六十里越《ごえ》と呼ばれる街道をゆけば、寒河江《さがえ》に入る。

「寒河江千軒」

とにぎわいをたたえられるこの集落とは寒河江川をはさみ、その北岸にひろがる白岩郷八千石の地は、元和八年（一六二二）以来酒井長門守忠重に与えられていた。酒井忠重は、徳川四天王のひとり酒井忠次に発する庄内藩酒井家の分家筋である。

ところがこの男も松倉勝家に似た圧政をおこない、五年前の寛永十年（一六三三）には、餓死者一千を出して領民たちから牙を剝《む》かれることになった。

白岩郷の農民たちは、その暴虐悪政二十三カ条をつぶさにしたためた目安状を手に幕府に越訴《おっそ》。幕府は首謀者たちを死罪に処したものの、その主張は認めてこの三月のうちに酒井忠重から領地を奪い、白岩郷を天領（幕府直轄地）に組み入れた。

しかし、昨年も凶作だったのに代官小林十郎左衛門がまたしても苛政をこととしたため、六月に入るや白岩郷の農民たちはふたたび一揆を起こした。

一揆勢は、約三百戸。対して代官所の兵力は三十人足らずだったから、竹槍と草刈鎌にかこまれてはとても太刀打ちできない。あわてた小林代官が山形へ逃れ、正之に直接助けを求めるという騒動がもちあがったのである。

降りかかった火の粉ではあるが、この騒ぎを長引かせては島原・天草の一揆の二の舞になりかねない。

（たとえ松倉右近を預かったとしても、この一揆を鎮圧せぬかぎり江戸へ行って幸松を見舞うこともできぬではないか。いや、それでなくても奥州の押さえをゆだねられたこの身が、かような騒乱にふりまわされていてはお上に申し訳が立たぬ）

深く胸に決するところのあった正之は、小林代官を別室に休息させると、すぐに保科正近を呼んだ。

禄高三千石の保科正近は、一朝ことある時には騎馬武者・徒武者《かち》あわせて十人、弓・鉄砲・槍足軽十人ほか三十六人、計五十六人をひきいて出陣するよう定められている。

山形城二の丸の西寄りの地、七日町口の大手門のうちに最大の家老屋敷を与えられている正近が、黒塗りの陣笠はかむったものの具足もまとわずぶっさき羽織に馬乗り袴の軽装で馬にまたがり、これらの家来たちをしたがえて白岩にむかったのはその翌日のこと。なにごともなかったかのように帰ってきたのは、それから三日後のことであった。

ただちに衣装を肩衣半袴にあらためた正近は、正之のいる本丸の御座所をおとずれて報じた。

「お指図にしたがいまして白岩郷に出張り、一揆勢のおもだった者たちに事情を聞きました上で、こう申し聞かせてまいりました。その方どもの申すところは、もっともなところもある。しかし御公儀のお代官を相手にことを起こした以上、その方どもの申しようを御公儀がそのままお認め下さるかどうかは、拙者にもわかりかねる。さいわいわが藩にては殿が御帰国中なれば、あらためて殿に直訴してみてはどうか。それには一揆の連判状に名をつらねた者どもが御城下へ出頭いたさねばならぬが、この白岩は天領であり、保科領ではないから表だってやってこられてはこちらが迷惑。二、三人ずつめだたぬように城下入りして旅籠《はたご》に分宿し、頭数がそろったところでそれと伝えてまいれば、なんとか殿にお目通りできるようはからってもよい。これはまだ拙者一存のことなれば口外は無用だぞ、と」

「それでよい、苦労であった」

と答えた正之の端整な顔だちは、憂いに閉ざされていた。

「殿、拙者の不在中に、三郎兵衛がなにか伝えてきたのでございましょうか」

思わず正近がその顔をのぞきこむようにしたのは、江戸の幸松の容態が気になってのことと正之にもすぐにわかった。

「いいや、なにもいってきてはおらぬ」

正之は、静かにかむりを振った。

「しかしこうなっては、もはやどちらが早いかということのようだ」

そのどちらとはなにとなにのことなのか、もう二十年以上のつきあいになるこの主従には、いわでものことである。

その数日後から、白岩一揆の領袖格の者たちが野良着姿のまま三々五々山形城下へあらわれはじめた。都合三十八人が大手町東側の旅籠町にそろったと告げられた正近は、屋敷の斜め前、本丸大手門北側の会所から町奉行日向《ひなた》兵左衛門を召して命じた。

「手の者をただちに旅籠町に差しむけ、三十八人をひとりのこさず召し取れ」

山形城二の丸のうちにある会所は、月番の家老、若年寄、大目付、目付の詰める本役所と町役所、山役所、公事所《くじ》、郡役所とからなっている。

　意気揚々と町役所へ引きあげてきた日向兵左衛門は、三十八人をとりあえず付属の揚《あが》り屋（牢）につないだ。これを受けて正之は、ふたたび老中たちに指示を仰いだ。

　だがその回答がこないうちに、ついに田中三郎兵衛から幸松の訃報が届いた。時に六月二十七日。先に生母お菊の方を喪っていた幸松は、父正之も立ち会えぬまま野辺の送りをいとなまれる運命にあったのである。

　一方の白岩郷では、なおも江戸への越訴をたくらむなどの不穏な形勢がつづいていた。しかもまた酒井忠勝に使者を立てても、忠勝からの継ぎ飛脚はいっこうに姿をあらわさない。手ぬるしと見た正之は、月のかわらないうちに日向兵左衛門に命じた。

「かの者どもを、ことごとく磔刑《はたもの》に架けよ」

「おことばではございますが、かの者どもは天領の民、いま一度御公儀におうかがいを立ててからでも」

　高遠以来の家臣である兵左衛門も、いつになくきびしい正之の口調に驚き、ためらいがちにいった。

　それでも、正之はうなずかなかった。幸松の死を知って以降、眉宇に深い翳《かげ》りをただよわせている正之は、眉目秀麗で色白な顔だちだけに一種凄愴の観すらある。

　翌日、揚り屋から引き出された三十八人は、裸馬に乗せられて城下を引きまわされたあと、馬見ヶ崎川の北の河原で一斉に磔《はりつけ》に架けられた。

　この果断によって正之の威名は出羽のうちに轟きわたり、領民はいうまでもなく領外近隣の農民たちの間でも、不穏をかもす動きは一気に終息にむかった。

しかし、新規召しかかえの左京衆には、正之のものの見方や性格をまだよくわかっていない者も少なくない。その一部には、正之の処断を批判する声も生まれた。

「領民でもないものを御公儀のお指図も待たずに磔刑に架けてしまうとは、ちとやりすぎではないか」

「将軍家の弟君にましまし、三万石から一足跳びに二十万石の大身《たいしん》になられたこともあって、強気になりすぎておられるのかのう。かの駿河大納言さまのように、いずれ高ころびにころばねばよいが」

そのような声があることを知った保科正近は、憤然として正之に言上した。

「殿。これではまるで、越度《おちど》は白岩の一揆でも小林代官でもなく、殿にあったかのような言い草でござる。殿のお志が奈辺にあったか、あきらかにしておくべきではござりますまいか」

周囲の人々に誤解されていると気づいた時、ふつうの者ならばどうするか。まずは誤解をとくために、真意を語ろうとするだろう。

昨年十一月、正之が島原・天草の一揆の追討軍の主将に任じられるという噂に家臣団が沸き返り、その期待が失望に変わった時には、正之もみずからの帰国理由を家来たちに説明しておく必要を感じてそのように行動した。

ただしそれは、家来たちが風聞を鵜呑みにして家光への不満を洩らしはじめたためであった。家光に対していわれなき怨嗟の声があがらなかったならば、正之は家康の遺訓を家中の者たちに思い出させようとはしなかった。

「いいや、かまわぬ。いいたい者にはいわせておけ」

正之が釈明する気はないという意思をやや淋しげに伝えると、正近は太い眉をぴくりと動かして反論した。

「おことばなれど、この民部も城代をつとめる身なれば、いまの仰せにはちとしたがいかねまするぞ。おそれながら殿のこたびの御決断は、先ごろお上が仰せ出された武家諸法度の改定条項を念頭に置かれてのことと存じまする」

「そうだ」

「不肖ながらそれがしも、それと拝察いたしましたればこそ白岩の一揆勢のもとへおもむきましたもの。それを殿の御失政のように申すやからがあるとは言語道断、まことに口惜しくてなりませぬ」

少年時代の正之に藩主としての心がまえをていねいに教えてくれた正近が、ほかならぬその正之の面前で激情をほとばしらせたのには理由があった。

江戸時代の武家法の規範であり、今日の憲法に匹敵する幕法は、

「武家諸法度」

である。

豊臣家滅亡直後の元和元年（一六一五）七月、初めて発布されたこの法度の一項にいう。

「隣国において新儀をたくらみ、徒党をむすぶ者これあらば、さっそく（幕府へ）言上

いたすべきこと」

また三年前の寛永十二年（一六三五）六月、家光によって改定された武家諸法度のうち、右に相当する条項は、――。

「江戸ならびにいずれの国において、たとえいかようの儀これありといえども、在国のやからはその所を守り、（幕府の）下知を相待つべきこと」

これらはともに、島原・天草の一揆のような大騒動が隣国に勃発したとしても大名家は勝手に兵を動かして鎮圧に乗り出してはならない、まずは幕府に注進してその指示を待て、という意味であった。

九州の諸大名があまりに愚直に武家諸法度を守ったために、島原・天草の一揆は燎原の火のごとくひろがってしまったのである。

正之は山形入りして奥州の押さえをつとめながら、武家諸法度のこの不備にいち早く気づいていた。

四月十二日、九州から帰った大村太兵衛を召して、

「ところでその方、島原の一揆が天草にも飛び火し、鎮定いたすのに五カ月もかかる騒ぎと相なったわけは奈辺にあったと思う」

とたずねたのも、自分の考えの正否を確認するためであった。

その時大村は、率直に答えた。

「それはやはり九州の諸大名家が、国境《くにざかい》を侵して兵を動かし、御公儀の怒りに触れてお家とりつぶしとなったりいたしましたならば元も子もないと考えて、早く芽を摘むこ

とをためらいつづけたためでございましょう」

正之はわが意を得たりと感じ、直後に老中たちに対して意見書を差し出していた。すると家光は、この五月中に武家諸法度をつぎのように再改定すると諸大名に通達した。

「もし国家の大法制をおかし、凶逆のふるまいにおよぶやからある時は、隣国のやからすみやかに馳せむかい討伐すべし」

老中たちから返事はこなかったから、これが正之の意見にしたがっての改定なのかどうか、正之自身にもわからなかった。

「あれは、おれのやったことだ」

といいたがる自己顕示欲のまったくない正之にとり、そんなことは知る必要もないところだった。

「おことばなれど」

と正近があえて正之にことばを返したのは、この改定条項にしたがうならば、おなじ村山郡内の白岩郷に起こった一揆に対してなんの対策も講じなかった場合こそ保科家が幕法違反に問われてしまう、といいたかったためであった。

「その気持はわからぬでもない。しかしな、民部よ」

今年二十八歳になる正之は、その倍近い年齢の正近に思いを伝えはじめた。

「お上が余を奥州の押さえとみなして下さる以上、その御期待にそむくことはできぬ。そう考えればこそ、御老中方より指示がないのも御多忙ゆえのことであろうと思い、そちの手をわずらわせて白岩一揆を処断したのだが、はたしてあれでよかったのか」

恰幅《かっぷく》のいい正近が老いたる鷹のような目をまたたかせると、正之は斜めうしろに控える太刀持ちの小姓を去らしめてからつづけた。

「あれからまだ半月しかたたぬが、夜、眠る前につらつら考えてみると、どうにも後味が悪くてならぬ。余は奥（お菊の方）につづいて幸松に先立たれるのを覚悟したころから、身勝手に苛々《いらいら》を昂じさせていたのではあるまいか」

「な、なにを仰せある」

愕然として上体を前にかたむけた正近を、

「いや、黙って聞くがよい」

と手で制した正之は、憂いを帯びた口調でつづけた。

「そちも知るように、余が人に死を命じたのはこれが生まれて初めてのことだ。そこでなにゆえに余が極刑を命じたのかとわが胸のうちをとくと反芻《はんすう》してみると、白岩一揆のような難題をかかえていては幸松の最期に立ち会うことがますますできなくなると思い、処断を焦ったのではなかったか、という気持がふっ切れなくなってくる。そうだ、余はわが子の細りゆく命を思うがゆえに、人の子であり人の父である白岩郷の者たちに死を命じてしまったのだ。そう思うと、家中の者から情薄きあるじよ、といわれるのも当然のような気がいたしての」

「殿、お気の弱いことをおっしゃいますな」

正近は、いたわしげにいった。

「白岩一揆を処断なさらずとも、松倉右近殿お預かりの一件がある以上、殿が江戸へ出府なさることは叶わなんだのでござる。さらに一揆勢の断罪は武家諸法度の新しき条項を諸藩にさきがけて実践したことなれば、ほめられこそすれ世の非難を浴びる筋あいは毛頭ござらぬ。それでこそ奥州の押さえ役なりと、おそらくお上にも御満足でござりましょうて」

唇を嚙む正之に、昔から色の浅黒い正近は大きく息を吸ってからまたいった。

「あえてこう申すことをお許し下され。殿のお心の直《すぐ》なることとお優しさは、殿がまだ七歳のみぎりからおそばにあるこの民部が充分に存じあげており申す。近ごろ高遠よりこの御城下へ流れきた者が少なくないのも、ひとえに殿の御仁政をお慕いしてのこと。先年の馬見ヶ崎川の大水のおりにはあのように大がかりな堤の再普請を仰せ出され、年貢引き下げという古今に稀な善政を布かれている殿が、なにゆえにかくもお心を痛めねばならぬのでござるか」

「――そういうものか」

正之がまだ力なく応じると、

「そういうものでござる」

正近は、確信をもってうなずき返した。

つぎの瞬間、正之は思わず目と耳を疑っていた。正近は、にわかににこりとしてこうつづけたのである。

「この際なればいわせて下され。いつか申しあげねばと思っており申したが、殿はまだふけこむお年ではござらぬ。遠からず継室（後妻）ないし側室をお迎えなされませ。いまのお気弱は、浄光院さま以来たてつづけに御家族を喪いたまいしことに発しているやにお見受けいたす。ま、女子《おなご》探しはそれがしには不得手なれど、口さがない家来どものことは、それがしにおまかせあれ」

正近は日ならずして諸臣を白書院に集め、大音声《だいおんじよう》を張りあげて長広舌をふるった。

――島原・天草の一揆がかくも猖獗《しようけつ》をきわめたのは、西国諸侯に身を挺して国事につくす者がいなかったためにほかならない。およそ国に報じようとする者は、迅速に異変に対応することをもって善となす。

――御前はかねてよりそう思し召されておられたが、このほど公儀も御前の意見をお入れになり、武家諸法度を改定されたのはめでたいかぎりだ。

――さらに申せば、ただでさえ当家の大幅な加増を妬《ねた》む諸侯も少なくないというのに、当家が藩境近くに起こった一揆を座視しつづけていたならば、松倉家同様に世の非難を浴びるところであった。

――後難をおそれて処断の時を逸し、小事をして大事たらしめるは小人のなすこと。御前が昨年には奥方さまを、つい先日には若さまを喪わせられながら、そのお哀しみをおさえて藩政にうちこんでおられることを忘れてはなるまいぞ。

――うちつづく凶作にもかかわらず、領民に餓死者が絶えてないのはなにゆえか。御前が藩米を救民のために放出なさりながら、年貢高を引き下げるという前代未聞の御善政をおこなっておられるからではないか。あえていえば、代官殿はかような仁慈の心に欠けていたればこそ白岩郷を追われることになったのだ。

——それとこれとの見きわめもつかず、陰でとやかく申すやからがおるとは沙汰のかぎり。いつでも召し放ってつかわすほどに、早々になのり出よ」

堂々たる体軀の正近が仁王立ちして烱々《けいけい》たる眼光で居流れた一同を見わたすと、白書院のうちは寂《せき》として静まり返り、しわぶきの声ひとつなかった。

雨降って、地固まる。

左京衆のうちにもまたもののうちにも、その後正之の心中をあげつらう声はふっつりと途絶えた。

八月三日、江戸を経て山形へ護送されてきた松倉右近に対する正之の対応も、かれらを感服させるに足るものであった。

まず右近に屋敷を与えた正之は、家老・奉行たちとこの護送を担当した四人の家来、そして近所住まいの者たちが右近と交際することを許可。兄と家禄とを同時に失った傷心の右近を、さりげなく慰めてやるよう意をふくめたのである。

その正之が正近にふたたび国許の留守居を命じ、参勤のため江戸へ旅立ったのは十二月二日のこと。十一日、江戸屋敷に入った正之は、翌朝にはお菊の方と幸松の墓所にぬかずき、長い間黙禱を捧げた。

江戸城へ登城すれば、かつての西の丸留守居役より重い役を命じられてもふしぎではない。

そう思うと正之は、いつしかお菊の方と幸松の霊に語りかけていた。

（苦しかった。そなたたちに先立たれてから、おれはずっと苦しかった。山形では民部

に助けられたが、もうおれは立ち直らねばならぬ。そなたたちに笑われぬためにもな。見ていてくれ）

あらかじめふりかけた水のしずくが、ものいわぬ墓標の台座からしたたって規則正しく湿った音を伝えてくる。そのかそけき音と墓所をかこむ木々の臭いから、いつもお菊の方が袖に秘めていた白檀香《びゃくだんこう》の気品ある匂い、つづけて幸松の乳臭さをまざまざと思い出した正之は、にわかに視界がぼやけるのをどうしようもなかった。

しかし、――。

死者との交感が、なお現世《うつしよ》を生きてゆかなければならない者の心を甦《よみがえ》らせることも時にある。

自分の幼名を与えたひとり息子の墓所にようやく参拝することのできた正之は、胸の底に氷のようにむすぼれていたなにかが、少しずつ溶け出してゆくふしぎな感覚にしばらく身をゆだねつづけていた。

「明日四つ刻（午前一〇時）に、お目見《めみえ》なされてしかるべし」

と阿部忠秋が伝えてきたのは、それから六日たった十二月十八日夕方のことであった。

五年前、家光のお小姓番頭《ばんがしら》として忠長の葬儀に派遣された阿部忠秋は、その後老中に列して下野壬生《しもつけみぶ》二万五千石に封じられている。

使者の間へ通された阿部家のお使い番は、こうもいった。

「これはここだけの話でござりますが、本日午前中、お上におかせられては殿中の番所詰めの者たちに対し、明日肥後守殿お目見につき、いずれも無作法あるまじく、と触れ出されたよしにござります」

十九日の指定の時刻、麻裃《あさがみしも》をまとった正之が登城すると、なるほど阿部家お使い番のいったとおりだった。

奏者番《そうしやばん》、奥坊主からいつもいばっている目付たちまで、正之と顔を合わせた者たちは、思いがけず将軍とばったり出会った時のようなうやうやしさを見せる。

松竹梅に鶴亀、紅梅白梅などの吉祥図を障壁画とする長い廊下を幾度か折れ、古代中国の五侯図の描かれた白書院に入ると、なんと、このほど土井利勝とともに老中から大老に昇った酒井忠勝自身が福々しい笑顔で迎えてくれた。

すぐ上段の間に出座した家光も、にこやかにことばをかけてきた。

「やっと出府してまいったか。余の心もとなさも、これで消えるというものだ」

（お上が、このおれの登城をこんなにも待っていて下さったとは）

正之は君臣の間を超えた肉親の情愛をひしひしと感じ、深々と頭を下げることしかできなかった。

「これ、肥後殿。もそっと近う」

上段の間近くに腰を据えた忠勝の声にも、ねぎらいの気持がにじみ出ている。

この時ふたりは、ともに白岩一揆についてはなにも触れようとはしなかった。だが、ふたりがあえて武家諸法度の改定を申し入れ、その改定条項をいち早く実践してみせた正之を、これまでとはもうひとつ違う目で見はじめていることは確かだった。

あけて寛永十六年（一六三九）一月十一日、家光はその思いを上意というかたちで正之に伝えてきた。

「これよりは、その方をまつりごと全般にわたって相談相手とすることにいたす。なんによらず、はばかることなく意見を申すよう」

老中や六人衆（のちの若年寄）は、譜代大名たちのうちから能力すぐれた者が選ばれる。譜代大名とは、いうまでもなく徳川家の家来である。

対して正之は、家光の家来であると同時にたったひとりの異母弟であった。その正之を純然たる家来としてあつかうのを嫌った家光は、正之に幕府職制にはない役目を与えることにより、かれを事実上幕閣の上に立つ存在へと引きあげたのだ。

以後、家光が鷹狩その他のために江戸城を離れる時は、いちいち発表されなくても正之が留守居役をつとめるのはごく当然のことと見られるようになっていった。

——お上と保科肥後さまとは、物のかたちと影のような間柄におわす。

という声も、いつしか世の常識と化した。ここに正之は、二十九歳にしてようやく政治の表舞台に姿をあらわしたのであった。

そのころ、——。

山形城代の保科正近を頂点とする保科家重臣たちの間では、着々と正之の後添え選びがすすめられていた。

もしもこのまま正之が独り身でとおしたならば、養子を迎えて保科家を存続させる手はあるにせよ、正之の血脈は一代かぎりでおわってしまうことになる。それを案じた正近は、江戸屋敷にも檄《げき》を飛ばした。

——御前は、まだ花の盛りの御年齢ではないか。申すもはばかりあることながら、泰教院さま（お菊の方）におかせられてはややおひ弱にましましたとうけたまわる。さればこのたびは、お人柄のみならずおからだもすこやかなるお方を鉦《かね》や太鼓を叩いても探し求めよ。

やがて、諸方からこれに応じる気配が生じた。

かつての高遠三万石と、今日の山形二十万石とではあまりに家格が違う。しかも、家光が正之を事実上の副将軍として遇しはじめたことは、諸大名の刮目《かつもく》するところだった。ために、

「わが娘をぜひとも保科肥後さまの後添えに」

と願う者たちは、引きも切らないありさまとなったのである。

喜んだ田中三郎兵衛は毎日中奥《なかおく》の御座所に正之をたずね、名のあがった姫君たちの氏素姓を報告しつづけた。

しかし、正之はどうも気乗りがしなかった。

「立ち入ったことながら、どなたにもお心が動きませんか」

ある時三郎兵衛が一歩踏みこむと、正之は近ごろたくわえ出した口髭のよく似合うおもざしをむけて答えた。

「うむ。いずれも良縁というべきなのであろうが、気の滅入るきらいなきにしもあらず、というところか」

「え、それは――」

眉間に縦皺を寄せた三郎兵衛の顔を見つめながら、正之はにわかに話題を変えた。

「その方がまだ右京と称していたころ、余が台徳院さま（秀忠）より拝領の葵《あおい》の御紋つきの熨斗目《のしめ》をずたずたにしてしまったことは覚えておろう」

「はい」

「あのころ余はたしかまだ十九歳だったが、あとであのことを思い出すと、余の心底には本来ならば高遠などに生い育つべきはずではなかったのだとする奢《おご》りがあったような気がし、道義さま（正光）に対して申し訳なく感じたものであった。だから余は、今も『知足』、すなわち足るを知ることをつねに肝に銘じつづけているのだが、近ごろもたらされる縁談には、どうも知足の心が欠けているように思われてならぬ」

「と、おっしゃいますと、――」

「うむ。これはここだけの話といたすが、いま名のあがっている家々は、いずれも当家と縁つづきになることよりもむしろ余によって将軍家とよしみを通じようとしているような」

「御意にござります。ではござりましょうと、……」

「いや、さような家の者を娶《めと》ったならば、その家がいずれ余を通じてお上にあれこれと分不相応のことをねだろうとするのは目に見えている。かような家は知足の念に欠けるところがあり、余といたしてもお上に御迷惑をおかけすることに相なっては申し訳が立たぬ。されば、――」

すべての縁談を敬して遠ざけよ、と結論を告げた正之に、三郎兵衛は啞然とした。

「落ちつけ。だから後添えはいらぬ、といってはおらぬ」

正之は、苦笑まじりにいった。

「ひとり、心当たりがないわけではない」

「そ、それはどちらのお家の姫君におわします」

眉をひらいて膝をすすめた三郎兵衛に、

「姫ではない、すでに当家の奥につかえている者だ」

正之が淡々と口にしたのは、おまん、という名前であった。

お菊の方没後、その輿入れにしたがって内藤家から保科家へ藩籍をうつした者たちのなかば以上は、内藤家へ帰っていった。

そのため、正之は幸松づきの侍女となる者たちをあらたに召しかかえなければならなかったが、おまんはこの時、東福門院和子《まさこ》が推挙してくれた者だった。

この寛永十六年でちょうど二十歳になるおまんは、京の上賀茂神社の神官藤木織部の娘。御所にあがって東福門院づきの女房につかえ、目はしの利くところを見せていたため、寛永十一年七月に家光とともに参内《さんだい》した正之をよく覚えていた東福門院はわざわざおまんを江戸へ下したのである。

それはもしかしたら、

「なにかと御不自由でしょうから、この者を側室になされてはいかが」

という東福門院の気くばりなのかも知れなかった。だが当時の正之にそんな気持は毛頭なく、まもなく山形入りして以来は多忙をきわめたため、江戸屋敷の奥殿におまんという侍女がいることなどすっかり忘れてしまっていた。

しかし、山形から江戸へ参勤してからの正之は、毎朝おまんと顔を合わせることになった。

浄光院、泰教院ことお菊の方、聖賢院こと幸松の位牌所と仏壇からなる仏間は奥殿にあり、正之には毎朝これらの位牌にむかって手を合わせる習慣がある。おまんは神官の娘であることを知られて仏間の係を命じられていたため、正之を出迎える役をもつとめていた。

おまんはお菊の方とは対照的になかなかの大柄で、やの字むすび銀鼠《ぎんねず》の帯を胸高に締めている上体にも厚みがある。ちょっと鼻が大きく、目と爪紅《つまべに》を差している唇はちんまりしているので格別の器量ではないが、宮づかえの経験があるからかやることなすこと如才がなかった。

十二畳の仏間の北側にある仏壇の寄りつき（客座）は、黒塗りの框《かまち》で畳より二尺（〇・六メートル）高くかこまれて、奥行は三尺。仏壇左奥にある一間（一・八メートル）四方の位牌所は、黒塗り観音びらきの扉と障子によって二重に仏間から画されている。

おまんが係となって以来、寄りつきの框どころかこの障子の桟《さん》にも塵ひとつついていたことはなく、仏壇と位牌所の双方にかならず供物と花とが飾られていた。それに気づいた時から、正之はそれとなくおまんに注目していたのだった。

おまんは正之が位牌所を出るのを待ってその外に両膝立ちとなり、障子と扉とを静かに閉めたあと、扉にむかって深々と三つ指をつくゆかしさも身につけていた。

「これが一年中では、疲れはせぬか。盆暮れのほかに休みをとってもよいのだぞ」

とことばをかけても、

「おそれ入りますが、御当地には宿下がりいたすべき先とてござりませんので」

と困ったように答える素直さをもあわせもっていたから、正之は思った。

（権門勢家の姫を迎えて実家から妙なことをねだられたりするよりも、おれがお菊と幸松を喪ったことをすでに心得ているあのような者の方が家風になじむのではあるまいか）

このおまんであれば、三郎兵衛も知らないわけではないから話は早い。三郎兵衛が山形の保科正近に委細を報じると、正近は答えた。

「おまん殿儀、お身柄もおすこやかの由にて東福門院さまゆかりの方ともうけたまわれば、拙者などに異存などあるべきようもなし」

おまんを後添えに迎えることには、ここになんの障りもなくなったのである。ただし正之は、東福門院、家光その他に祝儀の気づかいをさせるのは厭だったので、内輪で盃事だけおこなっておまんを側室にとどめ置くことにした。

側室を、今日俗にお妾さん、二号さんなどといわれる存在とまったくおなじと思いこんでいる人もいるようだが、少し違う。「室」とは、妻という意味。一夫多妻がふつうだったこの時代には、正室も側室も妻なのであって、両者の関係はある大学のある学部の、主任教授と一般の教授のそれに似ている。

しかし、一般の教授が主任教授の退任を待ってしかその後任に昇れないのに対し、側室はある条件を満たしさえすれば正室の権威をしのぐことができた。世つぎの男児を産みさえすれば。

それかあらぬか家光は、正之がおまんの方を保科家奥むきのあらたな女主人に迎えたと知っていたく喜び、芝新銭座《しんせんざ》の土地二万五千百三十坪を祝儀代わりに下賜してくれた。

「二十万石のあるじが、なおも三万石格の上屋敷だけでは手狭であろう」

と理由をつけて、である。

時に九月二十六日のこと。東海道筋宇田川町の東にある新銭座という地名は、寛永十三年以来この地に置かれた新銭吹座《ふきざ》で寛永通宝が鋳造されていることに由来する。新銭座より東側、芝浜の原野から望む品川の美しい海は、のちの世につぎのような和歌に詠《よ》まれることになる。

色かへぬ浜松枝《はままつがえ》にあかねさす夕日も長き波のかけはし

やがてこの土地には、西にむかって幅十間（一八メートル）両番所つき、黒瓦白しっくい塗り腰下石垣造りの堂々たる矢倉門が据えられて、門内には本殿、奥殿と遠侍《とおざむらい》とが造営された。遠侍とは来客のとりつぎや警備にあたる侍たちの詰所のことで、かならず玄関近くにもうけられる。

その造営がすすむにつれて、おまんの方を中心とする保科家の奥むきも木の香も新しいこちらの奥殿へ移動。外桜田門内の上屋敷は、登城の便のよいこともあり、以後は政庁としてのみ使用されることになった。

正近から送られてくる書類によって山形の藩政に不備はないかどうかを調べ、登城中は老中たちと天下のまつりごとをおこなう。山形藩主であり、かつ幕閣の重要な一員として二重の忙しさに見舞われた正之は、下城後中屋敷の方へ帰宅してほっと一息つくこともあった。

その正之の心を慰めようとしてか、いつのころからかおまんの方は御所風の衣装を身につけてかれを奥殿に迎えるようになった。

髪は王朝風の大垂髪《おおすべらかし》にして眉を落とし、額には茫々眉《ぼうぼうまゆ》を描いて紅梅の単衣《ひとえ》がさねと白地生絹《すずし》鳳凰《ほうおう》文様の裳《も》をまとうと、おまんの方は大柄な方だけに二十歳とは思えない貫禄であった。

正之が朝一番に仏間をめざす時、

「御機嫌よう」

とおまんが朝の挨拶をするのは前からのことだったが、共寝しての後朝《きぬぎぬ》に正之にめざめをうながす際のおまんの方は、

「御前、おひなりませ」

とささやきかける。これは、お起き下さいませという意味の御所ことばなのだという。たまさか正之を庭の散歩に誘う場合にも、おまんの方はこういういいまわしを好んだ。

「お庭のお花が美しゅうあらしゃいます。どうか出ましゃって」

「中の丸さま」

と呼ばれている家光の正室も、関白左大臣鷹司《たかつかさ》信房の姫君だからおまんとおなじようなしゃべり方をするのだろう。正之はふと思い、なんとなくおかしくなることもあった。

このようにして、いつも物静かだったお菊の方とはまた異なる個性を発揮しはじめたおまんの方は、やがて多産の質《たち》であることをあきらかにした。

あけて寛永十七年（一六四〇）十二月四日、おまんの方は次男の虎菊を無事に出産。翌十八年十一月十四日には年子で長女媛姫《はるひめ》を産み、十九年の秋からみたび懐妊の気配を見せたのである。

寛永十九年で、正之は三十二歳。あらたな家族を得て、かれはようやく心安らぐところがあった。

のびやかにして奢らぬ心は、目上の者に対しては阿諛追従《あゆついしょう》をいさぎよしとしない態度につながる。

十月のある日、家光から特に許されて将軍家お留野《とめの》、すなわち一般人には遊猟禁止の地に鷹狩を楽しんだ正之は、翌朝さっそく登城するや家光に雁二羽を献じた。

黒書院に同席した大老酒井忠勝は、大仏さまのような顔に笑みをたたえて話しかけてきた。

「ほほう、これはずいぶんと獲物が多かったようですな」

「いいえ、それが」

正之は、自然に答えた。

「とれたのは、これなる二羽だけでございました」

すると家光は、面白くなさそうな顔をしてつと立ちあがり、席を外してしまった。太刀持ちの小姓が、摺り足で急ぎそのあとを追ってゆく。家光には、このように急に気の変わることが時々あった。

「これこれ、肥後殿。お手前のお答えようは、ちと真正直すぎますぞ。かような場合は、おかげさまにてたくさん獲物がありました。これはほんの一部で、と申しあげた方がお上も御満足なされましょう」

もう五十六歳、頭髪が薄くなって白髪髷も小ぶりになってしまっている忠勝は、家光の気性をよく知るだけに慌てて正之をたしなめた。

「おことばながら、讃岐《さぬき》さま」

正之は、いっこうにひるまなかった。

「それがしは、こと小なりといえどお上をあざむく罪は大なるものと信じておりますので、かくは申しあげたのです」

「ああ、そういうことでしたか。これはどうも、釈迦に説法というものでしたのう」

忠勝は感に堪えないというように、しみじみと正之にむかってうなずいた。

その後、忠勝が正之の真意を伝えてくれたためだろう、家光はいっさいかれを咎めることなくおわった。

それでなくとも家光には、このころ気になることがふたつあった。

ひとつは、昨年八月に側室おらくの方の産んだ初めての男児竹千代がうまく育つかどうか、ということ。もうひとつは、これに先んじて発生していた奥州会津四十万石の加藤式部少輔明成《しきぶのしょうゆうあきなり》家のお家騒動——いわゆる会津騒動にどう結着をつけるか、という厄介な問題である。

太閤秀吉の時代に、

「賤ヶ岳《しずがたけ》の七本槍」

のひとりとして知られた加藤左馬助嘉明《さまのすけよしあき》のせがれ明成は、寛永八年（一六三一）父の死にともなってその家督を相続。四十歳にして、外様大名ながら要衝の大藩のあるじにおさまっていた。

この会津加藤家に騒動がもちあがったのは、三年前の寛永十六年（一六三九）、まだ正之が芝新銭座の宏大な土地を拝領する前のことだった。

加藤家には、嘉明の代からつかえる堀主水《もんど》という家老がいた。

もとの姓を多賀井といった堀主水は、大坂の陣に嘉明の近習《きんじゅう》として出撃した際には、豊臣方の騎馬武者四騎と四対一の激闘を展開。勢いあまって四騎と一緒に堀の底へ転落してしまったが、四人をのこさず討ち取って悠然と引きあげてきた武功の者として知られた。そのふたりの弟、真鍋小兵衛、多賀井又八郎をはじめとする一族郎党三百余人も、加藤家につかえていた。

ところがこの年の四月十六日、堀一族全員が不意に会津を出奔《しゆっぽん》したのである。城下南方の闇川橋から鶴ヶ城の異称をもつ会津城へ筒先をむけ、火縄銃の一斉射撃をおこなわせた主水は、この橋を焼き落として逃亡。白河から江戸へ出たかと思うと、鎌倉へ走って蟄居《ちっきょ》してしまった。

戦国ただならぬ世を槍一筋に生き、一代にして会津四十万石を得た先代の嘉明は、軍配、民政ともにすぐれた器量人であった。横一文字の濃い眉の下に黒目がちの大きな目を光らせてなかなかの武者ぶりだった嘉明は、元和八年（一六二二）九月、家光十九歳の時におこなわれたその具足始め（鎧の着初め）にあたり、具足親を頼まれたほど秀忠からも信任されていた。

この父にくらべると、明成は父ゆずりの風貌ではあったが目つきに険があり、片意地を絵に描いたような気性であった。なぜか小判の嫌いだった明成は、金蔵に収めるのも一分《いちぶ》金（四枚で一両）か一分銀でなければ承知しなかったため、式部少輔、通称式部殿という呼び名をもじり、

「加藤一分殿」

と陰でいわれていた偏屈漢だったのだ。

この一分殿が父の代から黄金の采配をあずけられている堀主水といがみあうことになったのは、主水の家来が別のまたものと争論におよんだことにはじまる。またものの口喧嘩の仲裁はそれぞれのあるじにまかせておけばよいものを、割って入った一分殿は主水の家来に非があるとした。

「そうではござらぬ」

主水が自分の家来をかばったところ、一分殿はなにをとばかり主水を家老職から罷免、主水一代の宝である黄金の采配をも奪い返してしまった。武門最大のこの恥辱に、主水は恨み骨髄に徹してついに一分殿を見かぎったのである。

ただし主水も返り血を浴びてあまたの戦場を駆けぬけてきた荒武者だけに、老いたりとはいえ猛《たけ》り狂うとなにを仕出かすかわからないところがあった。

主水には信心深い正室と、気のいい側室とがいた。その側室が小姓と親しげに会話しているのを見た主水は、それだけでふたりの密通を確信。側室を牢に投じ、死に至らしめてしまったことがある。

一分殿は一分殿で主水のこのような粗暴な性格を毛嫌いしていたから、もとから君臣相和す余地はのこされていなかったのである。

堀主水一族が会津を出奔したころ、一分殿は江戸に参勤していた。異変発生の翌月に国許へ帰ったかれは、鶴ヶ城の大広間に家臣たちを総登城させるや顔面に朱を注いでわめきたてた。

「堀主水めの所業は、不義不忠のきわみである。たとえ天に翔《か》け、地にひそもうと厳罰に処さぬわけにはゆかぬ。あやつらを引っとらえてきた者には禄一千石を与えようではないか。これがもしも幕府に聞こえたとて、理は当方にあるから心配はいらぬ。あやつを探し出す代償に、四十万石を失ったとて余は悔いはせぬぞ。わかったか！」

「ははっ」

と一斉に答えた加藤家の者たちは、四方八方に探索の手をのばした。その一部は、鎌倉へもむかった。

主水はこれに気づいて身の危険を感じ、おなえという名の正室を駆けこみ寺として知られる鎌倉松ヶ岡の東慶寺に託した上で、弟ふたりとともに紀州高野山の文殊院《もんじゅいん》に隠れた。

密告によってこれを察知した一分殿が、文殊院に使者を送って主水ら三人の引きわたしを迫ったのは、二年前の寛永十七年（一六四〇）秋口のこと。だが高野山側は、要求を拒んだ。

「当山に入りたる者は、なんぴとたりとも俗世の法に縛られず」

という不文律を盾にとったのである。

使者からこの口上を聞いた一分殿は、もはやまなじりの裂けんばかりの憤怒の形相《ぎょうそう》となった。一分金、一分銀をじわじわと金蔵につめこむ執念で主水兄弟を袋小路に追いこむことにしたかれは、まず家光に主水の悪業の数々と高野山の非礼とを訴えた。

すると家光は、そのおもわくどおり高野山に対し、主水たちを下山させるように幕命を下した。やむなく主水兄弟は、和歌山城下に潜伏。これを知ってほくそ笑んだ一分殿は、和歌山藩主徳川大納言頼宣《よりのぶ》の許しを得てその城下に討手を送ろうとした。

こうなると、主水側も必死である。逆に居直って江戸へ出頭し、一分殿の暴政を書きつらねた訴状を大目付に届け出た。

箇条書きされた項目は、つぎのようなものであった。

一、加藤式部少輔明成もっぱら叛逆をくわだて、かつて豊臣秀頼とひそかによしみを通じたること。
二、加藤家、故太閤の恩を深く受けたるにより、大坂落城の時明成涙を流し、剃髪せんとす。その志、浅からざること。
三、口に忠義をとなえ、事を警衛に託して兵を調練したること。
四、会津城を御公儀にことわりなく改修したること。
五、他国へ通じる街道筋の警固を強化したこと。ことに出羽国との境の檜原《ひばら》に新しく関所をもうけ、十騎の兵を置きたること。

二代将軍秀忠の時代以来、徳川家はなにかと理由をつけては外様大名をつぶし、幕藩体制をより強化しようと願いつづけてきた。特に城郭の無断改築は、それだけで幕府への叛逆と見なされてもやむを得ない重罪である。

それだけに家光はこの告発を重視し、実情をくわしく調査するかたわらみずから直裁《じきさい》することにした。

そしてさる寛永十八年三月二十一日、家光は裁定を下した。

「堀主水の申すところは、一見理に適っているかのように見える。しかしながら、加藤家の重臣たる身をもかえりみず最初に兵を動かして城地を去り、火を放って橋を焼いたのは主水ではないか。君臣の礼にもとり、法を犯した罪に問われねばならぬのは主水側

「……である」

四日後の三月二十五日、家光は加藤一分殿を黒書院に召して伝えた。

「その方の父左馬助嘉明は、神君と台徳院さま二代につかえて忠勤いたすところが少なくなかった。その方はまださしたる忠義をつくしてはおらぬが、堀主水とその兄弟とは不義不忠の至りにつき、その方に下げわたす。それぞれの罪を問え」

これは、勝手に罰してよろしい、という意味である。

その日黒書院のうちには、譜代大名全員が下座に居流れていた。近ごろ正之は、このような時には酒井忠勝や松平信綱らの老中たちとともに最前列に座るのが習慣になっている。

正之たちよりさらに上座寄りに着座していた一分殿が、

「ははっ」

と上体を倒し、また起こすにつれて、そのうしろ襟からのぞいたぼんのくぼはにわかに酒のまわった男の顔色のように赤黒く染まってゆく。

(式部殿、さしたる忠義をつくしてはおらぬが、とお上がわれらの面前でおっしゃられたことをどう受けとめたのやら)

と考えると、正之は厭な予感に襲われていた。

まもなく、その予感は正しかったことがあきらかになった。一分殿はついに身柄を押さえた三人に対し、陰惨な拷問をくわえたのである。

「浜屋敷」

と呼ばれる、加藤家別邸の獄舎がその舞台となった。ところもあろうに、この屋敷は保科家中屋敷とおなじく芝新銭座のうち、少し芝浜寄りにある。

高手小手に縛られて暗い獄舎に連行された堀主水、真鍋小兵衛、多賀井又八郎の三人は、それぞれ青網をかけたざるのような形の輿《こし》に乗せられ、胡座《あぐら》を組まされた。加藤家牢役人たちはその輿の四方から出ている吊り縄を青網の上で一本にまとめ、梁《はり》に通して輿を浮かせる。

その目的は、吊り縄を一定方向にぎりぎりと縒《よ》るように何度も輿をまわしては、手を離して輿を激しく回転させることにあった。こんなことを長時間やられると、人は強いめまいがして平衡感覚がくずれ、吐き気をもよおす。

しかも一分殿は深夜までこの責めをつづけさせ、もはやざんばら髪となった三人が睡魔に襲われると残忍に命じた。

「断じて、眠らせてはならぬ」

うけたまわった牢役人たちは三つの輿を間断なくゆすぶり、三人がそれでもこくりこくりすると竹竿で顔面を突いてむりやりめざめさせた。この陰湿な責めは、三日三晩つづけられた。

主水自身は一分殿の根性をよく知るだけに、前もって飲食を絶っていたからまだよかった。だが弟ふたりは、この責め苦にあえぎながら吐瀉物にまみれる無残なありさまとなっていった。一分殿は、このあとようやく主水を斬首、弟ふたりを切腹させて大いに溜飲を下げたのである。

しかし一分殿は、図に乗りすぎた。

家光の支持を得て自信過剰になったかれは、鎌倉の東慶寺に対しても主水の正室おなえの方の引きわたしを求めた。この時の東慶寺側の対応には、まことに毅然たるものがあった。

「男子入るべからず」

との鎌倉時代からの寺法を盾にこの要求をはねつけた東慶寺の住職天秀尼は、寺域内に兵を入れた一分殿の非を家光に直訴したのである。

天秀尼が、もとをただせば家光の姉千姫の養女として育てられた身分だったからこそできた離れ技ではあったが、結果として一分殿は、わが身の執念深さによってみずからの墓穴を掘ることになった。

もともと家光は、まず一分殿に堀主水の罪を問わせてから、じっくりと一分殿自身の処分を決める方針であった。かつて一分殿が、

「あやつを探し出す代償に、四十万石を失ったとて余は悔いはせぬぞ」

と宣言した話もその耳に入っていたし、主水の訴状の各項が真実であることもすでに確かめられていた。

加藤一分殿もただの愚か者ではないから、そこに天秀尼の訴えがくわわればどうなるか、ということぐらいはよくわかる。

——どうせ会津を没収されるなら、こちらから四十万石の奉還を申し出た方が、まだしも武士の一分《いちぶん》（面目）を立てられる。

必死に計算した一分殿が、病気を理由に四十万石の所領返上を家光に願い出たのは寛永二十年（一六四三）四月二十八日のこと。五月三日、その処分に頭を悩ませていた家光はこれをあっさり認め、厄介な問題をひとつ片づけてしまうことにした。

ただし家光は、一分殿のせがれ内蔵助《くらのすけ》明友に伝えた。

「石見国《いわみのくに》吉永に一万石を取らせ、父明成を預けおく」

加藤家は改易される前に四十万石を投げ出すことにより、かろうじて大名の末端に踏みとどまったのである。

武門の意地をつらぬいたといえば、聞こえはいい。とはいえ、

「正気の沙汰とは思えぬ」

という見方が大勢を占めたのも理の当然であったろう。

しかもこの会津騒動は、正之にとっては単なる対岸の火事ではなかった。加藤家と保科家とは、一分殿の正室が保科家先々代正直の娘という関係にある。

正之はそんなことからも、

（おのれの恨みさえ晴らせれば、まわりはどうなってもよい大名がおるとは。なぜ式部殿は、今後の同族や家臣、領民たちの暮らしむきを考えようとはしないのか）

と苛立ちすら感じながら、ことのなりゆきを見つめていたのだった。

ところが、――。

人生というものは、まったくわからない。たれか知ろう正之は、この事件によって生涯を決定づけられる運命にあったのである。

五月十三日におまんの方が次女中姫《なかひめ》を出産し、三十三歳にして一男二女の父となった正之は、七月四日、いつものように角九曜の家紋を打った肩衣半袴をまとい、白足袋をつけて登城した。

この日は、ようやく三歳になった将軍家世つぎの竹千代が、初めて本丸表御殿に姿を見せる予定であった。正之もこれまで大奥で育てられていた竹千代に会ったことがなかったから、いずれ四代将軍となるであろう若君に挨拶することを前の晩から楽しみにしていた。

だが予想に反し、若さまお成りの知らせの前に酒井忠勝がやってきた。東側に三重櫓を仰ぐ表御殿東はじの老中部屋に大仏のような円満そのものの顔を見せた忠勝は、正之にいった。

「肥後殿、お上が中奥の御座所にてお待ちですぞ。きっと、めでたい上意でありましょう」

老中部屋から中奥の御座所にゆくには、御台所《みだいどころ》廊下を西へすすんで黒書院の手前を右折し、お成り廊下を逆にたどって中庭の先をめざすのが至便である。正之が忠勝とともに歩むにつれて、殿舎の景色も絢爛《けんらん》たる変化を見せた。

表御殿の各部屋、各廊下の障壁画は、中国聖代の人物や山水を主題とした淡彩の唐絵であった。対して中奥には、将軍のくつろげる雰囲気が求められる。

その意向は障壁画にもみごとに反映され、築山とひろやかな池に面した将軍御休息の間と手前の御座の間とは、咲きほこる梅や紅葉、尾長鳥や金鶏銀鶏《きんけいぎんけい》などを主題とするはなやかな花鳥図にかこまれていた。

正之が忠勝に先導されて御座の間へ入室すると、家光はすでに上段の間に絽の夏羽織をつけて出座していた。その家光は、待ちかねていたように気早く告げた。

「その方に三万石を加増し、奥州会津藩への転封《てんぽう》を命じる。さよう心得よ」

青天の霹靂《へきれき》、ということばがある。家光のことばは正之にとって、まさに青天の霹靂であった。

いつも落ちついている正之もさすがに返答に窮するうちに、家光は笑みを浮かべてつづけた。

「ほかに南会津から下野国《しもつけのくに》塩谷郡におよぶ南山《みなみやま》五万石あまりも預けようほどに、領国同様とみなすよう」

これは、会津保科家の表高は二十三万石とするが実質は二十八万石とする、ということである。

「御内意の意味するところはおわかりですな」

上段の間近くに位置を占めていた忠勝が、正之におだやかにたずねた。

「は、――」

正之にはぴんとくるものがあったが、口にするのはためらわれた。その胸中を正確に見抜いたらしく、忠勝はいった。

「お上が、お手前を特にこのお部屋へ召されたわけもここにござる。ひらたくいえば、尾張名古屋、紀州和歌山につづく御三家中第三位の水戸徳川家は、今日二十五万石。いま仰せの南山五万石をお手前のあらたな本高《もとだか》に算入いたすと、保科家は二十八万石となって水戸を追いこしてしまうことになる。お上はそれもどうかと思し召され、あえて表高を過小に見せよ、と仰せなのですぞ」

それは、わかっていた。わかっていてもあらためて説明されると、

（ああ、お上はそれほどまでにこの身を信じていて下さるのか）

という思いが突きあげてきて、胸が熱くなる。

「まことにありがたく、――」

と答えた正之は、次第に声が潤むのをどうしようもなかった。

遺命忘るまじ

江戸を去ること北へ六十五里、

「鶴ヶ城」

の名で知られる白亜の名城を象徴とする奥州会津四郡は、古来北方の要地として栄えてきた。『古事記』によれば、崇神《すじん》天皇の世に四方平定のため、四道《しどう》将軍といわれる武将たちが各地へ派遣されたことがある。うち北陸から越後方面へむかった将軍は、大毘《おおび》古命《このみこと》。東国へおもむいたのは、その息子の建沼河別命《たけぬなかわわけのみこと》。

——大毘古命と建沼河別命は、相津（会津）でゆきあった。ゆえにこの地を会津という。

という地名起源説話がここに語られるのは、会津地方がそのかみから奥州街道白河方面と越後方面との間にひろがる大集落として繁栄していたことをうかがわせる。

その地形については、明治の会津人池内儀八が『会津史』という労作中に郷土愛にあふれた名文を書いている。

「会津四面の境界は山岳囲繞《いじよう》し峰巒《ほうらん》（大小の連山）重畳し、積翠《せきすい》（青山）空に挿《はさ》みて風気勁《つよ》く、高山の雪四時皚々《がいがい》として気韻高し。……其中《その》央は平坦にして沃野遠く連《つらな》り、地味豊饒にして油々《ゆうゆう》たる稲田菜圃相開け、駅邑《えきゆう》村里散布し、人煙甚《はなは》だ稠密《ちゆうみつ》なり」

山形に倍する要衝の地であり、奥州屈指の米どころでもある会津は、中世以降つわものたちの時代に入るとさまざまな武将たちの去来するところとなった。その名と、会津を去った理由はつぎのごとし。

蘆名《あしな》義広　天正十七年（一五八九）、出羽米沢の伊達政宗に敗れて追放される。
伊達政宗　同十八年、豊臣秀吉によって領土を没収される。
蒲生氏郷《がもううじさと》　文禄四年（一五九五）、死亡。
蒲生秀行　慶長三年（一五九八）、下野宇都宮へ移封される。
上杉景勝《かげかつ》　同六年、米沢へ移封される。
蒲生秀行　同十七年、死亡。
蒲生忠郷　寛永四年（一六二七）、死亡。
蒲生忠知《ただちか》　同年、伊予松山へ移封される。
加藤嘉明　同八年、死亡。
加藤明成　同二十年、封土返還。

領主がかくも激しく交代することは、そのたびに年貢高や政令が変わって領民たちが動揺するもととなる。

加藤明成の時代にいたっては家老堀主水《もんど》一族まで出奔したほどだから、勝手に離農して流民と化した者たちの数もかなりにのぼった。これは農村の荒廃を意味するから、領民のためにも領主のためにも不幸この上ない事態である。

会津騒動を眺めるうちにそれと気づいていた正之は、家光に謝辞を述べて下城するや、再加増の喜びに沸きかえる上屋敷詰めの者たちを尻目に沈思黙考に入った。

(お上の期待にそむくようなことになっては、申し訳がたたぬ)

という思いと、

(荒れた村々をどう復興すればよいのか)

という不安が、こもごも交錯してやまない。

しかしこの不安は、どうしても乗りこえねばならないものであった。

――なぜお前は、そんなに不安なのだ。

小姓たちを遠ざけた正之は、その夜遅くまで付書院《つけしょいん》にむかい、手鏡に映した自分の目を見つめてたずねてみた。

――それは、まだ見ぬ会津の民の心がまったく読めないからだ。

行灯《あんどん》の火になかば照らされた顔には、そう書いてある。

――そこまで気にしてどうする。白岩一揆を一気に鎮圧した気迫を忘れたか。

――いや、島原・天草の一揆の直後だったあの時とこれからでは、もはや時代が違う。

それにおれは、一方を立てれば他方が倒れる決断はもうしたくない。

反問と答えを積みかさねるうちに、正之はにわかに視界が澄んできたように感じた。

麻かたびらを着流しにし、かつて見性院《けんしょういん》からゆずられた宗近の脇差だけを差して物思いにふけっていた正之は、ふと手鏡を置いて立ちあがり、袋棚から古い掛硯箱《かけすずりばこ》を取り出してもどってきた。そのなかには、もう二十年以上前、見性院がまだ十歳だったかれに送ってきた手紙がなおも大切に保存されている。

「わらわが権現さまの代よりいただいている知行は六百石でございます。……うち三百石を若さまにまいらせとうございます。……鼻紙代になりとおつかい下さりますように」

もはや黄ばんでしまったその文面をなつかしく目でなぞるうちに、

「ああ、おばばさま。ようやくわかったような気がします」

正之は、きれいに結いあげた小名髷《しようみよう》を仰むけるようにしてつぶやいていた。

加藤明成のように、おのれの我《が》をしぶとくつらぬくのもひとつの人生かも知れない。とはいえ自分は、さまざまな人々によってここまで育てられてきた。神尾《かんのお》才兵衛、母お静、見性院・信松院《しんしよういん》姉妹、保科正光、徳川忠長、お菊、そして家光、……。

そう考えると正之は、もう迷わなかった。

正之は、高遠《たかとお》保科家の相続を許された二十一歳の時から考えつづけてきた。

（おれの場合、足るを知るとは領民たちに善政をほどこし、かつ将軍家には譜代の保科家のあるじとして忠勤を励むことをいうのだ）

このような思いは、さらに一歩押しすすめるべき時を迎えていたのである。それにはまず、

「鼻紙代になりと、――」

というあまりにも謙虚なことばで自分の養老知行の半分をわかとうとしてくれた、見性院の慈愛の心をわが心とすることであった。

（おれも、もう三十三歳。これまでは、いつもどなたかの見えぬ手に導かれて生きてきた。だが、一度しかない人生ももう後半なのだ。皆の御恩にむくいるためにも、今度はおれが、この世になお生きてある者たちを懸命に支えることによって生涯をまっとうしよう）

そう思い切ると、あとは一筋道であった。

――将軍家に対したてまつっては、おのれをむなしくして御奉公しつづける。

――会津藩を治める大前提は、仁の精神。

正之の山形藩主時代は、寛永十三年（一六三六）七月以来の丸七年間で幕を閉じることになった。この間に正之は、馬見ヶ崎《まみがさき》川の大規模な治水工事、年貢率の切り下げ、備荒米の買い入れと放出などをおこない、かれなりに善政に努めてきた。

だが、みずからが山形城に滞在した日数はあまりに少なく、正之としては民があまねく鼓腹撃壌する国造りまではついに果たせなかったうらみがのこる。徳川御三家の塁を摩《ま》するに足る大藩会津を与えられたのをきっかけに、

（儒学にいう仁愛をもととした政治を心ゆくまでおこなってみよう）

と正之は決意したのである。

気持を整理してからの、その行動はすばやかった。

当日中に山形へ早馬で転封《てんぽう》を知らせておいた正之は、あけて七月五日には城代保科正

近あてに長い手紙を執筆。六日早朝ふたたび早馬を放つと、これを受けた正近は、家老小原五郎右衛門、能吏の才を見せていた奉行遠山伊右衛門、および坂清左衛門組、井深《いぶか》監物《けんもつ》組、今村伝十郎組の者どもをひきい、十三日のうちに早くも会津入りを果たした。

鶴ヶ城を中心に縄張りされた会津藩の城下町は、

「若松」

の地名で知られる。以前は黒川といわれていたのが、蒲生氏郷によってあらためられたのである。

正近たちはまだ城を受け取っていなかったため寺院に分宿したが、二十四日、正近は正之の意を体して領内仕置きの大方針をあきらかにした。

（また一分金をためこんだり、家老をなぶり殺しにしたりする大名がやってくるのか）

と身がまえていた会津の領民たちにとって、それは頰をつねりたくなるほど穏やかな指令であった。

「村々から退散した者たちは、早く帰村するように。帰村した者たちには事情によって年貢や夫役《ぶやく》（使役）を免じ、たとえ不届きの儀があったにせよ、藩主交代の祝儀として罪には問わぬ」

これも正之じきじきの指示により、正近は引率してきた藩士たちをすべての村へ派遣、このお触れを領内にくまなく浸透させるよう心がけた。

その正近は八月二日に鶴ヶ城を受け取るや、山形で地方《じかた》巧者ぶりを発揮した者たちに加藤家から引きついだ各郡ごとの物成《ものなり》帳、小物成帳の調査をはじめさせた。物成とは年貢米、小物成とはそれ以外の雑税のことをいう。

実高二十八万石とはいえ、年貢高を四公六民と設定すれば、保科家の実収入はその四割の十一万二千石。これに雑税を足した額で一藩を運営するのだから、なにをおいても経済基盤を確認しておく必要がある。

「会津は、冬は山形同様にきびしいが出湯《いでゆ》が各地にあるという。春には梅、桃、桜が一斉に花ひらき、秋には山々の紅葉が目に痛いほどだそうだ」

正之はにこやかに田中三郎兵衛に語りかけながらも、いまのうちに処理すべきことはつぎつぎに片づけていった。

なおも東慶寺に入っている堀主水の妻おなえの方を、兄のいるという会津藩お預かり領、南山の田島郷へ送り届けてやること。

山形城下の浄光寺に矍鑠《かくしやく》としている日遵《にちじゆん》上人に、母お静こと浄光院の位牌とともに若松へうつってくれるよう依頼すること、……。

さらに芝新銭座の中屋敷のおまんの方と虎菊、媛姫《はるひめ》、まだなにもわからない中姫の四人にしばしの別れを告げた正之が、勇躍江戸を出立したのは正近が鶴ヶ城を受け取ったのとおなじ八月二日の七つ刻（午前四時）。奥州街道を四十八里北へすすみ、

都をば霞とともに出でしかど秋風ぞ吹く白河の関

と詠じられた白河宿から会津街道へ入った一行が、会津藩と耶麻《やま》郡との境、猪苗代《いなわしろ》湖

南の福良《ふくら》宿に泊したのは七日のことであった。

若松へ五里足らずの福良は、街道北側に青一色の猪苗代湖を、さらにそのかなたの北の空には会津富士ともいわれる秀峰磐梯《ばんだいさん》山を有している。猪苗代湖から信州の諏訪湖を、磐梯山から万年雪の仙丈ヶ岳を思い出した正之は、高遠へ帰ってきたような快い錯覚に捉われていた。

加藤時代の会津四十万石が、保科時代を迎えると表高二十三万石になった。なにかの席でこの話をしたところ、

「会津では、そのころ急に米がとれなくなったのですか」

と質問されて驚いたことがある。

むろん、そうではない。

明成のころの藩領は、延長年間（九二三〜九三一）の区分にしたがっていえば、大沼郡・河沼郡・耶麻郡・会津郡のいわゆる会津四郡と、安積《あさか》・磐瀬《いわせ》の二郡とからなっていた。正之転封と同時に後者が切り離されたため、会津は二十三万石とされたのである。

しかし会津は、蒲生氏郷時代には百万石、上杉景勝時代には百二十一万石。鶴ヶ城はその本城とされてきただけに、実によくできた城であった。

地味のよく肥えた会津盆地のなかほどにひろがる若松城下は、東西十六丁二十間（一七八〇メートル）、南北十一丁四十間（一二七二メートル）あまり。その内側には赤松や樅《もみ》の木の繁る土手と堀にかこまれ、十四の郭門《かくもん》をつけた郭内《かくない》ないし土手内《どてうち》と呼ばれる武

家屋敷町がひろがっていた。外側は、郭外《かくがい》といわれる町屋である。

追手道は、北につけられた甲賀町通り。会津人は、甲賀をコウカと濁らずに発音するが、左右石垣造りのこの甲賀町口の郭門を入りさえすれば、鶴ヶ城北出丸《きたでまる》の堀ばたまではもう七丁(七六三メートル)の距離しかない。

先乗りの正近たちに出迎えられ、正之はこの郭門で長棒引戸の乗物から降りた。この地点から眺めると、鶴ヶ城の白亜五層の大天守閣は、左右に軒をならべる武家屋敷の真正面、こんもりと樹木を繁らせた北出丸のかなたの空に澄んだ日の光を浴びて超然と浮かんでいるように見える。

「これが、鶴ヶ城か」

正之は、ふしぎな感動に襲われて正近に話しかけていた。

「あの気品ある姿に、恥じない藩政をおこなわねばな」

鶴ヶ城は、約九千坪の本丸とそれを守る深くひろやかな内堀の外まわりに四つの城郭を張り出している。

北に追手門のある矩形の北出丸、西にやはり矩形の西の丸、東側に朱塗りの廊下橋で結ばれた二の丸と、それをつつみこむようにひろがるもっとも宏大な三の丸。すべてをふくめれば、十万坪以上の規模である。

しかも、いざ敵に甲賀町の郭門を突破されても城内へは入らせないよう、北出丸の追手門は追手からの死角に据えられていた。たとえ三の丸と二の丸が落ちたとて、廊下橋を焼き落とせば本丸は安泰であろう。

その本丸表御殿へ入った正之は、五体に潮《うしお》のように力が満ちてくるのを感じた。

ここでも正之は、召し放たれた旧加藤家家臣団のうちから見どころある者は採用するつもりでいた。山形で地方《じかた》巧者の旧鳥居家家臣を召しかかえて成功したことを、かれはまだ忘れてはいない。

すると、やや老いてからだから肉の落ちてきている正近が報じた。

「こちらへ先乗りして郭内の屋敷を検分しておりましたところ、追手筋の一軒にはまことに感服つかまつりました。家財道具はすべてそのまま、畳と襖、障子もことごとく張り替えられ、炭壺には炭がたっぷり盛られておりましてな」

まだ使いなれない御座の間で早くも文書類に目を通していた正之は、下座に座った正近にすずやかな瞳をむけた。

「ほう、面白い者がいたものだ。だれの住まいだったかすぐに調べ、わかり次第その者をもとどおなじ禄高にて採り立てよ」

明成とともに石見吉永へ去っていたこの家のあるじの名は、萱野権兵衛《かやのごんべえ》長則。禄千五百石の加藤家作事奉行だった権兵衛は、

「旧主のお許しを得ました上で」

と答えたので正之はますます気に入り、奉行職のまま召しかかえることにした。

正之はほかに禄百石以上の者にかぎっても十数人の旧加藤家家臣たちを採用したが、高遠以来の者、および左京衆といわれてきた旧山形鳥居家家臣団には公平な加増をおこなった。

禄百石から三百五十石までの者へは五十石、四百石から五百石までの者へは百石、六百石から七百石までは百五十石。八百石から千石までは二百石を一斉にくわえたのである。旧禄千石以上の者に対しては人によって加増幅を考え、つぎのようにした。

田中三郎兵衛は千五百石から二千石、家老北原光次は千三百石から千八百石、小原《おばら》五郎右衛門は千二百石から千六百石。

わけてももっとも厚く報いるべきは、城代家老保科正近である。かれは山形城代としての功により、すでに四千石を受けていた。

「民部よ、その方には一千石をあらたに取らせ、前知をあわせて五千石とする」

正之が御座の間へあらわれた正近に伝えた時の、その反応は意外なものであった。

「とんでもないことでござります」

かつて鷹のようだったまなざしも淡々たるものとなりつつある正近は、きっぱりと答えた。

「高遠に朽ち果てるところでありましたそれがしが、山形で腕をふるわせていただいたあげく、この大藩会津の筆頭家老となろうとは夢にも思いませなんだ。これも、道義(正光)さまが殿に引きあわせて下されたおかげ。さればそれがしに御加増下さるゆとりがまだおありなら、会津藩百年、いや二百年の計のためにさらに野に遺賢をお求め下され」

食べたあんずの種は、土に埋めればまたあんずの木へと育つかも知れない。政事《まつりごと》というのは、この種を埋めるようなことなのです。

高遠へ行ったばかりのまだ幼かった正之に、かつて正近はそう教えてくれたことがあった。その正近のあまりの私心のなさは、正之の胸に沁みた。

「――相わかった」

口髭を動かして、正之は告げた。

「それでは民部、その方はこれより当家の大老となって、家老たちを指揮監督せよ」

正之は、正近に老いの花道を与えてやりたかったのである。

「これは、……。いえ、およばずながらお受けつかまつります」

一瞬絶句した正近は、正之のいわんとするところを悟ってめっきり白くなった髷を下げた。正之は、なにげなく話題を変えた。

「それにしても篠田半左衛門、一瀬《いちのせ》勘兵衛、竹村半右衛門と、古参の家老たちが世を去ったのは淋しいかぎりだ」

一度退去した身ながら寛永十三年（一六三六）の山形移封後帰参を許された半右衛門は、その後まもなく病死していた。

「御意にござります」

と答えた正近に、正之はいった。

「さればこの会津入りをきっかけに、少し若手のものを家老職に登用したいと思うがどうだ」

「もっともな仰せとうけたまわりました」

「うむ。そこにいま、その方の辞退した一千石が浮いたわけだ。その禄にて、さる者を家老に抜擢しても異存あるまいな」

「それがしごときに、御下問あそばされる必要などござりませぬ」

信州人の一徹ぶりを垣間見せた正近は、ふと目を動かしてたずねた。

「それにいたしましても、家中のだれにお目をつけられました」

「保科十郎右衛門よ」

「殿！」

正近が驚きと感激とをこきまぜた表情になったのは、十郎右衛門とはかれの嫡男だからである。すでに三十歳をこえた十郎右衛門は、禄六百石の組頭《くみがしら》として活躍している。

「民部、よく聞け。余は、家老職をある家筋の世襲などにはいたしたくない。わけはわかるな」

「御意。それがしも、余命尽きましたる時には全知行を返上いたすつもりでおります」

「そこまで考えずともよいではないか。だが十郎右衛門が、いつまでもその方のせがれとしか見られないのはあまりに不憫《ふびん》。いずれ余は、高遠でしたようにその方と領内を巡見いたす。その時には十郎右衛門にも供を命ずるから、その方は大老として領民たちへの接し方を教えてやるがよい」

秋景色一色となった村々が刈り入れと脱穀の作業をおえた十一月は、年貢を納める月でもある。

この年の会津藩領の総草高《くさだか》（全収穫量）は、二十五万四千七百石あまり。とりあえず加藤家の定めた村高を踏襲してみたところ、小物成その他として金納された分は二万五千二百六十余両と銭三千九百貫とになり、米一石を一両とみなせば表高二十三万石、実高二十八万石に充分に見合う収入のあることが確かめられた。

しかし郡《こおり》奉行たちに計算させてみると、保科家の取り分は四割五分近い率となって四公六民をかなり上まわる。

（山形でこころみてうまくいったのだから、もっと年貢を下げなければ）

正之が考えたのは、領内を巡行しつづけた結果、まだ新田開発の余地が充分に残されていることに気づいたためだった。

在所を離れて流浪の民と化していた者たちが罪に問われないと知って帰村すれば、働き手もふえて荒田が消え、村々は豊かになる。そこに新田開発を奨励すれば、藩の米蔵もうるおうから税率を下げても充分にやってゆける、——。

この時代の大名家のほとんどは、あまたの戦場往来によって名を馳せた者たちである。これら武断派大名たちの通弊は、

「胡麻の油と農民は、しぼればしぼるほど出る」

とうそぶいて苛斂誅求《かれんちゆうきゆう》をためらわないところに存した。

正之と入れ違いに高遠入りした鳥居家の手から逃れるべく、高遠の民たちが山形へ流れこんだのも鳥居家の暴政が原因であった。島原・天草の一揆も白岩一揆も、つまるところはすべて為政者の不徳の致すところだった。

これらの原因と結果とをつぶさに眺めてきた正之は、

（そうではなく、領主と領民とは喜びをともにわかちあうべきなのだ）

とする時代を超えた考え方をいつしか身につけていたのである。

あけて寛永二十一年（一六四四）元旦、粉雪の舞う鶴ヶ城で初めて新年を迎えた正之は、本丸表御殿の大書院で国許詰め藩士たちの祝賀の登城に応対。二日には若松のすべての町の医師と検断（町役人）とをまねき、各人に屠蘇をふるまったかと思うと祝儀の熨斗《のし》袋まで与えて告げた。

「医は仁術と申すが、藩庁は仁政に意を用い、検断もまたその心で町民たちに対さねばならぬ。当家のいまだ行き届かぬところに気づいたならば、遠慮なく会所に申し出よ。病や貧にあえぐ者が町内におった時も、同様にせよ」

これは、武断派大名には考えられないせりふだった。検断たちは、まだ狐につつまれたような顔をしていた。

一月九日に江戸へもどってからも、正之は藩政の充実を命じつづけた。それにはまず、次第にあきらかになってきた加藤時代の悪弊を消してゆかねばならなかった。

悪しき習慣のあることがわかったのは、三月末、若松の正近からきた報告書においてであった。

——農民たちの間には、その年ごとの種籾《たねもみ》代と食い扶持《ぶち》とを前もって藩から借りるならわしがあります。田を起こす季節が迫り、今年もそうしてほしいとの申し入れが四方から起こりつつありますが、いかがはからいましょう。

正之は田中三郎兵衛を呼び、返事をしたためさせることにした。

「こんな悪習をつづけさせてはならぬ。高利で前借りするから手許不如意になり、またつぎの年に前借りすることになるのだ。とはいえ、急《せ》いては事を仕損ずると申すから、どうしても生計の立ちゆかなくなっている者から低利で少しずつ貸すことにせよ、と伝えい」

四月になると、ほとんどおなじことを旧加藤家家臣団から採用した切米《きりまい》取りの下級武士たちが申し入れてきた。

切米取りとは知行地を与えられるのではなく、藩からじかに米を支給される者たちのこと。春と夏に四分の一ずつ、冬に残り二分の一を与えられるのだが、これらの者たちも前年に翌年の切米を借りて食べるか使うかしてしまい、また借米をくりかえすという悪循環に陥っていた。

「恒産なければ恒心なし、ということばもあるというのにのう」

慨嘆しながらも、正之は三郎兵衛に指示した。

「組頭によく事情を吟味させ、賭博などで扶持を濫費《らんぴ》している者は追放させよ。子沢山、あるいは家族に病人が多いなど、よんどころない者に対してだけ少しずつ貸し、これもいずれ借米する者がなくなるようもってゆけ、と返答せよ」

「ははっ」

正之の命令を片言隻句なりと聞き落としてはならぬと考え、三郎兵衛はいつも矢立てを懐中に忍ばせている。膝の上に懐紙を置き、懸命に主命を書き取ってゆくその姿をまじまじと見つめていた正之は、にわかに口調をあらためた。

「これ、三郎兵衛よ。余がなにゆえその方に書役《かきやく》のようなことをさせるのか、わかっておろうな」

「は、――」

言い淀んだ三郎兵衛を、正之は珍しく叱るようにいった。

「決まっておろう。いずれその方のことは、城代家老に登用いたす。だからこそその日のために、種々学ばせているのだ」

三郎兵衛は、感泣した。

正之のこれらの指示は次第に諸大名家の知るところとなり、

「肥後殿は、さすがお上の実の弟君。近ごろ稀な名君かも知れぬ」

という見方へと育っていった。

その評判を決定的にしたのは、正之と田中三郎兵衛とのやりとりがあってからいくばくもない四月十日、奥州三春三万石の封土没収問題、いわゆる三春騒動が起こった時のことであった。

時の三春藩主は、松下石見守《いわみのかみ》長綱三十五歳。その正室は土佐藩山内《やまのうち》家の出身だったが、先ごろ山内家当主土佐守忠義から幕府に意外な申し入れがあった。

「石見守乱心につき、その封土を返上いたしたく」

そのことばに表裏のないことを確かめた家光は、この日三春三万石を没収することにしたのである。すると同時に、奇怪な流言蜚語が飛んだ。

「三春松下家の家来どもはすべて切支丹で、死を覚悟して籠城するつもりのようじゃ」

島原・天草の一揆からまだ六年しかたっていないから、家光はこれを聞くや態度を硬化。城地受け取りの使者には警固役の大名たちを同行させることにし、正之をその主将として磐城平《いわきたいら》藩内藤家ほかに出動を命じた。

磐城平藩主は、亡きお菊の方の兄の内藤帯刀《たてわき》こと忠興《ただおき》。忠興に三百騎の出動を求めた正之は、十四日、みずからも騎馬武者のみをしたがえて奥州街道を北上していった。その間、三春藩士たちはやはり籠城を開始し、城を枕に討死する気配をみなぎらせている、との報告が相ついでいた。

しかし、正之が探索方をはなってさらにくわしく調べさせると、これは双方の誤解によるものと知れた。

三春藩士たちは、決して切支丹ではなかった。それでも切支丹とみなされた以上、島原・天草の一揆の者ども同様自分たちも撫で斬りにされるに違いない。ならば、かなわずとも断じて戦いつづけるしかない、と考えて籠城しただけのことだった。

誤解が解けたと知って籠城の三春藩士たちは態度をやわらげたので、阿武隈《あぶくま》河畔の白河城を本陣としていた正之は集まってきた大名たちを順次帰国させることにした。むずかしい問題が起こったのは、この時であった。

「大事には至らぬようじゃから、半数は先に帰国いたせ」

内藤忠興が配下の三百騎に命じると、三百騎はまだ戦場となるかも知れない土地からいち早く離脱するのは東国武者の名折れと信じ、

「おぬしから帰るべし」

「いや、そういうおぬしこそ。拙者はどこまでも殿をお守りいたす」

と騒ぎ立てて収拾がつかなくなったのである。

「いや、ほとほと困り申した」

すでに五十の坂を越え、亡父左馬助《さまのすけ》政長に似て長者眉を伸ばしている忠興は、二年前から空城《あきじろ》となっていた白河城本丸の書院に正之をたずねて思わず愚痴をこぼした。

紋羽織の平装で三春の絵図を見ていた正之に対し、この日の忠興は兜《かぶと》代わりの立烏帽《たてえぼ》子《し》をかむり、袖口と裾口とを緒でくくった深緑地、下がり藤の紋散らし金襴《きんらん》の鎧直垂《よろいひたたれ》をまとうという仰々しい姿だった。これは上に具足をつければすぐ出陣できる身なりだから、内藤家の三百騎の意気ごみもおのずと察しがつく。

「では、配下の三百騎を百五十騎ずつ二組にわけ、とりあえずその一組を先に帰国させることにしてこう命じてはいかがかな」

絵図から目をあげた正之は、お菊の方が生きていれば義兄にあたる忠興に笑みを浮かべて応じた。

「三春側にいさぎよく城をあけわたす気配が消え、いたし方なく開戦となった場合には、帰国した一組を呼びもどして先鋒に任ずる。当地に残っていたもう一組は、その際にはしんがりをつとめよ、と」

「これは、妙案」

忠興がはたと膝を叩いたのは、こうすれば先に帰国する一組も武士の面目を保てるし、

ただ残留したとてかならずしも武功にむすびつくものではない、と残る一組にもわから
せることができるためだった。いわば正之は、機智によって内藤家に功名争いが起こる
ことを未然に防いでやったのである。
「さすが肥後殿は、考えることが違う」
この名裁きは江戸まで伝えられていったが、正之にそんなことはどうでもよかった。
二十一日、三春城が無事上使にわたされるのを見届けたかれは、あらかじめ家光の許
しを受けていたところにしたがい、勇躍会津をめざした。
今回、かれが猪苗代湖南の福良宿を経由する会津街道（会津・越後道）の本道ではな
く、湖北の猪苗代宿をとおる下街道を選んだのは、
「亀ヶ城」
という鶴ヶ城と対の名をもつ出城《でじろ》が宿場はずれにあるからだった。猪苗代は会津藩領
東部の守りの要《かなめ》だから、必要があれば石垣や堀を修復しておかなければならない。
ところが、長棒引戸の乗物におさまった正之が騎馬武者たちに前後を守られてこの街
道をゆくと、前方から土ぼこりを蹴立ててやってくる百騎近い一団があった。馬上、紺
地白ぬきに、
「會《かい》」
と書かれた旗印を背にひるがえしているのは、会津藩士であることを示している。
「なにごとだ、見てまいれ」
正之がいいおわらないうちに、先鋒の物頭《ものがしら》が馬首を返してやってきた。

物頭の報告によると、「會」の旗印の一団は、新規に召しかかえた旧加藤家家臣団のうちの、家計乱脈な者たちだった。手馬《てうま》（自馬）をもたず、かつて飼っていたとしても借金の形《かた》に手ばなしてしまったため、近在の農家を拝み倒し、ようやく馬を借りて白河をめざすところだったという。

正之がこのたび騎馬武者しか動員しなかったのは、行軍を迅速におこなって三春騒動を長引かせないためであった。それが思いがけず、知行や切米を前借りしすぎて手馬も飼えなくなっている新参の者たちをあわてさせたのである。いざ鎌倉という時にあるじの役に立つことができなくては、武士として生きている甲斐がない。

「余を追って、国許から駆けつけてきたことはほめてとらせる」

乗物から降りたった正之は、下馬して街道上にうずくまった小具足姿の男たちに苦笑しながら言い聞かせた。

「それにしても、これで扶持の前借りなどしてはならぬことがよくよくわかったであろう。各村も、この田起こしの季節に馬がなくてははなはだ迷惑。借り賃は余が払ってつかわすから、早く馬を返してまいれ」

借金づけの暮らしと遅参を叱られるものとばかり思って身を硬くしていた男たちは、飛びあがらんばかりに喜んだ。偏屈な加藤一分殿なら手討ちにすると息まいてもふしぎではなかったから、この反応ももっともというべきだった。

帰国するこの一団を追うようにして猪苗代の集落へ入ると、磐梯山は湖南の福良から眺めた時よりも一段と雄大な姿を北の空に屹立させていた。青く霞む裾野へむかって爪先あがりになってゆく一面の原野は、その名も磨上原《すりあげはら》。

「会津嶺《あいつね》」

ともいわれる磐梯山は、標高千八百十八メートルあまりある。

ただし、これは明治二十一年（一八八八）の大噴火で大きく峰が抉《えぐ》られてからのこと
で、正之の澄んだ瞳に映ったのは、とがった主峰の西側に小磐梯《こばんだい》、東側に赤埴山《あかはにやま》、見禰山《みねやま》の三つの峰をもつ今日よりも男性的な姿であった。

亀ヶ城は、その南東へ張り出した比高十六間半（三〇メートル）ほどの小さな舌状台地に縄張りされていた。空堀と樅《もみ》の木や欅《けやき》、白い大きな花を一面につけた木蓮の老樹にかこまれた城内をひとまわりしても、四半刻（三〇分）もかからない。

しかし、ひときわ高い本丸からの四方《よも》の眺めは絶景であった。南側には青空と見まごう猪苗代湖を背景に新町《あらまち》と本町《もとまち》の家並がつぶさに俯瞰でき、東西には平らかな田畑がどこまでもひろがる。

まぶしい陽光に目を細め、北側を振り仰げば、そこには見禰山の赤松の林が迫っている。どこからか数羽のウグイスの啼き声が競い合うように聞こえてくるのも、山里ならではの風情だった。

「まこと、風光明媚とはかような土地をいうのであろう。神代《かみよ》の高天原《たかまがはら》というところも、このような景色だったのではないか」

正之が心地良さそうにいったので、案内に立っていた亀ヶ城詰めの者たちも表情をやわらげた。

「いずれこの出城は、さらに堀や柵を補修せねばなるまい。傷んだところをいちいち書き出して、普請奉行に申し出よ。普請奉行には、余から伝えておく」

とその者たちに命じた正之は、

「いずれ遊山《ゆさん》にまいりたいものだの」

名残《なごり》惜しそうにつけくわえてから、若松へむかった。

鶴ヶ城には、意外な者がかれのお国入りを待っていた。

それは、おしほという名のまだ十八歳の娘であった。京の二条城詰め御家人の娘のおしほは保科正近ゆかりの者で、このほど正之お国入りの場合の身のまわりの世話をするため京からまねかれたのだという。

「実は、かような女性《にょしょう》を控えさせておりまして」

と三カ月半ぶりに会う保科正近から伝えられた時、正之は別になんとも思わなかった。

「お国御前」

と呼ばれる側室を、国許にたくわえている大名は少なくない。江戸に置く定めの正室は、意に染まずとも閨閥づくりのために迎えられる場合がままある。それだけに大名たちには、

（せめて帰国した時ぐらいは羽根をのばし、好みの女に酒や閨《ねや》の相手をつとめさせたい）

と考える傾向が強かった。

対して正之は、高遠城にも山形城にもお国御前を置かなかった。まだ前髪立ての部屋住みのうちに侍女をみごもらせてしまい、正室を迎えることになってから大あわてでその事実上の側室と子とを隠す場合も珍しくはない。そういう例を考えあわせると、正之は政治に熱心なあまり男女のことにはうとい質だったといえる。

それゆえに鶴ヶ城の本丸奥御殿詰めの女たちは、女主人がいないためあるじをお迎えする時とてない、というきわめてあいまいな立場に置かれていた。こうなると奥女中たちは、北斗七星が見えないのでなにを中心にまわればよいのかわからなくなってしまった星々のような存在である。

(民部が特にまねいた者なら、心配あるまい)

と考えたかれは、奥むきの差配はそのおしほとおつきの野村という者にまかせることにした。

「いたずらに華美に流れぬよう、また特に火事など出すことのなきよう女たちに気を引きしめさせよ」

亀ヶ城詰めの番士たちの選定をおわった正之は、ある日の黄昏時《たそがれ》、ようやく奥殿の対面所へわたっておしほに伝えた。

「領内には出湯も多いから、病む者あらば東山その他へ薬効を考えて湯治にゆかせ、身をすこやかに保つために小太刀や薙刀《なぎなた》の稽古もさせよ。ゆとりある者には、文学を学ばせよ」

文学とは学問、すなわち儒学のことをいう。

「はい。さっそく御前のおことばとして、奥の者たちにお伝えいたします」

下座に指の長いきれいな手をついたおしほは、髪を根結いの垂髪《たれがみ》にして下に羽二重、上に藤色の越後縮《ちぢみ》をかさね着していた。

能楽にいう、雪の小面《こおもて》のような古風なおもざし。いたずらに遠慮せず、きちんと受け答えするところに正近の推挙した理由が感じられる。

ただし、おしほのおだやかな目もとに特徴があった。ややまぶたがふくらんでいて、ちょっと見には涙目に見える上、左目の下にいわゆる泣きぼくろのあることがさらにこの特徴をきわだたせている。

「ところで野村よ。そなたは小太刀と薙刀《なぎなた》の名手だと、民部が申しておったぞ」

「お恥ずかしゅうございます」

と頭を下げた野村は、長のかもじをかけた下げ髪に染紋付をまとってはいるものの、紅やおしろいをはたいてはいなかった。

仲居の点《た》てた抹茶を喫しながら雑談をつづけた正之が、

「さて」

と席を立とうとした時、その野村が驚いたようにいった。

「あの、ただいまお湯殿の御用意をさせておりまするが」

「いや、まだ目を通しておらぬ文書も山になっているから、中奥《なかおく》に帰らねばならぬ」

正之は、おしほがほんとうに泣きそうな顔をしたことに一向に気づかなかった。

　この一件は、翌日のうちにはもう保科正近の知るところとなっていた。

　正近の拝領屋敷は、北側を北出丸堀ばたの本《ほん》一ノ丁、東側を西出丸堀ばたを走って本一ノ丁と交わる大町通り、そして南側を米代《よねだい》一ノ丁の通りに画された郭内最大の武家屋敷である。歩いてもすぐのこの屋敷から表御座所へあらわれた正近は、まず正之に人払いを求めた。

　しかし正近も老練だから、単刀直入には切り出さない。

「人払いするとは、また三春のような騒ぎでも起こったのか」

　端整な顔をむけた三十四歳のあるじに、正近は静かに老軀を寄せていった。

　そして帯から白扇を抜き取った正近は、しわがれ声でたずねた。

「殿、家中の者たちおよび領民どもの半分が女たちでありますことは、御承知でしょうな」

「なにを申すかと思えば」

　正之がととのった顎の線を見せて笑うと、正近は小さな白髪髷を振っていった。

「いま少し、お聞きあれ。一朝事ある時、家中の男どもが殿の御馬前に討死を誓うのは当然のこと。こたびの三春騒動に際し、新参の者らが遅ればせながら必死で馬を借り集めましたのも、殿の御訓育のたまものでござった」

「ならばよいのだが」

「しかし女子衆と申すものは、もしも殿と男どもとが城をあけたならば、奥むきのお女中方を中心にまとまろうといたすものでござる。在方の女子衆も、これにおなじ。かような場合、奥むきのそのまた中心となるのはどなたと思し召す」

「さあ」

と答えた正之に、正近はここぞとばかり畳みこんだ。

「それこそお国御前ではございませぬか。江戸在府の奥方さまや和子さま方を存じあげぬ国許の女子衆は、お国御前やそのお腹のお子たちをお守りしようとしてまとまるものなのでござる。しかるに当城の奥つ方をたばねるお国御前はいまだましまさず、殿はおしほ殿をも茶飲み話のお相手としてしかあつかわれませなんだ。はなはだ御無礼な申しようながら、殿は昨夕、おしほ殿とおつきの野村とに恥をかかせたのでございまするぞ」

「ちょっと待て」

またしても信州人らしい一徹さを垣間見せた正近に、正之は目をみはってただした。

「と申すとあのおしほは、奥むきの年寄としてまいったのではなかったのか」

奥殿の年寄とは、表の家老職に匹敵する重要なつとめである。

「否《いな》とよ。この会津をまとめるにはどうしても殿にお国御前を置いていただきたいと愚考つかまつり、この民部がようやく探し出しました女性《にょしょう》でござる。お気に召しませぬか」

「うむ」

などと答えたらすぐさま別の側室候補をつれてきそうなその勢いに、珍しく正之は押され気味になった。

結局正之は、つぎのようなとりきめで正近にうんといわせることに成功した。

「すべては一度おしほを江戸へ同行し、おまんに正式に挨拶させてからのことにする」

側室という存在は、正室たる者に認められて初めてその家族の一員として待遇されるものなのだ。

正室に無断で側室を迎えてしまう剛の者も少なくはないが、正之はそれだけはしたくなかった。

思えば母お静も、秀忠の正室お江与《えよ》の方には内密の側室としてもてあつかわれたゆえにこそ、お江与の方のすさまじいまでの怒りを買う羽目になったのではなかったか。自身も危うく水子として流されるところだった正之は、それを知るだけにおしほをすぐにお国御前とする気にはとてもなれなかった。

厳密にいえば、おまんの方はお菊の方の死後、継室（後妻）不在のまま正之の側室となった者であって正室ではない。だが正之は、

（虎菊がここまで元気に育っている以上、近々おまんを側室から継室に直してやらねば）

と考えていた。

おまんの方におしほを紹介するのは、その手つづきの第一歩という意味をもつことにもなる。

正之がそんなことを考えながら、また会津を去って江戸をめざしたのは十月十四日のこと。十一月十五日には芝新銭座の中屋敷で虎菊の袴着《はかまぎ》の儀がおこなわれることになっ

ていたため、おしほと野村もこれに合わせて出府してきた。

袴着の儀とは、五歳の男児が童《わらわ》から少年へと成長することを祝って初めて袴を着ける儀式をいう。男女三歳にして髪をのばしはじめる髪置き、女児七歳にして衣装の付帯《つけおび》をやめ、ふつうの帯を用いる帯解きの祝いとともに、この古い習俗は七五三と名を変えて今日もつづいている。

母おまんの方や媛姫、中姫の住まう奥殿から正之に手を引かれて本殿へやってきた虎菊は、おとなしくて手間のかからない子であった。この子にはおまんの方の教えにより、父上、母上というところを、

「おでえさん」

「おたたさん」

と上賀茂の社家風の御所ことばをつかう習慣がある。

大広間に請じ入れられた虎菊が一瞬立ちどまってしまったのは、下座に肩衣をつけた男たちがずらりと居流れていたためであった。

正之は江戸詰めのこれらの者ばかりでなく国許の者たちにも、祝儀の金品はいっさい受けないとあらかじめ申しわたしてある。

「さ、これに乗りなさい」

大広間のほぼ中央に置かれた厚さ五寸、本榧《ほんかや》の黄金色に輝く碁盤を父に示された虎菊は、にっこり笑ってその上にひょいと乗った。田中三郎兵衛が膝行《しっこう》して小さな袴をはかせ、手ぎわよく袴ひもをむすんで頭を下げる。

つぎに正之は虎菊の晴れの姿を奥殿の女たちに披露し、つづけておしほをおまんの方に引きあわせるつもりでいた。

だが、ことはうまく運ばなかった。

正之が三春騒動鎮撫のために江戸を離れたころ、おまんの方は四度目の懐妊があきらかになっており、すでに妊娠八カ月目に入っていた。

そのおまんの方は、本殿で虎菊の袴着の儀式のはじまる直前になってから、

「虎菊さまはわが子なればぜひ晴れ姿を見とうござりますが、身ふたつとなる日も近づき化粧の乗りもよろしゅうござりませぬので、新参のお方の引見はいずれあらためてのことにさせていただけませぬか」

と、三好という老女を介していってきたのである。

気持はわからぬではなかったが、そうするとおしほがおまんの方に初見参するのは年があけてその出産がおわってから、ということになってしまう。

（もう少し早く申せばよいものを）

と思いながらも、正之は虎菊の手を引いて奥殿へむかった。

奥殿は、江戸城の大奥とおなじくお鈴廊下と呼ばれる回廊によって本殿中奥とつながっている。あるじが中奥から奥殿へわたる時には、中奥小姓がいつもかならず錠の下ろされている仕切りの杉戸のむこう側で鈴のひもを引く。その音が聞こえると、奥女中たちが杉戸手前まであるじを出迎えにゆくのがならわしだった。

このお鈴廊下を通って虎菊を居間へつれてゆくと、二十五歳と女ざかりのおまんの方

は、なおも髪を王朝風の大垂髪《おおすべらかし》にしておしろいを耳の裏から喉、胸もとにまでたんと塗って正之を出迎えたものの、さすがに産み月が迫っているため上体を折ることさえ大儀そうに見えた。

この日、大名家の女あるじは赤紋縮緬《ちりめん》の間着《あいぎ》に組白《くみしろ》をまとって出座し、奥女中たちに料理をふるまうのが年中行事になっている。しかし肩で息をしているおまんの方には、恒例にしたがうゆとりもないようだった。

その上、二の間、三の間にはひとこと虎菊にお祝いを述べようとたくさんの侍女たちが詰めかけていて、おまんの方とゆるゆると物語している暇はなかった。

「では、身をいたわるのだぞ」

手みじかに伝えた正之は、遠い対面所をめざした。

そこに控えていたのは、おしほと野村であった。おしほは淡い鴇《とき》色の小袖に亀甲文様の細身の女帯を締め、紅葉を肩と裾とに散らした季節にふさわしいうちかけを羽織っていた。

正之がおまんの方の事情をうちあけ、

「そういうことゆえ、しばらく長局《ながつぼね》のうちにくつろいで江戸見物など楽しむがよい」

と告げると、おしほは涙ぐんでいるような目をなにかものいいたげにしばたたいた。

この寛永二十一年（一六四四）は十二月十六日に改元があって正保《しょうほう》元年となり、あけて二年一月五日、おまんの方は月満ちて男児を産んだ。

正之は三男の誕生をいたく喜び、将監《しょうげん》と命名。これを機におまんの方を側室から継室に直すことを幕府に申し入れて、許された。大名家が幕府に無断でどこかの家と婚姻関係をむすぶことは禁じられているから、このような場合にも幕府の許可を得てことを運ぶ必要がある。

おまんの方は産後の肥立ちもよかったから、まもなくおしほはその前に挨拶にまかり出ることにより、ようやく正之の側室と認められて、

「おしほの方さま」

と呼ばれる身分になった。

側室とは正室からその夫に献上されるもの、という観念があるために、このような手つづきを踏むことがよしとされている。

生身の女性を献上品あつかいするとは、と目を剝くひともあるかも知れない。だが、正之・おまんの方夫妻が特異な考え方の持ち主だったわけではない。

幕末に徳川十四代将軍家茂《いえもち》の正室となったのは、孝明天皇の異腹の妹和宮親子《かずのみやちかこ》内親王であった。和宮は慶応年間に若き夫が上京した時、側室として採り立てた女性を大坂城へ派遣している。このように正室が夫に側室を献呈する行為は、江戸時代にはかならずしも珍しいことではなかったのである。

正之も、三十五歳の男ざかり。その奥むきには二男二女を産んだおまんの方とまだ初々しいおしほの方とが妍《けん》を競うかたちになったから、それぞれに奉公する侍女たちもふえて中屋敷奥殿は次第に華やぎに満ちた。

だがその背後では、ささやかな誤算も生じた。おしほの方がわずか数度の添い寝でみ

ごもり、かれは公務ますます多忙でもあったため、おしほの方を会津へともなう機会を逸してしまっていた。

さらに、四月に入るのを待っていたかのように家光からまことに予想外の台命《たいめい》の下ったことが、その忙しさに輪をかけた。家光はさりげなく正之を江戸城中奥の御座所へまねき、こう切り出したのである。

「今月の二十三日は、日和がよいという。世つぎの竹千代もう五歳、二十三日に早めに元服させることにした。ついてはその方に、烏帽子親を命じる」

男子元服の際、実の親に代わってその前髪を摘み、髷をととのえ烏帽子をかむらせてやる役目は、その男子の将来を託すに足るもっとも信頼できる人物にゆだねられる。

(徳川御三家の御当主方をさしおいて、お上がこのおれを竹千代さまの烏帽子親に御指名下さるとは)

と考えると、夢のようだ、と正之は思った。

正之自身は秀忠との父子のなのりをついに果たせなかったため、二十一歳まで前髪を立てたますますごし、名前も幸松という幼名しかなかった。

「幸松殿のことは、信濃さまとお呼びするように」

正之十七歳の時、養父正光が家中に布令したのも、こう呼べば、すでに信濃守に任じられているかのように聞こえるからだった。そんなことを思い起こすと、正之には自分が将軍家の若君の烏帽子親に指名されたことがまだにわかには信じられなかった。

しかし現実は、家光の下命を既定方針としてすすんでいった。

四月二十一日、家光が正之を侍従から左近衛権少将《さこんえごんの》に推任したのは、大役を果たすべき正之にあらかじめ報いておく、という意味合いからのこと。

おなじく二十三日の午前四つ刻（一〇時）。江戸城本丸白書院の上段の間に出座した色白で小柄な竹千代は、将軍家の世つぎにしか使用を許されない緋色地の水干《すいかん》姿だった。下段の間に顔をむけて紅《もみ》の厚い座布団にちょこんと座ったこの五歳の少年は、額に桃眉《ももまゆ》を描いてもらい、前髪以外はうしろにたばねて童子用の金塗り紙の大元結《おおもとゆい》をかけていた。

それぞれの官位により、織文様絹裏の狩衣《かりぎぬ》、ないし無文平絹の布衣《ほい》に風折烏帽子の正装で下座に息をひそめていた大名たちは、その可愛らしいたまご形のおもざしを拝して一斉に上体を折った。

上段の前の裾に控えてそれと見定めた正之は、出番を伝えられるや最前列の酒井忠勝、阿部忠秋、松平信綱、阿部重次の閣老たちに一礼した。そして掛緒《かけお》の冠と上は褐色《かちん》の地に丁字唐草文様の袍《ほう》、下はあられ文様の表《うえ》の袴の背後に長く裾《きょ》を引いた衣冠束帯に蒔絵の剣を佩用《はいよう》、右手に笏《しやく》をもった堂々たる姿を竹千代の真うしろへと運んでいった。

――正二位大納言、徳川家綱。

式次第終了後に名をあらためた竹千代と正之とのふれあいは、この日からはじまったのである。

「御装束のよくも似あいたもうものかな」

冠を頭にのせていったんしりぞき、緋色に金襴の葵の紋散らしの直垂《ひたたれ》に着更えて再登場した家綱を仰ぎ見ただけで、正之はもう胸が一杯になって酒井忠勝に語りかけていた。

（お上のお命は長久であっていただきたいが、やはり命というものにはおわりがある。もしもわが命の方が長いのであれば、それはすべて家綱さまに捧げたてまつる）
とひそかに誓いながら。

先を読む力に長《た》けている者は、そういう感覚のない人間には無縁の苦痛を味わうことが時にある。

それから六年の歳月が流れ、慶安四年（一六五一）四十一歳となった正之の場合がそれであった。

この年の元旦、かれより七歳年上の家光は十一歳の家綱とともに諸大名の拝賀を受け、三日には品川へ大好きな鷹狩に出かけた。それが六日から不意に気分が萎《な》え、中奥の寝所にひきこもったままになってしまったのである。

からだのどこに病巣がある、というのではない。今日にいう老人性鬱病のごとき症状で、ある日急に気分が晴れやかになったかと思うとまた気鬱になる、ということをくりかえしながら、家光はじょじょに病み衰えていった。

その病がにわかにあらたまったのは、四月十九日夜半のこと。

（お上は、まだ五十路《いそじ》に達してもおられぬのに）

胸騒ぎがして前日から江戸城本丸の御用部屋に詰めていた正之は、家綱元服の日のことを思い出して自分を責めつづけた。

（あのめでたい式日に、おれが不吉にもお上の御寿命のことなど考えてしまったから今日の事態をまねいてしまったのかも知れぬ。なんたることか、——）

家綱元服から三カ月後の正保二年（一六四五）七月、正之は官位を従四位下から従四位上へすすめられていた。

また家光は病やや小康を得ていたこの四月六日、正之が見舞にまかり出ると褥《しとね》から上体を起こし、額に紫色の病鉢巻をむすんだやつれた顔をむけて命じた。

「ひ、肥後よ。そちはこれより登城いたす時には萌葱《もえぎ》色の直垂を着用し、そちの子孫も代々同様にいたすよう申し伝えよ。大名行列を組む際には、余の鹵簿《ろぼ》と規模をおなじくせよ」

この時代、すべての武家が装束に用いてはならない色彩は四種ある。

——江戸紫、浅葱《あさぎ》、萌葱、そして緋（紅）色。

江戸紫は将軍のみ、緋色はその世つぎたる者のみにしか使用を許されない禁色《きんじき》である。くわえて秀忠・家光が父子仲良く浅葱色と萌葱色とを好んだため、これら二色もいつしか禁色あつかいされるようになっていた。

すなわち家光は、自分がふたたび立てないであろうことを悟りつつあったからこそ、（保科肥後こそ将軍に準ずる者であることを、さらに天下にあきらかにしておきたい）と願い、正之にその思いを懸命に伝えたのである。

一夜あけた四月二十日には、将軍の臨終の時迫ると知った諸大名・旗本たちが、眉宇を曇らせて早朝から続々と登城してきた。

その応接役をつとめたのは、大老酒井忠勝と阿部忠秋、松平信綱、阿部重次の三老中および出頭人という名で家光の私的輔佐役に任じられている堀田正盛。もうひとりの大老で、正之誕生にあたって重要な役を果たした土井利勝は、寛永二十一年（一六四四）七月に七十二歳で没していた。

　すでに六十五歳の最長老となっている酒井忠勝が、まず中奥の御座所にまねいたのは徳川御三家の当主たちであった。紀伊和歌山藩主の大納言頼宣《よりのぶ》、常陸水戸藩主の中納言頼房、尾張名古屋藩主の宰相光友。

　夜を徹して家光に侍していたため目が赤くなり、肩衣の下の半袴をしわだらけにしている忠勝は、鳥帽子直垂姿の三人に淡々と報じた。

「お上におかせられてはみなさまに御対面あそばされ、御遺言をおんみずから仰せふくめられんとの思し召しでござりました。されど昨夜来にわかにお悩み重《おも》らせたまい、おそれながらすでにお覚悟なされましてござる。お上には御三家それぞれ、ひたぶるに大納言さま（家綱）への御奉公を専一といたすようにと仰せでござりますれば、どうかこれを御遺言と思し召されますよう」

　三人は、目頭をぬぐいながら御三家の間へとしりぞいた。

　つづけて請じ入れられたのは、越後高田藩主の松平越後守光長、越前大野藩主の松平出羽守直政《なおまさ》および加賀金沢藩老公・中納言前田利常。

　松平光長と直政とは結城秀康直系のゆえに、御三家につぐ家柄とみなされていた。また前田利常は外様大名ながら嫡男の正室に家光の養女を迎え、松平姓をも与えられていたから、かれらは家格によって入室順序を定められたことになる。これらの者たちも御三家の当主同様、酒井忠勝から家光の最後の願いを伝えられただけで退出していった。

しかし、律義に萌葱紗の直垂と烏帽子とをつけて控えていた正之がつぎに入ってゆくと、様子がまったく違っていた。

酒井忠勝とおなじく半袴をしわだらけにしている堀田正盛が寝所の方角からあらわれ、忠勝を制して告げたのである。

「おお、肥後さま、よいところへ。お上には、お手前さまに御用があると仰せでござりまするぞ。ささ、いそぎお越しくだされ」

「かしこまって候」

正之は直垂の袖をひるがえして忠勝に一礼し、正盛のあとにつづいた。

やがて寝所に至ると、正盛は大きな目鼻だちを動かして正之に二の間に待つように伝え、一の間にすべるように身を入れて襖を閉めた。

「肥後さま、これへ」

その正盛の声がしたのは、ややあってからのことであった。

しばらくさがっているよう命じられたのだろう、退出してゆく御典医たちと会釈を交わしあってから正之が入室すると、違い棚つき幅六尺、薄畳敷の床の間へ頭をむけ、豪奢な褥がのべられていた。

家光は正盛に背をささえられ、その褥の上に白無垢の夜着をまとった上体を起こしていた。元気な時にはふっくらとしていた頬から肉が落ち、眼窩《がんか》がくぼんで目の下に隈《くま》の浮いているのが痛ましい。

髷の元結を解いて月代《さかやき》総髪にし、紫色の病鉢巻をしているだけにかえって肌の青白さのめだつ家光は、正之を見るや乾いた唇を笑うかたちにして震える右手を差しのべてきた。

「もそっと、おそばへ」

正盛の声に応じて正之は家光の右脇へ膝行し、その手を両手に押しいただいて深々と頭を下げた。家光の掌《たなごころ》はあまりに冷たく、爪先は蠟色に変じていて、正之はことばもない。

「ひ、肥後よ、弟よ」

家光は、とがった喉仏を上げ下げしてようやくいった。

「そ、その方、余の恩を忘れてはおるまいの」

「はい」

正之は頰に熱いものが伝うのを感じながら、力をこめてうなずいた。

「骨髄に徹し、片時たりとも忘れたことはござりませぬ」

「――そうか」

家光は、弱々しくはあるがうれしそうな笑みを浮かべてつづけた。

「知ってのとおり、大納言はまだ十一歳じゃ。そちに、頼みおくぞ」

家光はもっとも信頼する正之に、次期将軍家綱の輔弼《ほひつ》役たれ、と遺言したのである。

「はっ。誓って身命をなげうちまして、大納言さまに御奉公つかまつりまする」

声涙ともに下る思いで、正之は答えた。

「はばかりながら、その儀におきましてはどうかお心安んじて下さりませ」

「ああ。それを聞いて、余は安心いたした」

家光の呼吸が、急に切迫したのはこの時であった。正之が家光の右手を離すと、正盛は懸命にそのからだを褥に横たえる。

正盛の目が、

（すでに永訣《えいけつ》の時はすぎました、退出されよ）

と告げている。

正之は、涙を押しぬぐいながら寝所をあとにした。

（もう上さまとは、二度とお会いできないのだ）

と胸ふたがれながら。

「ただいま、御他界あそばされましてござる」

正盛が俗に千畳敷といわれる大広間に詰めていた正之たちの前にあらわれ、がくりと肩を落として報じたのは夕刻七つ刻（四時）のことであった。

江戸城の本丸と二の丸とがひとつの堀にかこまれているのに対し、その南西の方角に隣りあう西の丸は、まったく別の堀をめぐらしている。江戸城はいわばふたつの城郭を組み合わせたように造られているのだが、この時家綱は紅葉山の大丘陵を取りこんだ西の丸に住んでいた。

七つ半（五時）前、正之はいち早くこちらの表御殿に登城して事の次第をわかりやすく伝え、べそをかく家綱に正式に挨拶した。

「これよりは、大納言さまが将軍になりたもうのです。この肥後は、お上の最後の御命令にしたがいまして、ただいまからこちらの御殿に詰めさせていただきます」

正之は家綱の輔弼役たれという家光の遺言を、

「託孤《たっこ》の遺命」

すなわち残された幼な児を託された、という感覚で受けとめていた。

（ならばおれは、いったん屋敷へ帰ったりしてはいられぬ）

と考えて、かれはだれよりも早く家綱のもとへ祇候《しこう》したのである。

やがて酒井忠勝と三人の老中、そして堀田正盛も、家綱にお悔やみをのべるためにあらわれた。

「お上の御遺命により、本日ただいまより大納言さまを後見《こうけん》いたす」

正之は不安と緊張でことばを失っている家綱とかれらとの間に位置をとり、家綱になり代わって礼をいった。

哀しみに揺さぶられながら、正之はその時初めて気づいていた。十四日前、家光が萌葱の直垂を着用せよと命じたのはこの日にそなえてのことだった、ということに。

気弱でおとなしい性格の家綱には、まだ侍女たちに衣食の世話をされ、西の丸奥御殿のうちに乳母《めのと》に守られて眠る習慣がある。

やがて家綱を奥御殿へ送った正之は、忠勝以下にむかって提案した。

「まことに無念なことに相なりましたが、われらがいたずらに天を仰いでいるだけでは、亡きお上に叱られましょう。大納言さまにはいまだいとけなき齢《よわい》なれば、せめて今後の幕政をどういたすかだけはいまのうちに相談しておかねばなりませぬ。御一同、ちと御用部屋へ席をうつしましょうぞ」

しかし御用部屋のうちに円居《まどい》をつくり、紙燭《しそく》の火に上体だけを照らし出された六人の会議は、のっけから波乱ぶくみとなった。

大きな目鼻と小さな口とが角張った顔だちのなかに奇妙な対照を見せている堀田正盛が、最初に切り出したからである。

「それがしはお上に殉死いたすにより、今後のことには口出しを控えたく存ずる」

はっとして一同が注視しても、堀田正盛は憔悴《しょうすい》しきった顔つきながら気丈につづけた。

「みなさま御承知のように、それがしは少年の日よりひとかたならぬ御寵愛をかたじけのうし、浅学菲才《ひさい》の身にもかかわらず重く登用されてまいりました、……」

従四位下、加賀守に任じられている正盛は、武州川越三万五千石に封じられていたころ、正之に保科家別流を立てよとの上意を伝えたこともあった。その後は、寛永十五年(一六三八)に信州松本十万石を拝受。同十九年にはさらに一万石を加増され、下総《しもうさ》佐倉へ再移封されて四十四歳の今日を迎えている。

「されば今宵のうちにぜひともお上に殉じ、黄泉路《よみじ》の旅のお供をつかまつらんと思い切りましてござる」

だれにともなく告げて口をとざした正盛に、

つづかない。

「なんと、——」

たわけたことを、と正之はいおうとした。だが一種異様な感動にも襲われて、あとがつづかない。

その間に、正盛の正面に正座していた阿部重次が口をひらいた。

「それがしも、わが君御昇天の門出のお供をいたす所存に候。いざ加賀殿、うちつれて退出いたそうではござらぬか」

「しばらく」

たまりかねて、正之は両者をたしなめた。

「お上には、大納言さまのおんことをくれぐれもよしなに、と仰せ置かれたのでござるぞ。大恩を慕いたてまつるとてお手前がたがみな殉死しては、いったいだれが大納言さまを輔佐いたすと申すのか。殉死を思いとどまることこそ、忠義ではござりませぬか」

「いや、肥後殿。お気持はようわかるが、少し聞かれよ」

これも肩衣半袴をまとっている阿部対馬守《つしまのかみ》重次は、彫りの深い顔を正之にむけて気負いもなくことばをついだ。家光のお小姓番頭から出発、寛永十二年（一六三五）に一万石を加増されて大名に列した重次は、五十四歳の今日は武州岩槻《いわつき》九万九千石を領有している。

「これまで親兄弟にも洩らさなんだことなれど、御一同、お上の御代《みよ》の初めに駿河さま（徳川忠長）が高崎城に御生害《しょうがい》あそばされたことをお忘れではあるまい。あの時、それがしがお上の密命を拝して高崎へ使いいたしたのじゃが、出立の前にお上とかようなやりとりがございましての」

　その時点で家光がもっとも懸念していたのは、高崎藩主安藤右京進《うきょうのしん》重長が忠長を切腹させるように仕向けることをどうしても厭がったならどうするか、という問題であった。

「そうなったら、いかがいたす」

　家光に問われ、重次は言下に答えた。

「もしも安藤右京進殿がためらわれましても、お心安んじて下さりませ。それがしが一命を捨てましても、きっと台命を奉じたてまつりまする」

　自分が忠長と刺し違えても、かならず家光の希望を実現させてみせる。重次はそう覚悟のほどを披瀝《ひれき》して、高崎へむかったのだった。

　十八年目にして初めて内情を告白した重次は、されば、とつづけた。

「さればあの時それがしはお上にこの一命を捧げたてまつったにもかかわらず、今日まで生きながらえてまいったのでござる。されど一度は献上した命を、お上の亡くならせたまいしのち、いったいたれに捧げましょうや。さような次第なれば、それがしには曲げて殉死つかまつることを許されよ」

　これはこれで、肺腑の言というべきであった。語るうちに重次自身もはらはらと落涙して声を詰まらせ、ほかの五人も思わずもらい泣きしていた。

　目と目でうなずきあった正盛と重次は、座が静まり返ったのを見てゆらりと立ちあがった。そして、深く一礼したかと思うと少年同士のように手をつなぎ、暗い廊下へと去った。

っていった。

このふたりは玄関を出てそれぞれの乗物におさまる前、

「やがて」

とたがいに声を掛けあった。

むろんこれは、やがて浄土で会う、という意味である。ふたりは帰邸すると、日付の変わらないうちに切腹して果てた。

九歳から家光につかえて下野《しもつけ》鹿沼藩一万五千石を立藩していた内田信濃守正信も、同夜ひそかに追腹《おいばら》を切った。

残された正之たちが、その間に合意したのは三点であった。
一、家光の霊柩《れいきゅう》は二十三日までに上野の寛永寺にうつし、その後日光山へ納める。
二、今後の天下のまつりごとは、閣老たちがよく相談しておこなうものとする（合議制）。
三、大老格として、譜代筆頭たる彦根藩井伊家の当主掃部頭《かもんのかみ》直孝を迎える。
それにしても危ぶまれるのは、家康・秀忠の死亡時と今回とではあまりに事情の異なることだった。家康は秀忠を、秀忠は家光を将軍職に据えてから逝ったから、群臣たちにもさほどの狼狽はなかった
対して家光は将軍のまま眼《まなこ》を閉ざした上に、まだ家綱はあまりに幼い。そこへもって

きて老中ひとりと今日の第一秘書に等しい出頭人とが姿を消してしまったのだから、群臣たちに動揺するなという方が無理である。

「明日はわれらも、腹をくって諸侯に対応せねばなりませんな」

正之は、ある提案をおこなった。


まことに奇妙なことながら、幕府は武家諸法度を制定したにもかかわらず喪服の制を定めてはいなかった。それでも女は白無垢の小袖に帯も白と決まっていたが、男は麻《あさ》裃《がみしも》（肩衣半袴）か長裃、または鉄色以外の無地の熨斗目《のしめ》であればいずれでもかまわない。

あけて四月二十一日の午前四つ刻（一〇時）、これらの衣装を思い思いにまとって本丸表御殿に登城してきた群臣たちは、大広間に沈鬱な顔をずらりとならべた。

この者たちを上座に出迎えた閣老たちのなかから、最初に立ったのは浅葱の肩衣をつけた酒井忠勝。いつも穏やかな忠勝は、この時ばかりは大きく息を吸いこみ、大音声《だいおんじょう》を張りあげた。

「昨晩、御所さまがお隠れあそばされたことは、おのおの方すでに承知のことと存ずる。お世つぎはいまだ十一歳におわせども、前代の御子にましませば安心いたせ」

そこで眉間に皺を寄せた忠勝は、満座の者たちをひとわたりにらみまわして挑むようにいった。

「とは申せ、いにしえより幼君のおん時には逆臣あらわれ、天下危うきに瀕するためしなきにしもあらず。面々、天下をうかがうならば、よき時節の到来なるぞ」

謀叛《むほん》を起こしたい者がいるならやってみろ、と強く出ることにより、かれは機先を制したのである。

すると閣老たちとともに群臣たちに顔をむけていた御家門のあるじたちのなかから立ちあがり、忠勝と肩をならべた者がふたりいた。

正之と、福居藩主松平越前守光通《みつみち》。光通もまた、結城秀康の血を引いている。

まず正之が、あとを受けた。

「おのおの方、ただいまの讃岐《さぬき》殿（忠勝）のことばは聞こえたでしょうな。この天《あめ》の下、将軍家の御恩のもとに人とならざる者がどこにあろうか」

もう三日間帰邸していない正之は、上屋敷から運ばせた麻裃に衣装更えしていたものの、さすがに連夜の寝不足から目を血走らせていた。

つぎにまだ二十歳《はたち》の松平光通が初々しく頰を紅潮させ、なかば居流れた一同に、なかばかたわらの忠勝と正之にむかって高ぶった声でいった。

「万が一、幼君のおん時とて天下をうかがう者があるならば、われらに仰せつけられたし。一気に踏みつぶして、御代《みよ》はじめの御祝儀代わりといたしましょうず」

「ははっ」

一角から声が響いたかと思うと、おなじ反応はさざ波のように大広間全体に伝播し、群臣たちは衣《きぬ》ずれの音のみを立てて一斉に平伏した。

とりあえず正之たちは、閣老たちと徳川一門とが家綱のために一致協力している姿を強く印象づけることに成功したのである。

誓紙《せいし》ないし起請文《きしょうもん》とは、決して逆心は起こさないと神仏に誓った証文をいう。群臣たちから家綱への誓紙を差し出させた正之は、ようやく新銭座の中屋敷へ帰ることにした。

この慶安四年（一六五一）四月二十一日は太陽暦六月九日にあたるから、空気はもう生暖かかった。にもかかわらず正之は、三日三晩ほとんど寝ずにいたためひどい風邪を引いてしまっていた。長棒引戸の乗物におさまった瞬間不意に緊張がゆるんだのか、激しい咳《せき》の発作も起こった。

同時に睡魔と深い疲労感も襲ってきたが、

（まだおれのしておくべきことは、おわってはおらぬ）

と正之は、口もとに懐紙を押しあてながら必死に考えていた。

思えば遠くは源平両家から近くは織豊《しょくほう》政権（信長・秀吉）まで、一時は天下に覇を唱えたものの、その栄華もいつしか昔語りになってしまった家は少なくない。

徳川家も、家康が幕府をひらいた慶長八年（一六〇三）からかぞえて四十八年目。

「大納言はまだ十一歳じゃ。そちに、頼みおくぞ」

家光のこの託孤の遺命を夢にも忘れず、およばずながら家綱にこれまで自分が学んできた王道政治のなんたるかを伝えつづける。そこにこそ、徳川の太平の世を百年、二百年と存続させるための要諦がある。

咳に苦しみながらもそう反芻するうちに、正之の今後の方針は次第に輪郭がはっきりしてきた。

中屋敷に入ると、かれはすぐに大納戸頭《おおなんどがしら》を呼んで命じた。

「納戸のうちに、かつて余が駿河さま（忠長）からいただいた権現さまお召しの小袖があろう。それを具足の下着に仕立てなおせ」

諸侯から誓紙を入れさせたとはいえ、天草・島原の乱のような大規模な一揆の例もあるからそれだけでは安心できない。

（もしもふたたびあのような異変が起こったならば、おれは権現さまがお袖を通したあの衣装をまとって大納言さまのおために戦う）

と、正之は決意していた。

「かしこまって候」

と答えて大納戸頭が姿を消すと、

「少し横になる。褥をのべよ」

小姓たちに伝えたかれは、しかしすぐに寝所にはゆかず付書院にむかった。

そして、国許の家老たちにあてて命令書を起草した。

「われは以後もっぱら心を幕政に注ぐがゆえに、いちいち藩政を見ている暇はない。よってその方どもはさらに奮励いたし、臨機応変に政務と公事《くじ》（訴訟）とを処理してしかるのちわれに告げよ」


あれもしたいが、これもしたい。そういう欲から終生逃れられないのが、ふつうの人間というものだろう。

現代人であれば、学生時代には勉学とクラブ活動ないし遊びとの両立。世に出てからは、職業と趣味あるいは家庭との調和。身を引いてからは、晩節をまっとうすることと生き甲斐の探求、……。

対して保科正之という人物の稀有《けう》なところは、幕府と自己とを秤《はかり》にかけて、ためらいなく自分を捨象してしまうあまりに清冽な精神にあった。

家光の恩情にこたえようとして育《はぐく》まれ、研ぎ出されたこの気迫は、正之が近年ほとんど会津へ帰らずにいることに象徴的に示されていた。かれは、家綱の元服から二年後の正保四年（一六四七）九月に一度帰国。翌年一月に出府してから、もう丸三年以上江戸に滞在しつづけている。

家光が正之を自分の影と頼むあまり、

「帰国を許す」

とはいわなくなっていたためであったが、高遠保科家の性愚直の士風を受けついでもいる正之は、自分から帰国を申し出ようとは考えたこともなかった。

その結果、正之は大切な者の死に目に会えないというつらさも味わった。

会津入りしてすぐ家老に登用した保科正近のせがれ十郎右衛門は、さる慶安二年（一六四九）四月一日、まだ働きざかりというのに中風を発して死亡。するとちょうど一年前から食事がうまく喉を通らない病にかかっていた正近自身も、その月のうちにせがれのあとを追うように世を去ったのである。

その四月の五日、正之は家綱の供をして日光東照宮への参詣の旅に上っていた。帰府した二十三日こそ正近が息を引き取った日だったから、その葬儀に出席することはとても不可能であった。

七歳の日に高遠で初めて出会った保科民部正近は、実に三十三年間正之を時にきびしく、時に優しく支えつづけてくれた。その訃報に接した正之が感服したのは、

「なおなおそれがし拝領の知行四千石は、すべて返上つかまつり候」

と、正近の前々からの信条の書かれた遺書も同時に伝えられたことだった。

その遺書には、こうもあった。

「わが亡き後のことは、北原采女《うねめ》に託し候」

采女とは光次のこと、これも高遠時代以来の家老である。

正之としては、つぎの城代家老には田中三郎兵衛を登用するつもりだった。だが考えてみると、三郎兵衛がまだ四十を越えたばかりなのに光次は六十一歳。正近の遺志を尊重した正之は、三郎兵衛には次席国家老を命じ、しばらく光次の下で経験を積ませることにした。

最長老保科正近の死、それまで江戸で正之のふところ刀になっていた田中三郎兵衛の会津ゆきと前後して、保科家奥むきにもさまざまなことが生起していた。

その第一は、おまんの方の産んだ三男将監が、家綱元服から二カ月後の正保二年（一六四五）閏《うるう》五月に早世してしまったことだった。

同年七月、おしほの方は女児を出産。この子は早産で生まれ、からだの小さなところ

が亡きお菊の方を連想させたため、正之は菊姫と名づけた。翌年十二月、おまんの方はこれと張りあうように四男大之助を産んだ。

このころからおしほの方は、ともすると沈みがちになった。

菊姫は乳母の乳房を吸う力も弱く、泣き声もか細くて、ちゃんと育つかどうかおぼつかなかった。そこへもってきておまんの方が二男二女の母として奥むきを宰領しつづけたため、おしほの方とおつきの老女野村を中心とするその侍女たちは肩身のせまい思いを味わわされていた。

大名家の子女には、かならずそのひとりずつに乳母をつけられる。乳母にはまた介添がつく。二男二女のいるおまんの方と菊姫ひとりのおしほの方とでは、侍女たちの数と威勢の両方で差がついてしまうのはやむを得ないことなのだった。

（やはりおしほは、お国御前とした方がよいようだな）

あらためて感じた正之は、正保四年九月に会津へ帰国する時、ふたたび懐妊のあきらかになっていたおしほの方と菊姫とをつれていった。

しかしこれは、裏目に出た。

十二月、菊姫わずか三歳で夭折《ようせつ》。正之はそのあまりにも小さなきがらを、寺領百石を与えている郭内《かくない》南口の法紹山浄光寺に葬ってやった。ここは、山形からうつした母お静の位牌所である。

かれは翌年一月三日に、雪の降りつむ若松を出発。九日には江戸にもどったが、それを追うように国許から早馬がきた。十二日、おしほの方が、今度はすこやかな女の子を出産したという。

（これでおしほも、お菊を失った心の痛みが少しは晴れよう）

自分も少し安堵するところのあった正之は、この子は松姫と名づけることにした。

おしほの方は、いつも涙ぐんでいるようなまなざしと泣きぼくろとを別にすれば、記憶のなかにある信松院《しんしょういん》とおもざしが似ている。いつのころからか正之はそう思いはじめていたため、信松院が甲州武田家のお姫さまだったころの名前をもらうことにしたのだった。

「松姫さまとは、若松で御誕生になった最初の姫君というお心であろう」

と国許詰めの者たちが考えたとしても、いっこうにかまわない。

家光の死亡する慶安四年（一六五一）の時点で、松姫はもう四歳になっていた。まだその顔を見たことのない正之は、おしほの方とも足かけ四年間会っていない勘定であった。

そのため正之は、いつも涙ぐんでいるようなおしほの方のまなざしを思い出すたびに、

（どうもおしほとお松には、すまぬことになってしまった）

と考えざるを得なかった。

しかし、仮りにだれかが、

「お前は、おしほの方母子と家綱公とのどちらを取るのだ」

とたずねたとする。その時の、正之の答えは決まっていた。むろん家綱である。

家光の託孤の遺命をつつしんで拝受したことにより、正之はおしほの方や松姫との団《だん》

欒《らん》を諦めるという覚悟を強いられてもいたのだった。

鶴ヶ城二の丸の屋敷に暮らしているおしほの方の気になる点は、正之と会えなくなってからからだのむくむ病にとりつかれたことだった。慶安四年となってまもなく、

「東山か熱塩《あつしお》へ湯治におつれいたし、養生していただくのがよろしいかと存じますが、……」

と、老女野村から正之に伝えてきたこともあった。

だが、正之としてはこれを許すわけにはゆかなかった。

故事にいう、君子は瓜田《かでん》に履《くつ》を納《い》れず、李下に冠を正さず。

藩主が長い間国許をあけているのでお国御前が羽根をのばしている、などという風評が立つのは避けなければならないし、将軍御不例の際に親藩の側室が城を出るのははばかるべきである。

手紙でそう答えた正之は、代わりに温泉の湯を城内に運ばせておしほの方を入浴させるよう伝達し、あわせてかつて祝賀の登城を許した町医者たちに診察させるよう命じた。

町医者たちも鍼《はり》から秘伝の薬石まで、あらゆる治療をこころみたものの、効はなかった。家光がまなこを閉ざしたころ、おしほの方も浮腫が全身にひろがって、ついに小水もとどこおるゆゆしき症状を呈していた。今日の観点からすると、おそらくおしほの方は腎炎に罹《かか》り、ついに尿毒症を発したものであったろう。

そしておしほの方は、家光の死から約二カ月後の慶安四年六月二十七日、鶴ヶ城二の丸のうちに二十五歳の生涯をおえた。

お国御前を置くようすすめてくれた保科正近とそのお国御前とを前後して失いながら、正之はなおも江戸に踏みとどまるというつらい選択をおのれに課さねばならなかったのである。

それにしても、この江戸定府《じようふ》がさらに二十年近くつづくことになろうとは、さすがの正之にも思い寄らないところであった。

花ひらく日々

（当分の間、毎日登城することを欠かしてはならぬ）

という正之の判断に、誤りのなかったことがまもなくあきらかになった。

おしほの方の死から半月もたたない七月九日、三河刈谷《かりや》二万石の松平能登守《のとのかみ》定政が、嫡男の吉五郎をつれてにわかに出家。大老井伊直孝と老中阿部忠秋とにあてて意見書を差し出すという、奇矯《ききょう》の行為におよんだのである。

幕閣は家綱の輔弼《ほひつ》役の正之をふくめ、今後は合議制によって幕政をおこなう、と家光の死亡直後に確認しあっている。あけて十日、その決定にしたがって井伊直孝と阿部忠秋とが定政の意見書を一同に披露すると、そこには当の幕閣たちに対する危惧の念があからさまに表明されていた。

「いまの御老中がたが新将軍を輔《たす》けたてまつるようでは、新将軍はいまだ御幼稚にましませば、天下の乱れる日も遠くあらじと存じ候、……」

四十二歳と分別ざかりの年齢であるはずの松平定政は、さらに井伊直孝に一書を投じた。

そこには、こうあった。

「わが封土とそこに貯えし兵器雑具とは、ことごとく将軍家に献じたてまつる」

幕府から改易を命じられたわけでもないのに、すべての身代《しんだい》を返上するというのである。

しかも刈谷松平家は、わずか二万石とはいえただの小大名ではなかった。定政は家康の生母お大《だい》の方こと伝通院《でんずういん》の孫だけに、これは笑ってはいられない大事件であった。

(能登殿、いかなる真意か)

正之たちが注目する間に、定政はまたしても奇行に走った。

十七歳の吉五郎とともに髻を落として頭を青々と剃りあげた定政は、墨染の衣をまとって能登入道不白と自称。帯代わりに腰に巻いた荒縄に大刀をぶちこんで両手に銅の鉢を捧げもち、

「松平能登の入道にものたべ(物を給え)、ものたべ、南無阿弥陀仏、南無阿弥陀仏」

ととなえながら江戸の東西をまわりはじめたのである。

「その姿は托鉢《たくはつ》するというよりも、走りめぐると申した方がぴったりでございまして」

と奉行所から報じられた時、閣老たちは目と目を見交わしていた。

「能登殿は、乱心されたようじゃな」

という者もあれば、

「この暑さだからのう」

と応じる声もあった。

この年の七月十日は、太陽暦ならば八月二十五日。異様に夏のおとずれの早い年だったうえに、夏負けする者が相つぐほどのきびしい残暑が連日つづいていた。

しかし正之には、定政のいわんとするところがわかるような気もした。

正之が大老・老中たちと御用部屋で顔を合わせた七月十四日も、風が死に、油照りのつづく暑苦しい一日であった。納戸口を出ればすぐのところにある三重櫓《やぐら》の方角からは、その暑さを煽るような蟬時雨《しぐれ》がいつ果てるともなくつづいていた。

それでも正之は、両の胸前に白ぬきの角九曜《かくくよう》紋を打った肩衣半袴《かたぎぬはんこ》に身をつつみ、白扇をひらこうともしなければ汗をかいてもいなかった。大事な席で汗などぬぐってはいられないし、戦場に出てから尿意をもよおしたら鎧を脱がねばならない。それを思い、つねに水分をひかえておくのが武門のたしなみである。

裃で仕切られているそれぞれの御用部屋から大老・老中たちを自室にまねき、正之は小さく固めた髷の下に澄んだ瞳と通った鼻筋とを見せておだやかに切り出した。

「近ごろの松平能登守殿の所業を、不埒《ふらち》千万と評する声もあるようでござる。とは申せ、能登殿がわれらの耳に痛いことをとなえておるからとて、出家までなされたお気持をないがしろにしてはなりますまい」

「どういう意味か」

と問いたげな視線が自分に集まるのを感じた正之は、静かにいった。

「おそれ多いことながら、台徳院さま（秀忠）と大猷院《たいゆういん》さま（家光）の御世に改易された大名家の数を思い出されよ」

秀忠の時代に取りつぶされた大名家は、三十九家ある。

越後高田六十万石、松平忠輝。安芸《あき》広島五十万石、福島正則。筑後柳河三十二万五千石、田中忠政。出羽山形五十七万石、最上義俊。下野《しもつけ》宇都宮十五万五千石、本多正純《まさずみ》、……。

対して家光の改易した大名家はさらに多く、四十九家四百万石にまで達していた。

駿河駿府五十五万石、徳川忠長。奥州会津六十万石、蒲生忠郷《がもうただ さと》。おなじく会津四十万石、加藤明成。肥前島原四万三千石、松倉勝家。奥州三春三万石、松下長綱、……。

これらの事実を指摘してから、正之はゆるゆると結論をのべた。

「かような御英断の結果、徳川家の天下がまったく定まりましたることは、おのおの方御承知のとおりでござる。しかし、その反面でゆゆしき大事も出来《しゅったい》いたしました。牢人どもが世にあふれたことでござる。この牢人どもを捨て置けば、日ならずしてその不平不満は野に満ちて、あるいは将軍家に対したてまつって弓引く動きと相なるやも知れませぬ。能登殿が家名までなげうち、托鉢して歩いておられるのは、かような牢人どもに策を講じぬわれらを諷諫《ふうかん》いたそうとのお志かと思われます。さればわれらは、これを虚心坦懐《たんかい》に受けとめるべきでありましょう」

正之に反対する者は、いなかった。そのため閣老たちは、牢人対策を当面の課題とする、という点で意見を一致させた。

だがそれとは別に、松平定政をどうあつかうかを早急に決めなければならない。

その時、知恵伊豆と異名をとり、島原・天草の一揆制圧にもみごとな采配を見せた松平信綱が発言を求めた。切れ長、二重まぶたの怜悧《れいり》なまなざし、正之と似た口髭をたくわえて、とがり気味の顎の線に切れ者らしい雰囲気を湛えている信綱は、さらりといった。

「よもや能登殿に牢人どもを煽ろうとのお気持もありますまいから、牢人どもに乗ずる隙を与えぬためにも穏便にすますのがよろしいかと存ずる。能登殿は今年の暑さに乱心なされたものとして罪を許し、その兄松平隠岐守《おきのかみ》殿にお預けとする、ということでいかがでございましょう」

隠岐守とは、伊予松山十五万石の藩主松平定行のこと。

「たしかにこの夏は、妙に暑うござる」

正之がにわかに白扇をひらいて襟もとに風を送りはじめたのは、信綱に賛同したためであった。

やがて、――。

松平定政も自分の諷諫の主旨が幕閣に伝わったと感じたのであろう。伊予へと素直に旅立ったので、江戸は涼風の季節を迎えるとともに静けさを取りもどすかに見えた。

しかし、正之の公務多忙な日々には限りがなかった。つぎには、家光こと大猷院の百ヶ日の法会《ほうえ》を日光山でとりおこなうべき期日が迫ってきたからである。

正確な百日目は八月二日だが、この日は京の朝廷から家綱のもとに将軍宣下《せんげ》の勅使が下向してくることになっているから、その前に将軍の名代を日光山へ派遣しなければならない。それと見越し、家綱が自分の名代に指名したのが正之であった。

七月二十一日、正之は田中三郎兵衛から後事を託された江戸家老小原《おばら》五郎右衛門以下わずかな供まわりをつれて、日光山をめざした。

二十四日、二荒山《ふたあらさん》神社西側の大猷院廟《びょう》に参拝。正之は家綱から託されてきた銀三十枚の香典を献じたあと家康の眠る東照宮奥院に詣で、太刀ひと振りと黄金馬白《こがねうましろ》（馬の代わりとして贈る砂金）を捧げてとどこおりなく拝礼の式をおえた。

そして二十五日に宿坊である日光山内の浄土院を発した一行は、この夜は宇都宮に止宿。二十六日には十一里あまり江戸に近づいて、下総《しもうさ》古河の本陣に入った。

本陣や脇本陣は大名が宿泊する日にはその大名家の定紋入りの幕を表玄関に張りめぐらせるから、だれが泊まるかは一目でわかる。

すると、江戸の方角から土煙をまきあげて本陣へと突きすすんできた早駕籠があった。

この時代最高速度の早駕籠は、駕籠かき八人――通称「八枚肩」による、「お早」と呼ばれる早打ちである。

その八枚肩のお早からよろぼい出た白鉢巻、白だすき姿の若侍は、両脇から支えられて廊下をすすみ、正之が旅装を解いたばかりの一の間へむかって両手をつくと肩で息をしながら告げた。

「そ、それがしは井伊掃部頭《かもんのかみ》家中の者、あるじの命を受けてまかり越しましてござる。このたび江戸表と駿府におきまして、謀叛《むほん》のたくらみが露見いたしました！」

「慶安事件」

または、

「由井正雪の乱」

と名づけられることになる幕府転覆計画が、ようやく正之に伝えられたのである。

由井正雪とは神田連雀《れんじやく》町の裏通りには家を借り、町人や子供たちに読み書きを、諸家の侍には軍学を講義してなかなかの評判だった人物。正之が江戸を出立した直後にこの男の陰謀が発覚したそもそものきっかけは、七月二十三日の宵の口、奥村八郎右衛門という牢人者が兄の権之丞《ごんのじよう》宅をたずねたことにあった。

権之丞が応対すると、八郎右衛門はさりげなく今生の別れを告げようとする。権之丞が不審に感じて問いただしたところ、かれは隠しきれなくなってすべてを告げた。

実は本郷の弓町で槍術道場をひらいている丸橋忠弥と由井正雪とが、牢人たちを集めて天下覆滅の奇策を考えている。自分もその一味にくわわっているので、最後に挨拶だけしておこうと思ってやってきました、……。

由井正雪と丸橋忠弥に運がなかったのは、この権之丞が川越藩士、すなわち松平信綱の家来だったことである。驚いた権之丞が信綱に注進すると、信綱はすぐに町奉行所に連絡。東町奉行所、中町奉行所の同心、捕り方たち約五十人は、人が寝静まったころあいを見て丸橋道場をとりまいた。

この時信綱は、同心たちに知恵伊豆の名に恥じない知恵を授けていた。

「丸橋忠弥とやらは、槍の達人ではあるが思慮浅き者と聞きおよぶ。されば道場の前に至るや、鉈《なた》で大竹を一気に断ち割り、バチバチと音を立てて火事だと叫べ。忠弥めは得物も持たずに飛び出してくるだろうから、そこに体あたりすれば容易に取り押さえられよう」

捕物は信綱の指示どおりにすすみ、丸橋忠弥は妻子および同志三人とともにあっさり縛《ばく》に就《つ》いた。責め問い（拷問）にかけられたかれらは、一味の領袖《りょうしゅう》由井正雪はすでに江戸を去り、駿府城下で武装蜂起しようとしていることを自白した。

「それで、その正雪とやらはいかが相なった」

正之は、思わず身を乗り出していた。

「おそれ入りまするが」

と水を所望した井伊家の使者は、印籠から出した気付薬を服用してからふたたび語りはじめた。

……丸橋忠弥捕縛から一夜あけた二十四日、すなわち正之が大猷院廟にぬかずいていたころ、井伊直孝と松平信綱は新御番頭《しんごばんがしら》の駒井右京を駿府へ急派することに決定。小田原藩にも使者を立て、箱根の関所あらためをよりきびしくするよう指令した。

新御番頭とは、十年前に初めてもうけられた新御番組八組百六十人と組頭八人の長のこと。そのつとめは将軍外出時の先駆だから、新御番頭は一種の親衛隊長である。

その隊長が早馬で駿府へ走ったとは、幕閣がこの事件を、

「お家の一大事」

と認識したことを示してあまりある。

かつて駿河大納言と呼ばれた徳川忠長の居城駿府城は、その死とともにあるじなき城

と化し、いまは幕府直轄の番城《ばんじろ》（城代の派遣される城）とされている。駒井右京から急報を受けたその城代大久保玄蕃頭《げんばのかみ》忠成は、すぐさま町奉行所に由井正雪探索を命じた。するると夜に入ってから、正雪とその一味九人とは、

「紀州藩御家中」

との名目で、茶町の梅屋太郎左衛門方に投宿中と判明。奉行所側は梅屋周辺からすべての辻までを固めたうえで、与力二名を梅屋におもむかせて正雪におとなしく出頭するよう伝えさせた。

ことの露見に気づいた正雪は、もはや逃れがたいと悟って梅屋に自刃、同志七人もそのあとを追ったので、暴発の事態だけは避けることができた。

「ただし、召し捕らえましたる賊ふたりの白状したところによれば、一味多数がなおも上方《かみがた》に潜伏中とのこと。されば、わが公におかせられては、――」

と、また息を吸った若侍に、正之はきっぱりと答えた。

「うむ、余に早く帰って登城するよう伝えよ、と仰せになったというわけだな。まことに整然たる口上、みごとだったぞ。掃部殿（井伊直孝）と顔を合わせたら、それをまず報じておこう。さがってからだを休めよ」

ほうびを取らせるよう小原五郎右衛門に命じた正之は、明日は早立ちだ、と伝えることを忘れなかった。

翌二十七日、まだ一番鶏も啼かない闇のなかを一路江戸をめざした正之は、四つ刻

（午前一〇時）すぎにはもう江戸城に入っていた。

「とにもかくにも、すみやかに残党狩りをいたさねば」

「流言蜚語が飛ばぬうちに、正雪がすでに自害したことを天下にあきらかにすべきでありましょう」

と閣議がまとまるのに、さして時間はかからなかった。

首脳陣の決断が素早く、しかもその結論に気迫がにじみ出している場合、上意下達《かたつ》はなめらかにゆくものである。

幕閣たちが一堂に会してからわずか二日後の二十九日のうちに残党五十七人が網にかかり、三十日には髪を総髪にしている正雪の生白い首が駿府で獄門台に架けられた。

さらし首というと、現代人には残酷に感じられるかも知れない。

しかしマス・メディアの発達していない時代にあっては、

「実は、正雪はひそかに生きのびて同志たちの再糾合を図っている」

などという噂が社会不安を煽らないようにするためにも、このようにして首謀者の死を視覚的に提示するのがもっとも有効な方法なのだ。

つづけて八月十日、丸橋忠弥ら二十八人が開設されたばかりの東海道筋鈴ヶ森の刑場で磔刑《たっけい》に処され、七人は斬。その他連座した者たちも間髪を入れずに処断されたことにより、この大事件はすみやかに終息したのであった。

ただし一味の者たちが処刑される前に自白したところを総合すると、この大陰謀は幕政に対する不満を動機としてすすめられていったことがあきらかになった。

正雪たちの計は、つぎのようなものだった。

まず大風の吹き荒れる日を待って丸橋忠弥組が小石川の煙硝蔵（火薬庫）[illegible]あわてふためいて登城してくる閣老たちを殺してしまう。その混乱に乗じ、紀州侯御登城と称して江戸城を乗っ取る一方、正雪のひきいる本軍が駿府城を襲撃、家康の財宝をうばって久能山にたてこもる、——。

駿府の紺屋のせがれとして生まれ、江戸へ出て軍学者として名をあげた正雪は、仕官の口をあっせんしてほしいと集まってくる牢人たちに同情するあまり、幕政批判を強めてついに倒幕を夢見たのである。

梅屋に残されていた正雪の遺書には、松平定政の行為に触れたくだりもあった。そこには、

「能登守の諫言《かんげん》を乱心と決めつけたりするからこそ、政道が乱れるのだ」

との一文もふくまれていた。

家綱への将軍宣下の儀式を待つばかりになっていた十日すぎのある日、正之はまた御用部屋での雑談のおりに閣老たちにいった。

「とりあえず、[illegible]由井正雪とやらの申しように[illegible]もなところもあるようながら盗っ人にも三分の理[illegible]ござる。しかしな。それがしも[illegible]牢人は[illegible]なるべく採り立てるよう心がけてはおるのですが、これにも限りがございましての。なるべく早く、これ以上牢人を出さぬための方策を考えねばなりますまい」

八月十八日には朝から雨が落ちていたが、昼が近づくにつれて江戸の空は一気に晴れあがった。

その秋晴れの下、江戸城本丸白書院では将軍宣下の大礼が厳粛におこなわれた。十一歳の[illegible]ことにより、正式に征夷大将軍に就任、右近衛大将、内大臣を兼ねることになったのである。

そして十月十一日、幕府は諸士に牢人をかかえおくことを禁じながらも、これまでの基本方針のひとつだった末期《まつご》養子の禁を大きくゆるめ、大名、旗本、御家人たちのうち五十歳までの者には末期養子を取るのを認めることにした。

末期養子とは、あるじの死亡後に家来たちから家督相続を願い出た養子のこと。徳川幕府が三代にわたってこれを禁止してきたのは、その養子が死んだあるじの意向にそう者なのかどうか確認できないという理由からのことだった。

しかしこれが認められない限り、養子縁組をするゆとりなくあるじの死を迎えた家は確実に断絶してしまう。この幕法にこそ牢人がおびただしく発生する大きな原因がある、と正之たち幕閣は考え、牢人問題解決のためにいさぎよく法を改めることにしたのであった。

慶安事件から三カ月もたたないうちに、しかも将軍宣下の大礼をはさんでこのような抜本的解決策を打ち出したことに、時の幕閣たちのしなやかな発想能力と合議制の良さとが如実にあらわれていた。

この末期養子の禁の緩和は、家綱政権の美挙のひとつとして長く語りつがれてゆくことになる。

（まことに、四代将軍の初政にふさわしいまつりごとであろう）

と考えると、正之自身もこの幕法改定のために閣議につらなったことが誇らしくさえあった。

その正之の目から見ると、家綱はからだのやや弱いのが心配ながら、気立てが良く心のやさしい少年であった。

まだ竹千代と呼ばれていた六歳のころ、小姓たちが加々爪《かがづめ》半之丞という老人に、

「山王祭の真似をして若さまの御覧に入れよ」

と無理強いしたことがある。

山王祭とは山王社の祭礼のことで、江戸城西の丸の紅葉山にある山王社は徳川家の産《うぶ》土神《すながみ》である。隔年の六月十五日、大伝馬町から出る太鼓に鶏の山車《だし》を先頭にたくさんの曳山《ひきやま》の出るこの祭は、神田祭とともに天下祭と呼ばれていた。

その真似をどうすればよいのか、と加々爪半之丞が困っていると、まだ前髪立ての家綱が小姓たちをたしなめた。

「この竹千代を楽しませようとて、ひとを困らせてはならぬ」

家綱はおなじころ、死罪につぐ遠島という刑罰のあることを初めて知って、おつきの者たちにたずねた。

「島に流された者たちは、なにを食べて生きてゆくのか」

さあ、という返事を聞いて、家綱はさらにいった。

「死罪とせずに命を助けたのだからこそ、食料を与えてやるべきではないのか」

この会話を伝えられた家光は、喜んで命じた。

「これを、竹千代の仕置きの初めといたせ」

以後、流人《るにん》たちを統轄する島役人たちは、かれらに定期的に食物を供与することになって今日に至っているのだった。

その家綱は家光よりもほっそりした顔だちで、その分だけ瞳が大きく感じられたが、耳の形や鼻筋の通っているところは父ゆずりであった。

挨拶に参上するとほっとした目つきをするほど自分を信じてくれているこの家綱について、正之の考えるのは、

(いかにして王者の徳を身につけていただくか)

という一点につきた。

(それには自分も、将軍輔弼役の名に恥じない素養を身につけねばならぬ)

と思い、朱子の『小学』その他を読みふけるうちに正之ははたと気づいた。古代中国では、最初の統一国家である殷王朝以前から、王者に真の王者たるべき徳をそなえてもらうため、師保ないし保傅《ほふ》という職が置かれていた、ということに。

これぞまさしく家光が正之に遺託した役割であり、家綱を助けるべき者のすべてに望みたいつとめでもある。

（ならば）

と思った正之は、ある夜御典医の土岐《とき》長元を上屋敷にまねいてさる申し入れをおこなった。

土岐長元は、号を操斎。この号のごとくにつねに人の道について考究している誠実かつ学識ある人物で、ことに朱子学に造詣の深いことから正之の知遇を得ている。

「肥後守さまに頼まれましては、御辞退いたすわけにもまいりますまい。どんなものになるか、はなはだ心もとなくはありますが、ない知恵をしぼって考えてみましょう」

と答えた土岐長元は、年もあらたまった承応《じょうおう》元年（一六五二）の冬至の翌日になってから正之に一書を提出した。

名づけて、『輔養編』。

幼君に王者の徳を求める前に、近侍する者たちに対して孔孟の教えにもとづいて幼君につかえる心がまえを説く。その手段としてかれが故事に例をさぐって編んだこの書は、白文《はくぶん》（漢文）に返り点や送り仮名も振ってあって、きわめてわかりやすくできていた。

一読して『輔養編』の出来映えを気に入った正之は、これを木版で印刷し、家綱と閣老たちばかりか近習《きんじゅう》や保科家の者たちにも配布した。

食べたあんずの種は、土に埋めればまたあんずの木へと育つかも知れない。儒学、わけても朱子学を学んだことをただの机上の学問におわらせず、

（御政道にも生かしたいものだ）

とかねがね考えていた正之は、『輔養編』をあんずの種の代わりにあちらこちらへ埋

めていったのである。

その思いは、やがて家綱の心になにかを芽ぶかせたようであった。

江戸城本丸奥殿の北側、北桔橋《きたはねばし》門寄りにそびえる独立式の大天守閣は、日本の歴史上もっとも丈高い木造建築物であった。

五層五階、地下一階、地上百九十尺（五七・六メートル）と伝説の安土城のそれより三十尺以上高いこの大天守は、鉛葺《ぶ》きの屋根の両はじにそれぞれ十尺（三・〇三メートル）の大きさの金鯱《きんこ》を乗せ、飾り瓦の破風板をも金箔にきらめかせている。

まだ竹千代と幼名をなのっていたころの家綱は、この大天守閣の最上階にのぼり、遠めがねをあやつって城下を眺めるのが大好きだった。だが将軍職について日をかさねるうちに、また最上階に行って遠めがねを差し出されても受け取らなくなった。

三度それがつづいたので近習たちが首をかしげると、色白の家綱は初々しく語った。

「余はまだ幼いけれど、すでに将軍宣下を受けた身だ。世つぎのうちはまだよかったが、将軍が日ごと天守から遠めがねで四方を見下ろしていると世間に知れたらどうなるだろう。江戸の者たちは、いつも余に見られているような気がして落ちつくまい。だからもう、遠めがねはのぞかぬことにした」

正之は、この話を伝えられた時ほどうれしいことはなかった。

この年、正之は四十二歳、家綱は十二歳。家綱は三十歳の年の差があるにもかかわらず、正之たちの期待にそう器へと自分を高めようとしているのであった。

（さきの末期養子の禁の緩和は、牢人たち、ひいては武家に対する統制をゆるめるためのものだった。今度は、若きお上のおやさしいお心を天下にひろく知らしめるためにも、なにか民たちの喜びにつながる事業をおこないたいものだ）

と、つぎに正之は考えはじめた。

その目で見つめると、江戸には大きな社会問題が起こりつつあった。

慶長八年（一六〇三）に、家康が江戸幕府をひらいてからちょうど五十年。太平がつづいたため江戸の人口は増加の一途をたどり、そのぶんだけ水不足が深刻になってきていたのである。

江戸の町人たちの人口は、元禄六年（一六九三）の時点で三十五万三千五百八十八人と記録されているが、それ以前の統計はない。

しかし、もっか承応元年（一六五二）のことにさしかかっているこの物語から九年後、寛文年間（一六六一〜七三）の初めに、その町方人口は三十万人に達していたといわれる。武家人口もこれにほぼおなじと仮定すれば、江戸の総人口は約六十万人。承応のころには、低く見つもっても五十万人以上には達していた。

戦国の武将太田道灌の時代の江戸には、茅《かや》ぶき屋根の家が百戸あまりちらほらと建っているだけだった。それが徳川幕府成立から五十年の間に、江戸には大変な人口爆発が起こっていたのである。

家康のころから、この江戸という首府の最大の問題点は水の悪さにあった。

まだ海岸線が江戸城近くまで迫っていたため水が塩辛く、井戸掘りの技術もつたなくて地下の水脈まで掘り抜くことができない。岩盤のうえにたまった金気《かなけ》臭い水を汲《く》むことしかできなかったから、このような水で醸造した酒など、とても飲めたものではなかった。

上方《かみがた》からはこばれてくる銘酒が珍重されたのもそのためで、

「下らない」

という負の評価は、本来関西から江戸へ下しても人気の出ない商品を形容するのに用いられた。

これらの問題の打開策として、つとに家康は多摩郡吉祥寺村の井の頭池の水を引き、小石川上水のちの神田上水を開削。赤坂の溜池を水源とする、赤坂上水も造らせた。それでも人口急増とともにふたたび飲み水の不足が深刻化したので、幕府は家光の時代から、作事奉行の神尾《かんお》備前守元勝にあらたな水源を求めるよう命じておいたのだった。

すると承応元年も押しつまったころ、神尾元勝に実地調査を依頼されていた者から最終的な報告があった。

——武州羽村《はむら》という土地から、多摩川の水を引くのがよろしいかと。御当地までの道のりは、十三里ほどでござります。

神尾元勝からこれを報じられた正之たちは、同時に届けられた絵図面をかこんで閣議をひらいた。

すると、もう六十三歳になる長老格の井伊直孝が、渋い顔をして口火を切った。

「それがしは、上水開削には断じて反対いたす。第一、十三里にもおよぶ上水を掘り抜いて、その流れにそって敵の大軍が侵入してきたらどうなるか。いったんそうなったらこの御城下の内ぶところを敵に食い破られること必定《ひつじょう》なれば、さように剣呑《けんのん》なものなど造らぬ方がましでござる」

老いたる闘将井伊直孝の主張するところは、正之にもわからないわけではなかった。

正之は武田信玄の娘である見性院《けんしょういん》・信松院《しんしょういん》姉妹に守られてこの世に生まれ、七歳の年まで、いや保科家に養子入りしてからもふたりへの恩愛の情を忘れることなく人となった。

一方直孝は、徳川四天王のひとり井伊直政を父にもつ。この直政こそは甲州武田家滅亡後、その遺臣団のうち山県昌景《やまがたまさかげ》衆六十人をふくむ二百四十六人を家康の密命によって預かり、武田家伝来の軍法——いわゆる武田流軍学を受けついだ者であった。

「井伊の赤鬼」

とは、直政が赤鬼のような顔をしていたことをいうのではない。

「井伊の赤備え」

というのとおなじで、武田家遺臣団を受け入れて以降の井伊勢が、出陣に際しては具足、旗指物《はたさしもの》から馬具までを赤一色に統一して敵を威圧したことを物語る。

かつて山県昌景とおなじく信玄につかえたその兄飯富兵部《おぶひょうぶ》の軍勢は、つねに赤備えで戦うことによって世に知られた。それをよくおぼえていた家康が、

「あれを真似よ」

と直政に命じたことから、井伊の赤備えは始まったのである。

すなわち井伊直孝を甲州武田家の荒御魂《あらみたま》の伝承者にたとえるならば、和御魂《にぎみたま》を伝える

者は正之であった。

「掃部頭《かもんのかみ》さま（直孝）の仰せはごもっともですが、ひとつだけお教えいただけますまいか」

御用部屋の一室にそれぞれの手焙りをへだてて円座を作り、その下座にひかえていた正之はおだやかにたずねた。

「いま、敵の大軍ということばが出ましたが、それはいったいいずれの家中を念頭に置かれてのことでございましょうか」

これには、直孝もぐっとつまった。

家康の不倶戴天《ふぐたいてん》の敵であった豊臣家が、大坂城に滅んでからすでに三十七年目。関ヶ原の敗者である長州藩毛利家と薩摩藩島津家とに反幕の気分が残存していないわけではないが、この両家の軍が八王子方面から陸路江戸へ侵入することがあろうとは、にわかには考えにくい。

直孝が老いて窪んだ目をまたたくうちに、正之はこの幕府大番頭《おおばんがしら》、譜代筆頭の家のあるじの気分をそこなわないようことばを選んでまたいった。

「掃部頭さま仰せのごとく、一国一郡を守る小城《こじろ》においては堅固をもって第一とすべきでありましょう。しかしこのお城は天下の府城、将軍家の御座城でござります。その天下とは民あってのものなれば、府城は万民の利便を思い、日々の暮らしを安んずることをもって旨といたすべきかと存じまする」

江戸城の幕府の本拠としての堅牢性よりも、万民の安居を重んじる、——。

これは「井」の一文字を赤地白抜きに染め出した旗印をひるがえし、戦場を駆けぬけてきた井伊直孝のような武断派大名には、とても浮かばない発想であった。徳川家以外は視野にない武断派と、仁政をおこなうことによって万民安らかな世をひらこうとする正之のような文治派とは、一面において水と油の関係にある。

ただし、直孝も江戸に在府しつづけながら国許の藩制を整備したほどの男だから、正之の正論を理解できない頑固者ではなかった。

大老酒井忠勝は、すでに五十六歳の頽齢《たいれい》とはなっているものの、なおも矍鑠《かくしゃく》としている。その酒井忠勝とふたりの老中、知恵伊豆こと松平信綱と阿部忠秋も正之に賛意を表したところ、

「それならば、——」

と、直孝も男らしくさっぱりと自分の意見を取り下げた。

幕府が先に末期養子の禁をゆるめたことは、新政権の開明性を初めてあきらかにした政策とはいえ、武家政権による武家対策の域を出てはいなかった。対して玉川上水開削の決断は、武家方か町方かを問わず、江戸に生きるすべての者たちの暮らしやすさを重視したところに歴史的意味がある。

（四代将軍として、王道政治を心がけていただきたい）

というのが、家綱に対する正之の切なる願いである。その第一歩を踏み出すべく、正之は仁による政治とはなにかを身をもってここに示したのだった。

その作事費用として、幕府が金七千五百両を支出したのはあけて承応二年（一六五

三）正月十三日のこと。作事奉行神尾元勝に上水取り入れ口は羽村と意見具申をしたのは、庄右衛門、清右衛門という兄弟だったが、ふたりは四月四日に着工、わずか七カ月後の十一月十五日には早くも羽村から四谷大木戸まで掘削・通水してみせた。

庄右衛門、清右衛門を玉川兄弟と呼ぶのは、ふたりが元から玉川姓だったからではない。玉川上水開削の功により、士分に採り立てられたため玉川姓をなのったのである。

玉川上水が今日も東京都民に飲み水を供給しつづけているのは周知のとおり。正之の決断、玉川兄弟の努力から三百四十数年後を生きるわれわれも、かれらの恩恵をこうむっていることになる。

さらに蛇足をくわえるならば、これ以前の多摩地方は見わたすかぎりの武蔵野の原野のうちに、水利もないため茫漠たる荒地がひろがるばかりだった。

そこに、枯れ木がにわかに花をつけるような変化が起こった。

そんな荒地のなかを水量豊かな玉川上水がつらぬいたために、左右の岸辺では分水による水田耕作が可能になったのである。高井戸新田などはこうしてできた村で、やがて新田の数は四十カ村以上に達した。

夜明け前には一番鶏が時を告げ、西の空が夕焼に赤く染まるころには点在する農家から炊事の煙が霞のようにたなびいて、夜には犬の遠吠えがどこからか聞こえてくる。こうした日本の農村の原風景は、多摩地方にあっては正之の時代にようやく輪郭が定まったのであった。

ただし正之が見つめていたのは、江戸府内や多摩地方ばかりではなかった。その澄んだまなざしは、遠く会津の領民たちにも注がれつづけていた。

加藤明成時代から大きく変わった会津藩政の第一は、会津入り二年目の正保元年（一六四四）から、月に六度の割りで若松城下に米市をひらかせたことにあった。農民と藩庁の双方が米を換金しやすいようにし、かつ城下の商業を発達させるための工夫である。

またこの年の収穫は、水害と日照りで上質米とはほど遠いしろものになってしまっていた。当然、米価は底値となり、藩士たちがこの米市で禄米を換金しようとしても買い叩かれる。その禄米を藩庁に高く買いあげてやるよう命じた正之は、種籾《たねもみ》代の前借りこそ申し出なくてもやはり現金収入の少なさに苦しむ農民に対しては、金納すべき額を割り引いてやることにした。

この年、上納を免除されたその額面は三千五百両。翌正保二年には二千八百両。これだけで、玉川上水がほぼ造れてしまいそうな額ではないか。

「年貢が払えなければ、娘を売れ」

と言い出す非情な藩主も少なくない時代に、正之は藩の収入を維持するよりも農民たちの生活を守る方を選んだのである。江戸城の堅牢性よりも玉川上水開削を優先するという民に優しい政治は、すでにこのようなところに芽ばえていたのだった。

これらの農民保護策、藩との共存共栄策は、承応元年（一六五二）、玉川上水の開削決定と前後してひとつの達成を見ていた。

正之は江戸にあって北原光次、田中三郎兵衛が定期的に送ってくる報告書を読むうちに、会津にはまだ加藤時代以来の悪法が残っていることに気づいた。

と呼ばれる税で、これは各村の川の流れや地質の関係上、耕作不可能とわかっている土地をも田畑とみなして年貢を課すことをいう。

しかしこれを廃止すると、帳簿上の総草高《くさだか》（全収穫量）からは二万石以上の減収となってしまう。

（それでもかまわぬ）

と思い切った正之は、即刻この税を撤廃するよう命じた。

その結果が、承応元年初冬に届いた国許報告書に記されていた。上屋敷の自室でその決算部分に目を通した時、思わず正之は感嘆の声を放った。

そこには、こう報じられていた。

――負わせ高の廃止を各村に通達したところ、農民たちは喜びのあまり隠田《おんでん》（検地の時、隠して届け出なかった田）のあることをつぎつぎに申告。今年からこれらの田からの年貢も納められたため、二万石の減収どころかかえって三千石以上の増収になりました。

正之にとって、こんな喜びはかつて味わったことのない類のものであった。

（ひたむきな心で接すれば、領民たちもおれに心をひらいてくれるのだな）

とつくづく感じ入ったかれは、これをきっかけに長年考えつづけてきたところも実行することにした。これまで加藤時代以来の水準を守って四割五分近くに設定していた年貢率を、

「平均して四割三分まで切り下げよ」

と国許に通達したのである。

数字のうえでは、これでもまだ山形時代に三割九分三毛まで下げさせたのとくらべて割高に見える。

だが、山形と会津とでは地味が違った。単位面積あたりでいえば、山形で七、八俵しか穫れないところを会津では十俵収穫できることもある。そのため農民側からすれば、この率で山形のかつての領民たちと同等もしくはそれ以上の暮らしむきが約束されるのだ。

正之は、隠田を自主的に申告した農民たちの気持を思い返すたびに確信を深めた。

（それにしても）

（人間とは、やはりもともと性の善なるものなのだ）

性善説を最初に唱えたのは、孟子であった。孟子は、人間は努力すれば仁・義・礼・智の四つの徳を兼ねそなえることができると主張した。そして富国強兵による武断的な国造りを覇道政治としてしりぞけ、仁政と徳治による王道政治を理想とした。

その言行録『孟子』を四書（『大学』、『中庸』、『論語』、『孟子』）にくわえたのは朱子だったから、正之も朱子学を学ぶうちに孟子の教えに親しんできた。

とはいえ、机上の理解と現実的な反応との間には、噂に聞いたことしかない人物と目の前にいる者ほどの違いがある。正之は会津の領民たちの動きから孟子の主張の有効性を肌に感じ、

(おれもますます自分を磨いて、仁政と徳治を心がけねばならぬ。そうすれば、人は自然についてくる)

という結論に達したのである。

この真摯《しんし》な思いが、まもなく正之を世に稀な名君として花ひらかせることにつながってゆく。

玉川上水が四谷大木戸近くまで掘りすすめられていた承応二年(一六五三)閏《うるう》六月十五日、また正之のもとに国許報告書が届けられた。今回のそれは急ぎ裁断を下す必要のあるもので、つぎのような内容からなっていた。

——昨年の天候不順による凶作がいまになって農民たちを苦しめ出し、すでに米櫃《こめびつ》もからになって餓死する者が、代官や郡奉行の報告では一村につき二、三名ずつ出はじめました。

——郡奉行たちが売り米を貸し出したいと申すので、とりあえず江戸へ廻送すべき口《くち》米《まい》より三千俵をお救い米としてわたしましたが、これでよろしかったでしょうか。

これは一見すると藩主の許しを得ずに国家老の北原光次と田中三郎兵衛とが独断専行したかのようだが、実はそうではない。

正之は死の床の家光から託孤《たっこ》の遺命を受けてまもなく、国家老たちにこう告げておいた。

「われは以後もっぱら心を幕政に注ぐがゆえに、いちいち藩政を見ている暇はない。よってその方どもはさらに奮励いたし、臨機応変に政務と公事とを処理してしかるのちわれに告げよ」

三郎兵衛たちは愚直にこの主命を奉じ、懸命に応急の対策をほどこしてから、それでよかったかどうかをたずねてきたのである。

ちなみに売り米とは、かねてから正之が郡奉行の萱野《かやの》権兵衛たちに、

「納められた年貢米のうち幾分かは、飢饉の年に米市で売り、その代価で村々を助けるために手をつけずにおけ」

と命じておいたその米のこと。口米とは、年貢高に応じて一定の比率で徴収する米のことをいう。

――それでよい。売り米の方は、年末にかけて米価が上がってから売ってその金を救助に用いよ。

正之はすぐに返事をしたためながらも、ついに餓死者を出してしまったと思うと悲しみと悔しさに同時に襲われ、いつか目に涙を浮かべていた。

「今後は餓死者を出す前に領民たちを救えるよう、家老たちと奉行たちとでなにかよい工夫をいたしおけ」

正之はそうつけくわえながらも、さらに万全な備荒対策について研究しなければならぬ、とわが身をいましめていた。

飢饉をいかに克服するかは、古来どの国、どの地方の為政者も頭を悩ましてきた問題である。大凶作というのに年貢率を下げず、農民たちに逃散《ちょうさん》されてかえって国を滅ぼ

してしまった王もいれば、治水その他の土木工事でこれにたちむかった賢者もいる。

山形藩主時代の正之も、馬見ヶ崎川がついに決壊した時には、取りつけ枠の長さだけでも七十丁（七六三〇メートル）に達する堤の再普請をおこなわせたものであった。

その山形領とくらべると、会津には馬見ヶ崎川のようなあばれ川がないだけありがたいと考えるべきであろう。

（ならば、冷害と日照り対策を中心に考えればよい）

と思った正之は、なにか参考になる古書はないか、と登城したおりに土岐長元に相談してみた。御典医らしく髷を儒者頭《じゆしやがしら》に結って挙措動作にも気品のあるかれは、昨年、正之の求めに応じて『輔養編』を編んでくれた朱子学の徒でもある。

「さあ、それは」

御用部屋にまねかれた土岐長元は、おだやかな顔だちにやや困惑の色を浮かべて答えた。

「たしか、朱子がこれについてもある答えを出しているかと存じますが、浅学にてちとうまくお答えいたしかねます」

「ほう、さすがに朱子だの。で、どのような書に書かれていたか思い出せぬか」

「はい」

長元は、さらに恐縮して答えた。

「そういわれますと、紅葉山文庫でめくった一冊だったように存じます。『朱文公文集』でござりましたか。なんなら、借りてまいりましょうか」

紅葉山文庫とは、家光が江戸城西の丸の紅葉山にもうけた書庫のこと。わが国における近代的図書館の先駆的存在であり、その蔵書を見たい者たちは書物奉行を介して借り出すことができる。

「いや、いずれ暇を見つけて、お文庫に行ってみましょうほどに」

と正之が応じたのは、書物とは自分で探し、自分の目で読んだものこそよく頭に入ると経験的に知っているためだった。翌日、わざわざ紅葉山文庫に足をはこんだかれは、首尾よく『朱文公文集』を見つけ出すことができた。

しかし、なかなかそれを精読する時間がなかった。

この年の四月には早くも家光の三回忌がおこなわれ、正之はそれに先んじて日光山の大猷院廟の仏殿のお手伝い普請をするよう国許の者たちに命じておいた。その仏殿の出来映えをこの目で確かめたく思って家綱に参詣の許しを願い出ていたところ、七月十二日になってその許しがおりた。そこで正之は十六日から二十二日にかけ、江戸と日光とを往復するという忙しさに見舞われたのである。

しかも帰府して疲れを癒すうちに、今度は家綱が右近衛《うこんえの》大将兼内大臣から右近衛大将の職はそのままで右大臣に昇任することに決定。八月十二日に白書院で転任の大礼がおこなわれたので、将軍輔弼役の正之としては芝新銭座《しんせんざ》の家族たちと顔を合わせる暇もなかった。

さらにこのような場合には、朝廷へ謝使を送らなければならない。家綱が謝使に指名したのは、もっとも信頼する正之であった。

これは正之にとって、十九年ぶり二度目の上京になる。

一度目は、寛永十一年（一六三四）六月から八月にかけてのこと。この時は三十万人にも上った家光の供のひとりとしての上京だったから、正之にさほど重い職務は与えられなかった。

だが今回は、わけが違う。将軍の使者、かつ徳川御家門たる会津二十三万石のあるじとして大名行列を組むからには、どうしても四千人からの人数をしたがえる必要がある。武具と馬具から馬とその替え馬、馬医者までそろえなければならないから、これはもう藩の総力を結集して戦場へおもむくのとおなじであった。

国許から北原光次、田中三郎兵衛以下おもだった者たちを呼びよせて支度金を与え、道中心得十五カ条まで定めたかれは、九月二十日にようやく江戸を出立することができた。

供揃《ぞろ》えの先駆は、騎馬武者七十四騎のほかに鉄砲百二十挺、弓五十張《はり》、長柄《ながえ》槍百本、持ち筒三十挺、持ち槍三十本、……。

いずれの組の小頭も、絹地黒染の羽織を着用。組士たちは黒木綿無紋の羽織に同質の脛巾《はばき》という黒ずくめの質朴な身ごしらえであったが、小頭の羽織だけは紋を十文字、輪《わ》貫《ぬき》四つわり、丸の内一文字、ひとつ巴《どもえ》その他に定め、だれがどの組の小頭なのか一目でわかるよう工夫されていた。

後世、会津の武士道は、よくいえば純粋無垢の一筋道、悪くいえば頑固一徹で融通がきかない、と評されることになる。このなかば黒備えとでもいうべき供揃えこそは、信州高遠、出羽山形、奥州会津の気質が渾然一体となり、ようやく練りあげたその質実剛健の士風を初めて世にあきらかにした姿でもあった。

これらの家来たちに守られて長棒引戸の乗物におさまっていた正之は、肩を怒らせて中空を見据えていたわけではない。

乗物や駕籠の内部というのは、一見狭いようではあっても前の方にうまく空間がもうけられて、湯呑や煙草盆、ちり紙入れなどが置けるようになっている。かれはここに和綴じの『朱文公文集』と付箋とを持ちこみ、窓から差しこむ陽光を頼りに木版のこの書物を丹念に読みすすめていった。

その結果、たしかこの書物に朱子の講じた飢饉対策が書かれていたと思う、といった土岐長元の記憶に誤りのなかったことが判明した。

ようやく見出したそのくだりに読みふけるうちに、正之は目から鱗《うろこ》が落ちたと感じ、つづけて心が洗われたような気分になった。

（ああ、王道をゆく政治とは、このようなものをいうのか）

とつぶやくと、かれはなんとしても朱子とおなじことを会津で実践してみたくてたまらなくなった。

正之の旅立つ前にあらたに幕府老中職につらなった者に、上州厩橋《うまやばし》（前橋）十万石の藩主酒井雅楽頭《うたのかみ》忠清がいる。

その酒井忠清から二条城東側、油小路通りにある京都藩邸を借りて宿舎とした正之は、十月十日に参内《さんだい》してつつがなく使命をまっとう。後水尾・明正の両上皇と後光明天皇には太刀、黄金馬代《こがねうましろ》と五十目ろうそく二千本を、明正上皇の母で正之からは異母姉にあたる東福門院和子《まさこ》には金五枚とおなじろうそく二千本を献上したところ、天盃《てんぱい》をたまわるという栄誉に浴した。五十目とは、重さ五十匁《もんめ》（一八七・五グラム）のことである。

十三日、ふたたび参内して家綱への勅答を拝受した正之には、武家伝奏を介して思いがけない詔《みことのり》が下った。

「従三位に叙し、左近衛権中将《ごんの》に任ず」

しかし正之は、奉答の猶予を願って退出してしまった。

「後学のため、教えて下さりませ。これはいかなるゆえんでござりましょう」

厩橋藩邸にくつろいだ正之に田中三郎兵衛がいかめしい顔を寄せてたずねた時、かれは品よくほほえみながら答えた。

「鎌倉の世の、九郎判官《ほうがん》がなにゆえに滅んだかを思い出せ。将軍家のお許しもなく、官位を頂戴いたすことなどできると思うか」

九郎判官こと源義経は、兄頼朝《よりとも》にことわりなく従五位下、大夫《たいふ》判官に昇進したため、頼朝の怒りを買って滅亡への道をたどったのだった。

二十七日に江戸へ帰ってきた正之は、翌朝にはもう登城して家綱にこの詔があったことをつつみ隠すことなく報告した。まだようやく十三歳の家綱は子供心にも驚きを禁じ得なかったらしく、高い声で即座に命じた。

「許す、ありがたくお受けせよ」

それでも正之は、すぐにはうなずかなかった。足るを知れ、といつもおのれに言い聞かせているかれは、従四位上、左近衛権少将といういまの官位からさらに昇進したいなどとは思ったこともない。

「では、中将への御推任のみつつしんでお受けする、ということでいかがでしょう」

正之が少し考えたあげくにぼそりというと、

「肥後の好きなようにいたせ」

あきれた、というように家綱は答えた。

おって正之は朝廷にもその旨を上奏したが、武家伝奏から伝えられた王命は、

「それでは従来の従四位と従三位の間をとり、正四位下に叙す」

というものだった。

（これ以上、宸襟《しんきん》を悩ませたてまつるのも畏れ多い）

と考えなおした正之は、ありがたくこれを拝受することにした。

この時期の大老とは、老中たちの上に立つ存在というよりも、一種の名誉職である。

酒井忠勝は月にいくたびかしか登城しなくなっていたが、ある日正之の御用部屋に老躯をはこんできたかと思うと、正之を嘆賞してやまなかった。

「若きお上も、すっかり感心しておいでしたぞ。こたびの肥後殿のおこないこそは、まことに後世までの語り草と申すもの。みながお手前を手本としてくれるならば、この老いぼれも安心して隠居することができるのじゃがのう」

「いいえ、讃岐《さぬき》さま」

正之は近ごろ小鬢《こびん》に白いものが数筋混じるようになった端整な顔をゆるやかに振り、生真面目に応じた。

「おことばなれど、それがしのなせることなどがどうして手本にななどなりましょうや。それがしは将軍家のおためなら、お履物《はきもの》を捧げるお役だとて喜んでつとめさせていただくつもりでござる。讃岐さまよくご存じのように、それがしはいうなれば大猷院さまに拾っていただいたような者。それこそが、大猷院さまの御恩にむくいる道でもございますから」

——一に徳川家のため、二に民たちのために、おのれを空しゅうしてすべてを捧げつくす。

四十三歳となり、円熟味を増してきた正之の直き精神をつらぬいているのは、このひたむきな覚悟であった。これは、気迫といいかえてもよい。

「藩政にかたむける熱意といいこれといい、けだし名君とは保科肥後殿のような御仁を指すのであろうよ」

酒井忠勝がしみじみと述懐したという話は、花の便りのようにあちこちへひろまっていった。

「そういえば譜代筆頭の井伊掃部頭さまの反対を押し切って、玉川上水を開削することにしたのも肥後さまだったと洩れ聞いたぞ」

という噂とともに。

「その件は、拙者めにどうかおまかせあれ。とくと仕上げを御覧《ごろう》じろ」

などと、正之は大向こうに対して大見得を切ったことはない。

「いまの幕府を支えているのは、このおれだ」

と、愚かしく大言壮語したこともない。

それゆえにこそ正之は、いつのまにか押しも押されもしない幕閣中の第一人者とみなされるに至っていたのだった。

世の中には、「名声病」とでも称すべき病がある。名望を勝ち得たとたんに、傲慢《ごうまん》なふるまいにおよんで馬脚をあらわす、というよくある症状がこれである。

正之の世に稀なところは、こんな病とは終生無縁だったことにもあった。

「大人《たいじん》は赤子《せきし》の心を失わず」

ということばが、『孟子』にある。徳ある人物は、いつまでも純粋な心を保っている。転じて、有徳の領主がいつも民たちのことを心にかけているさまをいう。

あけて承応三年（一六五四）、会津の治世も四年目を迎えて天下にも落ちつきが感じられたため、正之には少しく会津の藩政をふりかえるだけのゆとりが生じた。そこでかれがまず手始めにおこなったのは、刑罰制度の改定であった。

これまでの会津藩の刑罰は、蒲生氏の定めたところを踏襲してきた。しかし、これらは戦国の余塵ただようなかで定められたものだけに、死刑にしてもただ斬に処するのではなく、酷い方法をとることをもっぱらとした。

たとえば牛裂き、釜茹《ゆ》で、松明焙《たいまつ》り。

牛裂きとは科人《とがにん》を二頭の牛にまたがらせてその両足を固定し、その牛の間に火のついた松明を投じること。牛が驚いて左右に体《たい》をひらけば、科人のからだがどうなるかはいうまでもない。

釜茹では釜煎《い》りともいわれ、太閤秀吉が石川五右衛門という盗賊をこの方法で刑死させたことによってよく知られている。まず下駄をはかせた罪人を水を張った大釜に入れて蓋《ふた》を閉じ、蓋にうがっておいた穴から首と両手首とを出させて固定する。そしてとろ火でこれを熱し、ついにはその湯に油をくわえる。

また松明焙りとは、罪人を立木に鉄の首枷《くびかせ》でつなぎ、両手に大きな籠《かご》を抱かせて縛りつける。その籠にわらや薪を入れて火をつけるもので、ヨーロッパ中世の火刑に近い。

農民や下級武士たちの救済策を中心に藩政を指導していた正之は、まだこんな酷薄きわまる刑罰がおこなわれているのに気づくと、即座に国許へ廃止を通達した。

「これらは刑をもてあそぶというべきで、特に松明焙りなどはまるで嬲《なぶ》り殺しではないか。いわんや牛裂き、釜茹でにおいてをや。以後いっさい、かような残忍きわまる刑をおこなってはならぬ」

正之がこう決定したのは、十月十八日のことであった。

そのころ会津では、今年の収穫がひさびさの大豊作になることが確実視されており、北原光次と田中三郎兵衛から折り返しそれと報じられてきた。

これこそ正之が、一年以上の間待ちに待っていた朗報であった。かれが謝使として京へおもむく途中に発見していた朱子の万全な飢饉対策とは、ある年の大豊作を前提として初めて実行可能となるものなのだ。

「とりあえず年貢米とはまったく別途に、米を七千俵ほど買いあげよ」

と、正之は命じた。

いったい米を七千俵も買いこんでどうするかといえば、正之はこれをもって会津藩における社倉《しやそう》米のもととすることにしたのである。

「社倉」

とは飢饉の年に民を困窮から救うため、あらかじめ救助米を備蓄しておく倉をいう。中国では古く隋の時代に置かれたこともあったが、南宋の時代にあらわれた朱子がこれを制度化して社倉法とした、と『朱文公文集』の「建寧《けんねい》府崇安《すうあん》県五夫社倉記」その他に書かれていた。

それらによって、正之の知ったところはつぎのようなものだった。

……乾道四年（一一六八）、建寧府は大飢饉に襲われた。この時、府下の崇安県にいた朱子は、府県から粟六百石の貸し下げを受けて民衆を餓死から救うことができた。すると翌年の収穫は豊かだったため、ほどこしによって命をつなぐことのできた民たちは粟の返還を申し出た。朱子はこの粟を貯蔵、以後その貸与を願う者には二割の利子によって貸し出すことにした。しかも小飢餓の年には利息を半減、大飢餓の年には利子をいっさい取らない、というゆるやかな条件の下で。

（これこそ、民政の柱とすべき制度ではないか）

と初めてこの記述に接した時から感服していた正之は、在京中から北原光次と田中三郎兵衛とに伝えておいた。

「近々のうちに社倉を置くことにするから、その方らも帰国いたし次第、奉行たちとよく打ち合わせしておくのだ」

以後、国許の窓口となった三郎兵衛とひんぱんに文書をやりとりし、正之は着々と細部を詰めていた。そこへ大豊作が見こめるとの吉報が入ったため、好機到来と見てついに実行に踏みきることにしたのである。

この時、正之が藩庁に社倉米として買いあげさせたのは、正確にいえば五斗俵で七千十五俵と一斗四升の籾《もみ》。七十三俵につき金十両の代価だったとはいえ、総額一千両に満たない支出だから藩財政に深刻な影響を与えるようなことはあり得なかった。

同時に定められた貸し出し条件は、以下のごとし。

一、郡村への救助米は、高百石につき八俵とする。
二、困窮の郷村へは、米を与える場合と貸す場合とがある。
三、川堤や籾倉の造成のため郷村へ出張する者には、給金および宿泊費としてこれを与える。
四、あらたに帰農する者、領外からきた農民、火事で焼け出された者にも救助米を与える。
五、新田を開発した者にも、米を与える。
六、雨乞いの費用、農民たちへのほうびとしても与える。
七、町人が類火に遇った場合にも与える。

まだ貨幣経済が完全には浸透していないから、社倉米は後世の災害見舞金という性格のほかに、謝礼金や労賃としても用いられることになったのだった。

正之は朱子の定めたところにしたがい、二十俵以上を一度に貸し出す時には二割の利子を取ることにした。ただし郡奉行の吟味次第によっては、無利子で貸すことも返済を二、三年間待つこともある、という付帯条項をつけるのを忘れなかった。

しかも、社倉米の貸し出しによって得られる利子はさらに社倉米を買い足すことのみに用い、決して他には流用させないことにした。

社倉制度の根本精神は、同胞愛の実現にある。社倉から生ずる利子を他に転用するようでは、利息こそ安くとも藩は金貸し同然となってしまってこの精神にそぐわない。

なお、会津藩の社倉制度がその後どのような規模になっていったかを眺めておくと、正之はさらに買い足しをつづけさせたため、十年後の寛文三年（一六六三）には封内一万石の地ごとに社倉を建て、籾二万三千俵を備蓄するに至った。

このように社倉が充実した結果、以後会津藩では飢饉の年にも餓死者を出すことはいっさいなくなった。そのため人口も増加の一途、正之のお国御前おしほの方が松姫を産んだ慶安元年（一六四八）に十二万人あまりだった会津藩の人口は、七十年後には十七万人近くに達することになる。

江戸の人口爆発を別にして全国レベルで見れば、江戸時代は江戸開府から幕末までさほど人口は変動しなかったというのが定説である。そのような状況にあって、これだけの人口増加のあった藩は会津藩のみだったことから見ても、正之の創設した社倉制度がいかに有効に働いたかは充分に察せられよう。

「佐幕派の雄藩」

ということばが、これ以降の会津藩には江戸時代を通じて枕詞のように冠せられることになってゆく。

思えば正之は、十二年前に会津藩主となってまもなく、村々から退散した者たちも早く帰村すれば罪には問わぬ、と触れ出したものであった。

以後も米市の開設、禄米の買いあげ、金納不足分の免除、負わせ高および残虐刑の廃止とつづいてきた正之一代の善政は、ついに究極の備荒策である社倉法の実施に流れこんで大輪の花を咲かせるのである。

いまや正之は、仁政こそが国力を充実させる源であることを世にさきがけて証明した大名になりつつある。

ために会津の領民たちは、ひなびた口調でこう歌うようになっていた。

土の瘤《こぶ》から星の親仁《おやじ》がつばぬけた　火事の卵をふみつぶせ

「土の瘤」は山、「星の親仁」は月のことで、「つばぬけた」はつっと差し出たという意味。また「火事の卵」とは提灯《ちょうちん》のことで、苛斂誅求に走るばかりで民に恵むこと少ない悪政を役人の提灯の火になぞらえ、保科の殿さま、すなわち「星の親仁」の入部以来の仁政を山の端《は》から昇った月の光にたとえたのである。

もう十八年も前の寛永十三年（一六三六）、正之が山形藩鳥居家と領地を交換するかたちで信州高遠をあとにした時、高遠の領民たちは悪政をもっぱらとする鳥居家になじめず、こんな臼ひき唄を作って正之を慕ったものだった。


いまの高遠でたてられやうか早く最上の肥後さまへ

早い時期に鳥居家を見限り、初め山形へ、ついで会津へうつった者たちには先見の明があったということになる。

むろんそれらの人々のなかでは、正之に見こまれ、士分に採り立てられて移動した者たちが主流を占めた。だが今日も長野県高遠町と福島県会津若松市とに、共通する姓が多いことは知る人ぞ知る事実。会津若松市のそば屋にかならず「高遠そば」という品書きがあるのも、正之にはじまった両地方の歴史的むすびつきを示す事例のひとつだ。

いずれにしても、去った土地では惜しまれて臼ひき唄に歌われ、あらたに統治した土地で善政をまた唄に歌われた大名というのも珍しい。

時に正之は、四十四歳。

「朝鮮国が、新将軍祝賀のため年があけてから通信使を派遣したい、といってまいりました。いかがいたしましょうや」

対馬《つしま》藩主宗《そう》対馬守義成《よしなり》が問い合わせてきたのは晩秋になってからのことであったが、

この年は台風の当たり年で、西国筋の諸藩では洪水に痛めつけられたところが多かった。

「異国の者に、さような光景など見せられぬ」

と幕閣たちが通信使の招聘《しょうへい》見送りにかたむいた時、道理を説いたのも正之だった。

「天災のない国は、どこにもござらぬ。外国《とつくに》の使節が海と山を越え、祝賀のためにやってくるのは美挙と申すもの。天災を理由にこれを辞するなど、あってよいこととは思われませぬ」

「悪貨は良貨を駆逐する」

という、近代経済学上の原則がある。とはいえ、議論の場においてはこういってもいいのではなかろうか。

「公明正大な意見は、それにおよばない意見を駆逐する」

幕閣がいずれも正之の堂々たることばに感服し、招聘見送り意見を撤回したため、朝鮮通信使はきたる明暦《めいれき》元年（一六五五）の九月から十月にかけて江戸へやってくることになった。家綱じきじきの指名により、その送迎役と奏者の役とをつとめるよう求められたのも正之であった。

ただし家綱は、自分がまだ若年で正之を頼むことがあまりに多いと自覚している分だけ、つねに正之に感謝の気持を示すことを忘れなかった。それは一面において、正之の子供たちへの配慮となってあらわれていた。

承応三年（一六五四）で、正之の次男虎菊は十五歳、長女の媛姫《はるひめ》も十四歳になった。

乗馬と剣術の稽古が大好きでやや利かん気なところのある虎菊は、正之の指導によって朱子学をまなぶや、なかなか飲みこみの早いところを見せている。媛姫は幼い時からいつもにこにこしている女の子だったが、顔だちも挙措動作もたおやかでおつきの者たちにも評判がよかった。

このふたりのうち、まず家綱が白羽の矢を立てたのは媛姫であった。酒井忠勝、井伊直孝以下とも相談してのことであろうが、四月十四日、家綱は出羽米沢三十万石の藩主上杉播磨守《はりまのかみ》綱勝に媛姫を妻合《めあ》わせよ、と台命を下したのである。

米沢藩上杉家といえば、戦国の名将上杉謙信を藩祖とする名族。藩の表高も会津藩を上まわり、綱勝は十七歳と媛姫に似合いの年ごろでもあったから、正之に否やはなかった。

両家の結納も無事におわり、媛姫が芝新銭座の中屋敷における最後の新年を迎えようとしていた十一月二十五日、今度は虎菊に思いがけない沙汰があった。

――従四位下に叙し、侍従に任ずるにより長門守《ながとのかみ》を兼ねよ。

この日の四つ刻（午前一〇時）前に御用部屋に入り、来訪した松平信綱から本日の予定はこれこれと耳打ちされた時、

「それはなりませぬぞ」

と、正之は珍しく気色ばんで答えていた。

「いまだ十五歳の世間知らずには、あまりに位が高すぎて分不相応でござる。われらにおいても、初めていただいた官位は従五位下だったではござりませぬか」

すると時機を見計らっていたように、正之の腰の物番高橋市郎左衛門が酒井忠勝と井

伊直孝の訪問を告げた。月に一、二度しか登城しないふたりが、うちつれてやってくるのはこれまでにないことだった。

「おおかた肥後殿は、お人柄ゆえ破格の台慮《たいりよ》（将軍の意向）に異を唱えておられたのじゃろう」

白髪髷と肩衣とをならべて入室したふたりの大老のうち、まず口をひらいたのは井伊直孝であった。

松平信綱が口髭の下から白い歯を見せて苦笑すると、正之に正対した酒井忠勝は大きな顔を突き出すようにしていった。

「肥後殿、先ごろ官位を辞退されたのには感服つかまつったが、つづけての辞退は、上さまばかりか朝廷に対してたてまつっても失礼にあたることを肚に銘じられよ」

直孝も、ここぞとばかりにつけたした。

「もはやわれら老武者どもは致仕《ちし》（隠退）いたすべき日も近けれど、肥後殿にもいずれその日はまいる。その時に肥後殿に代わって御奉公いたすのは、御次男でござろう。お上は御次男をいずれ肥後殿とおなじ正四位下、会津中将に昇らせやすいようにとお考えあそばされ、あえて従五位下からではなく従四位下から出発させようとの思し召しとうけたまわる。されば、ありがたくお受けなされ」

正之が驚いたのは、そこまで家綱が配慮してくれていると知ったことよりも、ふたりの大老が自分の反応を危ぶんでわざわざ登城してきたことに気づいたためであった。

そうと知ったからには、これ以上反論はできない。

「お上に、おん礼申しあげてまいります」

正之が静かに頭を下げたため、かれは玉川上水開削問題でやりこめた井伊直孝に今度は一本取られたかたちになった。

この日、上屋敷ではなく芝新銭座の中屋敷へ帰宅した正之は、すぐに黒書院に虎菊を呼んで命じた。

「これより幼名を捨て、長門守正頼《まさより》となのれ」

「はい」

つづけて事情を伝えられた正頼は、初々しく頰を紅潮させながら居住まいをあらためていた。正頼という諱《いみな》は、正之が自分も養父正光からもらった保科家伝統の「正」の一字をゆずったのである。

その正頼の背丈の急にのびたからだ、まだ前髪を立ててはいるものの髭の剃り跡も青みを増してきている利発そうな顔だちを見つめながら、あらためて正之は思った。

（幸松と将監は早世してしまったが、この正頼がいる以上、どうやら会津保科家はおれ一代でおわりはせぬようだな）

あけて承応四年（一六五五）三月、正頼は家綱の近習として出仕。明暦《めいれき》と改元された直後の四月十四日には媛姫の婚礼があり、二十三日、正頼は家綱から特に許されて初めて会津へおもむいた。

そして九月から十月にかけて、正之は朝鮮通信使の応接役を上首尾のうちに果たしたから、保科家は一気に花の盛りを迎えたかのごとくであった。

それでも正之は、決して奢侈《しゃし》に流れなかった。来客があっても膳部は一汁三菜を限度とし、自分ひとりで食事する場合は一汁二菜で済ませてしまう。そんな風だったから、他家の者から陰口を叩かれたこともある。

「肥後さまは、ちと吝《しわ》すぎるのではないか」

吝いとはしみったれのことである。これを人づてに耳にした時、正之は笑って答えた。

「世が奢侈に慣れつつあるがゆえに、倹約と吝嗇《りんしょく》とをはき違えている者があるようだの」

正頼を会津入りさせたのも、その真の目的はいずれ正頼の治めるところになるであろう領内を若いうちに巡行させ、民情を学ばせておくことにあった。

しかし領民たちにそれと伝わり、巡行先の村々に予想外の出費を強いることになってはならない。そう案じた正之は、

「せがれの下向は、ただの湯治のためである」

としか国許には触れ出させなかった。

その供にしても、出迎えの田中三郎兵衛と随行の家来たちを別にすれば騎馬の者七人しかつけなかった。鶴ヶ城における御座所も、本丸表御殿を避けてつましい三の丸屋敷を指定し、警固の番士も十人ずつの二交代にとどめおいた。

「たとい藩庁の損となることであっても、民に益するを旨とせよ」

社倉の精神をさらに浸透させるため、正之は国許にこうも言い送っていた。それだけにまずかれは、正頼にひとつの手本を示させたのである。むろんその背後には、

（おれが将軍家と同等の大名行列を組むことを許されているからといって、その真似などをさせて増長させてはならぬ）

という親心もふくまれている。

「帰府するのは、日暮れを待ってのことにいたせ」

九月になってから正之の命じたところも、正頼はすぐに理解した。

大名家の男児は、本来江戸を離れてはならないという原則がある。正頼は将軍輔弼役たる正之のせがれだからこそ、家綱が格別の許可を下したのである。なのにはばかりもなく白昼に意気揚々と江戸へ帰ってくるような無神経は、正之にはがまんできないところだった。

十一月十日夜、命令どおり忍びやかに帰ってきた正頼を、正之は翌朝には登城させて家綱に黄金一枚と会津名産のろうそく一千本とを献じさせた。

おまんの方は、正保三年（一六四六）に四男大之助を出産したあとも、石姫、風姫、亀姫、新助を産んで多産の質であることを示していた。次女の中姫と風姫、亀姫は早世してしまったが、

（大之助と新助には、正頼のように育ってほしいものだ）

と、正之は願わずにはいられなかった。

明暦二年(一六五六)も会津は大豊作だったから、正之は社倉《しゃそう》をさらに充実させることができて大満足だった。

それでもなお藩庫にゆとりのあることに気づいたかれは、これまでもおりおりおこなってきた孝子の表彰をより徹底させることにした。

親に対して孝心深い者たちを高く評価するのは、『孝経』を四書五経のうちにかぞえる儒学の伝統である。これまでも正之は、郡《こおり》奉行たちに孝行息子がいたらこれを報じさせ、一時金や扶持《ふち》米などのほうびを取らせてきた。

ところがある時、北原光次と田中三郎兵衛とが国許《くにもと》報告書のなかで反論をこころみた。

「殿が孝子にごほうびを下さると知り、親不孝者変じて孝子然とふるまうやからが後を絶ちませぬ。みな偽りの孝心なれば、これを賞するのはいかがなものでござりましょうや」

正之は、笑って答えを書いた。

「余が孝子を賞するのは、親不孝者にこれを見習わせたいと思ってのことだ。孝子を真似る者がいるならば、さらに金銀を投じてでも孝子を表彰しつづけることにしようではないか」

光次と三郎兵衛は、自分たちの不明を恥じて前言撤回を申し出た。

そんな前段があって、この年の九月に江戸に報じられた孝子の例は、会津郡黒沢村の長《ちょう》薫《かおる》という者であった。

両親はともに老衰がはなはだしかったが、薫は不幸にも盲《めし》いているばかりか小唄も三味線もできないので、芸によって立つことも叶わない。やむなく薫は、近在の村里をまわっては脱穀用の唐臼《からうす》をひいたり、石臼をまわす仕事をもらって渡世していた。

雇われ先で食事を与えられた時は、自分は半分だけ食べて残りは親のために持ち帰る。酒をふるまわれたならば、いつも腰につけているふくべに入れてもらって親に飲ませる。同情されて労賃以外のものをわたされたなら、断固辞退。杖を引いて家に帰る途中にはかならず山に入って薪を取り、それを燃やして両親に暖を取らせる。暑さの盛りにはひとりずつ背負って涼しいところにつれてゆき、うちわで風を送りながら世間話をして聞かせる。

その通い道には橋があり、その下には只見川が流れていた。薫は決してこの橋をゆかず、わざわざ遠まわりして下流の浅瀬をわたるのをつねとしたので、

「橋があるのを知らねえのか」

見かねて近所の者がいうと、薫は答えた。

「いんや、橋の下は流れが深いと聞いとるでのう。わしがもしも足を踏みはずして溺れ死にしたら、お父《と》っつあとお母《か》やが嘆くだけでねえ。飢え死にしちまうのはわかりきったことだで」

この報告書を読んでほろりとした正之は、すぐに返事をした。

「長薫と申す者、まことに稀なる孝養心の持ち主なれば、両親在世のかぎり三人扶持を取らせよ」

一人扶持を与えるとは、一日につき玄米五合を年ごとに下賜することだから、これによって長家の親子三人は終生飢えずにすむよう藩から保証されたのである。

なおこの三人がその後どうなったかというと、両親は九年間扶持米を受けつづけて、寛文五年（一六六五）三月に相ついで死亡したが、父は八十六歳、母は八十五歳だったから天寿をまっとうしたことになる。これによってふたりの扶持は停止されたものの、正之は薫の存命する間はかれに一人扶持を与えつづけた。

七歳にして高遠《たかとお》保科家へ養子入りしたために、正之はそれまで自分を守りはぐくんでくれた見性院《けんしょういん》に万全の孝養をつくすことができなかった。保科家を相続してからは、参勤交代と大名は正室を江戸に置くという証人（人質）制度が壁になり、高遠《たかとお》の母お静あらため浄光院にお菊の方を引き合わせることも叶わなかった。

その口惜しさが孝子を尊ぶ考え方につながったのだが、老父母あっての孝行であってみれば、孝子の表彰は老人や病者をふくむ弱者救済の側面をあわせ持つ。

（いずれ藩士以外への扶持米の供与についても、藩法に明文化して遺漏なきものにした

いものだ）

まだ漠然とながら、正之はこのころから考えはじめた。

しかし、かれがたどろうとする道は決して平らかではなかった。

ひとつには社倉制度とは違って、この方面では範とすべき対象が見つからなかったからである。そして第二には、前代未聞の大災害が迫りつつあったためだが、神ならぬ身にこれが察知できようはずもない。

この年、江戸には十月末から一滴の降雨もなく、乗物におさまって江戸城を往復する間にも目や唇に乾きを感じるほどになっていった。

「これが田植時のことだったら、旱害は避けられぬところだ。玉川上水は絶対に枯れぬから、飲み水だけは心配いらぬが」

たまさかのおまんの方との会話にも天候のことが話題になるうちに、年があらたまって明暦三年（一六五七）となった。さらに日にちがすすんで一月なかばがきても、雨雲は江戸の空に一片たりと湧き出す気配もなかった。

この時代、大名火消と定火消《じょうびけし》（旗本から選ばれた江戸城防火要員）はあったが、町火消の制度はまだない。

元旦の夜には、四谷竹町から出火。二日は麴町堀側の越後高田藩邸、四日赤坂、五日神田の吉祥寺《きっしょうじ》近辺、九日夜また麴町と火事騒ぎが相つぎ、江戸っ子たちの間には不安がひろがっていった。

江戸城の北側、中間《ちゆうげん》たちの住まう本郷の丸山に、徳栄山総持院本妙寺という慶長年間にひらかれた法華寺院がある。

一月十六日の四つ半刻（午前十一時）、南側に櫛比《しつぴ》する中間長屋にむかって据えられたその山門をくぐったのは、白衣に麻裃《あさがみしも》、顔を忌中笠に隠して位牌を抱いた男を先頭とする葬列であった。

棺桶とその先棒役、後棒役をはさみ、竹串の死花花《しかばな》をかかえて髪を忌み島田に結った女、飯持ち、火桶持ちなどからなるこの一行は、本堂の左手から背後の墓地へすすむと、墓穴の前で最後の経をあげてもらうべく住職をまねいた。

しかし、――。

錦の袈裟《けさ》をまとい、鉦《かね》を手にして棺桶の前へすすんだ住職は、つぎの瞬間、

「こ、これは」

とうめいて数歩あとずさりしていた。顔面蒼白となった住職が喰い入るように見つめているのは、棺桶にふわりと掛けられていた腰替わり振袖の熨斗目《のしめ》であった。

「へえ、男物なのでどうかとは思いましたが、おいくが気に入ってどこかで求めてきた品なもので。いけませんでしたか」

おいくの父親である喪主が忌中笠のへりを持ちあげてあわてて説明したが、住職を愕然とさせたのはそのようなことではなかった。

僧たちには、棺桶を飾る遺品はその柩《ひつぎ》が土中に埋められる前にもらっていい、という役得がある。住職の目に映っている振袖は、色といい柄といい、一昨年と昨年の二度ま

でも、おなじようにして本妙寺にはこばれてきた品に違いなかった。しかも、月日もおなじ一月十六日に、――。

一度目は麻布の質屋遠州屋のひとり娘、十七歳で死んだ梅野の野辺送りの時であった。いまを去ること三年前、承応三年（一六五四）のある日、遠州屋の菩提寺でもある本妙寺へ墓参にむかった梅野は、途中ですれちがった振袖熨斗目にみずみずしい前髪姿の美少年を見初めた。以後、どこのだれともわからないその姿は、寝ても覚めても梅野の頭から離れなくなってしまう。

（お名前も御身分も知れないのなら、せめて衣装だけでも）

と思いつめた梅野は、ついに美少年がまとっていたのとおなじ色柄の振袖の熨斗目を呉服屋に注文。仕立てられた品が届くと、それを着せた人形と夫婦《めおと》遊びをしたり、撫でさすったりして日々を送った。

それでも恋慕の情は日ごとにつのり、とうとう梅野は病床に伏せる身となった。そしてあくる承応四年（明暦元年）一月十六日、あたら十七歳の身空で絶え入ってしまったのである。

ひとり娘を失った遠州屋が、悲嘆したのはいうまでもない。かれはせめて梅野のなきがらをもっとも大切にしていた品で飾って野辺の送りをしてやろうと思い立ち、棺桶に振袖の熨斗目をかけて本妙寺へやってきた。この振袖を受け取った住職は、古着屋に売りはらってふところをうるおした。

二度目は去年の今日、すなわち梅野の一周忌の祥月命日《しょうつきめいにち》のことであった。この日本妙寺に埋葬されたのは、上野の紙問屋大松屋の娘おきの。その棺に飾られてふたたび本妙寺にあらわれ、またも寺に納められた腰替わり振袖の熨斗目は、梅野のあつらえた品に違いなかった。

(なんと奇妙な、――)

と住職は思わないでもなかったが、偶然ということはどこにでもある。そう考えなおしたかれは、またこれを売って金に換えた。

しかしその振袖がそれからちょうど一年後、梅野の二度目の祥月命日に、今度は本郷のそば屋の娘おいくの棺に掛けられてみたびやってきたものだから、住職も背筋が寒くなったのだった。

(二年前に遠州屋から聞いた梅野の妄執がこの振袖に宿り、つぎの持ち主となったおきのとおいくに祟《たた》ったのではないか)

と考えた住職は、おりから墓参にやってきた遠州屋と大松屋とをおいくの親に引き合わせた。

「ここは死んだ娘御たちを餓鬼道に落とさぬためにも、大施餓鬼をした方がよいかも知れませぬなあ」

住職がいうと、血の気の引いた顔つきになっていた三家の遺族たちは一も二もなくうなずいた。大施餓鬼の法会《ほうえ》は、二日後の八つ刻(午後二時)から本妙寺の本堂でおこなわれることになった。

ところが、――。

当の一月十八日は、夜明けとともに凶々《まがまが》しいほどの荒天となった。すでに八十日間、一滴の雨も降ってはいない。そこへ江戸名物のからっ風が北西から吹きつけたため、黄塵が江戸の上空をおおって朝日を遮断、日の出時がすぎたのかどうかもわからない異様な朝となったのである。

町屋に住まう者たちは、軒や板戸をばらばらと打つ物音を聞いて恵みの雨かと喜んだ。だがこれは砂まじりの黄塵の吹きつける音で、高みからは笛を吹くような音が響いてくるばかりであった。

まともに目もあけてはいられないし、五、六間先の物の色目も判じられない。そのため、この日の江戸には道ゆく人影もほとんどなかった。

それでも、風は息をする。

やや砂塵もおさまったころ、本妙寺に集まった者たちは、大仏壇を据えた本堂に会して住職の読経の声を聞いた。

つづけて本堂前に火を焚き、罪業滅却のためくだんの振袖を焼く手順となる。住職は炎をかこんだ者たちの輪のなかへすすみ、振袖をひろげて炎にかぶせるようにした。

それが、江戸開府以来の大惨事のもとになった。

振袖のあちこちが黒く変じて小さな炎を発した時、虚空に悲鳴のような音を立てて烈風が地をはらった。すると振袖は見えざる手に裾をまくられたかのごとくに地を離れ、火の粉を散らしながら宙に舞ったかと思うと本堂の柱の高みに巻きついていた。

その柱も軒も乾ききり、池や井戸の水もほぼ枯れて消火の手だてがなかったからたまらない。たちまち柱自体に燃え移った火は、導火線をつたう勢いで軒から本堂全体へひろがっていった。

きな臭い黒煙がたちこめるなか、ますます吹きつのるからっ風に煽りに煽られた炎は、無数の火矢と化して中空を風下へ飛び火する。

「明暦の大火」

あるいは、

「振袖火事」

と呼ばれる大火災の発生した瞬間の光景がこれであった。

江戸を野原に見立てるならば、いつかこの火事は野焼きの火線のようにひとつながりになり、背後を黒い焦土に変えながら南から東南へと赤い舌をのばしていった。上空に渦まく煙埃《えんあい》のうちからは、無数の火玉が前方に落下。茅《かや》やわらぶき、あるいは苫《とま》ぶきの屋根を炎上させれば、朱の怒濤となって殺到した火線がそれらの炎をつぎつぎにあわせ呑む。

慄然とした住民たちがあるいは荷車を引き、あるいは長持や風呂敷包みをかついで逃げまどう間に、この猛火は湯島から神田旅籠町《はたごちょう》までを舐《な》めつくし、駿河台へひろがって大名屋敷をも焼き落とした。大和新庄一万石の永井家、美濃大垣十万石の戸田家、志摩鳥羽三万二千石の内藤家、……。

ところが日本橋にも火の入っていた暮れ六つ刻（午後六時）、からっ風は西風に変化。火線はにわかに東へむかい、八丁堀から霊岸島《れいがんじま》、石川島、佃島《つくだじま》までの下町一帯は一面の焼野原となった。

霊岸島の霊岸寺は、六丁（六五四メートル）四方の沼を埋めたてて建立されただけに、十万坪以上の境内地と多数の堂塔とを誇っていた。江戸っ子たちは、この境内に逃れた者多数。生きながらえたと思って一息ついたものの、業火は堂塔にもおよんでかれらを焼殺し、海に飛びこんで凍死する者も続出して死者九千六百余という惨状を呈した。

外桜田門内の会津藩上屋敷は無事であったが、正之も宵闇のかなたにかがり火の列のように明滅する炎を見ては愕然とせざるを得なかった。

この第一の火災は、日付が一月十九日に変わった八つ刻（午前二時）ごろ、霊岸島の先の海ばたの苫屋《とまや》まで焼きつくしてようやく鎮火した。

しかしこれは、まだ大火の前触れのようなものだった。

この日は、五つ刻（午前八時）前後からまたしても北の風が吹きすさび出した。昨日灰燼《かいじん》に帰した一帯からは灰が吹き飛ばされて大砂塵と化し、暗すぎて提灯《ちょうちん》なしでは外も歩けない。

しかも見はるかす瓦礫《がれき》の山の下には、まだ火種がたっぷりと燠火《おきび》のようにくすぶっていた。そこに北風が吹きぬけては、火吹竹で火を熾《おこ》したも同然であった。火種はにわかに勢いを増し、熱い灰とともに風下へ飛んで今度は小石川伝通院《でんづういん》前、新鷹匠《たかじょう》町の武家屋敷から出火。焼けのこっていた神田の一角から京橋、新橋へと燃えひろがった。

京橋という地名は、京橋川に架かる橋の名に由来する。西側、鍛冶《かじ》橋の外堀と京橋川下流の八丁堀とをつなぐ京橋川には西から順に比丘尼《びくに》橋、紺屋《こうや》橋、京橋、中ノ橋、白魚橋などがわたされ、この流れと南側の汐留川《しおどめ》とをむすぶ三十間堀には紀伊国橋《きのくに》、新橋、木挽橋《こびき》が架かっていた。

「車輪のごとくなる猛火、地にほとばしり」

と、ある史料はこのあたりを襲った大火の激しさを描き、人々が袋のねずみとなっていった様子を書きとめている。

「猛火さきへさきへと燃えわたりしかば、目の前に京橋より中ノ橋にいたるまで、四方の橋一度にどうと焼け落つる」

火中に孤立してしまった群衆は、無残な末路をたどった。

――諸人、南へ行き北へ帰り、東西をめぐりておめき叫ぶ。すでに間近まで燃えきたれば、われひとおたがいに楯となして火をよけんとするうちに、まくれかかる煙にむせびて伏しまろぶ者もあり。あるいは五体に火燃えうつり、倒れまどう。せきあい押しあいするうちに火に焼かれて打ち倒れれば、うしろの者ども将棋倒しに倒れころぶ。その上に炎落ちかかり、煙渦まき、おめき叫ぶ声、焦熱地獄に落ちたる罪人どもの哀しみ叫ぶもかくやとおぼえてあわれなり。

右はその史料『むさしあぶみ』の抄訳だが、著者の浅井了意はこの地に焼死した犠牲者の数を「二万六千余人」とし、遺体は南北三丁（三二七メートル）、東西二丁半に折りかさなって空地はまったくなかった、とつづけている。

大火はこのように酸鼻な光景を現出する一方で、江戸城の東の常磐橋《ときわ》を越えて内堀へ迫っていた。この地にある大名家の上屋敷と東西の町奉行所、ついで鍛冶橋門内の大名屋敷も紅蓮《ぐれん》の炎を吹き出し、別の火の手は本丸北側の竹橋門に接近したのである。

こうなると黒瓦白しっくいに下見板貼りの塀をめぐらし、本丸にむかって金箔押しの四脚門を据えている壮麗な構えもまったく無力であった。

竹橋門外東側の松平信綱をあるじとする川越藩邸、おなじく西側、家綱の弟徳松の御殿も炎上して常磐橋門から入った火と燃えつながる。するとまもなく門内の和歌山藩邸、水戸藩邸、本理院こと家光の正室中の丸殿の屋敷、秀忠の娘千姫あらため天樹院のそれ、家綱のもうひとりの弟長松《ちょうまつ》の御殿などが黒い煙をはなちはじめ、いよいよ本丸も危なくなった。

不時にそなえて各藩邸のたくわえていた煙硝（火薬）に火が入ったため、あちこちから爆裂音がとどろいて空気を切り裂く。蔵が焼けくずれて大地をゆるがしたかと見れば、上空には煙と火の粉が熱風とともに渦まいて、その風音が死に瀕した者たちの悲鳴のように響きわたる。

正之はこの未曾有《みぞう》の光景を、台所前櫓《やぐら》の三階の窓から凝然と見つめていた。台所前櫓とは本丸表御殿とその東側の二の丸との境の石垣上にそびえ、老中たちの御用部屋からよく見える三重櫓の名称である。

（権現さまがおひらきになり、大猷院《たいゆういん》さまが天下普請の総仕上げをなされたこの大江戸が、おれの目の下で焼きつくされてゆく）

と思うと、正之はからだが震え出すのを禁じ得なかった。

それにしても、城内各所にはすでに定火消たちが配置につき、竹橋門へは非番の大名たちも防火に駆けつけているはずだった。

しかしこの時代には龍吐水《りゅうどすい》（手押しポンプ）すら知られておらず、掛矢《かけや》、刺股《さすまた》、鳶口《とびぐち》によって周辺の家をこわすという破壊消防が消火活動の中心になる。大名屋敷はとてもこれらで引き倒せないから、火消組はまったく役に立たなかった。

（それでも上さまの御身《おんみ》は、守りきらねばならぬ）

とすでに決意していた正之は、この日は特別な出立《いでた》ちであった。

小袖の上に、ふところに火が入らぬようラシャ地金糸笹縫い縁の胸当てを着用。そのまんなかに五寸角で描かれた角九曜《かくくよう》紋によって保科家当主たることを示し、やはりラシャ地袖口笹縫い縁の火事羽織、表西陣織・裏八丈織の踏んごみ袴に皮足袋という発火しにくい火事装束をまとっていたのである。頭には鉄製金筋入り鍔《つば》つきの星兜《かぶと》、その三方から垂らした夕月に白波文様の二重しころは、しころ紐を留めればいつでも面部をおおえるようになっている。

八つ刻（午後二時）、正之はとうとう火の粉が赤い驟雨《しゅうう》となって本丸にも降りそそぎはじめたのを見て、いそぎ本丸中奥《なかおく》へむかった。

（もはや、上さまをうつしまいらせる場所を決めなければならぬ）

ということしか、正之の念頭にはない。

四方に華やかな花鳥図のある御座の間へ入ると、上段の間にやはり火事装束姿で出座している家綱が、まだ兜頭巾につつんではいない青白い顔をむけてきた。

「御心配なさいますな。ここに控える御老中方は、いずれも一騎当千の方々でござる」

兜をはずした正之がにっこりすると、十七歳になってもなお線の細い家綱はすがるような目をしてこくりとうなずく。

「おお、肥後さま。よいところへ」

そのかたえから呼びかけたのは、松平信綱であった。

「いまわれらは、この表御殿に火がおよびましたなら上さまをいずれに御動座いただくか相談しておったのでござる。それがしは上野東叡山《とうえいざん》がよろしいかと存ずるが、……」

東叡山とは、徳川家菩提寺のひとつ寛永寺の山号である。

「肥後さまはいかがお考えか」

と信綱がつづける前に、隅で井伊直孝、阿部忠秋らと肩を寄せあうようにしてなにごとか話していた酒井忠勝が、やはり火事装束の膝をすすめて割って入った。

「いや、牛込のそれがしの下屋敷におうつりいただくのがよろしかろうて」

「いえ、それよりも当家の赤坂の下屋敷にお迎えいたしたい。将軍家の御馬前をお守りいたすのは、わが井伊家代々のお役目なれば」

老将井伊直孝もこれだけはゆずれぬとばかりに口を出し、事態は船頭多ければ船、山にのぼる、という流れをたどりはじめた。

たまりかねた正之は、大きく息を吸って発言した。

「いや、お三方の御意見には、いずれにもしたがいがとうござる。江戸はじまって以来の大火とは申せ、火事ごときによって天下の将軍が府城をお捨てあそばすなど、あってよいこととは思われませぬ。この本丸が火にかかれば、西の丸におわたりいただく。西の丸も焼失いたさば本丸の焼跡にお陣屋を建てさせればよいではござりませんか。いずれにいたしましても、――」

さらにつづけようとした時、これまでのやりとりを太い眉をしかめて聞いていた阿部忠秋が大きくうなずいて口をひらいた。

「まことに、肥後さまの仰せのとおりかと存ずる。権現さまこのかた連綿として天下のあるじにあらせられる徳川将軍が、軽々しく城外へ御避難あそばされるなどもってのほか」

正之と阿部忠秋の主張により、不毛の議論は長びくことなくおわった。

これは、幕閣たちにとっても幸いだった。それからさほど時のたたない八つ半刻（午後三時）、いよいよ天守閣が天に沖《ちゆう》する炎につつまれたのである。

『江戸図屏風』にも江戸城を象徴する建物として描かれた五層五階の独立式大天守は、地上百九十尺の高みに一対の金鯱《きんこ》をまばゆく輝かせ、飾り瓦の破風板にも金箔を貼った豪奢なたたずまいを江戸っ子たちに愛されてきた。

その黄金色の威容も夕日を浴びたように真っ赤に染まったころ、内側から閉ざされていたはずの二層目北側の銅窓が烈風に吹き破られ、火焔を吸いこんだ。日本の歴史上かつてない高さを誇った木造建築物は、こうして一大火柱と化していったのであった。

その高みから降りしきる火の嵐は、南側の奥御殿にもたちまち燃えうつる。松平信綱が奥女中たちに退去を命じに走る間に、正之と閣老たちは近習《きんじゆう》たちとともに家綱を守って蓮池門をくぐり、西の丸へと避難した。本丸、二の丸に詰めていた者たち、奥御殿の内部しか知らない奥女中たちも夢中でこれにつづいたため、あたりには玉砂利を踏む足音が鳴りひびいた。

ようやく家綱を西の丸へうつしてほっとした正之は、

「次の間におりますから、御用の時はお呼び下され」

父が子に伝えるように家綱に言い置いて、閣老たちとともにつぎつぎと入ってくる報告を聞きはじめた。

ところがこれらの報告には、大事なことが欠けていた。欠けているのに、驚天動地の事態となって平常心を失ってしまった閣老たちは、まだそれと気づかない。

「ところで天樹院さまと千代姫さま、両典厩《りょうてんきゅう》さまはいずこにおわす。どなたか、聞いてはおられぬか」

正之ははっとして、兜頭巾を脱いだ閣老たちにたずねた。

千代姫とは家綱の異腹の姉、両典厩とはおなじく異腹の弟ふたり、長松と徳松のことをいう。このふたりはそれぞれ左馬頭《さまのかみ》、右馬頭《うまのかみ》に任じられていたので、中国風に典厩さまと呼ばれていた。

だが驚くべきことに、竹橋御殿はすでに焼け落ちたとわかっているのにだれもその行方を知らなかった。

「なんたること」

さすがに怒りの色を刷《は》いた正之は、中奥小姓たちに命じた。

「ただちに使い番を立て、どちらに難をお避けになったか確かめてまいれ」

その無事がようやく確認できて一座に安堵の気分が流れたころ、信綱が二重まぶたの怜悧な顔をむけて正之に聞いた。

「火はどうも芝方面にも達したようなれば、肥後さまの中屋敷にもきっと火がかかってしまったことでしょう。御家族方はいずれに火をお避けになりました」

知らない、という代わりに正之は首を横に振り、信綱の目をまっすぐ見つめて答えた。

「この火急の時にのぞみ、私邸や妻子の安否など気にしている暇はござらぬ」

正之は火のすすみ具合を冷静に観察して家綱の避難先を決定し、その家綱を親鳥が雛を翼の下に入れるように守ってこの西の丸へやってきた。そしてその親族たちの身をだれよりも気に懸けていたというのに、おのれの妻子のことはいっさい顧みていなかったのである。

このやりとりを耳にした阿部忠秋が、感に堪えないという面持ちで正之にいった。

「肥後さま。まことにお手前は、なんという無私のお方か」

しかし、一に家光の託孤《たっこ》の遺命をいかに果たしてゆくか、二に民政をいかに充実させるか、ということしか念頭にない正之は、江戸城から芝新銭座へ走ろうなどとは朝から考えたこともなかった。

「いや豊後殿（忠秋）、さようなことよりも」

せわしく頭を働かせていた正之は、まったく別のことを答えた。

「まもなくどなたもひもじくなりましょうし、日暮れがまいる。闇が迫れば炎ばかりが赤々と天を焦がして恐怖を煽ること必定《ひつじょう》なれば、いまのうちに用意させておきましょうぞ」

つと立って紙燭《しそく》も行灯《あんどん》もない部屋を出た正之は、暗い廊下に控えていた腰の物番高橋市郎左衛門にあることを命じた。

「かしこまって候」

と答えて姿を消した市郎左衛門は、ふたたび西の丸にあらわれた時には中間《ちゆうげん》、小者たち多数を引きつれていた。火消用革羽織の背に「會」の字を白く浮かびあがらせて会津保科家お雇いの者たちであることを示したかれらは、会津名産の大ろうそくと燭台、そして大鍋に煮た粥《かゆ》と椀とを大量に運び入れる。

ひときわ闇を濃くしていた各部屋にはたちまち灯がともってあかるくなり、粥を出された家綱以下は大喜びで飢えを癒した。外桜田門内にある会津藩上屋敷は、焼けてはいなかったのである。

（とりあえず、西の丸はこれでよし）

みずからも粥を食した正之のもとに、つぎに報じられたのは天守閣の炎上以上に深刻な事態であった。浅草蔵前にある幕府の米蔵に火が入り、どうにも消しかねているという。

隅田川沿いの三万六千坪の土地に屋根妻をならべるこの米蔵には、幕府天領から徴収される年貢米の大半が集積される。

その量は、百万俵以上。うち徳川家の取り分以外は切米《きりまい》取りの旗本御家人たちに支給されるから、この米を失うとは幕府および旗本御家人の収入のかなりの部分が消えてしまうことを意味する。

「浅草へ、ただちに火消をさしむけよ」

さすがに閣老たちが騒然としても、ひとり正之だけは顔色ひとつ変えなかった。

「おのおの方、とくとお考え召されよ。火消組は昨日からことごとく出払っていて、もはやとても浅草の火を防ぐ余力はござるまい。さらに、相つぐ知らせによれば家を焼け出されて九死に一生を得た者たちも路頭に迷い、米櫃《こめびつ》を失って飢えはじめている由。さればでござる」

まだ火事装束姿のままの閣老たちを静かに見わたして、正之は意表を突く提案をおこなった。

「飢えた者は浅草蔵前へ走り、火を消して米を持ち出せ、持ち出した米を取るのは勝手次第、と触れ出そうではござらぬか。さすれば、むなしく焼けるだけの米が民たちを救うことになりましょうし、窮民たちも米蔵をめざすべく必死に火を消しましょうから火消に早替わりすると申すもの。そうなれば、火の手も早く収まるのではござりますまいか」

窮民変じて火消となり、蔵米はたちどころに救助米と化す、という一石二鳥の策である。

一瞬狐につままれたような顔をした老中たちが、これを逆転の発想による妙案と気づくのにさして時間はかからなかった。

「それでまいりましょう」

と全員が賛同したため、正之は即刻この決定を各地に触れ出させた。

このお触れは、正之が計算したとおり絶大な効力を発揮した。

飢えと火の恐怖にさいなまれていた被災者たちは、夢中で火を叩き消しながら太い流れとなって浅草蔵前をめざした。そのためかれらは火消として大いに役立ち、米蔵自体も全焼をまぬがれたのである。

すでに江戸城も天守閣をふくむ本丸から二の丸、三の丸まで焼けてしまい、かろうじて西の丸御殿が残っただけであった。

しかも遠州屋のひとり娘梅野の形見の振袖供養に端を発した振袖火事は、まだこれで鎮火したというわけではなかった。

この十九日の日暮れには、麴町五丁目の町屋から第三の火災が発生。東へ火線をひろげた炎の渦は外桜田、西の丸の大名小路にならぶ大名屋敷を津波のように呑みこむと、日比谷、愛宕下《あたごした》、芝方面にまでに焼けとおった。

かくして三日二晩江戸市民を焦熱地獄に叩きこんだ大火が、ようやく消えたのは二十日の五つ刻（午前八時）前後のこと。類焼した大名屋敷は五百カ所、旗本御家人のそれは六百カ所以上、神社仏閣三百五十以上、橋げた六十、両側町四百町、片側町八百町と江戸の町の六割あまりが焦土と化し、十万人以上が焼け死ぬという無残きわまる結果となった。

さらにこの大火には、追い打ちがきた。

二十一日、突然気温が急降下して、大雪となった。目路のかぎり焼野原と化した江戸の町も逃げる格好のまま炭化してしまった遺体も、ことごとく白い幕におおわれるという奇怪にも美しい雪景色がここに現出したのである。

しかしこれは、家財産と家族とを同時に失って路傍に茫然としゃがみこんでいた数十万の被災者たちにとり、焦熱地獄が八寒地獄に相をあらためただけの話であった。着のみ着のままのかれらは、ひとり、またひとりと凍死していった。

(ようやく焼死せずにすんだ者たちが、凍え死にしなければならぬとはなんたること！)

なおも西の丸に泊まりこんでいた正之は、炊き出しの準備を急がせた。

二十三日から府内六カ所ではじめられた粥の炊き出しは、それぞれ一千俵、計六千俵に達した。浅草の米蔵に焼け残った米の一部が、これに投じられたのである。会津藩の米蔵から社倉米として七千俵以上を供出した経験のある正之にとって、六千俵を無償提供することなどはなんでもないことだった。

これと並行して、正之は家を失った町人たちの戸数を調べさせた。そして家の再建費用として間口一間につき三両一分と計算し、総額十六万両を町方へ下賜することにした。これは米に直せば二十三万石以上を買える莫大な金額。すなわち会津藩が表高をすべて藩庫に入れてしまって農民たちに米一粒も与えない時にようやく入ってくる大金、ということになる。

そのうえ正之は、屋敷を焼失した旗本御家人たちにも作事料を与えたい、と提案した。だがこれには、いつも度量のひろいところを見せている酒井忠勝すら渋い顔をした。

「かくも不時の出費がつづいては、御金蔵がからになってしまいかねませんぞ」

忠勝に賛同する意見が出つくすのを静かに待った正之は、円座となっていた閣老たちを澄んだまなざしで見わたしてから諄々《じゅんじゅん》と説いた。

「それがしは、こう信じており申す。官庫のたくわえと申すものは、すべてかようなおりに下々へほどこし、士民を安堵させるためにこそあるのだと。むざむざ積み置くだけのことならば、初めからたくわえる必要もございますまい。ことにこたびの大火は古今未曾有の規模なれば、すみやかにほどこしをはじめることこそ肝要でござろう」

幕閣につらなる大名たちは、藩政と国政の双方に目配りしなければならない。現代風にいえば県知事が閣僚を兼務するようなものだが、この二重性にはそれなりの利点もあった。まず藩で試し、効力ありとわかった政策を国政に応用することが可能だという点である。

年貢率の引き下げ、社倉の設置、孝子の表彰、弱者救済のための扶持米の供与と領内に仁政を心懸けてきた正之は、玉川上水開削を決断したのにつづいて国政にも仁の精神を打ち出そうとしていた。

その玉川上水のために投じた七千五百両にくらべれば、今回の十六万両はたしかに途方もない金額ではある。

ただし閣老たちはその額面の巨大さに驚いて異をとなえはしたものの、江戸復興のためになにか代案を持っているわけではなかった。

――官庫のたくわえは、士民を安堵させるためにこそある。

さわやかにこう喝破《かっぱ》してみせた正之は、この時四十七歳。人間として円熟しきった将軍輔弼《ほひつ》役の威風に打たれて閣老たちが反対意見を撤回したため、大江戸復興計画はすみやかに緒《しょ》に就《つ》くことになる。

しかし正之は、この大方針を定めたあともなおかつ不眠不休の日々から解放されなかった。西の丸の各部屋を仮役所とした者たちが、正之に判断を仰ごうとしてつぎつぎに面会を求めたからである。

まず幕府勘定方は、諸大名からの借米によって十六万両の出費の穴埋めをしたい、と申し出た。

「しかるべからず」

おだやかな口調ながら、正之はきっぱりと答えた。

「上下ともに倹約を旨として、ほかの出費を押さえればよろしかろう。たとえば大名家、老中以下諸役人との盆暮れの贈答をやめただけでも、かなりの節約になるというものだ」

幕府が大名家から米を借りたりしては、台所事情を見透かされた分だけ徳川家の権威が低落してしまう。正之はそこまで先を読んで、勘定方の希望をしりぞけたのだ。

城内の宝物蔵も焼け落ちたため、諸方から徳川家に献じられた天下の名物といわれる茶器や刀剣、重代の宝もほとんどが失われてしまっていた。

「これが世に知られては、将軍家の名折れとなろう。どこまでも内聞にしておくに越したことはあるまいて」

井伊直孝、酒井忠勝が白髪鬢を寄せあってひそひそと話しているのを耳にした時も、

「いえ、それにはおよびますまい」

と、正之は率直に割って入った。

「この異変に乗じようとして、由井正雪のごとき凶賊があらわれなかったのは国家の幸いと申すもの。それにくらべれば器財の焼失などは、惜しむに足らぬかと存ずる。しかも烏有《うゆう》に帰したる品をなお世にあるかのごとく装いましては、後世のそしりをまぬがれませぬ」

天に恥じない政治を、――。

それが正之の願いであった。

炊き出し開始から二日目の一月二十四日は、秀忠の祥月命日にあたっていた。家綱は毎年、この日には芝の増上寺にあるその御霊屋《おたまや》へ参拝することになっている。

しかし正之は大火直後の世情不安を考えあわせ、自分が代参すると申し出て家綱の許しを得た。

正之には高遠時代から、領地を巡回して自分の目で現状を見定める、という習慣がある。かれは代参に名を借りて、大火後の江戸の民情を視察することも怠らなかった。

増上寺からの帰途、京橋にさしかかって長棒引戸の乗物から透かし見れば、まだ焼死者が道ばたにおびただしく積み置かれ、道をふさがんばかりになっていた。

そこで正之は、供をしていた腰の物番高橋市郎左衛門を呼んで命じた。

「浅草御門の方にも、焼死者がまだそのままになっていると聞いた、ここにある遺体の量と見較べて、あらましどれくらいか見きわめてまいれ」

かしこまって浅草へ走った市郎左衛門は、正之が上屋敷に帰邸してまもなく復命にあらわれた。

そのことばに耳をかたむけるうちに、正之はいても立ってもいられない気分に襲われていた。

ただちに登城した正之は、大老井伊直孝以下の閣老たちに報じた。

「本日、上さまの御名代を相つとめまして芝増上寺に参拝いたし、帰る途中に京橋辺をまわって焼死者たちを見分《けんぶん》いたしてまいりましたが、遺体は路地にあふれんばかりにて、まことに聞きしにまさる痛ましさでござりました。また浅草へ家来をつかわしましたるところ、京橋辺の三分の一ほどの死体があるとのことでござった。京橋の死者を二万五千と見つもれば、浅草は八千あまり。のみならず川筋を流れ、堀に沈んでいる死者も数知れぬ様子なれば、まずわれらが考えるべきはこれらの遺体をどうするか、ということかと存じ申す」

この時代の溺死者の遺体処理は、いたって簡単なものであった。

堀割の棒杭に引っかかっているそれを見つけたら、棹《さお》で流れに押し出してしまう。もし岸へ引き揚げて番所へ報じたりすると、当人が自費で埋葬しなければならなくなるので、だれしもが押し流してしまう方を選ぶのだ。

これらの慣習を踏まえて、正之は提案した。

「思えば江戸の民たちは、将軍家が当地にましますがゆえに各地から集まりきたってこたびの大火に遭い、横死する道をたどったのでござる。その者たちのしかばねを、すべて海へ流してしまうのはあまりに不憫。願わくば公儀よりの命令として遺体を一カ所に集め、手厚く葬ってやりたいと存じますが、いかがでござりましょう」

これに異論をとなえる者は、ひとりもなかった。

家綱もすぐにこれを許したので、とりあえず焼死体九千六百五十三柱を本所牛島の地に集め、合葬することになった。名づけて、

「万人塚」

これが、回向院《えこういん》の初めである。やがてこの回向院には、十万八千余人の無縁仏が埋葬されることになる。

この万人塚の建立を決定したあと、ようやく正之は品川の東海寺へむかった。

沢庵和尚が家光の助けを受けてひらいた東海寺には、芝新銭座の中屋敷を焼け出された正之の家族たち——継室おまんの方をはじめ、次男の長門守正頼十八歳、四男の大之助十二歳、三女の石姫八歳、五男の新助四歳が身を寄せているはずであった。

四万八千坪もの寺域と大伽藍《がらん》をほこり、十七院もの塔頭《たっちゅう》を有する東海寺は、品川御殿のある御殿山の南側に位置する。品川御殿は、寛永九年（一六三二）家光がまだ二十二歳だった正之を、旗本たちに対して実の弟と初めてお披露目してくれた思い出の場所である。

（もうあれから、二十五年の歳月が流れたのか。人生は長いようで短い、というのはほ

んとうだな)

と考えながら、正之は乗物のなかから御殿山の森を見あげていた。

しかし、かれにしみじみと感慨にふけっている暇はなかった。

松林のなかを仮りの表御殿としてつかわれている僧房へすすみ、正之はまず正頼に留守中のことを報告させようとした。だが、正頼は姿をあらわさなかった。

代わって平伏した正頼づきの小姓が、恐縮しきって事情を告げた。

「若殿さまには、十九日にいよいよ中屋敷に火が迫りました時には、お長屋を火から守ろうと思し召され、水門までお出ましあそばされて火消のお指図をなされました。とはいえどうにも消しがたかったため、いったんは奥方さまと大之助さまたちとを芝金杉のお蔵屋敷へおうつしなされ、また中屋敷にもどられて火消のお指図をなさいました。それでもなお、火勢は衰えぬありさまでございましたので、若殿さまは御家族の方々にこの東海寺へ逃れるようお命じになり、おんみずからはお行列をととのえて中屋敷をお立ちのきあそばされたのでございます」

ところがこの時、正頼は風邪を引いていた。その風邪を消火活動と立ちのき騒ぎですっかりこじらせてしまい、正頼は二十日以降は一室に臥せったきりになっているという。

「では、見舞にゆこう。案内せよ」

この時まだ正之が事態を軽く見ていたのは、疲れが風邪をこじらせることはさして珍しくはないからであった。

しかし実のところ、正頼の病はただの風邪ではなかった。

このころ江戸の米価が急騰しはじめ、正之はその対策を考えなければならないこともあって、東海寺にゆっくりはしていられない状況にあった。

というのに正頼は、次第に腹部や胸部になにかがせきあげてくる症状を見せた。そして二月一日の夜六つ半（七時）、まだ十八歳の身空で息絶えてしまったのである。

泣き伏すおまんの方の背を撫でてやりながら、正之はそれまでは虎菊と呼んでいた正頼に、

「これよりは幼名を捨て、長門守正頼となのれ」

と命じた時のことを茫然と思い返していた。

わずか三年前のあの時、正之はこう考えて自足したものであった。

（幸松と将監は早世してしまったが、この正頼がいる以上、どうやら会津保科家はおれ一代でおわりはせぬようだな）

その期待の正頼、すでに一度会津の土を踏ませた正頼が、これから妻を迎えようという十八歳の若さで死亡してしまうとはあまりにも思いがけないことだった。

（しかし、このおれが悲嘆に昏れていることは許されない。正頼には気の毒かも知れぬが、葬儀と服喪はできるだけ簡単にすまして、おれは政務にもどらねばならぬ）

勁《つよ》く思い切った正之は、その夜から妻子とともに喪に服した。

そして二月五日、正頼の遺体を会津へ送り出し、浄光寺に葬るよう指示したかれは、七日、井伊直孝、酒井忠勝以下の閣老たちがお悔やみにくるときっぱりと答えた。

「大火以後、世上不安がつづいているおりから、たとえせがれが病死いたしたにせよ愁

嘆しているべき時節ではござりますまい。米価を押さえるためにも、お上がそれがしに忌み御免をお命じ下さらばすぐにも出仕いたしたく存ずる。どなたか、上さまにさようおとりなし下され」

将軍に忌み御免をもとめるというのは、台命《たいめい》によって服喪を短く切りあげることが許されるならば早く公務に復帰できる、という考え方である。

大火発生二日目の十九日、松平信綱から、

「火はどうも芝方面にも達したようなれば、肥後さまの中屋敷にもきっと火がかかってしまったことでしょう。御家族方はいずれに火をお避けになりました」

と問われた時、正之は返した。

「この火急の時にのぞみ、私邸や妻子の安否など気にしている暇はござらぬ」

正之はかけがえのない息子を失ったというのに、なおも頑としてこの態度を貫こうとしていた。

家綱がその日のうちに忌み御免の台命を下してきたので、正之は静かに東海寺を去っていった。

八日から江戸城西の丸へ再登城した正之は、頰の肉が落ちて顎の線が引きしまり、切れ長の双眸には深い覚悟をたたえていた。かれは家綱と閣老たちとに弔問の礼をのべると、すぐに御用部屋へ入って政務をとりはじめた。

この時、正之が若松でおこなわれた正頼の葬儀にあえて欠席してまで取り組みつつあったのは、いかにして江戸の米価を安定させるかという問題であった。

大火後にわかに米価が急騰したのは、むろん市場に出まわる米の量が激減したのに対し、米櫃を失ってしまった市民たちの需要が殺到したためである。

そこで正之は、一月二十一日の時点で米七斗を金一両以上で売ってはならないと触れ出し、米価の上限を指定。紀伊和歌山藩から献上された一千俵をも救助米として放出し、少しでも米の流通量をふやそうとしてきた。あわせて窮民たちが暴徒化するのを押さえ、かつ米の需要を減らすため、二月二日までの予定だった粥の炊き出しを十二日まで延長する政策を打ち出してもいた。

それもどうやら焼石に水とわかったため、正之は東海寺行きの直前から最後の手段を取ろうとしていた。この最後の手段は、まことに逆転の発想と形容するにふさわしいものであった。

江戸の人口は五十数万人——そこから焼死者数を除けば四十数万人ということになるが、うち約五割を占める武家人口は、幕府の胸先三寸によってふやすことも減らすこともできるところに特色がある。正之は人口に見あう米の流通量を確保するのがむずかしいとわかった時、人口（需要）の方を一時人為的に減らしてしまうことによって米価を安定させようとしたのである。

具体的には、江戸に参勤中の諸大名に帰国をうながすこと。これから江戸をめざそうとしている大名たちには、しばらく出立をくりのべさせること。

正之は東海寺からも、この政策の実行を進言してやまなかった。そのため二月五日の段階で、帰国を命じられた大名家は仙台藩主伊達《だて》陸奥守《むつのかみ》忠宗のほか二十三家に達していた。

仙台六十三万石の当主が江戸を去るとなれば、これにしたがう者たちの数は一万二千人以上になる。その分だけ江戸の米は消費量が少なくなる勘定だから、米の流通量をふやすよりも大名たちを帰国させることの方が、作業としても手っ取り早いのだった。

さらに二月九日、正之は越後高田二十六万石の藩主松平越後守光長をはじめ、十七家の大名に今年の参勤を免じると伝えた。

この政策は、大いに効果を発揮した。全国の商人たちがひともうけを企んで江戸へ米を回漕してきたところに需要が激減したため、まもなく米価は安値に転じたのである。

ただしこれら正之たちの苦心を、どうにも理解できない大名たちもいた。代表は、和歌山藩主徳川大納言頼宣《よりのぶ》。その気性の激しさから、

「南海の龍」

略して南龍公と呼ばれているこの家康の十男は、松平信綱を呼びつけて幕閣の措置に文句をつけた。

「江戸が大災に見舞われて人心も計りがたい時なればこそ、在国の諸大名をもことごとく出府させて変事にそなえるのが筋と申すもの。しかるに諸大名にあらかた帰国を命じ、あるいは江戸参勤を中止させるとはいかにも心得がたい」

頼宣もまた、一朝事ある場合に大名はすべからく江戸へ集まるべし、とする武断派の発想にからめ取られているのだった。

「御府内の人口を減らさせましたのは、窮民たちを救う手段のひとつなのでございます」

信綱が懇々と説いても、頼宣は需要と供給との関係が物価を決めるという経済学の初歩を知らないから、説得するのはなかなか至難の技であった。

信綱は知恵伊豆と異名を取る才気をあらわし、こう言いあらためてみた。

「万一、この機に乗じて陰謀をたくましくしているやからがおりましても、江戸に入れなければそれぞれの国許で蜂起するしかございますまい。その方が、よほど討伐いたしやすいと考えましてかくなる手だてを取った次第」

すると、当年五十六歳の頼宣は手を打って感心し、信綱を解放してくれた。

「いやはや、南龍公に叱られてしまいましての」

正之の部屋へやってきた信綱は、これまでのやりとりを伝えてこうしめくくった。

「大名家は江戸表と国許とで二重の所帯を張っておるのですから、これらの家の者を一斉に国許へ帰してしまえば米価は下がる。かような発想をできるのは肥後さまくらいしかいないということが、つくづくとわかり申した」

正之の巨視的な発想法は、別にここへきて急に身についたものではない。玉川上水の開削を決断した時から、正之の視線はつねにおなじ方角に注がれている。

それにしても仁政実現のためには大名たちを国許へ帰してしまうという非凡な着想は、南海の龍と呼ばれる豪邁《ごうまい》な気性の人物にすらにわかには理解しがたいものなのであった。

右のような一幕もあるにはあったが、米価を安定させることに成功したため、江戸再建計画も順調に緒に就くことになった。

この時幕閣たちが最優先事項とみなしたのは、精密な江戸図の作製であった。逃げ道を失って焼死した者が多く出たのは、自分の生活区域内を一歩出るとどの道がどこに通じているのかわからない、という江戸っ子がほとんどだったからである。

それは煎じつめれば、幕府自身が江戸図を作製して一般に流布させては幕府打倒を企む者たちが喜ぶだけだ、という発想をこれまで払拭できずにいたためだった。

いわばこの時代以前の絵図とは、すべて軍事目的のために作られるものでしかなかった。幕府がすべての城持ち大名から城郭絵図を差し出させ、無断で城を修築したなら即刻改易という断固たる態度でのぞんできたのも、そのような見地に立ってのことにほかならない。

正之と幕閣たちとはこのような従来の考え方を反省し、洋式測量による精確な江戸総図を作らせることから江戸という大都市の再興をはじめようとしたのだった。

この時の江戸再建計画の骨子は、つぎの八項目に要約される。

一、江戸城郭内《かくない》にあった大名屋敷をすべて郭外に移し、幕府政庁としての江戸城の性格をより強く打ち出すこと。
二、八丁堀・矢の倉・馬喰町・神田辺にあった寺院を、深川・浅草・駒込・目黒などの周辺地域へ移すこと。
三、一・二にともない、町屋を霊岸島・築地、本所などへ移すこと。

四、焦土を利用して、木挽町・赤坂・牛込・小石川の沼地を埋めたてること。

五、神田白銀丁《しろがねちょう》・万町《よろずちょう》・四日市町の移転と防火堤の設置。

六、火除明地《ひよけあきち》としての上野広小路の設置。

七、主要道路の道幅を、六間（一〇・九メートル）から十間（一八・二メートル）にひろげること。

八、両国橋の架橋、芝・浅草両新堀の開削、神田川の拡張など。

以上は東京都著『東京百年史』に負うところだが、大川《おおかわ》（隅田川）をはさみ、浅草―本所間に架けられた橋を両国橋と称したのは、本所がもとは下総国《しもうさのくに》に属し、大川が下総と江戸との国境《くにざかい》とされていたことによる。

正之自身も、これらについて積極的に建議。大潮のたびに冠水して旅人たちを難渋させていた芝浦から品川に至る道筋を石畳にあらためさせるなどして、この新都市計画に参与した。

江戸という大都市の輪郭は、実にこの時に定まった。これ以降の江戸の町は、二百十一年後に東京と改称される日まで、ほぼおなじ姿を保ちつづけてゆくことになる。

いわば正之は父として正頼の葬儀を主催することを諦め、江戸再建に全力を傾注することによって、なおも家光の託孤の遺命に誠実に応《こた》えつづけようとしたのであった。

明暦四年（一六五八）四月、ようやく芝新銭座の中屋敷を建て直した正之に、家綱は芝箕田《みた》（三田）の地に下屋敷を与えることによってその功に報いた。

この下屋敷は三万三千二百坪以上と、二万九千五百坪弱の中屋敷よりさらに宏大な敷地をほこり、品川の海を望めるところにあるのが正之は気に入った。

正頼の死によって胸の底に空洞のできたような思いを味わった正之は、江戸城と江戸の町が着々と再建されてゆくのに並行し、この下屋敷に好みの庭を造ることによって憂いを晴らそうとしていた。

かれが造成した庭園は、つぎの六景から成っていた。

第一景は、懐古の松。

第二景は、この老松の根本にひろがる半月の池。水面《みなも》には、かならず上弦の月が映ることからこの名がつけられた。

第三景は、鏡池。こちらは泉であって、旱害の年にも決して枯れないという特徴がある。

第四景は、活発淵。近くを流れる箕田川から引いた流れのうちにできた淵のことで、雑魚《ざこ》が群れ、それをねらって水鳥がやってくる様子を「活発」と形容したのである。

第五景は、八曲の橋。『伊勢物語』によれば、王朝の世の三河国には八橋《やつはし》といって、水が蜘蛛《くも》の足のように八つに別れて流れてゆくので橋を八つ架けたところがあったという。

これを模すことにした正之は、活発淵からさらにあふれ下る清流に八つの橋を斜めに架けさせ、その下に杜若《かきつばた》をたんと植えて、

から衣きつつなれにしつましあればはるばるきぬる旅をしぞ思ふ

と詠じた在五中将の感慨を偲《しの》ぶことにした。

正之が初めて『伊勢物語』を読んだのは、まだ高遠にいたころであった。時移って自分も会津中将と呼ばれる身となり、正頼を失ってみると、世をはかなんで東下りの旅に出たいにしえの在原業平の気持もわかるような気がするのだった。

そして第六景は、移漣亭《いれんてい》。おなじ流れをまたぐようにして小さな亭《ちん》を建て、そのまわりには蓮を植えて、花木ひとたびひらけば栄え、しぼめば落ちる陰陽循環の天の道をあらわしてみた。

もはや正之は、四十八歳。

このところにわかに書類の小さな文字が読みにくくなってきたこともあり、

(いずれ隠退して大之助に家督をゆずったならば、この屋敷に老後を養おう)

と考えはじめていた。同時に、

(すでに元和偃武《げんなえんぶ》より四十三年、もう島原・天草の乱や由井正雪の乱のごとき異変は起こるまいし、振袖火事のような大火もそうつづけては生じまい)

とも思い、正之はそろそろ自分の人生の総仕上げにかかろうとしていた。

裏切り

そのためには、なにをすべきか。

腹案はすでにあったから、江戸の町の復興が一段落ついたなら、ゆっくりとひとつずつかたづけてゆけばいい、と正之は考えていた。

しかし、家綱が自分の将軍襲職以来八年間も江戸を動かずにいる正之に与えようとしていたのは、単に下屋敷だけではなかった。

六月三日、家綱は加賀金沢の前田家と保科家とに、思いも寄らない上意を下したのである。

「前田加賀守《かがのかみ》に、保科松姫を縁組させよ」

加賀守とは、金沢百二万石のまだ十六歳の若き当主前田綱紀《つなのり》のこと。綱紀は学問に熱心な青年で、江戸城のうちで正之に顔を合わせた時にも、寸暇も惜しんで教えを乞うことが一再ではない。

一方の松姫とは正之の亡きお国御前おしほの方の産んだ忘れ形見で、いまも鶴ヶ城で育てられている今年十一歳の四女のことである。

家綱が松姫のことを気に懸けてくれていると知ったことだけでも充分に意外であったが、相手が徳川三百藩中最高の石高を誇る家筋のあるじというのも、正之にはまったく思いがけないことだった。

だが前田家から見れば、みずからは外様大名にすぎないのに対し、保科家は御親藩どころか将軍輔弼《ほひつ》役をつとめる家柄。正之が実質上徳川の天下を支える副将軍であることもよく承知していたから、ことのほかこの縁組を喜んだ。

祝言は家綱の上意から二カ月もたたない七月二十六日と定められたため、それからの両家は大わらわとなっていった。

保科家とすれば、まず松姫とおつきの者たちとを会津から出府させる必要があるだけに、より大変だった。

六月七日、正之からの連絡を受けた会津藩国許《くにもと》では、城代家老北原光次すでに老い、田中三郎兵衛は公務で多忙なため、奉行のひとり佐川勘兵衛《かんべえ》を中心に嫁入り支度をととのえることになった。

するとさっそく、松姫がこれまで用いていた乗物は粗末でもう使用できないと判明。

松姫づきの老女野村おきさは、

「たとえ江戸へのお供を女どもを二十五人に限るといたしましょうと、それぞれに馬に乗る時のための毛氈《もうせん》や合羽《かっぱ》を用意させねばなりませんから、八十両か九十両はお支度金をお借りいたしませんと」

と言い出した。

女の支度の大変さを知らない佐川勘兵衛が正之に泣きついたので、けっきょくこれらの面倒も正之が見ることになってしまう。

「わかった。入用の品々は、江戸でととのえてそちらへ送る」

と答えた正之は、女用の乗物からそのなかに敷く布団、傘ならびになめし革の覆い袋、緞子《どんす》の幕、お茶弁当から毛氈二十枚、合羽二十五着まですみやかに送りつけた。

そして正之は、念を押した。

「今月中に出府いたすのが望ましいが、遅くとも七夕前には江戸中屋敷に入るよう心懸けよ」

旅の差配は、新任の家老今村伝十郎が取ることになった。

今村伝十郎は旧山形鳥居家を召し放たれた牢人のひとりで、正之のめがねに適って最初二千石、のち二千三百石を与えられ、組頭《くみがしら》から家老へ出世していた人物。それだけに、さすがに考えることにそつがなかった。

この明暦四年（一六五八）は夏が早く、七月三日が太陽暦の八月一日に相当する。松姫が幼くて旅慣れないため、旅程に七、八日ないし九日と幅を持たせることにしたかれは、それでも六月二十二日のうちにはもう鶴ヶ城を出立していた。

供は、今村伝十郎のほか大横目（大藩のみに置くことを許される監察役）ひとり、物《もの》頭《がしら》四人とそのおつきの者ひとり、医師ひとり、徒《かち》武者八人、鉄砲十挺、長柄《ながえ》槍十筋、手あきの足軽十人、そして野村おきさと奥女中二十五人。

宿割りのため小姓四人と徒武者四人を先行させたこの一行は、正之の意を体して地味に装い、これもめだたぬよう七月二日の夜がくるのを待ってから、無事芝新銭座の中屋敷へ入った。

松姫の前田家への輿入《こしい》れが台命に発するものである以上、正之としては家綱にこれらの経過をも報じておかなければならない。

翌三日の四つ刻（午前一〇時）、正之が小鬢《こびん》にやや白い筋のめだつようになった姿をすでに新築なった本丸表御殿中奥《なかおく》の御座の間へ運んでゆくと、今年十八歳と死んだ正頼とおない年になっている家綱はにこやかにいった。

「松姫と加賀守との婚儀も、いよいよ間近に迫ったの。すでに米沢上杉家と縁をむすんでいる保科家が、加賀前田家ともつながりを持つに至れば北の守りは万全この上なし。余からも、松姫へ祝儀を与えたい」

家綱がすでに用意していた目録を三方にのせ、小姓がそれを捧げ持って下段の間の正之の前に置く。

「許す、なかをあらためよ」

近ごろとみに落ちつきの出てきた家綱の声にしたがい、正之が一揖《いちゆう》してからその目録をひらくと、墨痕あざやかな一文が目に飛びこんできた。

「一、金子壱万両、これをつかわすものなり」

「こ、これはちと、――」

過分にすぎまする、とつづけようとする正之に、

「いうまいぞ、肥後よ」

家綱は、笑みを浮かべながら機先を制した。

「そちは昨年の大火で城内の蠟蔵《ろうぐら》が焼失した際にも、六万貫以上の蠟を上納いたした。聞けばその代金は、一万三千五百両以上になると申すではないか。すなわち余は、まだそちに三千五百両以上の借りがあるのだからな」

「いえ、それがしは宏大な下屋敷をも拝領つかまつりました」

たとえ正之がそう答えたとしても、家綱がとりあわないのは自明であった。

振袖火事のあと、下屋敷を与えられたのは保科家だけではない。大名と上級旗本にはのきなみ与えられたのであって、これはふたたび同様の災害に襲われたとしても、各家が初めから江戸屋敷の機能を分散しておけば家政の混乱を最小限にふせぎ得る、との観点から推進された政策だった。

正之は家綱になにか見返りをもとめて仕えてきたわけではないが、このあまりの厚意は胸に沁みた。それに、家綱が正之をみずからの考えにしたがわせようとするほど大人になったことが、かれには涙が出そうになるくらい嬉しかった。

(もう将軍輔弼役ということば自体を、お返し申しあげるべき時のようだ)

と思いながら、正之は御用部屋へもどっていった。

すると大廊下右角のお使い番所に控えていた米沢上杉家の使い番が、畳廊下に夏羽織の両手両膝をついて丁重に口をひらいた。

「卒爾《そつじ》ながら申し入れます。尊藩におかせられましてはこのたび姫君さまお輿入れの儀相ととのいましたる由、まことにおめでとうございます。弊藩にては奥方さまもことのほかこれを喜ばれ、一度姫君さまにお目にかかりたいと申しております。この件、御都合のほどをおうかがいできますればまことにありがたく、……」

米沢藩当主上杉播磨守《はりまのかみ》綱勝の正室は、正之の長女媛姫《はるひめ》である。

「おお、お媛がそういってくれたか」

松姫はこれまで会津を出たことはなかったから、正之の四女とはいえ媛姫とは会ったことがない。

その媛姫の心づかいを喜んだ正之は、ちょっと考えてから答えた。

「なにぶん、まだ結納もすんでおらぬので、いまこの場ではいささか日時を決めがたい。おって松の都合を調べてから、こちらから使いを立てましょうほどに、よしなにお伝え下され」

正之や上杉綱勝が徳川家の直臣なのに対し、上杉家の家来は陪臣である。本来なら他家の陪臣は直臣たる身分の者とじかに会話することは許されない。お使い番はこの限りではないにせよ、媛姫からの使者は正之にていねいに応対され、恐縮しきってまた頭を下げた。

保科家と前田家との間で結納が交わされたのは、それから八日後の七月十一日のこと。

その後も松姫は持参すべき嫁入り道具の見立てに多忙をきわめたため、媛姫には婚礼前日の二十五日に新銭座の中屋敷にきてもらうことになった。

むろん正之は、媛姫の産みの親であるおまんの方にもそれと伝えた。

その七月二十五日、芝新銭座の会津藩中屋敷には朝のうちから華やぎがあふれていた。四月末に再建なったばかりのこの屋敷は、焼失した旧邸とおなじく西にむかって幅十間（一八・二メートル）両番所つき、黒瓦白しっくい塗り腰下石垣造りの矢倉門を据えている。

木口がまだ新しいため白く輝いているように見えるこの門の左右の脇柱には、保科家の定紋《じようもん》角九曜《かくくよう》と、

「會」

の一文字とを描いた大提灯《ぢようちん》が架けられ、梁《はり》からは紫地白ぬきにやはり角九曜紋を浮かべた幕が垂らされて表門を美しく飾っていた。

いつも閉ざされているその鉄鋲《びよう》を打った扉は、今日は特別にあけはなたれて門番たちがせわしく出たり入ったりする。背と両袖、胸前に定紋を打った法被《はつぴ》に菖蒲《しようぶ》革の袴をつけたかれらは、竹ぼうきをつかってあたりを掃き清め、ひしゃくから水を打つ作業を丹念にすすめていった。

そして九つ半（午後一時）、黒うるし塗り、裏金の陣笠に夏羽織を着けて騎乗した武士が中間《ちゆうげん》に馬の口をとらせ、愛宕下大名小路の角を折れてこの表門に顔をむけた。かと思うとやはり陣笠姿、徒立《かち》ちの供侍たちが続々とあらわれ、その背後にはきらびやかな色彩がゆらいで夏の日射しを照り返すかに見えた。

背後を両刀の女小姓たちに守られたそれは、全面に梨子地金蒔絵《なしじきんまきえ》をほどこした長棒引

戸の女駕籠であった。その金蒔絵の文様として、
「上杉笹」
として世に知られる笹紋と角九曜紋とが散らされているのは、女駕籠におさまってい
る女性が上杉家、保科家の双方にゆかりのあることを示してあまりある。大名家の子女
は、実家《さと》と輿入れ先との家紋をこのようにあしらって表道具七品をあつらえてから嫁ぐ
のである。
女駕籠に乗っていたのは、むろん媛姫。嫁いで三年目、十八歳になる媛姫は、上杉家
の家中では、
「お徳の方さま」
と呼ばれ、その人柄の良さを奥女中たちから慕われていた。上杉家の者たちが気にし
ているのは、
「そろそろお世つぎを産んでいただきたい」
ということしかない。
しかしこの媛姫一行は、表門をくぐっても門径《もんみち》をまっすぐ本殿の玄関へはむかわなか
った。表長屋に供頭以下の男どもを控えさせると、駕籠の担い手も女小姓たちが交代。
まったく女たちだけとなって、奥殿の内玄関へとまわりこんでいった。
その報は、すでに外桜田門内の上屋敷から本殿へやってきていた正之にもすぐに伝え
られた。
「ただいま上杉家の上屋敷より、お姫《ひい》さまが里帰りあそばされました。すでに奥にお通

りなされまして、奥方さまおよび姫君さま方とともに御前のおわたりをお待ちのよしにございます」

「うむ、そうか」

と中奥小姓にうなずいた正之は、藍染めの涼しげな麻かたびらの膝をまわし、読んでいた書物を右手で押さえながらつけ足した。

「かような場合、女同士のつもる話もあるものだ。余はちと手を離せぬことがあるから半刻（一時間）ほどあとにゆく、と伝えよ」

側室から継室に直ってひさしいおまんの方づきの奥女中たちにとっても中奥と表の男たちにとっても、正之は懸命に勤めているかぎりにおいてはつかえやすいあるじであった。

正之が明日は早く登城したいと思い、宿直《とのい》の者に、

「七つ（午前四時）になったら告げよ」

と命じてから寝所に入ったことがある。

ところが宿直の者は、八つ（午前二時）の鐘を七つと聞き誤って正之を起こしてしまった。正之はすぐに起きて麻裃《あさがみしも》を着け、夜明けを待ったが、いっこうに夜のあける気配がない。

そのころ宿直の者はようやくおのれの錯覚に気づき、顔面蒼白になって正之に詫びを入れた。

「そうか、気にするにはおよばぬ」

正之は、怒る気配もなく答えた。

「誤ったとはいえ、早く誤ったのは遅れるよりもはるかにましだ。今後も、その心で怠りなく勤めよ」

小納戸《こなんど》役とはあるじの側近くにつかえ、髪、月代《さかやき》の手入れから食事、衣装、はきものの世話、馬や鷹の面倒まで見る小姓より格下の近習《きんじゅう》をいう。

その小納戸役が仕立て間違いの小袖をそれと気づかず正之に着せ、江戸城へ送り出してしまったこともあった。その小袖は、両袖の背中側にあるべき定紋《じょうもん》が胸側に打たれてしまっていた。

「おやおや、肥後殿。なんとも珍しい小袖を召しておいでじゃの。お召し替えなされた方がようござるぞ」

いち早くこれに気づき、こう教えてくれたのは大老井伊直孝であった。

初めて紋の位置の狂いを知った正之は、苦笑して応じた。

「これはこれは。拙者は着るものはなんでもかまわぬ質《たち》なれど、御指摘下さりましたからには着更えてまいりましょう」

この出来事を伝えられた上屋敷詰めの者たちは、愕然として小納戸役を一室に押しこめてしまい、正之の下知を待つことにした。このような失策をしでかしてあるじの顔に泥を塗った者は、悪くすれば手討ち、命までは取られずとも召し放ちを宣言されてもやむを得ない。

しかし下城して小納戸役の措置をどうすべきかたずねられた時、正之はさらりといった。

「かの者を押しこめたのはもっともだが、仕立てた者とかの者とが粗忽《そこつ》というのなら、それと気づかずに着用した余も粗忽者だ。今後は念を入れて相勤めよ、と命じて赦免してつかわせ」

正之はこのようにおだやかで鷹揚《おうよう》な気性の持ち主だったから、上杉家に嫁いで三年目に初めて里帰りした媛姫とその生母おまんの方、そしてまだ十一歳の松姫に水入らずの時を充分にすごせるよう気配りしてやったのである。

(おまんとお媛が、大名家に輿入れする心構えをよくお松に教えてくれるだろう)

と考えて。

それにしても指折りかぞえれば、松姫の母おしほの方がわずか二十五歳の若さで鶴ヶ城のうちにはかなくなってしまったのは、家光の死から二カ月後のことだったからもう七年前のことになる。

六歳の時に死別し、いまは自分だけがその面影を知っている信松院《しんしょういん》の名前をもらって松姫と名づけたその子がもう輿入れするのかと思うと、正之はうたた感慨に堪えなかった。

おしほの方はいったん江戸へ出てこの芝新銭座の屋敷に住んだあと、ふたたび会津へ帰って松姫を産んだのである。その慶安元年(一六四八)のころ、正之は以後十年以上にわたって江戸に滞在しつづけることになろうとは夢にも思っていなかった。

だが、現実としてその後はおしほの方と生き別れ同然となってしまったから、記憶の

中でまだ二十代の若さを保っているおしほの方のちょっと涙ぐんでいるような顔だちを思い出すたびに正之は、

（おしほよ、そなたには悪いことをしてしまった）

と呼びかけたい気持に襲われる。

かれはその分だけ松姫には、

（せめて、父親として心づくしの引出物を持たせてやりたい）

と念じ、軸物を一巻と歌切《うたぎれ》を一枚用意していた。

軸物の方には、正之の好きな『伊勢物語』を出典とする和歌二首が表装されていた。

筒井つの井筒にかけしまろがたけ過ぎにけらしな妹《いも》見ざるまに
くらべこし振分髪《ふりわけがみ》も肩すぎぬ君ならずしてたれかあぐべき

松姫と前田綱紀とが、これらの和歌を詠《よ》みあった男女のようにいつまでも仲睦まじくあってほしい。この贈り物には、正之のそのような願いがこめられていた。

歌切とは、古今の名筆で書写された名歌を掛物にできるよう切り取ったもののことをいう。正之が軸物に添えて松姫に与えることにした歌切には、紀貫之《きのつらゆき》の筆でこう書かれていた。

風吹けば沖つ白波たつた山夜半《よわ》にや君がひとりこゆらん

松姫にいつも夫のことを想う妻であってほしいという思いをこめて、正之は家宝にしてきたこの歌切をも持たせることにしたのである。なおこの和歌は、『伊勢物語』に描かれた幼なじみの男女がむすばれたあとの場面にちりばめられた挿入歌にほかならない。

やがてころあいを見て立ちあがった正之は、袴と絽《ろ》の夏羽織を着けてから奥殿にわたっていった。

奥殿の広間の上段の間にはおまんの方が出座して、依然として髪を王朝風の大垂髪《おおすべらかし》にして眉を落とし、額に茫々眉《ぼうぼうまゆ》を描いた大柄な姿を見せていた。白い肌着に細い横筋の下着、裏なしの生絹単衣《すずしひとえ》をかさねてその筋を透かせ、白練り草花文様のうちかけから両肩を脱いで腰巻として着装しているのは、宮中の女たちの好む夏の装いであった。

おまんの方が深々と頭を下げて席をずらしたため、正之はそのかたわらに座って下段の間に控えている媛姫と松姫とをにこやかに見やった。

「やあ、お媛、ひさしいの。達者にしておったか」

「はい、おかげさまにて。お父上さまも」

髪を根結いのおすべらかしにして下に羽二重、上に紺色の越後縮《ちぢみ》を着けて両手をついた媛姫はにこやかに応じ、おとなびた口調でつづけた。

「このたびは加賀前田家との御婚儀相ととのいまして、まことにおめでとうございます」

夏の暑さにもかかわらず、おまんの方と媛姫は手巾も扇もつかわず、汗ひとつかいてはいない。大名家の女たちは、男たちとおなじく夏のさかりにも汗を浮かべてはしたないところを見せないよう、日ごろから水分を控える修錬がゆき届いている。

これに対して、あどけなさの残る松姫に汗をかくなというのはまだちょっと可哀相だった。大きな下げ髪の根に白い水引をかけ、やはり下に羽二重、上に水浅葱《あさぎ》の縮をまとって媛姫と顔をむけあっている松姫は、いよいよ婚礼が明日に迫ったとあって緊張をかくせない様子だった。

「お松、これは余からそなたへの引出物だ」

正之が目で合図を送ると、室外に控えていた女小姓が方八寸の白木の大角《だいかく》を捧げ持って静かに入室した。

正之がその軸物を下段の間の松姫によく見えるようにころがして歌の心を説いてやると、おまんの方も媛姫も静かに耳を傾けた。

まもなく大之助、石姫、新助の三人も父の声に誘われたようにおつきの者たちにつれられてやってきたので、期せずして保科家の親子は一家団欒の時を迎えることになった。媛姫と松姫との末座に居流れた三人の子供たちの背後には、それぞれのおつきの者たちが控えてちらちらと広間の末つ方へ顔をむける。そちらには明日松姫が前田家へ持参する衣装や道具類がところせましとならべられているため、女たちにはそれが気になってならないらしかった。

それと気づいた正之は、軸物を巻き取っておだやかにいった。

「そういえば、余はまだお松の道具類をゆっくりと見る暇もなかった。みなで、お道具拝見とまいろうか」

正之がすすんでゆくと、奥女中たちもにわかに華やいだ表情をみせてぞろぞろとこれにしたがう。

下段の間の壁際に立てまわされたいくつもの衣桁《いこう》には、式服でもある白無垢羽二重のほか、豪奢な小袖やうちかけがずらりと掛けられ、その一角をあでやかな色彩で埋めつくしていた。

紅に金糸銀糸で百花絵図を浮かびあがらせた振袖、四季の花図や波頭に華紋、あるいは染めわけ松に藤京友禅などの小袖や黒留袖、色留袖、宝づくし文様のうちかけ、白麻地秋草風景文様の振袖のかたびら、……。

そのほか一生かかっても使いきれないほどの反物や諸道具をおさめた朱塗り、ないし黒うるし塗りの長持や両掛けには、保科家家紋角九曜と前田家家紋剣梅《けんばい》輪の内とがかならずどこかに描かれていた。長柄《ながえ》、薙刀《なぎなた》、女駕籠、挟箱《はさみばこ》、お茶弁当、煙草盆、薬用茶碗の表道具七品もこれに準じ、これらのまわりには諸大名家からの祝いの品、松姫から新郎とその家来衆へのみやげの品々がならべられていて足の踏み場もない。

「うむ、充分にととのったようだの」

席にもどった正之は、やはり松姫とそろって座についた媛姫にたずねた。

「ところでお媛、やがて夕餉《ゆうげ》の時刻だが、そなたはいかがいたす」

「はい、あの、お父上は」

おっとりとした顔をゆらして問い返した媛姫に、自分は明日の打ち合わせをしなければならないから中奥へ帰って食事をする、と正之は答えた。

そして、つけくわえた。

「もしさほど忙しくないのなら、お松と夕餉をともにしていったらどうだ」

「それでは、そうさせていただきましょうかしら」

「はい、どうか」

松姫ももっと一緒にいてほしい風情だったので、話は決まった。

明日の婚礼にあわせて会津からは、城代家老北原光次、二番家老の田中三郎兵衛も出府してきていた。

正之より二歳年下の三郎兵衛も、もう四十六歳。唇を引きむすぶと鼻梁の両脇に深い縦じわが刻まれるのは昔からだが、年とともに濃く長くなった眉がピンとはねて堂々たる貫禄になっている。

正之が長らく国許をあけているからといって、藩政にゆるみがあってはならない。そう思いつめて懸命に勤めている三郎兵衛は、起床前か就寝後、あるいは食事中に来客があっても決して待たせずに応対することで知られていた。

客の用件が訴え事であるならば、たちどころに判断を下してまず誤ったことがない。その判断のすみやかなることは、

「水の流るるが如し」

といわれて諸藩の注目を浴び、すでに世を去った土井利勝に至ってはこう評していた。

「近ごろ、天下には三人の名家老がおる。尾張の成瀬隼人《はやと》、紀伊の安藤帯刀《たてわき》、そして会津の田中三郎兵衛。なかでも三郎兵衛は、もっとも優なるものであろう」

正之は北原光次には輿わたし役を、三郎兵衛には婚礼全体の差配役を命じていた。かれは中奥で食事をおえたあと本殿に出むき、ふたりと最後の確認をおこなった。

（おや）

と正之が思ったのは、その打ち合わせもおわったあと中奥小姓がやってきて、媛姫の異変を伝えたことだった。

「媛姫さまには夕餉のあとにわかに腹痛をもよおされまして、いまなお奥殿の一室に休んでおられます。お医師中村芳庵《ほうあん》さまのお診立てによれば、虫気《むしけ》かも知れぬとのこと。おからだを動かさぬ方がよろしいとのことなれば、奥方さまには一晩泊まってゆくようにと仰せ出されてござります」

「ほう、よもや食あたりではあるまいの」

「はい、お膳をともになされました松姫さまはおすこやかにましませば、御懸念にはおよびますまいと芳庵さまも仰せのよしにござります」

本郷にある加賀前田家上屋敷で前田綱紀と松姫との婚礼がおこなわれるのは、あくる二十六日の暮れ六つ（午後六時）からのことと予定されていた。

それでも明け六つ（午前六時）に起きた正之は、ころあいを見て奥へ人をやり、媛姫の具合をたずねさせた。すると、媛姫は頓服《とんぷく》を飲んで一晩ぐっすりと眠ったためかなり良くなった、夕方までには平常に復するものと思われる、と報告がきたから、正之は安堵して前田家へゆく用意にとりかかった。

それが驚天動地の事態の第一歩となろうとは、まだ正之には思いも寄らないことであった。


無事に松姫の婚礼がおわったあと、正之は北原光次と田中三郎兵衛をしたがえて外桜田門内の上屋敷の方へ帰宅した。

社倉制度は円滑に運営されているのか。孝子の表彰に手ぬかりはないか。藩政について文書だけではなく口頭で確認し、念を押しておきたいことは山ほどある。

ふたりを慰労しながらも国許の様子をつぶさに聞いてから、正之はようやく寝所に入った。

ところが二十七日の夜明け前に新銭座から駆けこんできた使者は、あり得べからざることを報じた。

「ご、御注進申しあげます。媛姫さまにおかせられましては薬石効なく、なおも中屋敷のうちに病臥なされてお苦しみでござります」

「なんだと、お媛は昨日帰邸いたしたのではなかったのか」

愕然として夜着のまま応対した正之に、白鉢巻白だすきの使者は懸命に伝えた。

「昨日は御家中のみなさまが本郷におもむかれることになっておりましたため、お徳の方さまは慶事に水を差すまいとして快方にむかっているやにおっしゃっていたようでござります。とはいえ実のところ差しこみは激しくなる一方だった御様子にて、昨晩は一睡もできずにお苦しみであられたとうかがいました」

「中村芳庵はついているのか」

「はい、昨日からは米沢藩のお医師も詰めておいででござりますが、どうにも手の打ちようのない御容態らしく」

「わかった、すぐにゆく」

麻かたびらと馬乗り袴に着更えて馬にまたがった正之が、上屋敷表門を走り出たのはそれからわずか四半刻（三〇分）後のことであった。

中屋敷奥殿へ急いだ正之が、その一室に見出したのはあまりに変わりはてた媛姫の姿だった。

「それでは、そうさせていただきましょうかしら」

にこやかに松姫と夕餉をともにするといった時のたおやかな面影は、二日の間にことごとく失われていた。

顔からは血の気がうせて頰もげっそりとこけ、唇はすでに紫色に変わっていた。腹痛が堪えがたいのか夏掛けの薄物の下でからだを海老のように曲げ、胸のあたりをかきむしるばかりで、断末魔の苦しみとはこのことか、という気さえする。

「薬はなにを服用させた」

枕もとに座った正之がたずねると、脈を取っていた中村芳庵が困惑の表情で答えた。

「二日前の夕刻に初めて拝診いたしました時は、お虫気かと見て虫下しを差しあげました。さりながら昨日御容態があらたまりましてからは、毒消しを御服用いただいております」

芳庵同様、髷を儒者頭《じゆしやがしら》に結っている米沢藩医が黙ってうなずいたのは、診立てに異論がないことを示していた。

毒消しを飲ませたとは媛姫のからだに毒が入ったことを意味し、それはだれか毒を盛った者がいたことを示してあまりある。

おなじ室内に媛姫づきの侍女たちもいるためことばをつつしまねばならなかったが、まったく予想外の事態に正之は暗澹《あんたん》とした。松姫の輿入れという吉礼と並行して、かくも予想だにできない凶事が進行していようとは、――。

しかしいまや、なにゆえ媛姫がこのような災厄に襲われたのかを糾明している暇はなかった。あきらかにお徳の方は、生死の境をさ迷いはじめている。

「ともかく、あらゆる手立てをつくしてくれ」

正之の意を体し、医師ふたりはさらに強力な毒消しを調合して媛姫にふくませようとした。だが胃液とともに吐いてしまうため、手のほどこしようがない。

外桜田お堀通りの米沢藩上屋敷からは、その夫上杉綱勝も馬で駆けつけてきた。どうしたわけか自室に引きこもっていたおまんの方も、媛姫いよいよ危篤と伝えられて大柄なからだを運んできた。

まもなく、無情にも臨終の時がきた。二日前、松姫と楽しそうに語らっていたその口もとを歪め、無残に泡を吹き出した媛姫は四肢を痙攣《けいれん》させて昏睡状態に陥り、色白の顔だちを紫色に染めて息絶えてしまった。

「お媛、しっかりしいや！」

と叫んだおまんの方は、つぎの瞬間、

「三好、三好はおらぬか」

と自分づきの老女の名を呼びながら小走りに退出してゆく。

「奥に、取り乱してはならぬと伝えよ」

奥女中に命じた正之は、顔を白布でおおわれた妻の姿を凝然と見つめている上杉綱勝にむかって深々と頭を垂れた。

「播磨殿。このたびは奥方さまお里帰り中によもやの事態と相なり、まことに合わせる顔もござりませぬ」

しかしまだ二十一歳と年若い綱勝は、気弱げな顔だちを蒼ざめさせて茫然自失してしまっていて、なにも答えられなくなっている。

「この屋敷にて奥方さまの御身《おんみ》になにが起こったのかは、それがしが天地神明に誓って糾明して御覧にいれる」

昨年、次男正頼を失ったのにつづいて長女の死に立ち会うことになった正之は、こみあげてくる思いを押さえながらかろうじていった。

やがて上杉家からあらたな使者がきて、長持に納めた媛姫の遺体と乗る人のいなくなった女駕籠とを運んでいった。

（これは、悪夢を見ているのではないか）

と、正之は思った。

その夜のうちに、正之は中奥小姓を介して老女三好に申し入れた。

「二十五日以降、奥殿に一度でも出入りした者たちの姓名をことごとく書き出せ」

三好とはおまんの方を側室とした寛永十六年（一六三九）以来、保科家奥むきを取りしきっている最古参の老女である。

つづけて正之は中村芳庵を中奥の御座所へ呼び、人ばらいをしてから単刀直入にたずねた。

「お松とともに前田家へゆくべきその方を、かようなことで引き留めることになるとはの。それにしてもその方、お媛には毒消しを投与したと申したが、なんの毒に中《あた》ったと診立てたのだ」

「ありていに申しあげまする」

ふた晩ほとんど寝ていない芳庵は、赤い目をしばたたきながらも淀みなく答えた。

「あのお苦しみよう、お顔の色の変じ方と間断なく吐瀉のつづきましたることとにかんがみますれば、石見銀山《いわみぎんざん》以外には考えられませぬところかと」

「なに、あの鼠取りか。するとその毒は、やはり口から入ったのだな」

「御意《ぎょい》にござります」

芳庵は、答えにくそうに面《おもて》を伏せた。毒が口から入ったのなら、だれかが媛姫を毒殺したということになる。

石見銀山とは、のちに「猫いらず」とも呼ばれるようになる猛毒中の猛毒のこと。天領の石見銀山から出る砒石《ひせき》を原料とするため、この名があった。

薬学にいう砒素のことで、砒素は無味無臭のうえ湯によく溶ける性質があることから、単に鼠その他の害獣を駆除する場合のみならず、人を毒殺する時にもしばしば用いられてきた歴史がある。

この物語の流れにしたがっていうならば、まだ正之を産むことなく江戸城大奥にいた時代のお静の方に、お江与《えよ》の方が餡入りの重箱に仕込んで送りつけた薬包の中身が砒素であった。その飼猫ミイも砒素を口に押しこまれて薬殺され、お静の世話親中野の方の局《つぼね》に投げこまれたのだった。

誕生以前のこととてこれらのことまで正之には知るよしもなかったが、奇しくもかれは母お静と二代にわたり、猛毒をあやつる者の近くに身を置くかたちになっていたのである。

大名家の正室の死は、すみやかに幕府へ届け出なければならない。上杉家がこの定《じょう》法《ほう》を守ったためお徳の方のことは家綱の知るところとなり、家綱は正之のもとへも弔問使を派遣してきた。

その間にも保科家奥殿の怪事件は、怪談の一種として口さがない者たちの絶好の噂の種となりつつある。

(早く真相を糾明しないと、徳川家の藩屛《はんぺい》として申し訳が立たぬ)

さすがの正之も、焦りをおぼえた。

こういう時、大名家の奥むきほど厄介なしろものはなかった。江戸城の大奥とおなじく、奥殿に入れる男子は十歳以下の児小姓、あるじと奥殿で育てられている若君のみ。奥女中たちの飼う座敷犬や猫さえ牝しか許されないしきたりだから、藩の目付や横目を奥に入れて女たちから口供《こうきょう》（供述）を取ることもできない。

それでも正之は、老女三好の報告から二十五日以降とりたてて変わった者は奥殿に出入りしなかったことを確認。奥女中たち各人の身上書を出させ、氏素姓を調べなおしていった。奥女中の採用は老女に一任されているため、あるじにはなぜ採用されたのかよくわからない女たちも少なくはない。

さらに正之は恥を忍び、上杉家と前田家の双方にもおなじ調査を依頼していた。上杉家には、お徳の方の供として保科家中屋敷をおとずれた者たちのその後の動向について。前田家には、松姫づきとしてその奥殿に身をうつした者たちについて。

しかし両家からの答えは、挙動不審の者はまったくいない、という当然のものでしかなかった。

媛姫は上杉家奥むきの者たちから慕われていたし、綱勝は側室を持たなかったから、媛姫を敵視する者がいるとは考えにくかった。松姫づきの老女野村おきさと二十五人の侍女たちも、二十五日に初めて媛姫に挨拶したのだから宿怨の発しようがない。

だが明暦から万治と改元されてから九日目の八月十九日、正之は意外な者の口から真相を明かされることになった。

この日、正之は加賀前田家の老公中納言利常とその孫綱紀とを中屋敷へまねき、婚礼が無事におわったことを寿《ことほ》ぐ祝宴を張る予定になっていた。利常はすでに六十六歳となって小松城に隠退しているが、若い綱紀の後見役としてなおも重きをなしている。

夕風の吹くころふたりを乗せた乗物がやってくると、その背後には松姫からの使者野村おききさも女駕籠に乗ってつづいていた。

まだ江戸に滞在している北原光次、田中三郎兵衛らが利常と綱紀とを本殿の広間で懸命に接待する間、野村は奥殿におまんの方をたずねて松姫の近況を報じた。それがおわると入れ違いに利常と綱紀とが奥殿におもむき、野村は本殿にわたって正之に挨拶することになる。

「お姫《ひい》さまには少しずつ前田家の家風になじみつつあるようでございますので、どうか御懸念なきように」

染め紋付の上に老女の特権である白地半模様のかいどりを羽織っている野村は、ややしわんだ顔を伏せ、下げ髪をゆらして口上を述べた。

正之は、小姓たちを退出させてからただした。

「お松には、そちがついていてくれるから案じてはおらぬ。それにしても、お媄の身にその後なにが起こったかはそちたちも聞いておろう。率直に相たずねる。お松とそちたちがこの屋敷の奥殿におった間、なにか面妖に感じたことはなかったか。あったなら、ありていに申せ」

「はい、媄姫さまが松姫さまお輿入れの翌日ににわかにはかなくなられたと聞きまして、わらわも胆をつぶしておりました。遅ればせながら、お悔やみ申しあげまする」

ふたたび上体を折ってから面をあげた野村は、年輪を刻んだ顔にあきらかにためらいの色をにじませていた。

このような場合、正之は決して先を急がない。藩や家綱政権をゆるゆると育ててきたのとおなじように、さりげなく水をむけてやりさえすれば、なにか裏を知っている相手ならかならずその話にゆきつくはずだ、とかれは信じていた。

「それにしても、おきさよ。そちが当家にまいってより、いったいもう何年になるのか。おしほにつかえて以来なれば、……」

正之が話題を転じると、野村はつつましく答えた。

「はい、正保元年（一六四四）以来でございますから、かれこれ足掛け十五年つとめさせていただいたことに相なります」

「ああ、もうそんなになるか。その間に、何度鶴ヶ城が雪化粧いたしたかと考えると気が遠くなるようなな。余が帰国いたす暇とてないと申すに、おしほとお松の二代にわたってつかえてくれるのはそちだけだ。それにしても、おしほに代わってよくぞお松を育ててあげてくれた。あらためて礼をいう」

「もったいのうございます」

もう一度下げ髪をゆらした野村は、晩年多病となったおしほの方につかえた苦労をいたわられたと思ったのだろう、にわかに袖口を目頭に当てる。そして一瞬遠くを眺めるようなまなざしになり、静かにつづけた。

「おしほの方さまは短い御生涯であられましたが、鶴ヶ城のうちにてだれにとやかくいわれることなく松姫さまとすごせましただけ、お幸せだったのではないかとわらわは存じております」

「ほう」

「と申しますのも、松姫さま御出産以前に一時こちらの奥殿におりましたころには、御前にはまことに申しあげにくいことながら、なにやかやとござりまして憂き目を見ることも再三ではなかったからでござります」

「その、なにやかやとはどういうことだ」

「はあ、――」

野村は、目尻に鳥の足跡のある細い目をまたたかせて言い淀んだ。

それを見て、正之はさらに一歩踏みこむことにした。

「いいにくければ、余からいおう。そのころ奥（おまんの方）や奥づきの者たちが、おしほやそちたちになにかとつらく当たった、ということではないのか」

正保二年（一六四五）、おしほの方がこの中屋敷で産んだ最初の子菊姫は、ちゃんと育つかどうか危ぶまれ、はたして早世の運命をたどった。対しておまんの方は正室でもあり、すでに二男二女を産んで多くの侍女たちにかしずかれていたから、おしほの方とはおのずから権勢に大差があった。

正之がおしほの方を鶴ヶ城へうつし、お国御前とすることにしたのも、そのような奥殿の事情を察したためであった。だが、おまんの方ないしその侍女たちからおしほ側へ厭がらせがあったとは、いま野村が匂わせるまで考えたこともなかった。

とはいえ正之は、まだ前髪立てのころ高遠から江戸へ見性院を見舞にゆき、その口から大奥づとめしていた当時の母お静がいかに苦労したかをつぶさに聞いたことがある。それを思い出した瞬間、秀忠の正室お江与の方が懐妊したお静を憎むあまり、その里帰り先へ刺客《せっかく》を放ったこともある、と聞いた時の衝撃が甦ってくるのを正之は感じた。かれはお江与の方と母との相克に似たものが、おまんの方とおしほの方との間にも存在したことに初めて思い至ったのである。

しかし、たれか知ろう老女野村は、おしほの方は鶴ヶ城で松姫を育てられて幸せだったと口にした時から、知り得たところのすべてを正之に告げる覚悟でいたのだった。

野村は正之の問いを受け、きっぱりと答えた。

「いえ、奥方さまづきの方々がわらわどもにつらく当たりましたのは、亡きおしほの方さまがこちらにお住まいだったころだけのことではございません。どうか、口さがない女の世迷言《よまいごと》と思し召さずにお聞き下さりませ。先月二日に松姫さまがこちらにお入りあそばしましてからも、かつてと同じ冷い目つきがお姫さまやわらわどもの上には注がれつづけておりました。申すもはばかりあることながら、御前がお姫さまに歌切その他大切なお品を御祝儀として下さいましたにもかかわりませず、奥方さまないしそのおつきの方々からはなんの引出物もなかった、と申せば少しは御納得いただけましょうか」

「なんだと、さような無礼があったのか」

思わず気色ばんだ正之に、野村はさらに決定的なことを伝えた。

「はい、かような前段がござりまして、ついに媛姫さまの御身にあってはならぬ災厄が降りかかることに相なったのだ、とわらわは信じておりまする」

つづけて野村の語ったところは、正之には想像もつかないことどもであった。ひとことでいうならば、それは女だけの世界の陰湿きわまりない妬《ねた》み、嫉《そね》みから生じた事件にほかならなかった。

松姫と野村以下の者たちを迎えた中屋敷奥殿住まいの女たちからは、特にふたつのことがらに対して当てこすりをいう者が後を絶たなかったという。

その第一は、将軍家綱が松姫の出府に先立ち、金一万両もの破格の祝儀を下賜したことをめぐって。

「そんなにたんと拝領したのなら、これまでなにかとお世話になってきたおん礼として、御前さまにせめて半額の五千両なりとも差しあげるべきではないのかえ」

おまんの方づきの老女三好は、野村にむかってじかにそんな言い方をした。

第二は、この結婚はもともと松姫には分不相応なものなのだから辞退するのが筋だった、というりくつであった。

「正室たる御前さまの御長女お媛さまの輿入れ先が米沢三十万石と申すに、早死にした側女《そばめ》の娘が加賀百万石に嫁ぐとは片腹痛うてならぬわえ。ものには長幼の序があることさえ知らぬ、無学な者がどこぞにいるような」

やはりおまんの方づきの中年寄桜井に一室へ呼びこまれて散々にいわれ、口惜しさに唇をわななかせながら野村に泣きついた松姫づきの侍女もいたという。

「さように下種《げす》ばった言辞を弄する者どもが、奥におるというのか。当家は二十三万石格なれば、三十万石の米沢上杉家を言い腐すことなど聞き捨てならぬ」

眉を寄せた正之に、野村は押さえた声でいった。

「さればこそ松姫さまは、お命までねらわれたのでござります」

「待て、毒を盛られたのはお媛であろうが」

「いえ、初めは松姫さまがねらわれていたのでございますが、途中でお膳が入れかわりましたために媛姫さまが落命あそばされることに相なってしまったのでござります」

野村の話の運び方は、あまりに性急にすぎた。そのため正之には、いまひとつ理解しにくいところがのこった。

「近う寄れ、もう少し順序だてて申せ」

この者は、裏の事情をすべて知っている。正之が直感的に判断して命じると、これは失礼いたしました、と答えた野村は膝行《しっこう》して最初から話しはじめた。

……さる七月二十五日、正之が松姫に軸物と歌切とを贈って本殿中奥に去り、媛姫と松姫とが姉妹そろって夕餉の膳にむかうことになった時である。御前さまは、とたずねられたおまんの方は、まだ食べとうないと答えて自室へ去っていった。

その姿を見送ってから配膳を急がせるべく長い廊下を台所へむかった野村は、途中かたわらの一室から襖越しに叱り声が洩れてくるのに気づき、はっとして足を止めた。

その声は、高飛車に命じていた。

「そうかえ。いうことを聞かぬのならそなたをこの場で召し放ち、他家にはこの者は不義者なりと廻状をまわして、吉原あたりの苦界《くがい》に身を沈めるしかないようにしむけることもできる、ということをお忘れでないよ。よく考えて返事をおし。お膳にこれをふりかけるだけでいい、といっているのがまだわからないのかえ」

相手が困りきって泣きべそをかいている気配だったので、野村はその者が跳び出してきて鉢合わせしてはいけない、と考えてその場を離れた。この時まだ野村は、

（お膳にこれをふりかける、とはなんのことかしら）

と思っただけで、さほど深くは考えなかった。

だが野村は、まもなく愕然とすることになった。広間にもどって配膳係の奥女中たちがつぎつぎにあらわれるのを末座から見つめるうち、二番目に入室した若い奥女中の目のふちと小鼻がいま泣きやんだところのように赤らんでいるのに気づいたのである。

膳部は本膳、二の膳、膳外の小鉢と引き物の鯛の塩焼からなっていた。やの字結びの帯を締めた計六人の女たちが一列となって運んできたこれらは、まず松姫に配膳されようとした。ふたり目の奥女中の捧げ持つ二の膳も、松姫の前に据えられた。

「待ちやれ」

いうより早く立ちあがった野村は、染め紋付の裾も乱さんばかりの勢いですすみながら女たちをきつくたしなめた。

「姉君さまがお祝いのためわざわざお運び下さいましたのに、妹君から配膳する法などありますか。さ、ここはわらわに」

そして野村は本膳を持ち、対面する位置に座っている媛姫の前へ配膳しなおした。そ

の勢いに押されるように二の膳、膳外の品、引き物も媛姫の前へ運ばれ、一歩遅れて媛姫の前へすすむところだった女たちは松姫の前にやってきた。

その結果、当初予定されていた媛姫の膳部と松姫のそれとはすっかり入れかわったのだ、と説明して野村はさすがに声を震わせた。

「以上のような次第でございます。実は媛姫さまは松姫さまの身代わりとなってお果てなされたのでござります。まことに弁解じみた申しようながら、お膳になにかをふりかけるというのが、よもや毒を置くことを意味するとは思いも寄らぬことでした。奥殿のいつもの空気から、なにやら松姫さまに厭がらせしようとしているのかと思案して咄《とっ》嗟《さ》にいたしたことが、かような結果になりましょうとは」

次第に野村は、鼻をつまらせながらも声を励ました。

「さりながら、わらわがこのふるまいによって松姫さまをお助けまいらせましたものの、媛姫さまを死に至らしめましたのはたしかなことでござります。前田家に身をうつしましてからもそれが頭から離れずにおりましたが、御下問を機《しお》にわらわの知るいっさいのことを申しあげさせていただきました」

そこで頭をもたげた野村おきさは、頬に光る筋を伝わらせながら気丈につづけた。

「不行届者よと死をお命じ下さいましょうと、決してお恨みはいたしませぬ。ではござりますが、おそれながら御前のお力にて置毒《ちどく》の企みをなしたる者がたれであったか御糾明いただけますなら松姫さまの今後のおためになろうかと存じますので、あえてこの段願いあげたてまつりまする」

「そちが、そこまでおのれを責めるにはおよばぬ」

いたわりのことばを返しながらも、正之は深刻きわまる衝撃に打ちのめされていた。

あれは昨年一月十九日のことであった。正之は江戸城本丸の台所前櫓に昇って振袖火事の猛火が迫るのを食い入るように見つめるうち、

（権現さまがおひらきになり、大猷院《たいゆういん》さまが天下普請の総仕上げをなされたこの大江戸が、おれの目の下で焼きつくされてゆく）

と思うとからだが震え出すのを禁じ得なかった。

しかしいま、正之は身震いするというより背筋が凍りついたような感覚に襲われていた。

大火という災厄は、いかに古今未曾有の規模とはいえ、いってみれば「外」に発した事件であった。対して野村のいうところが真実ならば、媛姫急死事件はすなわち保科家奥むきの者たちによる毒殺事件——正之にとっては「外」ではなく「内」に属する女たちが、無分別にひきおこした主家への裏切り行為ということになる。

（わが保科家の奥殿は、いつか魑魅魍魎《ちみもうりょう》のすみかも同然になっていたというのか。それに気づきもしなかったこのおれは、いったいなんだったのだ）

と考えると、正之は自分が信じ、こよなく大切にしてきたものが、岩に投じられたギヤマンの器のように粉々に砕け散る感覚に捉われて暗澹《あんたん》とした。

とはいえ、もはやただ凝然としていることは許されなかった。将軍輔弼役として老中たちからも一種超然たる存在とみなされている正之が、自家の奥むきもたばねられなか

ったということになれば、鼎《かなえ》の軽重を問われてもやむを得ない。

「ところで、野村よ」

正之は、ただちに真相糾明にとりかかることにした。

この時正之の放った最初の問いは、配膳の手順を再確認するためのものであった。

野村は答えた。

お料理は仲居が作り、台所奉行に味見してもらう。これでよしとなれば、お末頭《すえがしら》が膳に蠅帳をつけてお次の者にわたし、お次は中年寄桜井に毒見を求める。毒見をおえた桜井は、あらためて配膳係の奥女中たちに膳をわたす、……。

「と申すと、奥女中のひとりを一室に呼んでなにかを膳にふりかけるよう命じおったのは、桜井か。お末頭がお次に命じては、桜井が無事ですむわけもない」

正之が念を押すと、姿は見ていないが声は桜井に似ていたように思う、と野村はいった。

「で、その命令に抗《あらが》いきれずにべそをかいていたのが、目と鼻を赤くしてお松に二の膳を運んできた者と思われる、ということだな。その者の名前は」

野村の答えを聞きながら、正之は別のことを考えていた。

(中年寄の桜井といえば、老女三好の下役だ。この企みは、三好の指図したことかも知れぬ。と、なると、――)

かれがそこではたと思考を停止したのは、最古参の三好こそおまんの方の腹心だ、とあらためて思い直したためであった。三好が松姫毒殺に動いたのであれば、さらに背後で三好を指嗾《しそう》したのはおまんの方だった可能性が出てくる。

だがおまんの方とは、寛永十六年（一六三九）以来もう二十年間もつれそい、早世した子もふくめれば男四人、女五人を生《な》した仲である。正之は、そんな正室を怪しいとは思いたくもなかった。まして松姫にしたがって保科家を去った野村に、置毒を下知したのは奥だと思うか、とたずねることなどはとてもできない。

さすがの正之も、いつしか話の継ぎ穂を見失って絶句してしまっていた。

その間に前田利常と綱紀とが奥殿からもどってくる気配が伝わり、野村との会見はこれで打ち切らざるを得なくなった。

その夜、中奥の寝所にひとり身を横たえてからも、正之はまんじりともできなかった。

正之は四十八歳になったこの年まで、孟子のとなえた性善説を信じ、それゆえにこそ仁政と徳治による王道政治を会津の藩政と幕政との双方になんとか結実させたい、とひたむきに念じて生きてきた。その正之にとり、自分の正室を娘殺しの黒幕と疑うことほどおぞましい行為が世の中にあろうとは思われない。

しかし、陰におまんの方がいたと仮定しさえすれば、この事件が理詰めに説明できることもまた事実であった。

野村のいうところがすべて真実としての話ではあるが、将軍家綱から松姫に一万両の御下賜金があったことに老女三好が目くじらを立て、野村に厭がらせをしたというのは、三好一存のふるまいというよりおまんの方がそれ以前から三好に不服を洩らしていたため、と考えた方がわかりやすい。

正室の長女媛姫の嫁ぎ先が三十万石の上杉家なのに、側室腹の松姫が加賀百万石に輿入れするとはなにごとか、というりくつにしてもそうだった。これも中年寄桜井の考えというより、おまんの方の嫉妬を代弁したせりふと見た方が理に適う。

そこまで考えた時に正之が思い出したのは、もう十四年も前の正保元年（一六四四）初めてこの中屋敷に入ったおしほの方に、おまんの方が懐妊中であることを理由になかなか会おうとしなかった事実だった。

側室として正室に初めて挨拶するため衣装にまで気を配り、つつましく対面所に控えていたおしほの方のうちかけ姿を、いまも正之は忘れてはいない。初見参できないと知った時、おしほの方はいつも涙ぐんでいるように見える目をしばたたきながら、なにか物問いたげに正之を見つめたものであった。

それらのことを考えあわせれば、

（おまんは、もうあの時からおしほを敵視していたのか。それがお松憎しの念に凝り固まって、思慮浅くも愚かしいことを仕出かしたのかも知れぬ）

と推測したくなるのはどうしようもない。

疑心暗鬼を生じて眠れぬまま暗い天井を見あげた正之は、自分が深い竪穴の底に落ちて道を見失いかけているように感じて口惜しくなった。

（まだやり残していることが少なくないというのに、こんなことに振りまわされていてはお上に申し訳が立たぬ）

と呻くうち、次第に結論は一点にしぼられてきた。

（夜が明けたらまっすぐおまんを訪ね、相対《あいたい》で問いただしさえすればこんな厭な気分を曳きずらずにすむのだ）

こう決断したことが、正之をさらに深い失意の淵へ誘《いざな》う結果となった。

「折り入って、話がある」

翌朝一番におまんの方の居間へおもむいた正之は、侍女たちを遠ざけてから単刀直入に切り出した。

中年寄桜井が、先月二十五日の夕餉前に侍女のひとりを一室に呼び、松姫の膳に毒を盛るよう命じるのを立ち聞きした者がある。桜井と三好とがそれ以前から松姫づきの者たちにつらく当たっていたのは、おまんの意を体してのこととしか考えられない、……。

正之が愕然としたのは、おまんの方があまりに思いがけない反応を示したためであった。

この朝のおまんの方はおしろいを耳の裏から喉、胸もとにまでたんと塗り、裏なしの生絹をまとってうちかけを腰巻として着装、額にはいつもどおり茫々眉を描いて正之を出迎えた。鼻が大きく目と爪紅を差した唇は小さくてやや釣合が悪いのは昔からだが、すでに三十九歳となったため、下まぶたや喉もとの肌のゆるみは覆いようもない。

そのおまんの方は、正之が切り出したことがらを初めこそぶ厚い化粧に表情を隠して他人事《ひとごと》のように聞いていた。その唇がわななきはじめたのは、正之が媛姫臨終の際のおまんの言動の奇怪さを問いつめた時であった。

「そなた、お媛が息絶えようとしていると申すに、実の娘のからだに取りすがろうともいたさず、『三好はおらぬか』と叫びながら廊下へ駆け出していったであろう。あれなどは、実の子を失いつつある産みの親のふるまいとはとても思えぬ。非常の際というのに、なにゆえ三好に会わねばならんのだ。どこに手違いがあったか、聞きただしておかねばならぬと考えたのか。返答次第によっては三好と桜井を責め問いにかける覚悟ゆえ、きりきりと申しのべよ」

するとおまんの方は、もはや逃れ切れぬと思ったのだろう。不貞腐れたように、ゆらりと首を振って蓮っ葉にいった。

「だって悔しいではござりませんか、お媛のかたづいた先が三十万石と申しますのに、卑しい側女の娘が加賀百万石に嫁ぐなど、あってよいこととは思われませぬ」

このことばが、すべてを物語っていた。やはり松姫を亡き者にすべく画策した張本人は、おまんの方だったのだ。

「浅ましいことを申すな」

思わずその場に立ちあがった正之は、おまんの方を激しく叱りつけた。

「米沢藩とて、わが会津二十三万石にくらべればよほどの大藩。しかもその方とて、初めは側室だったことを忘れたとはいわせぬぞ」

温厚な正之が顔面に朱を注いで目をくわっと見ひらき、いまにも脇差を引きぬかんばかりにして人を怒鳴りつけたのは生まれて初めてのことであった。

かれは仁王立ちとなっておまんの方を見据えながらも、深い絶望感に捉われるのをどうしようもなかった。「だって悔しい」、「三十万石と百万石」、「卑しい側女の娘」、……。

おまんのことばはあまりに品下り、安手の発想でしかないうえに、実の娘を誤殺してしまった後悔のひとかけらもない。

(ああ、おれはこんな女を顔だちも心もお雛さまのようだったお菊の後添えに迎え、二十年もの歳月をすごしてしまったのか)

正之は人生を台なしにされてしまったように感じ、その場に立ちすくんでいた。

道は一筋

芝新銭座《しんせんざ》の会津保科家中屋敷において、媛姫《はるひめ》毒殺にかかわった者たちが一斉に斬に処されたのは、まだ八月中のことであった。

老女三好を筆頭に、中年寄桜井、石見銀山《いわみぎんざん》を買いに走った者、毒見後の膳にこれをふりかけた者、人倫に悖《もと》るふるまいがおこなわれようとしていたのに、ついぞこれを止めようとしなかった者、……。

本来ならば媛姫殺しの張本人おまんの方も、斬首されてふしぎではなかった。加藤明成家の会津騒動といい、これといい、家中の者に主家に対する逆心があきらかになった場合には、藩主は幕法に照らすことなくこれを処断してかまわない。

しかしこの日すでに、おまんの方は中屋敷のうちにはいなかった。

正之の問いに対しておまんの方が愚かしくも浅ましい答え方をした時、正之は断固として宣言していた。

「主家に仇《あだ》した者どもは、ことごとく取り調べて厳罰に処する。その方にも死を命じたいところなれど、四男五女を産んだ身なれば命だけは助けてつかわす。ただしこれより先、余の正室などとは夢思わぬことだ」

これは事実上、離別の宣告であった。おまんの方はその後ただちに大崎の別邸に護送され、かつての駿河大納言徳川忠長のように幽閉されることになったのである。

それにしても、

「第二の会津騒動」

と呼ばれてもやむを得ないこの保科家奥むきの事件が、正之の心身に与えた傷には測り知れないものがあった。

かつて正之が心を痛めるあまり、生きる気力を失いかけたことは一度だけある。

寛永十二年（一六三五）九月、母お静こと浄光院が逝去。同十四年五月に正室お菊の方が病死したかと思えば、その翌年六月には長男幸松《こうまつ》もわずか五歳で早世と身内の者の死が相ついだ二十代後半のことで、同十五年六月に発生した白岩農民一揆の首謀者を一網打尽にしたことへの無理解な批判の声が、さらに正之を傷つけたのだった。

だが、その時といまとではあまりに事情を異にしていた。

正之はかならずしも祝福されることなくこの世に生まれ、肉親の情薄く育たざるを得ない宿命の子であった。だからこそ母と妻、そして長男に相ついで先立たれたことがかれを孤独の淵に突き落とし、一時は大名としてのあり方にすら迷いを生じさせたのである。

対して四十八歳となって白髪もふえ、視力にも衰えを感じてからまきこまれたこの事件といえば、その後迎えた妻に裏切られ、血をわけた長女――さもなければ四女――を殺されたのだから、正之が人生をぶちこわされたと呻きたくなるのも無理からぬことだった。

あってはならない出来事に際会して人生に齟齬《そご》をきたした場合、人が気力を萎《な》えさせてしまうのはやむを得ないことでもある。

この万治元年（一六五八）後半、正之も胸に大きな空洞ができてしまったように感じてめっきり老けこんでいった。

この年齢になると、気持の衰えは如実に肉体の変化となってあらわれる。口髭も近ごろたくわえはじめた顎鬚も白くなったし、国許《くにもと》からの報告書を読もうとしても目をかなり近づけなければよく見えない文字が多くなった。箕田《みた》の下屋敷に作った全六景からなる庭園にも、ふっつりと足を運ぶことはなくなってしまった。

思いも寄らなかったことに、このような正之の変わりようにいち早く反応したのは、松姫の若き夫前田綱紀だった。かれはまだ十六歳ながら聡い気性の持ち主で、学問にも志の深いところを正之に気に入られている。

綱紀もかねてから正之を畏敬のまなざしで見つめ、儒学について教えを乞うこともあったから、その来訪は正之にとってはこよない気晴らしになった。

おまんの方の消えた中屋敷奥殿には、大之助と新助が育っている。とはいえ大之助はまだ十三歳、新助に至っては七歳だから、物の見方、あるいは大名としての心がまえについて父と問答することは無理というものであった。

するとと残暑も去ったある日、

「お城でお姿をお見かけいたしませんでしたので、こちらのお屋敷においでかと存じまして」

との口上を伝えて、また綱紀が外桜田の上屋敷に顔を見せた。

正之はこの日も心晴れず、病みあがりのようにぼんやりと物思いにふけっていたところだった。しかし小姓からそれと告げられるとすぐに袴と白足袋とを着用して白書院へ出むいた。来客と応接する時に袴を着けるのは、武士のたしなみのひとつ。それとは逆に、おおやけの席に出る場合以外、どんな極寒のさなかにも素足ですごすというのは、正之が七歳の時から教え込まれた保科家独得の作法である。

「やあ、息災にしておられたか。お松といさかいなどしておらぬだろうな」

近ごろは近習《きんじゅう》たちにも心を閉ざしがちな正之は、にわかに機嫌よくたずねた。

「はい、いさかいなどはしておりませぬ」

整った顔だちを初々しく赤らめた綱紀は、本日は祖父からの依頼を受けて参じました、と口調をあらためた。

綱紀の祖父といえば、老公として後見役をつとめる前田利常のこと。前田家は利常隠退のあと嫡男光高が四代藩主となったものの、かれが正保二年（一六四五）に三十一歳にして急逝したため、忘れ形見の綱紀が幼くして五代藩主に立てられて今日に至っている。

この時綱紀が持ち出したのは、家中掟（藩法）はどのように定めるのが正しいか、というなかなかむずかしい問題だった。

「前田家におきましては、家中に死に値する罪を犯した者があらわれた時には、当人は申すまでもなくそのせがれも斬に処す、という掟がござります。これはちと酷《むご》すぎるように存じまして祖父にそのゆえんをたずねましたるところ、肥後さまの御意見をうかがってまいれ、といわれまして」

「ほほう、お若いのによくそこまでお考えなされた」

正之は四年前国許に命じ、松明《たいまつ》焙り、牛裂き、釜茹《ゆ》でといった戦国の名残《なごり》の惨刑を廃止させたことに触れてから、つけくわえた。

「それがしも諸藩の法にまでは通じておらぬので、どうするのが最善かということまでは判じられませぬ。わが保科家の掟についてのみ申しますと、父が磔刑《たっけい》に値する罪を犯した時はその子も斬首されますが、父が斬罪ならば子は死を免じられる、ということにしておりましての」

磔《はりつけ》は斬首とおなじく死罪の一種ではあるが、主殺し、関所破りなどの重大犯罪にのみ適用される。父の罪が子におよぶのは、重罪については当人のみならず親類縁者の責任まで問うという王朝時代以来の縁座刑の思想である。

対して、磔刑の場合にはこの伝統にしたがうものの、斬については縁座刑を用いないという家中掟をもうけていたところに、厳罰主義を嫌う正之の気持がよくあらわれていた。

媛姫殺しは主殺し同然だから、これにかかわった奥女中たちは磔に架けられても当然だった。それを断にとどめたのも、正之ならではの措置であった。

しかし、客座に行儀よく正座していた綱紀は、正之の答えを聞くと、

（もうひとつ、よくわかりません）

といいたそうに切れ長の瞳をまたたかせた。

「あらためておたずねいたします。父を断に処してその子供の命を助けましたならば、その子がいずれ父の仇として公事《くじ》奉行、あるいは肥後さまのお命をねらうやも知れませぬ。もしもかような事態となりましたなら、いかがあそばされましょう」

「さすが、加賀殿。鋭いおたずねに感服つかまつる」

やわらかに微笑してから、正之も居住まいをあらためて答えた。

「その子が復仇を企むかも知れぬからと申して、あらかじめこれを取りしまるにはおよばぬとそれがしは考えており申す。この身になにか万一のことがござろうと、それはいうならば天命と申すもの。天命であるならば、はじめから恐れてかかることもございますまいて」

「天命、――」

おうむ返しにそのことばを口にした綱紀は、なにか感じるところがあったらしかった。

数呼吸ののち綱紀は、

「本日は、まことに素晴らしいことを教えていただきました。早速、祖父に復命いたします」

と礼儀正しく頭を下げて去っていった。

この綱紀の飲みこみの早さは、正之に近ごろ味わったことのない快い余韻をのこした。従来おこなわれてきた惨刑を廃し、縁座刑をもゆるめたことについて、正之がこれ以前から天命ということばによって考えていたわけではない。綱紀が子に復讐される可能性について質問したからこそ、天命ということばが自然に口をついて出たのである。

だが言霊《ことだま》という表現もあるように、ことばは一度発声されたとたん、その話者ないし聞き手に霊妙な影響をおよぼすことがある。

　磯城島《しきしま》の日本《やまと》の国は言霊の助くる国ぞま幸《さき》くありこそ

正之には、いつか読んだ万葉歌の真の意味がようやくわかったような気がした。同時に自分が綱紀に発した天命ということばが、いにしえの大宮人の好んだ蹴鞠《けまり》の鞠のようにふわりともどってきて、みずからをつつみこもうとしているように感じた。

この感覚は、悪くなかった。

生母浄光院と正室お菊、そして長男幸松を相ついで失い、傷心を抱いて山形から江戸へ参勤した二十年前の記憶が、つづいてそろりと正之の脳裡をよぎった。あの時かれは、お菊と幸松の墓前に順次ぬかずきながら、

（もうおれは立ち直らねばならぬ）

と思い定めてようやく、胸の底に氷のようにむすぼれていたなにかが朝日を受けた春の淡雪のように溶け出してゆく蘇生感を味わったものであった。

そして、それを確かなものにしてくれた存在こそ、まだ元気だった家光だった。

「やっと出府してまいったか、余の心もとなさも、これで消えるというものだ」

とにこやかに出迎えてくれた家光によって、正之は君臣の間を超えた肉親の情愛というものを初めて教えられたのである。

その家光逝《ゆ》きて、すでに七年。次代を託すつもりだった次男正頼にも先立たれ、継室おまんの方に裏切られたいま、正之を立ち直らせることのできるのはもはや自分自身しかない。

そう思い至ると、

（ここで気力萎え果てては、後事を託された大猷院《たいゆういん》さまに申し訳が立たぬ）

という気持が胸にあふれ、いつしかかれは臍下《せいか》丹田に力をこめていた。

綱紀の訪問が下城時の八つ（午後二時）すぎ、帰ったのがほぼ半刻（一時間）後だから、まだ日暮れには間がある。

（ならばひさしぶりに、遠乗りに出ようか）

と正之が思いたったのは、家光が気鬱になるとよく鷹狩に出かけていたことを思い出したためでもあった。

「供をせよ」

小姓ふたりと腰の物番の高橋市郎左衛門とに命じると、小納戸《こなんど》役たちはぶっさき羽織と馬乗り袴の用意、あるいは裏庭の厩《うまや》に走って馬を曳き出すのに懸命になった。

正之は、騎馬武者勢の強悍さによって戦国の世に知られた甲州武田家につかえた家筋、高遠保科家に育って家光の遠乗りの供をしたことも少なくないから、馬術の巧みさでは人後に落ちない。いったん騎乗すれば騎座《きざ》(両膝の内側)は馬の肩口をぴたりと押さえ、たとえ手綱を捨てたところで膝の指示だけで馬体を自在にあやつることができた。背筋と腰とをしゃんとのばし、前庭を軽く輪乗りしながら腹帯と鐙《あぶみ》の具合を確かめるその姿には、巧者ならではの風格がにじみ出ていた。

「めざすは目黒の夕日の岡だ。遅れるな」

やはり騎乗した三人の供に、正之はつい先ほどまで憂いに沈んでいたとは思えない声で高らかに命じる。そしてひらかれた門へ馬の鼻面をむけ、ぐいぐいと手綱をしぼって馬をじらしたかと思うと不意に手をゆるめ、その尻にひと鞭くれて飛び出していった。

外桜田から赤坂門をぬけ、芝へ南下するのは中屋敷、下屋敷へゆく時に通いなれた道でもある。とはいえ小姓たちを落伍させず、馬をも故障させないよう時に歩度を落としてゆるゆると馬を駆り、正之は秋の日が大きく西へかたむいたころ白金の六軒茶屋から永峰町にさしかかった。

このあたりは家光の晩年にひらかれた町方支配地だが、町屋のならぶのは相模街道と呼ばれる道筋の両側のみ。あとは高低さまざまに耕された田畑のなかに、神社仏閣、あるいは諸大名に与えられてまもない下屋敷が点在するばかりである。

永峰町の南はずれでこの道は二股にわかれ、右は権之助坂、左は行人《ぎょうにん》坂と名づけられていた。どちらも下り坂で、いずれを行っても坂下で目黒川にぶつかる。

夕日に水面《みなも》を煌《きら》めかせはじめたその流れを眼下に望んだ正之は、ためらわず行人坂を下って中腹左側にある松樹山明王院をめぐる小道に駒をすすめた。山号そのままに老松を繁らせた明王院の西側へまわりこむと、楓《かえで》の木におおわれた小高い丘に分け入ることになる。

これが、夕日の岡。晩秋ともなると紅葉ただならず、夕日を浴びれば全山燃えるがごとき奇観を呈することからこの名があった。

「ふむ、まだちと紅葉の季節には間があるようだの」

つぶやきながらかろやかに下馬した正之は、陣笠を外して額の汗をぬぐった。高橋市郎左衛門とふたりの小姓もこれにならうと、かれは下枝《しずえ》をかいくぐるようにして西へとすすんでゆく。

やがて楓の森が不意に途絶え、関八州の西側を画する山なみを一望できる断崖の上に出た。

足もとの草原に風が立ち、かなたの空にはようやくひろがりつつある夕焼を追うように鳥の群れが小刻みに動いている。

「さあ、余のことは気にいたすな、ゆるりと休め」

三人の供に命じながらも、正之はなおもこれらの夕映えの景色に顔をむけて、なにかを待つ風情をただよわせた。

まもなく、それは起こった。

一面の夕焼は鬱金《うこん》色から萱草《かんぞう》色へ、ついで紅色と黄金色とをこきまぜた色合いへと次第に濃まやかさを深めていった。北から南へ秩父、多摩、丹沢の山地とつらなる山々を暗く翳らせたこの夕日は、夕焼雲の切れ目から白金色の姿をあらわしたかと思うと、そのさらにかなたに屹立する富士の峰を赤々と浮かびあがらせたのである。

目黒の夕日の岡ならではの、壮麗きわまる落日の眺望であった。崖の左側へ顔をむければ、眼下には目黒川が白蛇のようにうねっているのが見える。

（ああ、そうだ）

と、正之は思った。

（あの目黒川を越えて蛸《たこ》薬師成就院に願《がん》をかけに通っておられたという母上も、この川辺をお好みだった大猷院さまも、いつかこのまばゆい落日を御覧になったことだろう。とすればおれが生涯をおえたあとも、だれかがこの夕焼雲の下にたたずんでなにかを思いつづけるに違いない）

そう感じた時正之は、自分は単に保科正之というひとりの男なのではなく、なにか見えざる力によってこの世に生ぜしめられた森羅万象のうちのひとつなのだということが、初めて腑に落ちたようなふしぎな気分を味わっていた。

日ごと夜ごとに日と月を、三月ごとに季節を、十二カ月ごとに年を循環させるのが天なのであれば、人がどうして天運をまぬがれることがあり得よう。

少しの間正之は、逆光に輪郭を縁どられた遠い富士山とその背後に沈む夕日にむかって合掌しつづけた。そして合掌を解くと三人をふりかえり、かれらもまたあるじにつづいて合掌していたことに気づいてにこやかに口をひらいた。

「余が本日にわかにこの地に立ちたくなったわけを、その方らには教えておこう。

その方らも、近ごろ当家奥むきに起こったことどもについては先刻承知しておろう。信じてすべてをゆだねておいた者どもが、余ばかりか余に忠勤を励む者たちの面目を失わせる不埒《ふらち》を仕出かしたと知ってより、余もありていに申さば思い屈する日々をかさねていた。しかし、あることばが余を救ってくれた。それは、天命ということばだ」

正之は自分の家来ではなく古い友人に語りかけるようにいい、ふたつの成句を挙げた。

——天命を知る者は、天を怨みず。

——天命を知る者は、惑わず。

「命《めい》とは天のつかさどるものなりと知る者は、おのれの悲運を嘆いたり物に動じたりはいたさぬ、というのだな。これらは感服するに足ることばではあるが、ちと飽き足りぬところもある。市郎左衛門、それはなにか申してみよ」

学問好きの正之の話は、時にこのように講義に似た口調になることがある。

片膝立ちになってうずくまっていた古参の腰の物番は、不意に学生役《がくしょう》をわりふられて目を白黒させた。

「は、ど、どうもそれがしは槍一筋の者にて、……」

「そうか、では余が教えてつかわそう。これらの成句の難点は、天命の一語にかこつけてはいるものの、けっしょせん人を慰め、世を諦めさせることばにしかなっておらぬということだ。そこでいま少し天命とそれへの対し方を諭《さと》してくれる聖人の教えはないかと考えたところ、よいことばを思い出した。それは五経のひとつ『礼記《らいき》』に見えることばでの、こういうものだ」

そこで正之が口にしたのは、

「誠は天の道なり、これを誠にするは人の道なり」

ということばであった。

誠実に生きることこそが、天に適う道である。天ではなく人を主体としてそう発想しなおすことによって、この成句は、天命とはただひたすら受け入れざるを得ない定めをいうのではなく、人が切りひらいてゆけるものだ、と語っている。

そのような解釈を示した正之は、なおもおだやかにいった。

「明日もあさっても来年も再来年も、いやわれらが生涯をおえたあともつねに夕日は空を焼きながら西に沈み、つぎの日の朝には東の空へふたたび昇ってくることだろう。かような天地循環の世に露と生まれ、生老病死《しょうろうびょうし》をまぬがれぬ定めだからこそ、命ある間は誠一筋にいきいきと生きよ。あの夕日は、そんなことをわれらに教えてくれているようではないか」

正之は供三人に語りかけながら、ふたたび生きる意欲が甦《よみがえ》り、五体に力が満ちてくる感覚に快く身をゆだねていた。

また正之の、勤勉に江戸城へ登城する姿が見られるようになった。

すでにして、ふたりの大老のうち酒井忠勝は致仕《ちし》。井伊直孝も七十歳近い高齢に達したため、閣老たちのかならず登城すべき朔望《さくぼう》（毎月一日と十五日）にも気分によっては欠席することが許されていた。

にもかかわらず直孝が、御用部屋に老軀を運んできたのは十二月一日のことであった。松平信綱、阿部忠秋、酒井忠清、そして相模小田原八万五千石の藩主稲葉美濃守《みののかみ》正則の老中四人が出迎えると、直孝は老いたる鷹のごとく目を光らせて提唱した。

「この天下の御府城も、いったん烏有《うゆう》に帰してより間もなく丸二年。その間に本丸、二の丸とつづいた再普請もすでに峠を越したのは、まことにめでたい。されど、それがしにはまだ不満がござる。それはいまだ御天守が再建されず、着工の気配もないことでござる。本日は、お上にこのことを申しあげたく存じて登城いたした次第なれば、おのおの方からもよくよくお口ぞえを頼み入る」

一気に述べたてた直孝は、一同が腰を折るのを満足そうに眺めてすぐに家綱の御座所をめざした。

家綱は、もう十八歳。伏見宮貞清親王家の姫宮顕子を正室に迎えていたが、まだ子供はない。

つぶらなまなざしに時として気弱さがよぎるものの、近ごろ眉が濃くなって男らしさを増してきた家綱のもとには、すでに肩衣《かたぎぬ》姿の正之が伺候してうちとけた会話を交わしているところだった。

「これは、掃部《かもん》さま。いざ、こちらへ」

正之が身をしりぞけると、代わって下座から家綱に時候の挨拶をした直孝は、さっそく天守閣再建の希望を口にした。

「うむ、相わかった」

と家綱が答えれば、幕府はあらたな普請に莫大な国費を投じることになる。

(困ったことを申される)

と思いながらも正之が口をはさめずにいる気配は、しかしいわず語らずのうちに家綱に伝わったようであった。

幼い時から素直な気性の家綱は、よくわきまえていた。振袖火事の鎮火直後、家を失って路頭に迷う町人たちに十六万両を下賜したばかりか、旗本御家人たちにも作事料を与えると決断し、すみやかに江戸を復興させた第一の功労者こそ正之であることを。

「肥後の意見を聞こう」

上座から家綱が呼吸よく顔をむけたので、

「では、存じ寄りを申しあげましょう」

正之は、おもむろに口をひらいた。

「かえりみまするに天守閣とは、織田信長公の築きたまいし安土城のものがはじまりだったのではござりますまいか」

さらに、正之はことばをついだ。

「さりながら豊臣家が大坂城に滅ぶまで、天守閣がいくさのおりに要害として役立った例は史書に見えませぬ。すなわち天守閣とは、そこに登りさえすればただ遠くまで見えるというだけのしろもの。大火後の公儀の作事がさらに長引くならば下々の暮らしむきの障りになるやも知れず、いまはかようの儀に国家の財を費すべき時にあらず、とそれがしは愚考つかまつります」

直孝は一瞬むっとしたようだったが、この彦根井伊家の老主人は愚物などではまったくない。

関ヶ原あるいは大坂の陣参加者を戦前派ないし戦中派、元和偃武《げんなえんぶ》以降に人となった世代を戦後派になぞらえるならば、戦中派の直孝は正之に代表される戦後派の新しい発想法を理解できる器であった。

「なるほど、肥後殿のような考え方もあるのじゃのう」

悪びれずに直孝が応じると、

「うむ、それではこの件は、もう少し世情が落ちついてから再考するが、いまは先送りする、ということにいたそうか」

家綱が直孝の顔の立つ結論を出したので、天守閣再建論議はここで打ち切られることになった。

蛇足をくわえると、このあと江戸城の天守閣はついに再建されることなく幕末に至った。明治以降、宮城《きゅうじょう》、皇居と名を変えた旧江戸城をおとずれても、天守台跡は今日なお残っているが天守閣は存在しない。これは正之が主張し、家綱の採用した再建「先送り」がいまもつづいているためだ、と考えてもいいだろう。そう見立てたとたん、にわかに歴史が身近に感じられる人も少なくないのではあるまいか。

市民の便宜を第一に考えて、玉川上水は断固として開削する。しかし、民政になんの意味もない天守閣の再建には、堂々と反対する。

正之は、そういう人物だった。そういう人物へとおのれを高めてゆくことのなかに、人生の意味を見出そうとした貴重な存在、といいかえてもいいかも知れない。

ともあれ、正之がこうして家綱の初政を善政たらしめるべく全力をつくす間に、山あり谷ありだったかれの四十代はおわりを告げた。

万治二年（一六五九）六月には、井伊直孝が七十歳で死亡。正之が五十の年を迎えたその翌年には、七十四歳の高齢に達した酒井忠勝が出家して、空印《くういん》と号した。

松平信綱も七十に近づいたため、このころから幕閣の中心は酒井忠清にうつっていったが、忠清は正之より十三歳も年下だった。正之としては、自分よりもさらに新しい世代にようやく幕政の梶取りをゆだねる時を迎えたのである。

ところが五十の声を聞いたころから、正之はからだに異常を感じるようになっていた。

それはまず、視力の問題となってあらわれた。

国許からの報告書を読もうとしても、特に細かい字が読みにくい。そんな症状を自覚したのは万治元年（一六五八）夏、媛姫事件の真相を知って愕然としたころのことだったが、その後二年の間に少しずつ物のかたちが見きわめにくくなった。

（これが、老眼というものか）

と正之は自己判断していたが、どうもそれだけではないらしかった。

いつのころからか視界がどんよりと暗く感じられるようになったため、

「外は雨模様か」

と小姓にたしかめてみる。すると、

「いえ、よく晴れているようでございます」

と困ったような答えが返ってくることが相ついで、かれはようやくそれと察したのだった。

正之は、白ぞこひ（白内障）を発したのである。この時代、白ぞこひは薬湯によって目を洗い、進行をはばむくらいしか治療法がない。その薬湯も効能に問題なしとしなかったから、白ぞこひを患ったならばいずれまったく盲《めし》いることも充分に考えられた。

「そうか」

藩医が恐縮しきって診断を伝えた時、正之は手巾でかわるがわる両目を押さえながらいった。

「では、目の見えるうちにやれるだけのことはやっておかねばならぬの」

普通、やがて盲いるといわれたならば、人はうろたえて声を失ってしまうものである。その宣告を恬淡《てんたん》と受け入れたところに、目黒の夕日の岡で天命について悟った正之の、不抜の精神がにじみ出ていた。

正之病むの報に不安をつのらせたのは、家綱の方であった。

家綱にとって正之は、ただの叔父ではない。父家光の託孤《たっこ》の遺命を愚直に奉じ、江戸にとどまりつづけることすでに十二年。つねに将軍輔弼《ほひつ》役として王道政治の精神を伝え、次男正頼が急死した時にもあえて忌み御免を求めて振袖火事対策に骨身を削った正之は、なにものにも替えがたい国家の柱石である。

だが眼病とあっては、これ以上正之に負担を強いることはできなかった。寛文元年

（一六六一）二月、

「朔望にも、無理に出仕いたすにはおよばぬ。養生を専一にいたせ」

と家綱が内命を下したので、正之はありがたくこれを受けることにした。

しかし、正之は政務に忙殺されながらも寸暇を惜しんで孔孟の教えを学びつづけ、五十一歳の年を迎えたのである。不意に迎えた無為の日々は、かえって正之を苦しめた。

そこで正之が考えたのは、

（この時間を使って、殉死に対する自分の判断をはっきりさせておこう）

ということであった。

家光の死の直後に老中の堀田正盛、阿部重次がこもごも殉死の意思を表明した時の衝撃を、かれはまだ忘れてはいなかった。

あの時、正之はたまりかねて、

「大恩を慕いたてまつるとてお手前がたがみな殉死しては、いったいたれが大納言さま（家綱）を輔佐いたすと申すのか」

と反論したものだったが、ふたりは聞き入れてくれなかった。ふたりの言い分にもそれなりの理があり、正之自身のうちにも武家の慣習にしたがって殉死を美風とみなす気分が揺曳《ようえい》していたため、ついに諫《いさ》めきれなかったともいえる。

ところが正之は、自分の衰えを自覚するにつれて不安をぬぐいきれなくなってきた。

（おれが死亡し、もしも保科家のおもだった家来たちが殉死してしまったら、会津藩は糸の切れた凧《たこ》のようになりかねぬ）

するとますます、なぜ殉死という習俗が武士の美風とされるのか突きつめておきたくなったのである。

そうなると、もう正之は目のことなど気にしてはいられなかった。むしろ目が見えるうちにこそ、考究するところは考究してしまわなければならない。

そこでまず正之が書庫から持ってこさせたのは、『日本書紀』であった。付《つけ》書院にむかって読みすすめるうちに、巻一から巻六となる。そして垂仁天皇二十八年十一月二日の条に至った時、正之は垂仁天皇が弟の倭彦命《やまとひこのみこと》を身狭《むさ》の桃花鳥坂《つきざか》に葬ったという記事のなかに、殉葬者の痛ましい姿が描かれていることに気づいた。

「是《ここ》に、近習者を集《つど》へて、悉《ことごとく》に生けながらにして陵《みささぎ》の域《めぐり》に埋みて立つ。日を数《へ》て死なずして、昼に夜に泣ち吟《いさ》ふ《のどよ》（弱々しく呻く）。遂に死《まか》りて爛《くさ》ち臰《くさ》りぬ。犬鳥聚《あつま》り噉《は》む」

垂仁天皇は、生きながら埋められて死にきれず、夜昼呻き泣く者の声を聞いて殉死の不可なることを悟った。そこで、殉死者の代わりに王墓に埋められることになったのが埴輪《はにわ》だ、という記述がこれにつづく。

正之は幾度もこのくだりを読み返しながら、ある種の感動をおぼえていた。伝説の垂仁天皇が殉死を禁じたのは、正之が惨刑を廃止したのとほぼおなじ理由からのことだったとは。

では、古代の唐《から》の国に殉死はなかったのか。正之は、つぎにはそれが気になってならなくなってきた。

問題を解き明かすのに膨大な知識が必要となる場合にそなえて、正之は現代風にいえばブレーン、ないしアドバイザリー・スタッフに相当する人材を召しかかえていた。

その代表は、藩儒横田俊益《としまず》、号を三友。

藩儒とはおかかえの儒者という意味だが、横田俊益はまだ十三歳の時、会津加藤家初代藩主嘉明の前で『六韜《りくとう》三略』という古い兵法書をすらすらと朗読し、加藤家に採用された神童であった。加藤一分殿こと明成の改易後は牢人暮らしを余儀なくされたものの、

「野《や》にひろく遺賢を求めよ」

との正之の方針を忠実に守った田中三郎兵衛に見出され、禄二百石で保科家に再出仕したといういきさつがある。特に正之が目を患ってからは、正之の求めに応じて俊益が講義をおこない、その解釈をめぐって質疑応答することが習慣となりつつあった。

その俊益が正之の問いを受け、

「これがいにしえの唐の国における殉死の相を書きとめたものでございます」

といって持ってきたのは、五経のひとつ『詩経』であった。

「このうち『秦風《しんぷう》』といえば秦の国風を歌った詩でございますが、そのなかに『黄鳥《こうちょう》』という一篇がふくまれております。『黄鳥』とはウグイスのことなれど、ここには秦の穆公《ぼくこう》がおのれの死に際し、家来百七十人に殉死を命じたことに関する光景が描かれておりまして」

髷を儒者頭《じゅしゃがしら》に結って肉薄い顔だちを正之にむけていた俊益は、静かに読んだ。

交々《こうこう》たる黄鳥は
棘《なつめ》に止まる
誰か穆公に従ふや
子車奄息《ししやえんそく》
これこの奄息は
百の夫《おのこ》にも特《たぐい》せんに
その穴に臨みて
惴々《ずいずい》とそれ慄《おのの》く
かの蒼《あお》き者は天
我が良き人を殲《つ》くす
もし贖《つぐの》ふべくんば
人はその身を百にせん

「子車の家の奄息は、百人の男にも匹敵しようかという人物でありました。その奄息ですらも、わが墓穴の前に立つや惴々と、すなわち死を恐れてぶるぶるとからだを震わせている。青き天よ、これら良き人を皆殺しにしてよろしいのか。もし奄息を救えるならば、百人を身代わりにしてもよいものを、という意味でございましょう」

「惴々と、という語の響きがつらいの」

正之は、痛ましげに首を振った。

『日本書紀』と『詩経』とをあわせ読むことにより、殉死はいにしえの大和《やまと》の国においても唐土《もろこし》においても、非道な習俗と受け止められていたことがあきらかになったわけである。

「しかも、朱子の殉葬の論をはじめ種々の漢籍にあたってつらつら考えましたところ、かようなことがいえるかと愚考つかまつりました」

学者らしい長い指で風呂敷に『詩経』をつつんだ横田俊益は、おもむろに本題に入った。

「『漢きたれば漢現《げん》じ、胡《こ》きたれば胡現ず』という成句もございますように、唐土では古来、漢人と胡人たちとが治乱興亡をくりひろげてまいりました。漢人は周王朝に始まって前漢、後漢、蜀漢などの国を樹《た》てたかと存じますが、これらの国のうちに殉死、殉葬の習俗はどうも見当たらぬようでございます。すなわちこれは胡人の蛮風に発した悪しき習俗と申せましょうから、和魂漢才をもって鳴る本朝の武士《もののふ》が真似る必要はない、ということに相なろうかと」

胡人とは古代中国における非漢民族、すなわち異民族を総称することば。その住まう地域によって東夷《とうい》・西戎《せいじゅう》・南蛮・北狄《ほくてき》にわけられることもあるが、穆公を出した秦も非漢民族の国家だった。

「そうか、胡人の蛮風といってよいのか。朱子もそれを論じていたことを忘れておるとは、余もうかつ者よな。どうしてかような時に、それを思い出さなんだのか」

と答えながらも、正之の声は難問のようやく解けた喜びに生気を甦らせていた。

正之はその後およそ半年間、

(この発見をどう生かすか)

ということのみを考えつづけた。

殉死を人の道に反する不仁な行為と規定してよいのであれば、その考えは会津の藩政と幕政とに反映されるべきであろう。しかしただちに家綱にこれを説き、殉死は禁じるとの台命を下すことを乞うたりしたならば、旧習になじみすぎている諸家から反撥が起こりかねない。

さらに殉死には、いつだれが言い出したものか三種の別があるとされていることにも注意する必要があった。

その三種とは、義腹《ぎばら》、論腹《ろんばら》、そして商い腹。

義腹が純然たる忠義の心に発する殉死とされるのに対し、自分ないし一門の体面のために亡主のあとを追うのが論腹、子孫が厚遇されることを期待して打算的におこなわれるのが商い腹である。論腹、商い腹はともかく義腹は至高の行為とされているだけに、義腹も不仁だと説くには慎重にことをすすめるしかない。

(そこをどう乗りきればよいのか)

という問題は、もう横田俊益に相談しても仕方なかった。

藩儒はその学識から得られた結論を藩主に伝えさえすれば、役目はおわる。それを実際の政治にどう生かすかは、藩主の専断事項に属する。

ところが正之がまだ動かずにいるうちに、水戸藩国許に騒動が起こった。その初代藩主、徳川中納言頼房が七月二十九日に五十九歳で死亡すると、真木左京、山野辺右衛門《やまのべうえもん》、田代三郎右衛門らの重臣たちが、こぞって殉死の決意を表明したのである。

しかも真木左京に至っては、

「殿がまだお元気だったころ、拙者はいずれ追腹《おいばら》を切ると申し出て許されておる」

と主張しているという。

水戸は徳川御三家中の第三位、会津保科家はその御三家につぐ家柄だから、もともと交流が深い。名代として派遣した弔使からこれを報じられて以降、正之は他人事《ひとごと》とも思えず事態のなりゆきを見守った。

だが結果は、だれも殉死を決行することなく幕となった。

（これはめでたいかぎりだが、それにしてもどのようにして思いとどまらせたのか）

という点に興味をおぼえた正之は、葬儀をおえた頼房の三男光圀《みつくに》が家督相続の手つづきを踏むために出府してくると、書面をもってどんな方策をとったのか問いあわせてみた。

のちに水戸黄門と呼ばれることになる光圀は、まだ三十四歳。五十一歳の正之とは十七歳も年がひらいていたが、家格が近くともに学問好きなことから、ふたりは以前から仲がいい。

すると光圀の返書には、およそつぎのようにあった。

「とにもかくにもそれがしがみずから家来どもの家に足を運び、藩のために殉死はかえって不義不忠となり、かつ悪しき前例となるゆえんを説きつづけ申し候」

光圀のこの熱意に、正之は感服した。しかし同時に、少々もの足りなさをも感じざるを得なかった。

いってみれば光圀は、頼房危篤と聞くや幕府から江戸を去ることを許され、国許入りしていたからこそこのような行動に出られたのである。対して正之はもう十三年間も国許を空けているし、若松でこれに類した事態が起こるとすれば自身の死の直後のことになろうから、みずから殉死希望者を説得してまわることは絶対に不可能な状況にある。ならばどのような措置を講じておくべきか、と思案した時、答えはおのずからあきらかになった。

——藩法に、殉死を禁じると明記しておけばいい。そして家中の反応が悪くなければ、家綱にもいずれ武家諸法度にこれを盛りこむよう進言してみればいい。

けだし法こそは、それを定めた者のかぎりある命を超え、人から人へ手わたされる松明《たい まつ》の炎のようにその精神をつぎの時代に伝える有力な方法のひとつなのである。

（よし）

と決断した一瞬に正之の魂魄《こんぱく》は、老いて薄明の世界へおもむきつつある現身《うつしみ》を脱して、はるかなる時の流れのなかに生きはじめていた。

内藤源助という養祖父保科正直の弟の血筋の知恵者が会津へ帰国することになった閏《うるう》八月六日、正之はかれを御座所にまねいて家中における殉死禁制を明文化した書きつけを手交。源助の口から国許詰めの者たちに殉死の不可なる理由を懇々と諭すよう、みずから『日本書紀』、『詩経』の黄鳥の詩から横田俊益の研究までを説ききたり説き去り、最後には源助の口から復誦させて万全を期した。

その内藤源助の報を受けた城代家老北原光次、田中三郎兵衛もよく正之の思いを理解し、さっそく組頭《くみがしら》たちを総登城させて新しい家中掟を示した。

七年前に牛裂き、松明焙りなどの惨刑を廃止したこととこれとが、人の命を慈《いつく》しむという正之のおなじ心に発していることはだれの目にもあきらかであった。それだけに保科家国許詰めの者たちは、違和感を感じることなくこの主命を受け入れることができた。

これには田中三郎兵衛が、

「他家はともかく、当家の殿におかせられてはさようなことはお嫌いなのだ」

といいそえたことも大きかった。

会津藩にあっては、立藩直後から国許と江戸の正之との間に国許報告書とそれに対する返書のやりとりがきわめてひんぱんにおこなわれて今日に至っている。

正之は家中の公事《くじ》（裁判）、特に公事奉行が死罪と裁定した事件についてはかならず自分に報告させ、納得しがたい評定《ひょうじょう》には付箋をつけて返して再審議させる、という方針を貫いていた。その結果、初め死罪とされた者が実は無実とわかったことも再三ではない。

ために国許の重臣たちの間では、

「江戸にまします大殿の御眼力は、尋常体《てい》のものにあらず」

とさえいわれていた。このようなところに発する藩主への信頼感と田中三郎兵衛らの苦心が相俟《ま》って、会津藩は殉死禁制という画期的な藩法を世にさきがけて導入してもなんら動揺を見せなかったのだった。

この寛文元年（一六六一）十一月二十八日には、正之の五女の石姫十四歳が八歳年上の稲葉丹後守正往《たんごのかみまさゆき》に輿入れする、という慶事もあった。稲葉正往は相模小田原十一万石当主稲葉美濃守正則の長男で、家綱お気に入りの側近のひとりである。

その曾祖母は、かつて家光の乳母として勢威を張った春日局《かすがのつぼね》。春日局は秀忠・お江与の方夫妻が幼き日の家光ではなく弟の忠長ばかり可愛がるのを見かね、駿府に老いを養っていた大御所家康を訪問。その鶴の一声で三代将軍は家光、と決めてもらった女丈夫として世に知られた。

この春日局の縁で幼い日から家光の大奥に出入りすることを許されていた稲葉正往は、聡明な気質を家綱に気に入られ、台命によって石姫を娶《めと》ることになったのだ。

三年前おまんの方のひき起こしたあの不祥事にもかかわらず、家綱は松姫の婚姻につづいて事実上の月下氷人の労をとってくれたことになる。正之は、将軍の若さに似ない心づかいに感謝せずにはいられなかった。

そして、石姫の婚礼がおわると同時に正之が肩の荷をおろしたような気持になったことには、ようやく十六歳まで育った四男の大之助が、いずれ会津藩保科家を相続するに足る器の片鱗を見せはじめたこともあずかっていた。

さる万治二年（一六五九）の暮に元服して家綱に初めてお目見《めみえ》した大之助は、従四位下侍従に叙任されて筑前守《ちくぜんのかみ》を兼ね、諱《いみな》を正経《まさつね》と定めている。その正経にとっては、元服の一年前に父が生母おまんの方を大崎の別邸に押しこめたことほど衝撃的な事件はなかったに違いない。それでも正経はこの件についてはいっさい口を慎む思慮深い性格で、粗衣粗食を気にしない磊落《らいらく》さをもあわせ持っていた。

色白のうえに秀でた額をそなえ、女のように優美な目鼻だちをした正経は、そのみずみずしい若武者ぶりを伝え聞いた国許の者たちが、

「ぜひとも近いうちにお国入りを」

とわざわざ言いよこすほど家中の期待を一身に担っている。

父としてはいささか蒲柳《ほりゅう》の質であることが気がかりながら、正之は年があけたら正経を会津にやり、いまは亡き次男正頼にもそうさせたように領内を巡行させようと考えていた。

しかしその寛文二年（一六六二）がくると、まだ花の季節がおとずれる前から正之には胸の痛む出来事が相ついだ。

すでに剃髪して空印と称している酒井忠勝は、この年七十六歳。頭を頭巾につつんでたまさか登城してくる時には、その弱った足腰を気づかった家綱により、殿中においても輿に乗り、家綱自身の面前でも膝をくずすことを許されていた。

その酒井忠勝がいよいよ衰え、牛込の別邸に寝ついてしまった。そんな飛報を伝えられ、

（大猷院さまとともに、なにかとおれを引きまわして下さったのは空印さまだ。一度、是が非でもお見舞にゆかねば）

と正之が思っていた矢先に、別の凶報が飛びこんできた。

それは、老中松平伊豆守信綱の訃音《ふいん》であった。

まだ男ざかりの四十代のころ、いかにも切れ者然とした肉薄い風貌に漆黒の口髭をたくわえていた松平信綱は、家光の治世十六年目の寛永十五年（一六三八）二月、島原・天草の切支丹一揆討伐の主将として原城を陥落させることに成功。家光の死からまもない慶安四年（一六五一）七月にも、幕府転覆を図った由井正雪一味の暴発を未然に防いで世に「知恵伊豆」とたたえられた。

五年前の正月に発生した振袖火事に際し、この信綱とともに混乱する江戸城中の采配をふるったことは、なおも正之の記憶に鮮明でもある。

その後も一貫して老中職にあった信綱も、しかし年には勝てなかった。六十七歳となってさすがに心身の衰えを感じたかれは、二月中に家綱に致仕《ちし》を申し出ていた。

だが家綱は、名老中の隠退を認めなかった。そうこうするうちに信綱が病みついたので家綱が見舞の上使に病状を問わせたところ、信綱はしゃんと起き直ってこれに応対し、往年のごとくすらすらと自分のからだの具合を分析してみせた。

それを聞き、

「さすが、知恵伊豆殿だ。余もあやかりたいものよな」

と周囲に語っていた三月十六日にもたらされた訃報だっただけに、正之にこれは応《こた》えた。

保科家の家中を見ても、母の浄光院、義父正光、その正光のつけてくれた家老保科正近らが世を去ってひさしく、正之の妻子にしてもあまりに短命におわった者が多すぎた。

世に出てから交際した人々にせよ、土井利勝、内藤政長、井伊直孝らはすでになく、いつも家光のかたわらから自分をおだやかなまなざしで見つめていてくれた酒井忠勝も、もう二度とは立てないだろう。

正之はなりふりかまわず命に執着しようという性分ではなかったが、人がその人生において知己となれる者の数はそう多くはない。先に逝《ゆ》く身につらさがあるとするならば、親しかった先達《せんだつ》たちに逝かれる身には見送る哀しみというものがある。

しかも正之には、その寂寞《じゃくまく》たる思いをわかちあい、ともに老いてゆく妻すらももういなかった。保科家の上屋敷は、石高二十三万石、預かり領を入れれば二十八万石の大《たい》身《しん》の家にもかかわらず、奥むきの女たちもいないすがれた空気につつまれていた。

それでもかれは、

（わがゆく道は一筋である）

とすでに思い切っている。

五月に正経を会津へ送り出し、七月についに酒井忠勝の死を知ったあとも、表面的には静謐《せいひつ》そのものの暮らしをつづけていった。

それは、朔望にはなるべく登城して家綱の機嫌をうかがうが、屋敷にいる時は目の具合を考えて家来たちに国許報告書を読ませ、答えを筆記させる、時には和漢の古書も朗読させて耳をかたむける、という生活であった。

そのような日々をすごしながらも、正之はひそかに工夫を凝らしつづけていた。

（おれが大猷院さまの御遺命になんとかお答えできた、と感じられるのはいったいいつ

いま、

松平信綱、酒井忠勝というともに家綱の初政を支えた古参の閣老たちに先立たれたいかない。

代だったと評価してくれるに違いない、と確信できるまで善政を工夫しつづけることし

答えはひとつ。ここまですれば、後世の識者たちも四代将軍の治世は稀に見る良い時

というみずからへの問いかけが、そのすべての基《もとい》になっている。

のことか）

のことか）

（そこまでゆきつくことがおれに残された最後の仕事なのだ）

と考えて、正之はややもすれば萎えようとするおのれを励ましていた。

同時にかれは会津の藩政の総仕上げもしておかなければ、とようやく決意しつつあったが、こちら方面における問題は一点に集約された。

——わが亡きあとも領民たちの暮らしを守り、ひいては国力を高く保ちつづけて徳川家のとこしえの藩屛《はんぺい》たらしめるにはどのような法を定めておけばよいか。

（それには、信州高遠でおれがまだ幸松と称していたころ民部に教えられたように、あんずの実を土に埋めてゆく心が大切だ）

とまでは、すぐにわかった。

しかし、それをどのようなことばで後世に伝えればよいのか、すぐには思い浮かばなかった。人の心は移ろいやすいと知りながら、なおかつ不変不動の精神を藩に植えつけ、芽ぶかせて百年、二百年後まで枝葉を繁らせる大いなる樹木へ育てようというのだから、

これは前人未到のこころみといってよい。

さすがの正之も思案に余っていたあくる寛文三年（一六六三）、五月を期して武家諸法度が改定されることになった。

寛永十五年五月、家光が島原・天草の乱のごとき大乱の再発を防ぐべく諸藩に兵の動かし方を指示するその一項を修正した時には、正之もひそかに意見を伝えておいたものであった。それからもう二十五年もたつというのに、隠れ切支丹はまだ各地に残存している。そのため、いまは野心家の上州厩橋《うまやばし》（前橋）藩主酒井雅楽頭《うたのかみ》忠清を老中首座とする幕閣は、切支丹に対する罰則条項を追加する必要に迫られたのである。

保科正之が諸大名に混じってひさしぶりに江戸城本丸の大広間に姿を見せたのは、五月二十二日午前四つ刻（一〇時）前のことであった。

保科家家紋角九曜《かくくよう》を打った羽織を着けているなじみの表坊主に案内され、肩衣半袴《かたぎぬはんこ》に白足袋姿、白扇を手にしてあらわれたかれは、全体にからだから肉が落ちて髷から口髭、顎鬚まで真っ白になっていた。だが、白ぞこひは養生の甲斐あってかこのところ進行が止まっているため、まだ立居ふるまいにまでは影響をおよぼしていない。

ただし挨拶にくる者たちの顔が少し二重に見えるため、気に入りの婿である前田綱紀や稲葉正往と会話する時にも少し目を細くすることだけが以前とは変わっていた。

その正之をはじめ諸大名が横に居流れて空白の上段の間に顔をむけるうち、僧形の林春斎がうやうやしく黒うるし塗りの状箱を捧げもってすすみ出た。父羅山以来、儒者として幕府につかえる林家のこの当主は、これから法度の読みあげ役をつとめるのである。

しかし春斎は、状箱のひもを解く前に自分の係の表坊主を介して正之に伝えてきた。

「おそれながら、お上が御座所にてお待ちあそばされておいでの由にござります」

「それはそれは」

品良く応じた正之は、立ちあがってまわりの大名たちに会釈をしてから家綱のもとをめざした。

ようやく二十三歳となり、線が細いながらに将軍らしい風格のそなわってきた家綱は、下座に膝行《しっこう》した正之にまず目の具合をたずねた。

「いろいろとお見舞の品を拝領いたしましたおかげにて、お上のおすこやかなかんばせも肥後の目にははっきりと映っておりまする」

と正之が答えたのは、家綱が月に二度しか登城しなくなったかれの病を気づかうあまり、たびたび上使を派遣してそのたびごとに鷹や青貝の卓、唐銅獅子型の香炉などを下賜してくれたためだった。

「ならば、安心だ」

と若々しい笑顔をむけた家綱は、大切な秘密をうちあけるようにいった。

「ところで例の件は、本日発布する法度に別書としてつけくわえることにいたしたぞ」

「おお、それはよろしゅうございました。それにしても、雅楽《うた》殿（酒井忠清）もよくぞ思い切って下さった。これにて徳川の天下は、ますます磐石《ばんじやく》のものとなりましょう」

正之は、思わず胸のつかえが取れたような喜びを声にあらわしていた。

上使がくるたびに正之は、もし武家諸法度を改定するのなら殉死を禁じるとの一項を盛りこんでいただきたい、とその上使を介して家綱に伝えつづけてきた。家綱はその献策を受け入れると、初めて伝えてくれたのである。

そのころ大広間では、あらたな法度を披露しおえた林春斎が、別書をひらいてこう奉読しているはずであった。

「殉死はいにしえより不義無益のことなりと戒めおかるといえども、仰せ出されしことなければ近年殉死の者多し。……もしこのあと殉死あらば、亡きあるじの不覚悟たるべし。当主もまたこれを押しとどめざるは、いかにも不良のわざ(行為)とおぼしたもうべし」

二年前、正之が世にさきがけて会津の藩法として成文化させた殉死の禁は、ついに幕法に採り入れられたのである。

それは酒井忠清らが、会津藩のうちで殉死が禁じられて以来、なんの不都合も派生しなかったことにひそかに注目していたためでもあった。武断政治によって出発した徳川の世は、こうして家綱のもとで仁政と徳治による文治主義の花をひらかせてゆくことになる。

さらに正之の王道政治に憧れる思いの丈は、これだけではまだ満足しなかったことによくあらわれていた。

台子にのせて運ばれてきた茶を口にふくんでから、かれはいった。

「隴《ろう》を得て蜀を望むとはこのことかも知れませぬが、この肥後めには、まだ盲《めし》いませぬうちにお上にもうひとつだけお考えいただきたいことがございます」

「遠慮なく申せ」

機嫌よく応じた家綱にむかい、正之が口にしたのは、

「元和偃武《げんなえんぶ》」

ということばであった。この熟語は、慶長二十年（一六一五）五月の大坂夏の陣によって豊臣家が滅び、七月に元和と改元されて以降ふっつりと戦乱が途絶え、太平の世がひらけた、という意味で用いられる。

「元和偃武以来、再来年の寛文五年（一六六五）にて丸五十年と相なります。むろんその前に権現さまの五十年祭をもおこなわねばなりませぬが、お上にはどうかこの五十年間の太平を祝しまして、なにか末代までの語り草たり得る壮挙をおとげ下され。それを拝見つかまつることができさえすれば」

肥後は本望でござります、ということばが出そうになるのを、正之は静かに押さえた。

思えばかれが、

（お上に元和偃武以後にふさわしい善政をさらに押しすすめていただくことにより、わが人生の総仕上げとしたい）

と最初に考えたのは、振袖火事からまもなくのことだった。

しかしその直後に媛姫毒殺事件が起こって正之を奈落の底へ突きおとし、眼病も襲った。そのためかれは、殉死の禁がついに幕法に明文化されたこの日になって、ようやく残る一項を家綱に進言する機会に恵まれたのだった。

「なるほど、もはや元和偃武から五十周年になろうとしておるのか。その前に権現さまの五十回忌をいとなむからには、ぜひともなにかいたしたいものだ」

大きくうなずいた家綱は、脇息《きょうそく》を押しのけるようにしてたずねた。

「それにしても、肥後にはすでに考えがあるような。早う、それを申せ」

「さればでございます」

正之がおもむろに切り出したのは、大名証人制度を廃止してはどうかという、場合によっては幕藩体制の根幹をゆるがしかねない重要問題であった。

証人とは、諸大名家から幕府へ差し出された人質のこと。具体的には幕府を決して裏切らない証しとして生涯国許にはゆかず、江戸屋敷に暮らしつづけるその正室や長男を指している。

このように有力者から家族を質に取り、二心ないことを誓わせる非情な制度は、織田信長が安土城下に、豊臣秀吉が大坂城下に服属者たちの妻子を住まわせた慣習の延長線上にある。

しかし、江戸の開府からかぞえればすでに丸六十年。家光まで三代にわたった武断政治の時代は、家綱の将軍襲職直後に打ち出された末期《まつご》養子の禁の緩和、およびこの日発布された殉死の禁によって確実に文治主義の時代へと脱皮しつつある。

「すでに第二の豊臣家があらわれる恐れはまったくありませぬし、儒学において『忠』とともに『孝』の尊ばれることはお上もご存じのとおりでございます。されば夫と妻、父と子が参勤交代のため、隔年ごとに離ればなれにならざるを得ぬ制度をとりやめることこそ、元和偃武五十周年にふさわしい美挙であろうと思われます」

時代の移ろいを前提として、王者たるべき者の棹さすべき流れをはるかかなたに指差すように語るうち、正之の声は次第に潤《うる》んだ。

なぜそうなるのか、正之にはよくわかっていた。信州高遠に晩年をすごした母お静こと浄光院と、最初の正室お菊の方、およびそのお菊の方同様はかなく死んだ長男幸松とを、かれはこの制度あるがゆえについに引き合わせることができなかったのである。

それは何度思い起こしても口惜しい体験だったが、考えてみればこのような愛別離苦の悲哀を味わったのは自分だけではあり得ない。いまも諸藩のうちに、数かぎりなく存在するに違いなかった。

毎朝正之は、奥殿仏間の仏壇と位牌所に合掌し、位牌となってようやく相逢うことのできた母と妻子との霊に心のなかで語りかける。それが長い年月のならわしとなるうちに、いつしかかれは、

(法とは、人の心に痛苦を与えるものであってはならぬ)

との確信を抱くに至っていた。

「それは、なんとしても断行したいものだな。老中たちには、余から吟味いたすよう伝えておこう」

家綱が力強く答えてくれたので、この日正之は心晴れやかに下城することができた。

由井正雪の乱をきっかけに大名改易政策による牢人の大量発生が問題視され、その牢人問題を解決すべく末期養子の禁がゆるめられてすでにひさしい。それにくわえて殉死

の禁が幕法に謳《うた》われた以上、最後に残った非人間的な定めである大名証人制度を廃止にもってゆくことができさえすれば、自分はもういつ死んでも地下の家光に面目が立つ。（それはとりもなおさず二年後に元和偃武五十周年をお祝いしたならば、いつお上に骸《がい》骨《こつ》を乞うてもよい、ということだ。そしてまさしくその時にこそ、おれは大猷院さまの託孤の遺命をことごとく果たすことができたということになる）

長棒引戸の乗物にゆられながら感慨にふけるうち、病みつつある正之の双眸からはなぜか熱いものがあふれてきた。

家光をはじめ見性院・信松院姉妹、浄光院、保科正光、正近、お菊の方、幸松、正頼、媛姫たちが、武州の山の端のかなたから、

「もう少しだから」

と励ましのほほえみを送ってくれているような気さえして、かれはいつ上屋敷の門をくぐったのかもわからなかった。

家綱の答えによって肩の荷をなかば以上下ろした気分にひたった正之が、つぎに知恵をしぼったのは、会津藩の国力をいかにしてさらに充実させるか、という問題であった。社倉制度ひとつを取ってみても、自分が死んだとたんにうやむやになるようでは意味がない。

そう思案したかれは、四月中に国許に命じておいた。

「封内一万石の土地ごとに社倉を建てよ。そして、籾《もみ》を五斗俵にして二万三千俵たくわ

えて凶作にそなえよ」

これも、ただの思いつきではなかった。

初め七千俵から出発した会津藩の社倉は、返済された利子もすべて社倉米をふやすことに投じる、という大方針が効果を発揮。十年の間に、その三倍以上の米をたくわえられるところまできていたのである。

ちなみにまだこの時代には、社倉は会津藩でしか制度化されていない。もって正之の先見性が知れるが、これによって飢饉となっても餓死者を出さない年がつづいたため、会津の領民人口は増加の一途をたどっていた。

慶安元年（一六四八）の調査で十一万人あまりだったものが、この寛文三年では約十三万人。

田中三郎兵衛は、この人口増加には直接的にはふたつの要素が考えられると伝えてきていた。

そのひとつは、明暦二年（一六五六）以来足掛け八年間、定期的におこなってきた孝子の表彰が制度としてよく根づいてきたこと。

親孝行でありさえすれば一時金や扶持米《ふちまい》やほうびが下賜されると知って勤勉に働く者が増加し、勝手に離村したりする不心得者も減ったため、収穫高が上がって領民たちの暮らしむきはあきらかに安定傾向にあるという。

そしてもうひとつは、そのゆとりを反映してか村々には白頭《はくとう》の翁《おきな》、媼《おうな》の姿がめだち、全体に寿命の延びが感じられること。

領民たちの人口の増加は、民政が正しくおこなわれているかどうかを見るための絶好の尺度でもある。ここでもあんずの種の芽ぶく気配が色濃く感じられることを知り、正之は安堵の念をおぼえた。

しかし、まだ物足りない点もなくはなかった。慶安元年以来、十五年間で二万人の人口増加をみたとはいえ、とりあえず死者のことを別にして考えれば一年間で千三百三十三人、一日につき四人足らずの赤ん坊しか生まれてこない勘定になる。

「郷村では、いまなお間引の悪習がおこなわれているのか」

正之が問いあわせると、三郎兵衛はただちに返書を寄せてきた。

「御指摘のごとく、この悪習は根強くつづいているように見受けられます。されど各家のうちにてひそかにおこなわれることなれば、どれが死産、どれが子殺しと見わけることもままならず、これまで看過せざるを得なかった、というのが正直なところでござります」

三郎兵衛のいわんとするところは、正之にもわからぬではなかった。

だが、間引がその家の食糧事情を悪化させせないための必要悪として見すごされてきたのに対し、社倉制度の根本精神は領民を断じて飢えさせないことにある。

（その社倉制度が拡充の一途をたどっているのに、なおも間引が絶えないとは、……）

正之が無念にすら感じたのは、間引された赤ん坊の命について考えるからであった。

元和五年（一六一九）二月に高遠から江戸へ出て見性院を見舞った時、まだわずか九歳だった正之は自分の出生にまつわる事情を初めて教えられて驚愕したものだった。お江与の方の迫害を恐れるあまり、最初の子を水として流さざるを得なかった母と、叔父の神尾《かんのお》才兵衛が断固反対してくれなければ世に生まれ出ることなくおわったであろうおのれの運命とを重ねあわせて考えるならば、間引は決して単なる対岸の火事ではない。

（社倉制度をさらに充実させれば、間引を禁じたとてそれでつぶれる家はないはずだ）

ただし、飢餓のほかにも命にかかわる事態はある。それをどうするかだな、と正之は思った。

この時その脳裡にまざまざと甦ったのは、振袖火事直後に見つめた酸鼻きわまる光景であった。逃げ遅れて焼死し、なかば炭化してしまった遺体は道ばたにおびただしく積み置かれ、道をふさがんばかりになっていた。

あのような大火がいつ若松城下に発生してもふしぎではない以上、藩主たる者はいずれ大災害が襲う可能性を考慮し、その対策をも講じておく必要がある。

（そうであるならば、なんらかの災害によって流民化した者、その結果として行き倒れになる者を救う手だても工夫しておかねばならぬ）

と思案するうち、正之はようやくなにをどうすればよいのかわかったような気がした。

このころ江戸詰めの家来のうちに、佐藤勘十郎という精力的な男がいた。頬骨のよく張った不敵な風貌から巨眼を光らせている勘十郎は、顔に似合わず歌道に秀で、学を好んで博覧強記、軍学と居合術の奥義をもきわめた文武両道の士である。

その口癖は、ふたつあった。

「君恩は山のごとく、海のごとし」

「君をして徳を失わしむるは、家来どもの邪心にあり」

この場合の「君」とは、正之を指している。正之は数年前にその心がけを愛《め》で、声をかけてやったことがあった。

「真に忠節なる者とは、その方のような者をいうのであろう」

すると勘十郎はこれを無上の光栄とするあまり、以後藩邸から私用ではいっさい外出しなくなって今日に至っている。

かれはこのように謹厳実直を絵に描いたような性格で、冗談などは絶えて口にしたこともなかったから、さすがの正之も心配になり、別の家来にひそかにたずねたこともあった。

「勘十郎も、笑うことはあるのか」

七月十七日、ようやくみずからの思いを藩法への追加条項としてまとめあげた正之は、この勘十郎を御座所にまねいて告げた。

「その方、これを持って明朝国許へ走れ。そして家老どもに手交いたしたならば、この内容をただちに藩政に生かすよう申しそえよ」

正之は白い肌着の上に竜胆《りんどう》色の麻かたびらを涼やかにまとい、小姓が黒うるし塗りの状箱を勘十郎の前に置くのを晴れやかな表情で見つめていた。

「ところで、この中身は」

とは、勘十郎は聞かない。

「かしこまって候」

簡潔に答えたかれは、状箱を目よりも高く捧げ持って退出していった。

その無骨きわまる顔だちが鶴ヶ城本丸の御用部屋にあらわれたのは、七月二十四日のことであった。

その御用部屋に一堂に会したのは、城代家老北原光次、二番家老田中三郎兵衛のほか、今村伝十郎、成瀬主計《かずえ》、井深茂右衛門の五人の国家老たち。歯があらかた抜けて言語不明瞭になってしまった北原光次に代わり、田中三郎兵衛が鼻の両脇に縦筋を刻んで奉読したところはつぎのような項目からなっていた。

一、九十以上の者へ、老養扶持を与えるべし。

二、火葬ならびに産子《うぶこ》（新生児）を殺し候儀、よろしからざるむね教諭すべし。

三、旅人など煩《わずら》い候節の取りあつかいを定め置くべし。

第一項には、九十歳以上の高齢に達した領民には貴賤男女の別を問わず終生一人扶持を与えよ、との細目が付記されていた。

一人扶持とは一日につき玄米五合、年に均《なら》して一石五斗のことだから、これを生涯与えつづけるとはまさしく養老年金そのものだった。これまで孝子の親のみとしていた扶持米の受給対象を九十歳以上のすべての者へとひろげることにより、正之は日本における年金制度の創設者となったのである。

第二項の火葬を禁ずるというのは、まだ土葬が一般的だった時代背景と儒学の教えにもとづいている。産子殺し、すなわち間引を禁じるという項目には、痒いところに手の届くような細かい指示がそえられていた。

「産子を殺すのは不慈不仁なることを、下々へおりおり油断なく詳細に教えよ。もし教えに耳をかたむけぬ者があったなら、かようなことは中将さま（正之）がことのほかお嫌いだから、もしお耳に入ったらただではすまぬかも知れぬぞと、よくよく申し聞かすべきこと」

珍しくもやんわりとおどかしてもかまわないとまでいって、正之は間引の悪習を少しずつ消してゆくことにしたのだった。

そして第三項にも、至れりつくせりの付帯条項があった。

病んだ旅人は宿のあるじが医者に診《み》せ、それが叶わない時は町奉行へ申し出よ。その者に支払いのできない場合、必要経費は藩が負担する。ほうっておいて病死させたり行き倒れにしたりしたならば、検断《けんだん》（大名主）、名主から近所住まいの者たちまでの責任を問う、というのだから、これはもう救急医療制度そのものだった。

いまを去ること九年前、承応三年（一六五四）四十四歳にして牛裂き、松明焙りなどの惨刑を禁じた正之は、翌年には社倉制度を創設し、一年前には世にさきがけて殉死を禁止した。これに養老年金制度と救急医療制度とをつけ足し、間引を禁じたことにより、ようやくかれは理想の藩政実現にむけての布石をおえたのである。

田中三郎兵衛の家紋は、違い角丸という一風変わったものだった。これは、円形と四角形とが鎖のようにつながっている形をいう。

その違い角丸を打った肩衣姿の三郎兵衛が奉読をおえても、上座の北原光次から末座の佐藤勘十郎まで五人の会津藩重臣たちは、しわぶきひとつしなかった。

いま、あらたに伝えられた正之の通達は、

「われ、領民たちの慈父たらん」

といっているに等しかった。

正之が時に口にする知足、すなわち足るを知るということばの本義は、身のほどをわきまえてむさぼらないことである。

しかし、ここには知足の段階をさらに超え、むさぼらずに与えつづけるところまで昇華された正之の心映えが、静かに結晶していた。

「これは、なんという前代未聞の御善政でありましょう」

感に堪えない、という表情で三郎兵衛が口をひらくと、ほかの五人も藩政のあり方を初めて教えられた者のように深くうなずきあった。

かれらは町奉行、郡奉行たちを介してただちに領内の九十歳以上の者の人数を調べさせた。すると、藩士の家に四人、町方に十一人、郷村に百四十人、計百五十五人いることが判明した。

一人扶持は年に二石五斗、百五十五人に対してならば三百八十七石五斗を用意すればいい。五斗俵で二万三千俵、石になおして一万千五百石もの社倉米をたくわえている会津藩にとって、これは決して痛い出費などではあり得なかった。

その会所は、鶴ヶ城の三の丸のうちにある。西側の二の丸にむかって表門をひらき、黒瓦白しっくい塗りの壁で四方をかこまれた宏大な敷地内には、前面に月番の家老、若年寄、大目付、目付の詰める本役所があり、中庭をはさんでその奥に町役所と山役所、公事所、郡役所の建物がならんでいた。

「当八月十一日よりお扶持を下さるにつき、歩行の適う者はみずから、適いがたき者は子か弟などを会所によこして受け取るように」

月番の三郎兵衛が迅速に指揮をとったため、会津藩は刈り入れの季節を待たずに老養扶持制度を実行にうつすことができた。

その八月十一日、赤松や樅《もみ》の老樹がそこここに日陰を作った会所の中庭には、高齢者たちが家族につきそわれてつぎつぎに出頭。年三度にわけて与えられる扶持のうち、夏の分を受け取り、

「ありがたきお恵みでござります」

と嬉し涙を流しながら帰っていった。

その報告を受けて、正之は大満足だった。

これで間引の悪習は次第に消えてゆくだろうし、九十歳以上の高齢に達しても糧《かて》に困る不安が一掃された。

となれば今後、会津藩の人口はさらに増加し、それが国力増強につながることは疑いを入れない。

（それでこそ徳川家の藩屏として、わが亡きあとも長くお役に立てるというものだ）

と思うと、にわかに正之は緊張がゆるむのをおぼえた。

いや、それは脱力感といった方がよかった。

人は目標をあらかた達成したと感じた時、全身の筋力が萎えてからだがしぼんでしまったような感覚に襲われることが稀にある。急にひどい風邪を引いたりするのもこのような場合のことが多いが、正之もその例外ではなかった。

その八月末以降、咳気《がいき》と微熱が去らなくなってなんとなくぼんやりした気分で日々をすごしていた正之に、

「一度、ぜひとも御来駕いただけませぬか。藩政につき、どうしても肥後守さまに教えを乞いたいことが出来《しゅったい》いたしまして」

と伊予松山十五万石の当主松平石見守《いわみのかみ》定長がいってきたのは、十一月なかばすぎのことであった。まだ二十三歳の松平定長は、父の定頼が昨年馬の稽古中に落馬して急死したため、にわかに家督を相続したばかりである。

「では、十九日の午後にでも」

と答えた正之は、そのころまだ風邪が抜けきらず、咳がつづいていた。

それを押して芝新銭座の会津藩中屋敷とは東海道をはさんで反対側、愛宕下大名小路のその上屋敷をたずねると、妙に細長い顔をした定長はすがりつかんばかりにしてたずねた。

実は松山藩は、今年すさまじいばかりの旱魃《かんばつ》に見舞われて米も表高の三分の一しか収

穫できなかった。それにつけても会津藩は、社倉というものを設けて飢饉の年にも餓死者を出したことがないとか。泥棒を見て縄をなうような申しようながら、このような火急の場合の対策を御教示いただけますまいか、……。

「胸中お察し申す」

正之はまだ藩政を見るのに慣れない定長を気の毒に思い、懇切ていねいに社倉の設け方を教えてやった。ただしそれでは現実に進行中の飢餓と赤字財政の対策にはなり得ないから、藩米をお貸ししてもよろしい、とすらいった。

「こ、これは、不幸中の幸いとはこのことでござります」

にわかに愁眉をひらいた定長は、下にも置かぬ接待をした。やの字むすびの帯を締めた侍女たちがつぎつぎとあらわれ、酒が差される。

その盃を口に運ぼうとした時、正之は激しい咳の発作に襲われた。口中に生あたたかいものが溢れ、盃にしたたり落ちる。

「肥後さま、血が！」

定長が愕然として叫んだのを、正之は夢の中の出来事のように聞いていた。

酒盃に落ちた血は、三滴までは小豆《あずき》大の黒いかたまりであった。水のような血が、それにつづいた。

駆け寄った定長に背をさすられ、口もとを手巾で押さえた正之は、急ぎ外桜田門内の上屋敷へ帰ることにした。

寝所に臥したのは正午すぎのことであったが、その脈は乱れ、顔からも血の気が失せていて、まだ明るいうちに二度、日が落ちてからも一度血を吐いた。あけて二十日になってからも、昼に一度、深夜に二度、少量ながら吐血がつづいた。

血を吐く病としては、胃腸病と労咳《ろうがい》（肺結核）とがまず考えられる。初めは血が黒かったことから、胃腸病の可能性もあった。しかし咳の発作が引き起こしたものであること、手巾ないし懐紙に受けられた血が次第に鮮紅色を呈したことなどから、労咳の確率が高くなった。

それと診立てて憂色を深めた藩医の名は、日向徳遠《ひなたとくえん》。かれは幕府御典医で正之と親しい土岐《とき》長元にも往診を依頼し、同僚の中村芳庵とも慎重に協議してなにを調薬するかを決めていった。土岐長元はかつて正之の求めに応じて『輔養編』を編纂した教養人、中村芳庵は媛姫臨終の際の苦しみようを石見銀山による中毒と見破った人物である。

これら三人の懸命の治療によって、まもなく正之の脈の乱れは正常に復した。それでもなお、微量ながら喀血はおさまらなかった。二十一日一回、二十二日一回、二十三日四回……。

そのため正之の寝所二の間には、前田綱紀、稲葉正往《まさゆき》のふたりの婿、四男の正経、将軍家綱からの見舞の上使らが詰めきりになる日々がつづいた。二十四日午後からは痰に血が混じりはじめたので、正之が労咳という不治の病に罹《かか》ったことは確実となった。

この会津保科家はじまって以来の大事件が、早馬によって鶴ヶ城へ報じられたのは二十三日のこと。田中三郎兵衛が出府してきたのは二十九日八つ刻（午後二時）のことであったが、正之は三郎兵衛きたると告げられるとすぐに目通りを許した。

衣装をあらためて三の間から二の間へすすんだ三郎兵衛は、小姓が襖をすべらせると敷居際に両手をついた。だがかれは、病褥《びょうじょく》に病鉢巻を巻いて横たわり、白い不精髭を伸ばしている正之がやつれた顔をむけてくると、

「殿、――」

といったきり絶句してしまう。

その男臭い顔だちに、正之は小さな声で問いかけた。

「どうだ、間引は減ってきたか」

正之は死に至る病を背負いこみながら、なおも藩政に思いを致しているのだった。

労咳という病を、川の流れになぞらえたのはたれであったか。この病気は泡立つ怒濤のごとく激しく進行することもあれば、瀬音も立てず魚影も見えない淵のように動く気配をまったく消してしまうこともある。

最初の正室お菊の方や長男幸松の場合、体力のなさも手伝ってか病状は日に日に重《おも》る一方だったが、正之は寛文四年（一六六四）一月下旬からにわかに快方にむかった。

三月十三日、正之は病後初めて登城。特に許可されて長棒引戸の乗物のまま御座所入口まですすみ、安堵の笑みを湛えた家綱からいたわりのことばをたまわった。

「これよりは保養を専一といたし、心おだかやにすごすがよい。出仕いたすのは、肥後の気のむいた時だけでかまわぬぞ」

胸を熱くして退出したかれは、酒井忠清以下の閣老たちからも本復の祝詞を受けて、

外桜田門内の上屋敷ではなく芝箕田（三田）の下屋敷へ帰っていった。みずから作庭にたずさわった六景からなる庭園に安らぎ、品川の海辺を歩いて鋭気を養うため、これからはこちらに住むことにしたのである。

ただし正之に、ただ養生するだけで頭をつかうことのない生活というのは考えられなかった。喀血して以来、視力の衰えがさらにくわわったのを感じていたかれは、名のある儒者をまねき、その講義を聴くことによってさらに研鑽につとめることにした。

このころ京都在住の朱子学者ながら、独得の見識とさわやかな講義によって知られ、毎年江戸へも出講する人物に山崎闇斎《あんさい》がいた。藩儒横田俊益は会津へ帰っていたため、正之はこの闇斎の招聘《しょうへい》を思い立ったのである。ちょうど出府していた闇斎は、喜んでこのまねきに応じた。

この年四十六歳と正之より八歳年下の闇斎は、髷を総髪にして大きな耳を見せ、目鼻だちのくっきりした顔だちをしている口跡《こうせき》のいい人物だった。四月八日、黒羽織と錦織亀甲文様の袴をつけてあらわれたかれは、まず『論語』を講義した。

たいていの儒者のいうところは、明末の朱子学派の研究のなぞりにすぎない。対して闇斎は、これら明末の書物を「末書」としてしりぞけ、朱子の真の説に立ちもどれと主張。難解かつ抽象的な漢語を用いず平易な和語によって語り、わけても「義」と「敬」の精神を強調するところに特色がある。

一に徳川家、二に領民のための政治を心がけて晩年を迎えた正之にとり、これこそ自分の探し求めていた思想であった。

「これよりは、それがしの師となって下され」

闇斎が初講義をおえた時、正之はすでに目上の者に対する礼をとっていた。

この年は、五月に閏月《うるう》があった。会津藩下屋敷の庭園の第五景、八曲の橋の下を流れる清流のほとりには、閏五月の近づいたころから杜若《かきつばた》の群落がつぎつぎに花をつけた。濃紫《こむらさき》、白、あるいは斑《ふ》入り、……。

山崎闇斎は正之と知るや肝胆《かんたん》相照らしてたちまち十年の知己《ちき》のごとくとなり、寸暇を惜しんで講義のつづきをしにくるようになった。その合間にふたりは八曲の橋に出むいて疲れを癒し、談笑して厭《う》むことを知らなかった。

そんなおりに横田俊益が会津から申し入れてきたところも、ふたりの気持をますます強く結びつけた。

「御城下に、士農工商の身分を問わず学問を授ける郷校《ごうこう》をひらきたいと存じまして」

と、俊益は開校の許しを求めてきたのである。

正之は闇斎に相談した結果、俊益に土地を与えてこれを免租の地とすることにより、大いにこれを援助することにした。

「稽古堂」

と名づけられ、若松郭外の桂林寺町にひらかれたこの学塾こそ、日本初の郷校にほかならない。のちの世の藩校日新館の創設へとつながる会津藩の教養主義もまた、このような正之の決断を起源とする。

同時に正之は闇斎の講義を自分ひとりが受講するだけではもったいないと感じ、朱子の教えのうち闇斎の高く評価する部分を編集して木版刷りにすることを思い立った。

「それならば、拙者みずから撰文にあたりましょう」

と闇斎が応じてくれたので、朱子の講義録『玉山講義《ぎよくざん》』に『朱子語類』、『朱子文集』からの抄訳をそえた『玉山講義附録』、および『会津風土記』がまずまとめられることになった。

これらの出版物は現代にあてはめるならば、編者山崎闇斎、発行者保科正之、発行所会津藩、ということになる。かつてまだ幼かった家綱と幕閣たちのために『輔養編』を編ませた正之は、稽古堂の開設を機に、藩士と領民たちのために教科書まで刊行することにしたのである。

正之のその熱意、闇斎との交流はまもなく江戸っ子たちにもよく知られ、こんな唄が歌われ出した。

文学好きの殿たちの出で入る門はどれどれぞ　水戸のお屋敷　保科殿　内膳屋敷に新太郎

「文学」とは儒学のこと。「水戸」は徳川光圀、「内膳」は下野《しもつけ》烏山藩主板倉内膳正重矩《しげのり》、「新太郎」とは備前岡山藩主池田新太郎光政を指している。

正之は老いてようやく、文治主義の時代をきりひらいた人物として一般にも認識されはじめていた。

こうして正之が静かに老いを深めようとしていた矢先、かれを現実の政治の世界にひきもどす事件が発生した。

米沢藩主上杉綱勝は閏五月四日の昼すぎから腹部の膨満感を訴えていたが、七日の夕刻七つ半（五時）にいたって急逝してしまったのである。享年二十七。

綱勝は六年前の万治元年（一六五八）七月に正室お徳の方こと正之の長女媛姫《はるひめ》に先立たれてのち、お高の方という継室を京から迎えていた。このお高の方との間にも子は生まれず、養子も定めぬままの急死だったから、上杉家は断絶を命じられてもやむを得ない。

媛姫の縁で最初にこの訃報を伝えられた正之は、八日の朝まだきに外桜田お堀通りの上杉家上屋敷をめざした。

米沢藩重臣たちに問いただしても、綱勝から末期養子の件は聞いたことがない、と困惑の表情を浮かべるばかりで埒《らち》があかない。

媛姫の異様な死に方から、正之は長い間綱勝に申し訳ないことをした、と思いつづけてきた。だからこそ、

（いまこそ上杉家に借りをお返しする時）

と感じてやってきたのに、これでは手の打ちようもない。

さすがの正之もどうしていいかわからないまま一室に控えていると、福王寺八弥となのる若侍が青白い顔を見せた。

そして、意外なことをいった。

「わたくしは御前（綱勝）のお最期までお側にあった者でございます。御前は高家《こうけ》筆頭吉良上野介《きらこうずけのすけ》さまの御長男にて、甥《おい》にあたられます三郎さまを末期養子に、と苦しい息の下から仰せられました。この段、なにとぞお聞き届けたまわりますよう」

「それは、まことか」

とは、正之は問い返さなかった。

重臣たちも聞かなかったことを近習《きんじゆう》ひとりだけが告げられていた、というのでは話が通らない。しかしこの際大事なのは、福王寺八弥決死の言明を前提として、上杉家救済を考えることであった。

正之は昼前にはもう登城して、家綱に拝謁を乞うていた。

米沢三十万石に幕命が下ったのは、六月五日のことであった。

「吉良三郎に養子仰せつけられ、旧領より十五万石を召しあげるものなり」

上杉家は養子を取っていたのに、幕府に届けることを怠っていた。その怠慢の罪を責めて表高はなかば削るが、三郎への家督相続は認める。家綱と幕閣とは正之の歴年の功に免じ、このような論理のもとにその希望を入れたのである。

「すべては肥後守さまの御威光ゆえのこと」

上杉家の面々は感謝することしきりであったが、正之は田中三郎兵衛にのみはひそかにいった。

「これで、お媛にも顔が立った」

天翔ける時

この年の十二月四日にも、正之は血痰を吐いた。だが回数は一度きり、量は中くらいのはまぐりの殻にひとつ分ほどで治まった。

あけて寛文五年（一六六五）七月十三日、諸大名に登城を命じた家綱は二年前の正之との約束を守って触れ出した。

「今年は神祖（家康）五十年の法会《ほうえ》をおこなうべき年にあたり、かつ太平すでにひさしきをもって、これよりは大名証人制度を廃するものとする」

末期《まつご》養子の禁の緩和、殉死の禁止、そしてこの大名証人制度の廃止は、

「家綱政権の三大美事」

といわれ、史家の間では今日も高く評価されている。

またなかには、後の二者は酒井忠清が幕閣の中心になってからの施策だったという理由から、その功を忠清ひとりに帰する学者もいる。

しかし、そのような理解はやや浅いというべきであろう。ここまで物語ってきたよう

に、これらの美挙が家綱政権の果実として実るまでには、保科正之という名輔佐役の不断の研鑽と、自分の味わったつらさを人に味わわせてはならないとする切なる思いがあったのだから。

とはいえ正之は、あれもこれもおれのやったことだ、などと大言壮語する類の人物ではない。

七月十三日当日も体調の不安から箕田《みた》の下屋敷にとどまっていたかれは、家綱があらたなる沙汰を下したと聞くや、莞爾《かんじ》として笑っただけであった。

その心をよぎったのは、

(どうやら、大猷院《たいゆういん》さまから拝した託孤《たっこ》の遺命はことごとくお果たしすることができた)

という感慨にほかならない。

思えば慶安四年(一六五一)四月二十日にまなこを閉ざした家光は、享年四十八。まだ正之は四十一歳だった。

「ひ、肥後よ。その方、余の恩を忘れてはおるまいの」

家光が冷たい掌《たなごころ》を正之に握らせて喘ぎながらたずねた時、正之は涙せきあえずに答えた。

「はい、骨髄に徹し、片時たりとも忘れたことはござりませぬ」

そして、

「そうか、知ってのとおり、大納言はまだ十一歳じゃ。そちに、頼み置くぞ」

との遺命を受け、

「誓って身命をなげうちまして、大納言さまに御奉公つかまつります」

と応じた一瞬から、かれはこの日にむかって営々と歩みはじめたのである。

（あれから十五年。今度は、わが身が隠退と死の用意を始める番だのう）

と考えると、すでに白頭翁となっている正之は、人生は長いようで短い、ということばをふたたび実感せざるを得なかった。

「仕官」といえば政府に役人としてつかえること、「致仕《ちし》」といえば仕官して得た地位と報酬とを返上して隠退することを意味する。

正之が寛文六年（一六六六）春から致仕の機会を見計らいはじめたのは、

（人は出処進退を誤らぬことこそ大事だ）

というかねてからの信念もさりながら、正経《まさつね》の縁談がばたばたとまとまったためでもあった。

相手は加賀金沢百二万石の当主で、正之お気に入りの婿である前田綱紀《つなのり》の妹久万《くま》姫十四歳。

ことし二十四歳の綱紀は正之の度量のひろさと学識の深さとに心酔し、特に近年は発奮して古今の漢籍と和書との収集に努力。いずれ新井白石をして、

「加賀は天下の書府なり」

といわしめる金沢百万石の文化的基盤を固めつつある。

その綱紀は、正之が血を吐いて臥床している間、本郷から約二里の道のりを一日に二度も見舞にあらわれる律義さであった。かれより三歳年下の正経も父の容態を案じて寝所二の間に詰めきりになっていたから、自然ふたりは親しくなった。

（この筑前殿（正経）が久万姫を娶《めと》ってくれるならば、前田家と保科家とは二重の縁《えにし》でむすばれることになる）

その間に考えた綱紀は、正之が床ばらいするのを待ってこの縁談を申し入れ、正之・正経父子の内諾を得て将軍家綱に許しを求めた。

家綱は一月中にこれを認めたものの、その後前田家、徳川家双方に不幸が相つぎ、表立った動きはつつしまなければならない日々がつづいた。そのしわ寄せで、三月十一日に結納が交わされたかと思うと、十三日にはもう久万姫が芝新銭座《しんせんざ》の中屋敷に輿入れするというあわただしさになったのである。

しかしその結果、おまんの方を幽閉して以来八年間ひっそりと静まり返っていた中屋敷の奥殿には、にわかに華やぎがあふれた。これを見て正之は、もういつ致仕してもいい時がきたことを悟ったのだった。

だがこの思いは、ひとり正之だけのものではなかった。

月も変わらない二十六日のうちに、この婚礼のため会津から出府してきていた北原光次が一歩早く正之に致仕を願い出た。

「采女《うねめ》よ、余より先に隠居するのか」

正之は万感の思いをこめて、いまは亡き保科正近につづく会津藩二代目の城代家老にその通称で呼びかけていた。

光次はもう七十八歳の高齢に達していたから、その申し入れはやむを得ないところでもある。

「いずれまた、会津で会おう。身をいたわるのだぞ」

というのが、正之なりのはなむけのことばであった。

この時田中三郎兵衛は、やはり出府してきて中屋敷住まいの正経と下屋敷の正之との間を往き来している。

（自分が衰えた以上、第一の老臣は国許ではなく江戸で用いなくては）

と考えた正之は、以後は三郎兵衛を筆頭江戸家老とすることにした。

それはひとつには、労咳《ろうがい》の気配が消えるのと入れ違いに白ぞこひが急激に悪化し、いちいち正之自身が書類に目を通さずとも的確な指示を下せる人間が手近に必要となったためでもあった。

すでに上梓された『玉山講義附録』、もっか山崎闇斎が決定稿を作成しつつある『会津風土記』の校閲にかかわったことが、正之の眼病に決定的な悪影響をおよぼしてしまったらしかった。

眠りからさめて目をひらいても、まったくなにも見えない日が時にある。それでも薬湯で目を洗っているうちに、物のかたちがようやく見えてくる日もある。

そこまで進行してしまった白ぞこひに、正之は完全に盲《めし》いる日が間近に迫ったことを覚悟せざるを得なかった。

その正之のささやかな願いは、

（もうすぐ生まれるお松の子の顔をこの目で見ることができれば、それで本望としなければ）

というものであった。

正経と久万姫との縁談が起こる前から、正之は前田綱紀から正室松姫の懐妊を伝えられていた。四月下旬か五月初めの予定と聞くその出産が無事におわれば、生まれてくる子は五十六歳になった正之にとって初孫ということになる。

しかし、その期待は無残に打ち砕かれた。

四月二十一日の八つ刻（午後二時）すぎ、松姫が本郷の前田家上屋敷奥殿の産室で分娩した子は死産であった。

「それで、お松の具合は」

とたずねた正之に、前田家からの急使は、かたちとしては安産でございました、と答えて去った。

（ならば、またの時というものがあろう。とはいえ、もはや孫の顔を見ることは諦めねばならぬな）

とかれが思いながら綱紀に慰めの酒樽を贈る手配をしていた二十三日早朝、また前田家から急使がきて思いも寄らないことを告げた。

「へ、弊藩奥方さまには昨夜より御容態にわかにあらたまり、もはや千死に一生もこれなき御様子と相なりましてござります！」

「千死に一生もない」とは、千にひとつも生きる可能性がなくなったという意味である。

正之は酒樽を贈るのを中止し、正経、三郎兵衛とともに本郷へ急いだ。

が、使者の報じたごとく、松姫は二十四日の朝五つ半（九時）に至って眠るがごとくに息絶えた。享年わずかに十九であった。

松姫のなきがらは、その夜四つ刻（一〇時）をすぎてから下谷の広徳寺に運ばれ、埋葬された。

正之は前夜まんじりともせず松姫の枕頭に詰めていたため疲れきり、広徳寺へは名代として三郎兵衛をつかわすことしかできなかった。

この出来事によって、正之はふたたび体調を崩した。白ぞこひが特に悪化の一途をたどり、小姓や小納戸《こなんど》衆以外に四六時中かたわらにあって食事、入浴から薬湯、手水《ちょうず》までの世話をする者が必要となったため、三郎兵衛は現代流にいえば看護婦の仕事のできる女性を捜すのに懸命になった。

その結果、この八年間まったく女気のなかった正之の側近くにつかえることになったのは、おふき二十二歳。酒癖の悪さから尾張徳川家を召し放たれた沖友也という牢人の娘で、歌道、書道、弾琴吹笛《だんきんすいてき》から礼儀作法までひと通り修めたというのに、家の貧しさから二十歳《はたち》すぎても嫁《ゆ》き遅れていた者だった。

三郎兵衛は、すでに死亡した友也の両親が長く寝たきりになっていたころにもおふきが甲斐甲斐しく面倒を見ていたことまで調べ、側室同様の支度金を用意して下屋敷に迎えたのである。

振袖火事を境に女たちの髪形も大きく変わり、武家の女たちも根結いのおすべらかしにして背に垂らしていた髪を上へ折り返して「髷《まげ》」とするようになりつつある。なかでも好まれたのが勝山髷で、これは頭部へ曲げた毛先をその髪の根に巻きつけ、笄《こうがい》で留めた新鮮な結髪法だった。

髪をこの勝山髷にしているおふきは、器量は十人並ながら苦労してきただけによく気のつく娘だった。

正之は足もとがよく見えないため屋内でも杖を手離せなくなっていたが、おふきがきてからは、奥殿に安らぐ時のみはその杖を必要としなくなった。

おふきが正之に小さな手を取らせてどこへでも先に立ち、

「あと三歩ほどで右へまいります」

「敷居がございますのでお気をつけて」

と、文字どおり杖代わりになってくれたからである。

とはいうものの、これで難題がすべて解決されたわけではなかった。

いまや大老に昇った酒井忠清からは、正之がおりおりしか登城しなくなって以来、将軍輔弼《ほひつ》役としての裁可承認を求める書類が時に届けられる。もはや目をこすりつけるようにしなければ読めなくなっているこれらの書類を、これまで正之は三郎兵衛に読みあげさせることすらつつしんできた。

「一介の家老が、肥後殿の眼病につけ入って幕政に口出ししている」

などという口さがない声を、あらかじめ封じるためである。

しかし幕政にかかわる文書を自力で読めなくなってしまった以上、もはや致仕をためらっている場合ではない。

そう決心した正之が、家綱に会見すべく登城したのは六月五日のことであった。この時も家綱は、かれが乗物に乗ったまま御座所入口までゆくことを許してくれた。

長く通いつづけた御座所だから、障壁画の彩りはぼんやりとしか目に映らなくなっても、そのたたずまいは正之の頭にしみこんでいる。

「許す、面《おもて》をあげよ」

と上座から声をかけてくれた家綱の顔の輪郭は、心なしか壮年時代の家光に似てきたように思われた。

その声を受けて時候の挨拶をしたあと、正之はおもむろにいとま乞いのことばを述べはじめた。

「かくも目が悪くなりましては御奉公もつかまつれず、お上のみならず閣老方にも御迷惑ばかりおかけいたすはあまりに心苦しきことなれば、本日ここに、――」

致仕いたしますことをお許し下さいますよう、とつづけようとした正之に、

「肥後よ」

と家綱は、しみじみとした口調で呼びかけてきた。

「目はよく見えずとも、余はそちが近くにいてくれさえすれば安心なのだ。屋敷にてゆるゆると養生しておって一向にかまわぬから、致仕ということばだけは口にいたしてはならぬぞ。その代わりといってはなんだが、今後気分のよい日に登城いたす時は、輿《こし》に

乗ってまいるがよい」

このあまりにねんごろなことばに正之は、

「お上、――」

といったきり、目をしばたたくことしかできなくなっていた。

家綱から親しく致仕を止められることがあろうとは、正之には思ってもみないことだった。だがそれは臣として光栄の至りというべきで、決して口惜しく思う筋合のものではない。

ただしさらに家綱に奉公しつづけるということは、正之にとってはなおも会津へ帰れないことを意味した。

それでも愚痴ひとついわず、かれは寛文七年（一六六七）を迎えても山崎闇斎の講義に耳をかたむけつづけていた。

闇斎の講義はすでに『論語』をおえて『孟子』に入り、田中三郎兵衛や先ごろ家老に昇った佐藤勘十郎も、時間の許すかぎりともに受講する習慣ができあがっている。

するとある日、闇斎が駕籠におさまって下屋敷を去ったあと、羽織姿の勘十郎が奥へ入ろうとしている正之の足もとにうずくまり、思い決したように切り出した。

「恐れながら、ひとつだけお教えいただきたき儀がござります」

「申してみよ」

正之が歩みを止めると、真面目一方の勘十郎のいつになく切迫した声が響いた。

「御前のお命は長久であらせられると、それがしは信じておりまする。されど万々が一、御前が病臥なされましたる時、藩政をお預かりいたす拙者どもはいかにして御前の御趣意をお守りいたせばよろしゅうございましょう。いずれあらためまして、その根幹となるところを御教示いただければありがたき幸せに存じまする」

おふきが側近くつかえて以来、正之は少し若やぎを取りもどしていた。これはかれが一度寝入ったあと手水に立つのを案内するため、おふきもおなじ部屋に臥して「おふきの方」と呼ばれるようになったことと無縁ではなかった。

とはいえかれはもう五十七歳だから、勘十郎が無礼覚悟で「正之以後」のことを言い出したのも無理からぬところだった。

「もっともな申しようだの」

細い杖の握りに両手を置いた正之は、うんうんとうなずいてからつづけた。

「余もわが思いをその方らや子孫にどのようなかたちで伝えておくべきなのか、前々から思案していたのだが、なかなか答えを見出せずに今日まできた。しかし闇斎殿が、いつもわれら俗人にもわかりやすい口調で講義して下さるのを聴くうちに、なにやら見えてきたような気もする。さらに闇斎殿の助言を乞い、いつまでもわが藩の向上の道理となり、戒めともなることばを考えてみよう」

あんずの種をそっと土に埋めるように、生涯を閉じる前にわが会津藩に不変不動の精神を植えつけておきたい。そして、残った者やこれから生まれてくる子孫のためにもゆるゆると芽ぶかせ、百年、二百年ののちまで立ち枯れとはならない大いなる樹木に育てることができるならば、――。

勘十郎とのこのやりとりをきっかけに、ようやく正之は自分に残された人生最後の課題に取り組もうと決意したのであった。

（その背景となる気概は、幕府に対してどこまでも忠勤を励みつづける覚悟であると同時に、藩内にあっては民を慈しみつづける心でなければならない）

というところまでは、闇斎に相談するまでもない。だが意気凜然《りんぜん》とそれを表現するには、やはり闇斎の文才を借りなければならない。

とつおいつ考えていた寛文八年（一六六八）二月二日、家綱はひさしぶりに正之をまねいて命じた。

「これよりは松平姓をなのり、葵《あおい》の紋を家紋として用いよ」

輿に乗ってまかり出た正之に、これだけは受けられないところだった。

白髪と白い髭とを横に振ったかれは、すでに顔だちもおぼろにしか見えなくなっている家綱にむかい、申し訳なさそうに腰を折った。

「先代大猷院《たいゆういん》さま（家光）に御奉公いたしましてこの方、肥後めは台命《たいめい》をお否《いな》み申しあげたことは一度たりともござりませぬ。されど、どうかお聞き下さりませ」

肩衣《かたぎぬ》の肩先をわずかに震わせながら、正之は声を励ました。

「この身は幼き日より高遠保科家に養われました者にて、いまさら姓と家紋とをあらためましては保科家に申し訳が立たぬことに相なります。また家中には信州育ちの者が少なからず、これらの者には質朴ながらやや一徹にすぎる通癖がござります。もしもそれがしが保科姓とその紋とを捨てましたならこれらの者どもは離叛いたすやも知れず、万一さようなことに相なりました時は、奥羽鎮撫の藩屏《はんぺい》たるお役目を果たせなくなる心配もございます。さればこの仰せだけは、あえてお否み申しあげることをどうかお許し下さりませ」

正之は松平姓と葵の紋の拝領という幕藩体制下における最大の名誉をも、その場で辞退してしまったのである。

しかもその切々たる口調には、君臣の別をどこまでもわきまえ、徳川一門というよりもむしろ臣下としての分を守りながらさらに忠義をつくしたい、という思いがあふれていた。

関ヶ原で徳川家と覇を競った薩摩島津家や長州毛利家すら、松平姓を下賜されるや鞠《きっ》躬如《きゅうじょ》としてこれを受け入れている。そのようなことどもとくらべても、正之の貴重なほどの結晶度の高さははるかに時代を超越していた。

そしてその覚悟のほどは、この年の四月十一日、ようやく十五カ条からなる文章に定着された。

「会津藩家訓《かきん》」

として、今日にまで伝えられているものがこれである。

その第一条にいう。

一、大君の儀、一心大切に忠勤を存ずべく、列国の例をもってみずから処《お》るべからず。
　もし二心を懐《いだ》かば、すなわちわが子孫にあらず、面々決して従うべからず。

訳せば、つぎのようになる。

「徳川将軍家に対しては一心に忠義に励み、しかもほかの諸藩とおなじ程度の忠義で満足していてはならない。もしも将軍家に対して逆意を抱くような会津藩主があらわれたならば、そんな者はわが子孫ではないから、家臣たちは断じて従ってはならない」

ここに記されているのは、醇乎たる佐幕一途《いちず》の思いであった。

家光・家綱の二代につかえ、慶安元年（一六四八）正月以来もう二十一年間江戸にとどまりつづけている正之にとって、ここにこそ会津立藩の精神があったのである。「会津藩家訓」の、これにつづく十四カ条は以下のごとし。

一、武備は怠るべからず。士を選ぶを本《もと》とすべし、上下の分を乱るべからず。
一、兄を敬い、弟を愛すべし。
一、婦人女子の言、一切聞くべからず。
一、主を重んじ、法を畏《おそ》るべし。
一、家中は風儀を励むべし。
一、賄《まいない》（賄賂）をおこない、媚《こび》を求むべからず。
一、面々依怙贔屓《えこひいき》すべからず。
一、士を選ぶに便辟便佞《べんぺきべんねい》の者（心のねじ曲がった者）を取るべからず。
一、賞罰は、家老のほか、これに参加すべからず。もし位を出ずる者（出すぎた者）

あらば、これを厳格にすべし。

一、近侍者をして、人の善悪を告げしむべからず。

一、政事《まつりごと》は、利害をもって道理を枉《ま》ぐ（曲げる）べからず。僉議《せんぎ》（詮議）は、私意をはさみ人言を拒《ふさ》ぐべからず。

一、法を犯す者は、宥《ゆる》すべからず。（以下略）

一、社倉は民のためにこれを置く、永利のためのものなり。歳饑《としう》えれば（飢饉の年がきたら）すなわち（社倉米を）発出して、これを済《すく》うべし。これを他用すべからず。

一、もしその志を失い、遊楽を好み、驕奢《きょうしゃ》を致し、士民をしてその所を失わしめば、すなわち何の面目あって封印を戴《いただ》き、土地を領せんや。かならず上表（辞表を出し）、蟄居《ちっきょ》すべし。

第四条に婦人女子のことばに耳を貸してはならない、とあるのは、かつておまんの方の愚かしい策謀により、保科家奥むきが大いに乱れたことを正之がなおも無念に思いつづけていたことによる。

全十五カ条を受け、会津藩家訓はつぎの一文で閉じられていた。

右十五件の旨堅くこれを相守り、以往《いおう》（以後）、もって同職の者に申し伝うべきものなり。

寛文八年戊申四月十一日

会津中将印

家老中

これはまさしく、憲法そのものであった。

正之はこれまで、武力によって諸大名を威圧する武断政治から、法にもとづく文治政治に切りかわるべき時代の流れにひたむきに棹さしてきた。そこにはぐくまれた清冽な精神は、この家訓に結実して長く会津藩の脊柱をなし、独自の士風を築くことになる。

正之がこの家訓を収めた状箱を手わたした相手は、田中三郎兵衛であった。場所は芝西久保の、元島原藩邸白書院。

二月に正之が松平姓と葵紋の下賜を拝辞した直前と直後とに近火があり、保科家は芝新銭座の中屋敷と箕田の下屋敷とを類焼させてしまっていた。そこで外桜田の上屋敷へうつったところまた近火が発生して不吉に感じられたため、三月二十一日以降正之はおふきの方や三郎兵衛らをつれて、近ごろ空き家になっていたこの屋敷に仮住まいしたのである。

「許す、この場で一読せよ」

と三郎兵衛に命じた時、正之はおだやかなほほえみを浮かべていた。

白い肌着に露草色と竜胆《りんどう》色の好みの小袖を重ね、おなじく竜胆色の袴をつけて黒い紋羽織を着ているその細身の姿からは、すべてをなしとげた者ならではの安らぎが漂い出している。

刮目《かつもく》して全十五カ条を読みおわり、静かに目をあげた三郎兵衛の男臭い風貌には、驚嘆と感動の色が刷《は》かれていた。

「殿、これは、――」

珍しく三郎兵衛は、せきこむようにいった。

「ただちに副書を作り、国許へ送らせて下さりませ。早く諸士にも読ませてやりとうございます」

「うむ、その方自身の手で写し取れ。実は家老職にある者の人数分の写しを作ろうと思ったのだが、もう手もとすら見えにくくての」

正之にとって腹案を山崎闇斎に見せて添削を乞い、自力で家訓を清書する作業は、まったく盲《めし》いてしまう前におこなった最後の書きものでもあったのだった。

「それでは、暫時《ざんじ》お預かりつかまつります」

鼻をつまらせて退出した三郎兵衛は、すぐに斎戒沐浴して副書作成にとりかかった。

大名家の家訓は、さほど珍しいものではない。しかし、主家たる徳川家に寄せる思いをここまで謳《うた》った家訓は前代未聞である。

そして、ここにこめられた正之の秋霜烈日の思いは、いずれつぎのような慣習となって代々厳守されてゆくことになる。

まず、初めて家老職に登用された会津藩士は、家訓の末尾に署名。さらに血判を捺《お》し、家訓の精神にしたがって時の藩主につかえることを盟約する。

郷校稽古堂を母体として藩校日新館が開設されてからは、年頭には上座から学校奉行がこれを奉読し、藩主と家来一同とは下座に平伏して拝聴する、という厳粛な行事も長くおこなわれた。

——わが亡きあとも、一に徳川家、二に民を思う心を絶やさせはしない。

結果から見て正之は、その思いを人の手から手へわたされてゆく松明《たいまつ》の炎のごとく、長く家中に伝えることに成功した稀有な大名となったのである。

正之は「会津藩家訓」の決定稿を得るのに闇斎に力を借りて以降、かれに対する待遇をあらためた。

芝西久保の旧島原藩邸に定期的に通ってきてくれる闇斎には座布団を二枚敷かせ、自分は下座について家老以上の身分の者としてあつかう。「敬」の心を説く闇斎が増長することなく講義をつづけたため、ふたりの間柄は水魚の交わりそのものとなった。

そのような流れのなかで闇斎は、正之の求めに応じて寛文八年（一六六八）五月には『二程治教録《にていちきょうろく》』を、翌年には『伊洛三子伝心録《いらくさんしでんしんろく》』をまとめた。

前者は朱子の編んだ『二程全書』から、民を治め導くのに大切な考え方を選び出したもの。後者は朱子に影響を与えた先達三人の遺稿からまだ風化していないことばを集めたもので、これらも正之の命によって上梓された。

この二書はさきに刊行された『玉山講義附録』とともに、

「三部書」

と総称され、家綱にも上呈されて武家道徳の育成に一役買うことになる。政治は徳治でなければならないとする正之の思考法は、このような出版活動にも如実にあらわれていた。

　こうしておこないすましたかに見えた正之が、珍しくも面映ゆげな笑みを湛えたのは寛文九年二月一日のことだった。おふきの方が前夜遅く宿下がり先で男児を出産、しかも母子ともにすこやかとの報が家中に伝わったのである。

「いやはや、五十九歳にもなって子に恵まれるとはの」

　側近たちから祝詞を述べられると、正之は初心の少年のようにはにかんで答えた。

　だが江戸詰めの家来たちは、大真面目に言い合った。

「さすがに、大殿さまは違う。大病に打ち克たれて、われらに男子の手本をお示し下さった」

　これはたしかに、保科家にとっては快挙というべきだった。

　前田綱紀に嫁いだ松姫の急逝により、残された正之の娘といえば石姫こと稲葉正往《まさゆき》夫人だけになった。その石姫も、寛文七年九月に鶴姫を出産したものの、産後の肥立ちが悪くて二十歳で死亡。正経の正室お久万の方には、絶えて懐妊の気配が見られなかった。

　正経になにかあった場合の控えには、十八歳の新助あらため正純《まさずみ》がいる。とはいえ正之の子供たちの線の細さ、命のはかなさは家中の者たちの気に病むところとなっていたから、この朗報は家中に久方ぶりの欣快事として受けとめられたのだった。

　この子を十四郎と名づけた正之は、いよいよまったく盲いたことにより、再度家綱に致仕を願い出る肚《はら》を固めた。

その家綱がやむなく正之の致仕を認めたのは、寛文九年（一六六九）四月二十七日のことであった。

今度は前もって書状で意思を伝え、内諾を得てから登城したので、家綱は父に同行した正経への家督相続をもその場で認めてくれた。

そして家綱は、正之に真情あふれることばを与えた。

「肥後よ、十一の時からそちの後見を受けてきたこの身も、もう二十九に相なった。この分ならば徳川の世も長く安泰であろうと思うが、そちにとってこの歳月は、さぞや『松も老木《おいぎ》になりにけるかな』というものであったろうな」

正之がすでに見えぬ目を伏せていると、心なしか家綱の声は潤《うる》みはじめたように感じられた。

「そちのたっての願いゆえ、本日ここに隠居を許す。ゆるゆると保養いたして、いつまでも長生きするのだぞ。ただし気分よろしきおりにはいつなりと登城いたし、余にまつりごとの要諦をつぶさに教えてくれたころのように、遠慮なく存じ寄りを述べて老中たちの相談相手をつとめよ」

「も、もったいのうございます」

と答えたきり、正之はしばらくの間声もなかった。

致仕を申し出ることを、

「骸骨《がいこつ》を乞う」

とも表現するのは、仕官中に主君に捧げつくした身の残骸を乞い受けて去る、という意味である。

正之はことばの本来の意味において、徳川将軍に堂々と、かつ恬淡《てんたん》と骸骨を乞うことのできたまことに稀な大名であった。

五月十二日、正経への家督相続を許されたお礼の品々をたずさえてあらためて登城した正之は、すでに髷を落として美しい銀髪をうしろへ撫でつけ、肩衣半袴ではなく紋羽織をまとっていた。これは、すでに隠居となったことを示す姿にほかならない。

黄金一枚、時服十、侘助の茶入れ、来国光《らいくにみつ》の脇差、源義経筆の掛物一を肩衣半袴姿の正経と供番の者たちを介して献上した正之は、家綱からからだの具合を問われてにこやかにいった。

「はい、隠居を許していただきましたので、目もまた見えるようになったようなすっきりした気分でござります」

正之がこんなかろやかな物言いをすることは、めったにないことだった。

六月五日、再建なった箕田の下屋敷に酒井忠清以下の閣老たちをまねいたかれは、正経が第二代会津保科家当主となったことを披露するための宴《うたげ》を張った。

田中三郎兵衛の総指揮によってこの宴も上首尾のうちにおわったあと、正之はひそかに願いはじめた。

（また血痰を吐かぬうちに、せめてもう一度会津の土を踏みたい）

それでも正之は、すぐに会津へゆくわけにもゆかなかった。

それには、正経が会津藩第二代藩主として参勤交代をおこなわなければならなくなったことが大きかった。しかも芝新銭座の中屋敷の竣工は晩秋となる目算だったから、父子そろって江戸を離れることはとてもできない。

そこで正之は、田中三郎兵衛を城代家老に任じていち早く帰国させ、七月には社倉米の量を五万俵まで引きあげるよう命じた。

寛文三年（一六六三）以来二万三千俵規模だった社倉米を一気に倍以上としたのは、

「社倉は民のためにこれを置く」

と会津藩家訓に謳った精神をより徹底させるためでもあり、藩主として初めて会津入りする正経の初政を善政ならしめてやりたい、という親心でもある。

こうしておいて正経を八月十日に会津へ送り出したあと、正之は近習《きんじゅう》たちに書類の処分を命じた。

どれを残し、どれを捨てよ、というのではない。いまを去ること十八年前、慶安四年（一六五一）四月に将軍輔弼役として幕政に深く関与して以来、ほかの閣老たちとやりとりした書類と家綱への献策を記した手控えとは、

「ことごとく焼き捨てる」

というのが正之の意思であった。

もともと正之は、あの政策はおれの献策に発したものだ、などと胸を張る性分ではない。

しかしそれらの書類が後日、家来たちの目に触れ、

「なんだ、あの政事《まつりごと》も大殿のお志によるものだったのか。ほかの閣老方は、いったいなにをしておられたのだ」

などという声があがったりしては、まだ生きている人々に迷惑のかかる恐れがある。かれはそう考えて、みずからの足跡をていねいに消してゆく作業をおこなったのであった。

いくつもの行李に入れて運ばれ、箕田の下屋敷のはずれに掘られた大穴に投じられたそれらの書類は、火を点じられると大きな炎と化した。なぜか浮かれた近習たちは、舞いあがる火の粉を嬉々として棒で叩きおとす。

細身の杖を手にし、床几《しょうぎ》に腰を据えてこれに立ち会っていた正之の目に、もはやその炎は映らなかった。だが、吹きつける熱ときなくさい臭いによって、書類の山が灰になってゆくさまは如実に感じられる。

――鳥は立てども、跡を濁さず。

正之は身辺の整理をおえて、ようやくこのことばをなかば以上達成できたように感じた。

となれば、あとはいつ会津へゆくかである。

家綱に賜暇を乞うたところ、

「長旅ゆえ、良い季節になってからにいたせ」

との台命が下ったので、正之はきたる四月をめどに出立準備をととのえることにした。

その正之が会津へ出発したのは、あけて寛文十年（一六七〇）四月十二日のことであった。

かれはまだ家光の元気だった慶安元年（一六四八）正月に出府して以来、江戸にとどまりつづけていた。それから指折りかぞえれば、実に足掛け二十三年ぶりの帰国ということになる。

沿道に菜の花の咲き乱れる奥州街道を、行列は六十歳となったあるじの身をいたわりながらゆっくりと宇都宮めざして北上していった。杖つき三人、鉄砲・長柄《ながえ》衆各二十人、徒武者《かち》三列五十一人、……。

宇都宮から日光街道に折れ、日光の手前、今市から会津西街道に入って宇都宮藩領の高原《たかはら》峠を北に越えれば、もう会津藩のお預かり領――藩の表高二十三万石とはつねに別記される南山《みなみやま》五万石の地であった。下野国《しもつけのくに》塩谷郡の山塊にかこまれた、一歩ごとに爪先あがりになってゆく地形のこのあたりは、春まだ浅く岩清水は氷のように冷たい。渓流の清げな音を耳にしてその岩清水を一口所望した正之は、乗物から出て見えない目で頭上の空を仰いだ。ぶっさき羽織にたっつけ袴をつけ、すっかり枯れた風貌を見せて品良く高原の空気を吸ったその姿に、陣笠をかむった供侍のひとりが片膝ついて告げた。

「北の空には、帝釈山地がまだ残雪に白く輝いておりまする」

「そうか。十八日には城へ入る、と、三郎兵衛に伝えよ」

静かに答えた正之は、右筆《ゆうひつ》をさしまねいて一首書き取らせた。

「盲いて古郷《ふるさと》へ帰る」

と詞書《ことばがき》したその歌は、つぎのような作柄であった。


見ねばこそさぞな景色の変るらめ六十になりて帰る古郷

この場合の「古郷」は、生まれ故郷ではなく古くからなじみのある土地を意味している。


初めて若松入りして鶴ヶ城の白亜五層の大天守閣を見あげた時、正之はふしぎな感動に襲われて保科民部正近にこう語りかけたものだった。

「あの気品ある姿に、恥じない藩政をおこなわねばな」

その正近すでになく、正之もみずからの死出の用意をほぼおえて、ゆるゆると若松へ近づきつつある。

その感慨をこめたこの歌を右筆が二度読みあげることによって供の者たちに披露すると、ひざまずいて拝聴した一同は寂《せき》として声もなかった。

若松の南五里十六丁、茅《かや》ぶき屋根の家が道の左右にならぶ大内宿で田中三郎兵衛の出迎えを受けた正之が、鶴ヶ城へ入ったのは十八日のことであった。

本丸御殿に暮らす正経を立て、正之は三の丸にある小さな殿舎でのびやかな日々をすごしはじめた。ここはかつておしほの方が、お国御前として松姫を育てていた場所である。

それにしても、会津はよく治められていた。

昨寛文九年の調査で、会津藩の人口は十四万二千五百二十七人。かつては十五年間で二万人しか増加していなかったのに、間引を禁じてからの五年間でもう一万三千人近くふえた計算になる。

米もよく穫《と》れ、社倉米を五万俵もたくわえてもなお藩庫は豊かであったから、正之はあえてなすべきこともなかった。かれは足掛け二十三年間不在だったにもかかわらず、いつか自藩を徳川親藩のうち屈指の雄藩へと育てあげることに成功していたのだった。

田中三郎兵衛を大老に任ずることによってその功にむくいた正之は、八月に正経が江戸へ参勤するのと入れ違いに五男の正純を会津に呼ぶことにした。十九歳となって正六位、東市正《ひがしいちのかみ》の官位を受けている正純は、

「市正さま」

と家中の者たちに呼ばれて正之ゆずりの聡明の質を喜ばれている。

しかし、まだ正経が城にとどまっていた七月十二日の夜、不吉な事態が発生した。

田中三郎兵衛の拝領屋敷は、城西を南北に走る大町通りの北のはじにある。その屋敷で、不意に三郎兵衛が昏倒したとの急報が入ったのだ。

「なんだと」

褥《しとね》からはね起きた正之は、すぐに宿直《とのい》の小姓組の者たちを田中邸へ走らせた。

その三郎兵衛は、一時はまったく意識を失ってしまっていたが、ふしぎなことにまも

なく蘇生。その後養生につとめた甲斐あってか、八月五日に至って全快したため、正之は胸を撫でおろした。

だが、三郎兵衛ももう五十八歳。正之には知るべくもなかったが、三郎兵衛の眉は年とともに長くのびて眉尻がはねあがり、鼻の両脇に刻まれた皺も深くなってきていた。この発作はかれが卒中体質の持ち主であることを示唆していたから、また血痰を吐かないよう薬湯を常用してひさしい正之と三郎兵衛とが、君臣ともに最晩年を迎えつつあることは確実となった。

それでも正之は、八月中に正経を見送り正純を迎えると、今度は自分がいったん江戸へもどらねばならなくなった。

きたる寛文十一年（一六七一）五月七日で、正之は還暦を迎える。家綱が祝いの上使を派遣してくれることはあきらかだったから、この日にはどうしても江戸にいる必要がある。

「会津の冬の冷えこみがおからだに障りましては」

と侍医たちもいったため、正之は雪のくる前に一度若松を去ることにした。

十月六日出立、十二日着府。

あけて寛文十一年五月七日、上使を箕田の下屋敷に迎えておこなわれた還暦の祝いの記念として、正之はこれまで秘蔵してきた四幅の掛物を正経にゆずることにした。祖父家康、実父秀忠、異母兄家光、甥《おい》家綱の四人の書をそれぞれ表装したもので、正之はこれをひそかに形見分けと考えていた。

この二日後の五月九日には、武州足立郡大牧《おおまき》の里の清泰寺で見性院《けんしょういん》の五十回忌の法要がおこなわれた。大牧の里は見性院のかつての知行地、清泰寺はその菩提寺である。思えば正之の誕生にまだ間のある慶長十五年（一六一〇）冬、時の将軍秀忠の胤を宿した母お静が見性院・信松院《しんしょういん》姉妹に助けられ、大牧の里にひそんだ時からすべては始まったのだった。

（もしも見性院さまなかりせば、おれは保科姓もなのらなかったし何者にもならなかっただろう）

といつも考えてきた正之は、この日にあわせ、清泰寺に五反七畝の田畑を与えた。十四両二分の代価で買いあげたこの農地を寄進して、収穫を今後の法要の料に充《あ》てさせることにしたのである。

なおこの法要は、今日も毎年五月、旧会津藩子孫たちの集まりである会津会の手によって営まれつづけている。

「鼻紙代になりとおつかい下さりますように」

そういって知行六百石の半分を若き日の正之にわかち与えようとした見性院、その無私の心をおのれの心として幕政と藩政とに一身を捧げた正之の思いは、こうして細々とながら現代に伝えられていることになる。

かくて正之は、六十一歳にしてなすべきことのすべてをおえた。

しかし、あとは静かに老いを深めるしかないこの名君に、現世《うつしよ》はなおも非情であった。

同年、七月二十日、五男正純、二十歳で早世。

昨年八月に会津入りした正純は、猪苗代湖にほど近い戸ノ口原や大野原《おおのがはら》に連日野遊びや鷹狩に出かけるなど、のびやかな日々を満喫して五月二十日に江戸へ帰ってきていた。ところが会津でのからだの酷使と旅の疲れとが響き、翌日からはもう枕から頭が上がらなくなった。脈が乱れ、下痢がつづいてついには瘧《おこり》（マラリア）のような震えの発作に襲われ、この日の夜四つ刻（一〇時）に息絶えてしまったのである。

継室おまんの方の産んだ四男五女のうち、正経以外の八人はすべて夭折《ようせつ》してしまったのだから、老いの身にこれは応《こた》えた。

からだのひとまわり縮んでしまった正之は、弔問客たちに憔悴しきった顔をむけ、声もなく頬を濡らすばかりであった。

その葬儀をおえて気力いよいよ衰えるのを自覚した正之は、八月にまた正経が会津へ帰国することになると、かれを芝新銭座の中屋敷から下屋敷へまねいて告げた。

「知ってのとおり、末の十四郎はまだ三歳だ。今後はその方に託すから、養子とせよ。嫡子に据えよといっているのではないぞ。ちゃんと育つようなら少しく禄をわかち、お上には軽き御奉公をさせればそれでよい」

これは、正経への遺言であった。

色白の美男である正経は、二十五歳になったのにまだ子に恵まれていない。だからおふきの方の腹の十四郎を一応養子としておくが、もし実子が生まれたならそちらの子に相続権を与えていっこうにかまわない、と正之はいったのである。

その後正之の没頭したのは、神道を研鑽することであった。

この時代、一方においで神仏習合もさかんにおこなわれていたが、儒学は儒教ともいわれ、神道とむすびついて儒家神道を生み出している。山崎闇斎は「垂加《すいか》」の号をもつ神道家でもあったから、かれに師事した正之も神道によって葬られることを望むようになっていた。

しかもまだこのころ、闇斎における神道の師はまだ健在であった。その師とは、吉田神道の権威吉川惟足《これたる》。

正之はこの吉川惟足をもまねき、邪念妄想を祓《はら》って清らかな真心を保ち、ついには神人合一に至る道に淡々と耳を傾けつづけた。

その吉川惟足が、正之に秘伝と神号とを授けたのは十一月十七日のこと。三折りにされて差し出された大高檀紙《おおだかだんし》には、

「土津《はにつ》」

と墨書されていた。

これによって正之は、死後は土津霊神として祀《まつ》られることになったのである。

（さらに命あるものならば、寿蔵《じゆぞう》の地を定めておきたいものだ）

と、この時からかれは考えはじめた。寿蔵とは、生前に造っておく墓所をいう。

寛文十二年（一六七二）の青葉の季節を待ち、正之が老軀に鞭打つようにしてふたたび会津をめざしたのは、寿蔵の地の選定だけを目的としていた。

五月十日、鶴ヶ城着。

だがここでまた、枯れ枝のごとくとなった正之に激しい衝撃を与える事件が起こった。まだ月も変わらない五月二十八日、大老田中三郎兵衛が急逝したのである。

麻裃《あさがみしも》姿で元気に正之を迎えた三郎兵衛は、前夜に帰邸して夕食をとったあと、気分が悪くなった。それがこの朝になって忽然と意識を失ったため、二年前の発作の再発と思われたが、その危惧が的中してそのまま死亡したのであった。

正之がまだ幸松《こうまつ》という幼名をなのって高遠城にあった寛永四年（一六二七）、やはり右京という幼名をもって側近くつかえたのがこの田中三郎兵衛正玄《まさはる》である。尾張藩の成瀬隼人、紀州藩の安藤帯刀《たてわき》とともに天下の名家老のひとりとされ、三人のうちでももっとも優なる者といわれていた三郎兵衛の不意の死は、正之を深い憂いに沈ませた。

翌二十九日の朝の膳から精進ものしか口にしなくなった正之は、井深《いぶか》茂右衛門、梁瀬《やなせ》三左衛門、佐藤勘十郎あらため友松勘十郎の三家老を三の丸の殿舎にまねくと、閉ざされた双眸《そうぼう》を手巾でぬぐいながら述懐した。

「もし余がみまかったところで、諸人は哀惜すれば事足りる。しかし三郎兵衛の死は、士農工商すべての者たちの不幸である。三郎兵衛は余につかえること四十六年、一度たりとも私意をはさむおこないがなかった。余が将軍家輔佐の大命を拝してひさしく江戸にある間、封内のことは大小となく三郎兵衛にまかせておいたのも、三郎兵衛ならばなにも心配はなかったからだ。山崎闇斎殿は大儒《たいじゅ》なれども、政務をとらせたならば三郎兵衛にはおよばぬであろう」

山崎闇斎うんぬんというのは、闇斎自身も三郎兵衛をこう評価していたことを踏まえていた。

「御家老の田中さまは学問はこれなく候えども大いなる仁をそなえた御器量にて、その点でそれがしなどはとてもおよぶものではござりませぬ」

つづけて正之は、三人の家老たちに今後は月番の者を中心に合議制で藩政を見るよう指示し、正経があらわれるとまた告げた。

「三郎兵衛が存命であれば余が生きているよりそなたのためになったであろうに、まことに残念なことをいたした。今後とも、三郎兵衛の定めた制度は変更いたすな」

はからずもこのことばが、藩政に関するかれの遺言となった。

さらに正之は、田中家を相続した三郎兵衛の甥の加兵衛《かへえ》に対し、猪苗代の見禰山《みねやま》のふもとの土地三千坪を与え、ここに三郎兵衛の墓所をいとなむよう命じた。

見禰山とは、会津嶺《あいづね》ともいわれる秀峰磐梯山《ばんだいさん》の東の峰のこと。寛永二十一年（一六四四）四月、まだ三十四歳の若さだった正之は、初めて猪苗代を訪問、見禰山の南の台地上にある亀ヶ城からその赤松の林を眺め、ウグイスの啼声を聞いて、

「神代の高天原というところも、このような景色だったのではないか」

と嘆声を放ったものだった。

いまもまぶたにあざやかなその美しい山里に、正之は六十の歳まで刻苦精励しつづけた忠臣を眠らせてやりたくなったのである。

この寛文十二年（一六七二）は六月に閏《うるう》があったため、八月十九日は太陽暦の十月九

日に当たっていた。山国の会津も秋晴れがつづいて空気が澄みわたり、紅葉狩には絶好の季節であった。

この日、友松勘十郎を猪苗代へ先乗りさせた正之は、二十一日、もうひとりの国家老梁瀬《やなせ》三左衛門とこの日のために江戸からきてくれた吉川惟足とを供として、鶴ヶ城をあとにした。

若松—猪苗代間は約四里半の道のり。猪苗代は会津盆地より今日の標高にして七百メートルほど高地だから、左手前方に磐梯山の雄姿が見えてくるにしたがい、錦秋はますます濃まやかになった。

その全山燃えあがるような景色のなかを見禰山ふもとの見禰村まですすんだ一行は、馬上あらわれた友松勘十郎と合流。村内の式内社磐椅《いわはし》神社に参拝して昼食をしたためてから、ほど近い田中三郎兵衛の墓所にむかった。

三郎兵衛の石の墓標には、

「田中正玄之墓」

とのみ刻まれ、手前に置かれた小さな拝殿には違い角丸の家紋が浮彫にされていた。赤松と杉の木立にかこまれたこの墓石には赤トンボがとまり、木洩れ日が斜めに光を投げかけている。

「この正面が、墓石でござります」

供侍に告げられて長棒引戸の乗物を出た正之は、かつて家光の供をして馬を駆った時のようにぶっさき羽織をつけてはいたが、右手には細身の杖をつかんでいた。

衣冠束帯の正装で従っていた小柄な吉川惟足があたりのたたずまいを語り聞かせると、左手を手近の松の幹にかけた正之は、

「ああ、三郎兵衛よ、ここにおるのか」

と、大きな声で呼びかけた。

「余も、ほどなくまいるからの」

思いがけないこのことばに、友松勘十郎も梁瀬三左衛門も、陣笠をうつむけてさりげなく目尻をぬぐうばかりであった。

ややあって、一行は爪先あがりになる山道をさらに十間（一八・二メートル）ばかり高みまで行ってみることにした。そこからの眺めがもっとも申し分ないと、勘十郎の報告にあったからである。

たしかに、その高みから四方《よも》に見わたす風景こそ絶景であった。

眼下のはるか南には、猪苗代湖の鏡のような湖面が天地の境も定かならぬところまで打ちつづいている。北の空には磐梯山がこれも青々と屹立し、その裾野の落葉樹を炎のように燃えあがらせている。

その美しさを口々に告げられ、正之は満ち足りたほほえみを湛えて一首詠《よ》んだ。


万代といはひ来にけり会津山たかまの原のすみかもとめて

「万代」は、「よろずよ」と「磐梯」の掛詞《かけことば》である。

正之は、この高みを寿蔵の地とすることを決意したのであった。かたわらに控えていた吉川惟足は、つつしんで返歌をこころみた。

　君ここに千とせの後の住み所二葉の松は雲をしのがん

こうして死出の用意をことごとくおえた正之は、九月十三日に会津を出立。二十五日には家綱に帰府の報告をおこない、十一月上旬から風邪気味となって箕田の下屋敷の寝所に臥せると、もう二度とは起《た》たなかった。

それでも気分の良い時には家来たちに枕もとで『朱子語類』を読ませ、十二月十一日にはおまんの方に看護にまかり出ることまで許した正之は、正経、前田綱紀、稲葉正往らにこまごまと後事を託しておだやかに息を引き取った。

時に、寛文十二年十二月十八日の夜明け前のこと。

若き日には実父秀忠との父子のなのりも許されなかった酷薄な運命に、長じてからは相つぐ肉親の死によく堪えて徳川の平和の礎《いしずえ》を据え、家綱に後世「三大美事」とたたえられる善政を指導、国許にはさまざまな福祉制度を布《し》いて民に優しい政治をおこないつづけた会津中将保科肥後守正之は、享年六十二であった。

その死を知った大名たちはこぞって江戸城へ登城し、幕閣を介して家綱の機嫌をうかがった。これはむろん、正之の死をもっとも哀惜するのは家綱だと、だれしもがよく知っていたからである。

その後、保科正経は友松勘十郎に命じて正之の柩《ひつぎ》を見禰山の寿蔵の地に埋葬。高さ一丈二尺四寸五分（約三・八メートル）、八角形の笠型の鎮石《ちんせき》を置いて、

「土津神墳鎮石」

と刻んだ。

これが正之の奥津城《おくつき》であり、この地よりさらに田中三郎兵衛の墓所近くに建立されたのが土津神社にほかならない。

その社務所前には鎮石よりなお丈高い「土津霊神碑」が立ち、側面には山崎闇斎撰文の千九百四十三字が整然と彫られて、不世出の名君の歩んだ道のりを今日に伝えている。三百数十年の風雪に堪えて現存する鎮石とこの石碑とにくらべれば、もとより本稿は紙の碑《いしぶみ》にすぎない。

しかし特に明治維新を決定づけた戊辰戦争の際、会津藩が初代藩主正之の定めた家訓の精神に殉じて最後まで徳川家のために戦ったため、その後正之の業績は急速に忘れ去られた。この書きものは、その忘れられたことどもをもう一度跡づけるための試みでもあった。

なお会津には今日も正之のことを、

「はにっつぁま」

と呼ぶ古老たちがいるという。

あとがき

この十年あまりの間、ぽつぽつと保科正之の関係史料を集め、それに読みふけるのが最大の楽しみでした。正之の傲《おご》りを知らない心を伝える史料をたどってゆくうちに、こちらまでなんとなく心を洗われたように感じることが度重なるからです。

私はそんな勉強をつづけるうちに、保科正之を日本近世史にあらわれた傑物のひとり、と確信するようになりました。徳川三代将軍家光の異母弟、四代家綱の輔弼《ほひつ》役として幕政に全身全霊を捧げ尽くしたその功績は、左のように要約できます。

一、家綱政権の「三大美事」の達成（末期養子の禁の緩和、大名証人〔人質〕制度の廃止、殉死の禁止）。

二、玉川上水開削の建議。

三、明暦の大火直後の江戸復興計画の立案と、迅速なる実行（ただし、江戸城天守閣は無用の長物として再建せず）。

これらのことをなぜ私が評価するか、という論拠については『保科正之――徳川将軍家を支えた会津藩主』（中公新書、一九九五）、『保科正之言行録――仁心無私の政治家』（同、一九九七）に詳述したのでここではくりかえしませんが、会津藩初代藩主としての業績はつぎのようになるでしょう。

四、幕府より早く殉死を禁止したこと。

五、社倉制度の創設（以後、飢饉の年にも餓死者なし）。
六、間引の禁止。
七、本邦初の国民年金制度の創設（身分男女の別を問わず、九十歳以上の者に終生一人扶持《ぶち》〔一日につき玄米五合〕を給与）。
八、救急医療制度の創設。
九、会津藩の憲法である家訓《かきん》十五カ条の制定。

しかし私は歴史学者ではありませんので、以上のような正之の足跡があきらかになるにつれて、どうしてこの人はかくもユニークな発想と実行力とを備えることができたのか、という点に興味を覚えるようになりました。

その目でもう一度正之の人生を追いかけてゆくと、新たな地平が見えてきました。間引を禁止したのは、自分もあやうく水子にされかけたという出生の秘密を知ったため。殉死を禁じたのは家光の死の直後に殉死する幕閣が相つぎ、幕政運営に支障をきたした苦い経験があったため。大名証人制度を廃止したのも、自分が肉親の縁薄い育ち方をしたため、一家のあるじと妻子とが国許と江戸とに別居せざるを得ない非人情な制度を厭わしく思ったからではなかったか……。

そのように考えると、個人的な体験をそれだけにおわらせず、仁政をおこなうという人生の大目標にむけての一里塚としてむしろ自分の糧にしていった正之の精神のあり方がわかったような気がしました。

そこで取りかかったのが本作というわけですが、つぎに学芸通信社配信のこの小説を掲載して下さった新聞各紙の読者に対する「作者のことば」を再録して御参考に供します。

「私はすぐれた業績を残しながら、なんらかの理由で現代人に忘れられてしまった人物の発掘を心がけて創作活動をつづけています。本編の主人公は保科正之。薄幸な少年時代を送った彼がやがて事実上の天下の副将軍として『徳川の平和』を築いてゆく過程を、さまざまなエピソードを交えてわかりやすく語りたいと思います。これが私の代表作になるかも知れません。ご支援のほどを」

「代表作」云々は別として、ここではなぜ日本人が保科正之の存在を忘れて現代に至ってしまったのか、という問題に関する私見を述べておきます。

寛政の改革を指導した老中松平定信の口癖は、

「私がつねに心掛けているのは、かの保科肥後守さまのひそみにならいたいということだ」

というものでした。

幕末の賢侯のひとりとして知られた越前福井藩主松平春嶽《しゆんがく》は、討幕運動に対抗して幕府が京都守護職という新たな警察機構をもうけることになった時、その有力候補と見られた会津藩第九代藩主松平容保《かたもり》にむかっていいました。

「尊藩には、土津《はにつ》公（正之）のお定めになった家訓《かきん》があるではないか。土津公ならば、きっと京都守護職をお引き受けあそばされたであろう」

これほどまでに正之は、幕末まで屈指の名君としてひろく世に知られた存在でした。

その正之が急速に歴史の闇に塗りこめられてしまったのは、右のように春嶽からいわれてやむなく京都守護職に就任した松平容保が、戊辰戦争開幕とともに賊徒首魁と名指されたこと、そのため旧会津藩が徳川三百年の平和に貢献した事実は明治以降意図的に無視されつづけ、今日なお保科正之を研究する歴史学者が皆無であることなどに原因がある。私はそう考えています。

本書によって保科正之という存在が、そんな〝時代の事情〟によって蔑《なみ》されてよい人物ではないとわかっていただければ、作者としてこんなうれしいことはありません。

なお、作中に引用した詩「黄鳥」の読み下しは、吉川幸次郎註『中国詩人選集』第二巻（岩波書店）所収のものを参考にしました。

また『保科正之公と土津神社』（土津神社刊）の著者塩谷七重郎氏は、福島県猪苗代町にある田中正玄の墓所の取材に先んじて、詳細な手書きの地図を送って下さいました。担当して下さった学芸通信社の大竹真理子氏と上田隆氏、なにかと助言をいただいた文藝春秋文藝振興局高橋一清氏、単行本作りとその文庫化に際してお世話になった同社出版局の萬玉邦夫氏、文庫編集部の池田幹生氏のお名前とともに、ここに記して深甚なる謝意を捧げます。

中村彰彦

平時と非常時の両方に対応できる政治家
……保科正之とリーダーシップの条件

山内昌之

歴史家が果たすべき仕事は多い。その一つは、歴史の暗がりに消えた人物や、そもそも最初から忘れ去られた人物に光をあて、その人間が歴史で果たした役割を正しく後世に紹介することであろう。この意味でいえば、直木賞作家の中村彰彦氏は、すでに『保科正之』（一九九五年）と『保科正之言行録』（一九九七年）という二冊の中公新書の上梓によって、近世屈指の政治家を復権させた点でも、ゆうに歴史家の務めも果たしたことになる。

日本史の伝記シリーズとして定評があり、菊池寛賞を受けた吉川弘文館の「人物叢書」でさえ、これまで保科正之を扱っていないのである。中村氏の良質なセンスには驚くほかない。また、ひとたび数少ない史料に密着して事実を復元した中村氏にとって、徳川政権の安定をはかった魅力的な政治家を創作とイマジネーションの世界で彫琢しようとするのは、当然のなりゆきであったろう。こうして、小説『名君の碑』が生まれた。

その主人公、保科正之の生涯は、公私にわたって後世の日本人に多くを教え諭してくれるかのようだ。まず何よりも、正之は『老子道徳経』にいう知足の人であった。「みずから勝つ者は強く、足《た》るを知る者は富む」というのは、克己心と知足の精神を説いたものである。正之は、武力による強さや金穀の豊かさを重視するよりも、いまある自分の姿に満足し、引き立ててくれた人びとに感謝の心を忘れなかった。この謙抑は、徳川二代将軍秀忠の子だったにもかかわらず、高遠城主保科正光の養子として育った数奇の事情と無縁ではないだろう。正之は、母お静と秀忠との関係を嗅ぎつけた正室お江与の狂気じみた嫉妬によって、あわや水子として闇に葬られようとした。しかし、母の愛情に加えて、武田信玄ゆかりの見性院と信松院という二人の女性による慈しみで救われたのだ。こうして正之は、門地や血筋を誇るよりも、人への感謝を忘れない謙虚な人間に育っていった。これこそ、後年の奥ゆかしい人格をつくりあげ、やがて正之を最高権力の座に押しあげてゆく要因なのである。

実弟の駿河大納言忠長を死に追いこんだ三代将軍家光にとって、異母弟正之の存在を知ったとき、最初の心境はなかなかに複雑なものだったに違いない。徳川の天下を盤石にするためとはいえ、同腹の弟を自害させた家光は、そこはかとない寂寥感に襲われていたことだろう。オスマン帝国のように、スルタン後継者の地位をめぐってフラトリサイド（兄弟殺し）が制度として合理化されていた王朝とは違うのである。一門が一致結束して得宗や宗家をもりたてるべしというのが、建前として北条や足利など日本の武家政権に見られる伝統であった。しかし、徳川政権には家康の実子が起こした御三家が睨みをきかしていた。家光としては、自らの死後、幼君家綱を補佐する宗家の柱石が欲しいところであった。万事につけて野心家だった忠長と違って、己の分を知る正之は輔弼《ほひつ》の任にうってつけの人物であった。忠長は、加増の上百万石の大封に列するか、大坂城をあずけるか、などと無理難題を秀忠に迫ったほどの増上慢であった。家光が無欲恬淡《てんたん》とした正之を肉親として、いとおしく思ったとしても当然であったろう。

家光に引き立てられ会津二十三万石（別に預かり高が五万石）の大封を得た後も、正之の将軍家に対する忠誠心には、少しも狎《な》れるところがなかった。将軍の実弟でありながら、君臣の分を忘れないのである。現代の企業においても、同族経営の場合、オーナー社長の傍らに兄弟や肉親がいることは珍しくない。しかし、組織のなかでは、弟や叔父であっても社長としての兄や甥に仕えるというけじめが必要なのである。さもなければ、他のサラリーマン役員や部下たちにしめしがつかないであろう。兄弟や家族による公私のけじめのなさは、やがて組織の統制を麻のように乱すもとになる。このあたりは現代の企業であれ、江戸の幕閣であれ、組織の本質として変わるところがない。正之が幕閣に参画しても、大老や老中を務める譜代大名のエリート、たとえば井伊直孝、酒井忠勝、松平信綱といった創業の功臣たちに対して少しも驕り高ぶる点がなかったのは素晴らしい。果して、死期が近づいた家光は、正之に向って、その行列を将軍の鹵簿《ろぼ》と同じ規模にせよと命じただけでなく、萌葱《もえぎ》色の直垂《ひたたれ》の着用も許した。この萌葱色は、秀忠と家光の親子が好んだために禁色《きんじき》あつかいになっていた。こうして家光は、保科肥後守正之こそ将軍に準ずる重き者であることを内外に闡明《せんめい》したことになる。

将軍だけでなく、重役たちにも信頼された正之は、格別の努力もせずに組織の何たるかを会得した稀有の人物といってもよい。こうして周囲の信頼を得た正之に対して、将軍家光が臨終の際に「託孤《たっこ》の遺命」を下したのも当然であろう。この言葉は、中村氏も指摘するように、残された幼児を託されたという意味である。事実、正之は家綱が四代将軍職を継いでから国元はもとより、しばらく藩邸にも帰らずに、千代田の城内で一心不乱に執務と将軍補佐の任にあたった。赤誠とはこの人のためにあった語句であろう。

正之の輔育のよろしきを得て、家綱は穏和かつバランス感覚に富んだ為政者として成長していった。もしこの将軍がいま少し長らえていたならば、偏執狂じみた綱吉の五代将軍襲職はありえず、正之らが努力した改革政治が徳川中期の日本に余裕と潤いを与えていたかもしれない。生類憐みの令といった稀代の悪法で人心を惑わし、柳沢吉保や隆光大僧正などの胡乱《うろん》な人物を登用した綱吉の政治と、保科正之を中心に日本史でも一番成功した合議政治を活用した家綱の施政を比較すると、なおのことその感を強くするのである。

中村彰彦氏は、正之が家綱を輔弼して成果をあげた業績を次のようにまとめている。

一、家綱政権の「三大美事」の達成（末期養子の禁の緩和、大名人質制度の廃止、殉死の禁止）

二、玉川上水開削の建議

三、明暦の大火直後に江戸復興計画を立案し、迅速に実行したこと（ただし、江戸城天守閣は無用の長物として再建させなかった）

また、会津藩主としての治績については、

四、幕府より早く殉死を禁じたこと

五、社倉制度の創設（以後、飢饉の年にも餓死者が出なかった）
六、間引きの禁止
七、日本最初の国民年金制度の制定（身分男女の別を問わずに九十歳以上の者に終生一日につき玄米五合を給付）
八、救急医療制度の創設
九、会津藩の憲法ともいうべき家訓《かきん》十五条の制定

いずれをとってもなかなかの業績といわねばならない。私なりに、保科正之に見られる政治哲学とリーダーシップ論をまとめると、次のような点をあげられるだろうか。

第一に、正之は武断から文治に大きく舵を切った徳川幕府において、政策転換の大功労者だったことを強調したい。たとえば、創業期の幕府は実力のある外様大名を改易して権力への脅威を未然に防いだが、その反面多数の浪人を生み出す弊害により社会を不安定にさせることにもなった。これは由井正雪の乱などの不穏な動きにもつながる。正之は、あるじの死後に家臣から家督相続を願い出た養子を認めることで浪人の発生という社会問題を緩和できると考えた。従来は、養子縁組をせずに死んだ主君の意思に添うか否かがつまびらかでないために、末期《まつご》養子が禁止されてきたのである。また、十三里にも及ぶ玉川上水を開削すると、その流れに沿って敵が江戸に攻めてくる危険性があるという武断派の主張もあった。正之は、治が定まった現在、武家と町人を問わずに、首都機能を充実させるために江戸に住む者たちの暮らしぶりを豊かにしようとしたのであ

る。これは民政優先の発想にほかならない。

第二に、正之は急転する情勢や状況に対応して冷静沈着に振る舞っただけでなく、必要なら「逆転の発想」もできる政治家だったことである。明暦の大火（振袖火事）が江戸城に迫り、将軍家綱を安全な城外に移す件について人びとが議した時、正之は千代田の城内にて本営を守るべしと主張した。これは、非常時こそ、武家の棟梁として将軍家の威厳を泰然自若と保つ重要性について熟知していたからである。これを見ても、正之は文弱の徒ではありえない。武将としても堂々たる大器の片鱗《へんりん》を示したのである。しかも、正之の才は、猛火が浅草蔵前の幕府米蔵に迫ると聞いたとき、間髪を入れずに発揮された。それは、飢えた者に対して、浅草蔵前に走り、火を消して米を持ち出すこと勝手次第と触れを出した点である。むなしく焼ける米を救うだけでなく、窮民たちが米蔵を目指して必死に火を消すことにもつながる。蔵米転じて救助米となり、窮民変じて火消しともなるのだ。まさに、救恤《きゅうじゅつ》と消火の一石二鳥という「逆転の発想」なのである。

しかも、鎮火後の江戸復興に際しても、十六万両の大金を惜しげもなく投じることを主張するなど、御金蔵の蓄えを士民安堵のために使う大所高所の判断もできた。これは、非常時の対応として見事というべきだろう。さらに、参勤交代で在府中の大名を江戸から領国に帰すことにより、大消費地江戸の米価を一挙に下げることに成功している。在府の大名を帰国させるとは何事かと武断派の反撥を招いたが、正之は意に介さなかった。流通経済、需要と供給の関係を正確に理解していればこそ、決断できた洞察力に富む施策といってもよい。これは、平時と非常時の違いに応じて適切な判断を下すべき政治家の鑑《かがみ》ともいうべきだろう。

第三に、正之は現代の社会保障制度や罪刑法定主義にもつながる施策に見られるように、ヒューマニティーあふれる政治家であった。保科家が入部するまで会津藩の刑罰は、戦国の荒い気風を受け継いで、死刑にしてもただの斬首にするのでなく、残酷な方法で処刑していた。牛裂き、釜茹で、松明焙りといった名前だけでも想像できそうな苛酷な処刑法が使われていた。正之は、刑をもてあそぶことを批判し、残忍な刑を禁止している。これなどは、十八世紀イタリアのベッカリーアが『犯罪と刑罰』で主張した罪刑法定主義の先駆といってもよい。すでに正之は、ベッカリーアよりも一世紀も早く罪人の人権に配慮していたのである。また、「負わせ高」なる悪税を廃止したのも正之らしい。これは、耕作不可能な土地にも課税する制度であったが、百姓の難儀を見かねてこれを廃止すると、かえって農民が「隠田《おんでん》」（検地のときに申告しなかった隠し田）の存在を申告して税収が増大したというのだ。ひたむきな心で接すれば領民も心を開いてくれるというのが、孟子の性善説を信奉する正之の統治理念だったのである。これに加えて、年貢米の四割三分までの切り下げ、飢饉にあたっても領民を飢えさせない「社倉」の制度、老人に対する年金の支給などは、現代の社会福祉の理念を先取りしているといってもよいだろう。しかも、社倉米は災害見舞という性格の他に、新田開発の褒美や農民への褒賞など、謝礼や労賃としても用いられた。十七世紀のヨーロッパにこれほどの仁慈とヒューマニティーにあふれた領主がどれくらいいただろうか。

第四に、正之は嘘を言わない政治家として古今東西において比類のない人物であった。

政治家は、在任期間中にいろいろな人間と折衝する。あれは嘘をつかない人間だという定評ができることこそ、政治家にとって最大の財産なのである。しかも、主君に嘘をつくのはどれほど些細であっても、許されないというのが正之の信念だった。ある日のこと、将軍家の猟場で鷹狩りを許された正之は、翌日さっそくに登城して雁二羽を献上した。獲物は二羽だけだと正直に言上すると、家光は自分の好意が通じなかったと解したらしく、急に不機嫌になった。酒井忠勝は、お上を満足させるには、獲物の一部でござるなど物にも言い様があろうと注意した。すると正之は、「こと小なりといえどお上をあざむく罪は大なるものと信じておりますので、かくは申しあげたのです」と答えたという。どこまでも気性がまっすぐな人間だったのである。主人に忠誠を尽すだけでなく、人との信義に篤く嘘をつかない特性は、時代の今昔を問わずに政治の世界では〈良識と経験の一般的原則〉だといってもよい。この点でも正之は、ヒューマニティーと良識を兼備した模範的な為政者だったのである。

　これほどの人物が歴史の暗がりに隠れていたのは不思議というほかない。正之自身が不敬を避けて意図的に将軍家輔弼に関わる書き付けを焼却処分にしたことも、彼の実像を分かりづらくした一因かもしれない。しかし、もっと本質的なのは、幕末に会津藩主松平容保が京都守護職となって薩長など西南雄藩との対決の先頭に立った事実と無縁ではないだろう。さらに、戊辰戦争において朝敵の汚名を着せられた会津藩は、薩長中心の勤王順逆史観において否定されるべき悪役なのであった。薩摩の重野安繹《しげのやすつぐ》や肥前の久米邦武らの西南雄藩出身者がつくった官学の国史アカデミズムにおいて、会津藩の正当な評価は期待するべくもなかった。その藩祖保科正之は存在が抹殺され、その事績が無視される存在でしかなかったのである。順逆史観のドグマへの挑戦は、現在のアカデミズムでは珍しいものではない。しかし、そうした学界の流れとは別に保科正之という稀有の政治家を世に知らしめた中村氏の功績は大きい。政治がポピュリズムの様相を呈する現在、リーダーシップと責任感の問題を考えるためにも『名君の碑』は多くを教えてくれるだろう。また、ヒューマニティーと良識が一般市民の感性から次第に消え去ろうとしているとき、保科正之のような知足の人から受ける感動はあまりにも大きいといわねばならない。

単行本　一九九八年十月　文藝春秋刊

文春文庫

名《めい》君《くん》の碑《いしぶみ》　保科正之《ほしなまさゆき》の生涯《しょうがい》

定価はカバーに表示してあります

2001年10月10日　第1刷
2022年5月30日　第12刷

著　者　中村彰彦《なかむらあきひこ》

発行者　花田朋子
発行所　株式会社　文藝春秋

東京都千代田区紀尾井町3-23　〒102-8008
TEL　03・3265・1211㈹
文藝春秋ホームページ　http://www.bunshun.co.jp

落丁、乱丁本は、お手数ですが小社製作部宛お送り下さい。送料小社負担でお取替致します。

印刷製本・凸版印刷

Printed in Japan
ISBN978-4-16-756705-7

（　）内は解説者。品切の節はご容赦下さい。

鳥羽 亮
八丁堀「鬼彦組」激闘篇
蟷螂《かまきり》の男

ある夜、得体のしれない賊に襲われ殺された材木問屋の主人の遺体に残された傷跡は、鬼彦組の面々が未だ経験したことのない形状だった。かつてない難敵が北町奉行所に襲いかかる！

と-26-14

鳥羽 亮
八丁堀「鬼彦組」激闘篇
奇怪な賊

大店に賊が押し入り番頭が殺され、大金が盗まれた。中からは厳重に戸締りされていて、完全密室状態だった。そしてまた別の店が——一体どうやって忍び込んだのか！　奴らは何者か？

と-26-15

鳥羽 亮
八丁堀「鬼彦組」激闘篇
福を呼ぶ賊

福猫小僧なる独り働きの盗人が、大店に忍び込み、挨拶代わりに招き猫の絵を置いていくという事件が立て続けに起きた。被害にあった店は以前より商売繁盛となるというのだが……。

と-26-16

鳥羽 亮
八丁堀「鬼彦組」激闘篇
強奪

日本橋の薬種問屋に盗賊が入った。被害はおよそ千二百両ほど。ところが翌朝その盗賊たちが遺体で発見された。一体何が起きたのか？　仲間割れか？　鬼彦組に探索の命が下った。

と-26-17

土橋章宏
チャップリン暗殺指令

昭和七年（一九三二年）、青年将校たちが中心となり首相暗殺などクーデターを画策。陸軍士官候補生の新吉は、来日中の喜劇王・チャップリンの殺害を命じられた——。傑作歴史長編。

と-33-1

永井路子
炎環

辺境であった東国にひとつの灯がともった。源頼朝の挙兵、それはまたたくまに関東の野をおおい、鎌倉幕府が成立した。武士たちの情熱と野望を描く、直木賞受賞の名作。　（進藤純孝）

な-2-50

永井路子
山霧　毛利元就の妻　（上下）

中国地方の大内、尼子といった大勢力のはざまで苦闘する元就の許に、鬼吉川の娘が輿入れしてきた。明るい妻に励まされながら戦国乱世を生き抜く武将を描く歴史長編。　（清原康正）

な-2-52

（　）内は解説者。品切の節はご容赦下さい。

永井路子
北条政子
伊豆の豪族北条時政の娘・政子は流人源頼朝に恋をする。源平の合戦、鎌倉幕府成立。御台所となり実子・頼家や実朝、北条一族、有力御家人の間で乱世を生きた女を描く歴史長編。（大矢博子）
な-2-55

中村彰彦
二つの山河
大正初め、徳島のドイツ人俘虜収容所で例のない寛容な処遇がなされ、日本人市民と俘虜との交歓が実現した。所長こそサムライと称えられた会津人の生涯を描く直木賞受賞作。（山内昌之）
な-29-3

中村彰彦
名君の碑
保科正之の生涯
二代将軍秀忠の庶子として非運の生を受けながら、足るを知り、傲ることなく、兄である三代将軍家光を陰に陽に支え続け、清らかにこの世に身を処した会津藩主の生涯を描く。（山内昌之）
な-29-5

新田次郎
武田信玄
（全四冊）
父・信虎を追放し、甲斐の国主となった信玄は天下統一を夢みる（風の巻）。信州に出た信玄は上杉謙信と川中島で戦う（林の巻）。長男・義信の離反（火の巻）。上洛の途上に死す（山の巻）。
に-1-30

新田次郎
怒る富士
（上下）
宝永の大噴火で山の形が一変した富士山。噴火の被害は甚大で、被災農民たちの救済策こそ急がれた。奔走する関東郡代の前に立ちはだかる幕府官僚たち。歴史災害小説の白眉。（島内景二）
に-1-36

新田次郎
槍ヶ岳開山
妻殺しの罪を償うため国を捨て、厳しい修行を自らに科した修行僧・播隆。前人未踏の岩峰・槍ヶ岳の初登攀に成功した男の苛烈な生き様を描いた長篇伝記小説。「取材ノートより」を併録。
に-1-38

葉室　麟
銀漢の賦
江戸中期、西国の小藩で同じ道場に通った少年二人。不名誉な死を遂げた父を持つ藩士・源五の友は、名家老に出世していた。彼の窮地を救うために源五は……。松本清張賞受賞作。（島内景二）
は-36-1

文春文庫　最新刊

狂う潮　新・酔いどれ小籐次（二十三）　佐伯泰英
小籐次親子は参勤交代に同道。瀬戸内を渡る船で事件が

美しき愚かものたちのタブロー　原田マハ
「日本に美術館を創る」。〝松方コレクション〟誕生秘話！

偽りの捜査線　警察小説アンソロジー　誉田哲也 大門剛明 堂場瞬一 鳴神響一 長岡弘樹 沢村鐵 今野敏
刑事、公安、警察犬――人気作家による警察小説最前線

耳袋秘帖 **南町奉行と餓舎髑髏**　風野真知雄
海産物問屋で大量殺人が発生。現場の壁には血文字が…

仕立屋お竜　岡本さとる
腕の良い仕立屋には、裏の顔が…痛快時代小説の誕生！

武士の流儀（七）　稲葉稔
清兵衛は賭場で借金を作ったという町人家族と出会い…

飛雲のごとく　あさのあつこ
元服した林弥は当主に。江戸からはあの男が帰ってきて

将軍の子　佐藤巖太郎
稀代の名君となった保科正之。その数奇な運命を描く

震雷の人　千葉ともこ
唐代、言葉の力を信じて戦った兄妹。松本清張賞受賞作

紀勢本線殺人事件〈新装版〉十津川警部クラシックス　西村京太郎
21歳、イニシアルY・HのOLばかりがなぜ狙われる？

あれは閃光、ぼくらの心中　竹宮ゆゆこ
ピアノ一筋15歳の嶋が家出。25歳ホストの弥勒と出会う

拾われた男　松尾諭
航空券を拾ったら芸能事務所に拾われた。自伝風エッセイ

風の行方 上下　佐藤愛子
64歳の妻の意識改革を機に、大庭家に風が吹きわたり…

パンチパーマの猫〈新装版〉　群ようこ
日常で出会った変な人、妙な癖。爆笑必至の諺エッセイ

読書の森で寝転んで　葉室麟
作家・葉室麟を作った本、人との出会いを綴るエッセイ

文学者と哲学者と聖者　吉満義彦コレクション（学藝ライブラリー）　若松英輔編
日本最初期のカトリック哲学者の論考・随筆・詩を精選